改訂第2版

不妊症・不育症治療

希望に応える専門外来の診療指針

編集

黒田恵司 杉山産婦人科丸の内院長,順天堂大学医学部産婦人科学講座非常勤講師

竹田 省 順天堂大学医学部産婦人科学講座特任教授,恩賜財団母子愛育会愛育研究所所長

田中 温 セントマザー産婦人科医院院長,順天堂大学医学部産婦人科学講座客員教授

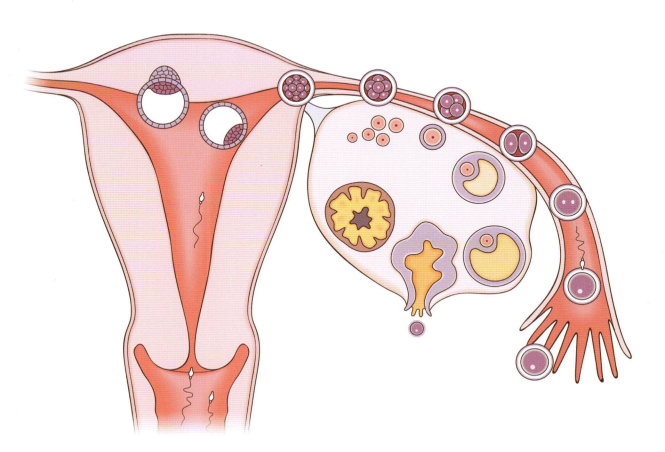

MEDICAL VIEW

本書では，厳密な指示・副作用・投薬スケジュール等について記載されていますが，これらは変更される可能性があります。本書で言及されている薬品については，製品に添付されている製造者による情報を十分にご参照ください。

Treatment for infertility and recurrent miscarriage on the basis of clinical data, 2nd edition
Best practice guide in infertility clinic for realizing patients' hopes
（ISBN978-4-7583-2142-6 C3047）

Editors : KURODA Keiji
　　　　　TAKEDA Satoru
　　　　　TANAKA Atsushi

2017. 3. 31 1st ed
2022. 8. 10 2nd ed

©MEDICAL VIEW, 2022
Printed and Bound in Japan

Medical View Co., Ltd.
2-30 Ichigayahommuracho, Shinjuku-ku, Tokyo, 162-0845, Japan
E-mail ed@medicalview.co.jp

序　文

　日本は1970年代に年間出生数200万人以上であったが，その後の出生数は低下の一途をたどり，2021年の出生数は過去最低の約81万人となった。その少子化の背景には女性の晩婚化・晩産化が関係している。この40年間で女性の結婚年齢は24歳から29歳まで上昇し，これに伴い第一子出生時の平均年齢も30歳を超えている。女性の高齢化により卵巣予備能が低下することはもちろんだが，子宮筋腫や子宮内膜症などの婦人科疾患の発症リスクの増加などさまざまな要因が，女性の妊孕能へ影響している。一方で，男性不妊，特に性機能障害の割合が若年層で増加しており，社会的な問題となっている。さらに，日本の若年女性において，ストレスの増加や，スリム志向による低栄養ややせの割合の増加により，不妊症やその後の妊娠・出産における合併症，生まれてくる子どもの将来におけるさまざまな疾患の発症リスクが増加していることが問題となっている。

　生殖医学は，体外受精における配偶子や受精卵などの細胞培養など，基礎研究と密接にかかわるため，細胞生物学や生殖工学などの発展に伴い，飛躍的に進歩してきた。また世界中でさまざまな臨床研究が行われ，多数の臨床データが存在する。これらを収集し，臨床現場において不妊症や不育症の患者ごとで，ベストな生殖医療を提示できるように，2017年に本書を発刊した。

　その後5年が経過し，さまざまな新たなデータが報告され，かつ日本では着床前スクリーニングなどの革新的な医療技術も実際に行われるようになってきた。また，2020年から新型コロナウィルスが蔓延したことにより，さらなる少子化が進んだ。一方で，2022年4月に不妊治療の保険適用の大幅拡大が進んだことで，日本の生殖医療も新たな転換期を迎えている。この状況の中，生殖医療を行う医療従事者は，妊娠ができない，流産で悩む女性がひとりでも多く妊娠・出産の喜びをわかちあうことができるように，最善な診療を提示する義務がある。

　本書は，この5年間の新たな医療技術を加え，新しい臨床データを追加し改定を行った。医師だけではなく生殖医療に関わる胚培養士，看護師などさまざまな医療従事者の方々の，臨床の一助になることを切に願っている。

2022年6月吉日

黒田　恵司

[第1版より] 序　文

　女性の社会進出，晩婚化，妊娠年齢の上昇，少産少子化など女性を取り巻く社会環境，社会情勢が劇的に変化している．その結果，この20年間で女性の初婚年齢は5歳上昇して30歳になろうとしており，妊娠・出産をめぐり有史以来経験したことのなかった，まさに初めての状況・時代に突入している．

　また，わが国特有の現象であるといえる痩せ体型志向の女性の増加は，平均出生時体重の減少につながっており，その傾向には歯止めがかからない．その結果，小さく生まれた子供達が将来さまざまな疾病の発症リスクに曝されるという"Developmental Origins of Health and Disease（DOHaD）"のように，母親の習慣が子に悪影響することが問題になっている．これら妊娠・分娩に関わる食生活や生活習慣を含めた新しい知識や概念を理解し，妊娠・分娩に備えることは，その転帰のみならず次世代の健康にも影響してくるものと思われる．

　不妊治療もまさにこのようなさまざまな影響・問題を考え，極めて複雑かつ繊細な治療が必要となっている．子宮筋腫，子宮腺筋症を含めた子宮内膜症をもつ女性の増加，痩せ願望，肥満，高血圧・糖尿病合併症例，ストレス・メンタルヘルス問題症例，精子数の減少，男性不妊の増加など種々の問題をかかえている症例も多く，個別のアドバイス，検査，治療，産科への受け渡しが必要となってきている．

　一方でAssisted Reproductive Technology（ART；生殖補助技術）や新技術の開発，研究などが急速に進み，以前とは比べものにならない格段の進歩を遂げている．不妊症・不育症の研究も進み，受精，着床をめぐる分子生物学的レベルの生理・病態も解明されつつあり，病態別の治療法も検討されるようになってきた．精子凍結，未受精卵・受精卵凍結，卵巣凍結保存法などもごく普通に施行されるようになってきている．新たな倫理的問題のコンセンサスや長期予後などにも目を向けてデータ収集し，フィードバックする研究も望まれている．

　このような時代にもう一度データを振り返り，知識を整理し，不妊症や不育症治療を考えてみた．臨床の現場での患者さんへの説明にも使用できるよう工夫もこらした構成になっている．初期研修医，産婦人科専攻医のみならず産婦人科専門医，不妊治療の専門医の先生方も含め臨床の一助になることを願っている．ご一読ご使用戴き，ご批判を戴きたい．

2017年3月吉日

竹田　省

目次

改訂第2版 データから考える 不妊症・不育症治療
希望に応える専門外来の診療指針

序　文 ……………………………………………………………………… 黒田恵司
第一版　序　文 …………………………………………………………… 竹田　省

総論　なぜ不妊症・不育症になるのか？

生殖医療の背景
- **女性のライフスタイルの変化** …………………………………………… 2
  - 働く女性の現状　2
  - やせと食生活　4
    - column：DOHaD：生活習慣病胎児期発症起源説　7
- **プレコンセプションケア** …………………………………………………… 9
  - プレコンセプションケアとは　9
  - プレコンセプションケアの必要性　10
  - 不妊クリニックでのプレコンセプションケアの実際　11
- **女性妊孕能に及ぼすエイジングの影響** ………………………………… 17
  - 卵巣への影響　17
    - column：抗ミュラー管ホルモン（anti-Müllerian hormone；AMH）　19
  - 子宮への影響　21
- **卵巣予備能に影響するリスク因子** ……………………………………… 23
  - 卵巣予備能を低下させる要因　23
  - 卵巣予備能の評価法　24
  - 卵巣予備能低下症例に対する不妊治療　26

不妊治療に必要な基礎知識
- **婦人科内分泌の基礎知識** ………………………………………………… 27
  - 視床下部　28
  - 下垂体　28
  - 卵巣　29
  - エストラジオールによるフィードバック機構　30
  - 子宮　31
- **月経周期** …………………………………………………………………… 32
  - 月経とは　32
  - 子宮内膜の周期性変化　33
  - 月経周期　34
  - 無月経　35
  - 基礎体温　36
- **妊娠の成立** ………………………………………………………………… 37
  - 卵胞発育　38
  - 卵子形成　39
  - 卵胞におけるホルモン産生　40
  - 排卵　41
  - 受精と卵活性化　41
  - 子宮内膜脱落膜化と着床　42

不妊症の原因 ……………………………………………………………………… 45
不妊症の定義　45
不妊症の原因　46
女性不妊症　47
男性不妊症　49
免疫因子　49
原因不明不妊症　49

不妊治療の基本指針 ……………………………………………………………… 51
治療法の選択　51
不妊原因別の対応　53
原因不明不妊症への治療　54

男性生殖の基本 …………………………………………………………………… 56
男性不妊症に対する診療の位置付け　56
男性不妊症の内訳　57
最も多い乏無力精子症　58
無精子症　60
将来的な問題点　61

不育症・習慣流産の基礎知識

流産について ……………………………………………………………………… 62
妊娠初期の妊娠維持のメカニズム　62
流産とは　63
column：子宮内膜菲薄化と流産について　65

不育症のリスク因子 ……………………………………………………………… 67
不育症・習慣流産とは　67
不育症・習慣流産のスクリーニング　68
不育症のリスク因子の頻度　70
column：妊娠しやすい女性は流産もしやすい？　71

不育症治療の基本指針 …………………………………………………………… 73
不育症とは　73
不育症のスクリーニング検査と生活習慣の改善　74
血栓性素因疾患　75
子宮形態異常　75
内分泌異常　75
カップルの染色体構造異常　76
生殖年齢の高年齢化　76
原因不明不妊症　77
絨毛染色体検査の重要性　78

総論 Q&A

妊娠前の準備 ……………………………………………………………………… 80
- **Q1** 太り過ぎや，やせ過ぎはよくないですか？　80
- **Q2** 食事はどんなことに気を付けるとよいですか？　80
- **Q3** サプリメントは摂る必要がありますか？　81
- **Q4** 運動は必要ですか？　どのくらいすればよいですか？　81
- **Exposition**　82

年齢ごとの妊娠率 ………………………………………………………………… 88
- **Q1** 歳をとると，妊娠しにくくなるのですか？　88
- **Q2** なぜ，歳をとると妊娠率は低下し，流産率は高くなるのですか？　88
- **Q3** なぜ，閉経は起こるのでしょうか？　89
- **Q4** 今ある卵子を若返らせることはできないのでしょうか？　89
- **Exposition**　90

年齢ごとの流産率，ダウン症候群発症率 … 94
- **Q1** 高年の妊娠では流産する確率は高いのでしょうか？　94
- **Q2** 高年の妊娠ではダウン症候群が多いと聞いたのですが，どれくらいの確率なのでしょうか？　94
- **Q3** ダウン症候群かどうかは，どうしたらわかるのでしょうか？　94
- **Exposition**　95

その他，妊娠に伴う合併症の発症率 … 98
- **Q1** 不妊治療で妊娠できましたが，子宮筋腫もあり高年出産となるため心配です。気を付けることはありますか？　98
- **Q2** 生まれつき心臓の持病がありますが，妊娠・出産は可能でしょうか？どのようなことに気を付けたらよいでしょうか？　98
- **Exposition**　99

流産と染色体異常 … 108
- **Q1** 流産の原因となる染色体異常とは，どういうものですか？　108
- **Q2** 流産回数と染色体異常は関係していますか？　108
- **Q3** どうして染色体構造異常があると，流産するのでしょうか？　109
- **Q4** 染色体異常が原因の不育症に対して，どのような治療法がありますか？　109
- **Exposition**　110

各論1　不妊治療の実際―どのように妊娠に導くのか？

不妊治療のスケジュール … 116
- 不妊スクリーニング検査　117
- 不妊治療のスケジュール　119
  - column：子宮鏡検査は ART の成績を向上させるのか？　121

排卵予測 … 122
- 卵胞モニタリング　122
- 血中ホルモン検査　124
- 排卵時間の調整　125
- 排卵予測の実際　125

不妊治療に用いられる薬剤

排卵誘発剤　クエン酸クロミフェン，アロマターゼ阻害薬，hMG/FSH 製剤，GnRH アゴニスト製剤，GnRH アンタゴニスト製剤，hCG 製剤 … 130
- 排卵誘発剤の本質　130
- クエン酸クロミフェン　132
- アロマターゼ阻害薬　132
- hMG/FSH 製剤　133
- GnRH アゴニスト製剤　134
- GnRH アンタゴニスト製剤　134
- hCG 製剤　134

その他　ドーパミン作動薬，エストロゲン製剤，プロゲスチン製剤 … 136
- ドーパミン作動薬　136
- エストラジオール製剤　139
- プロゲステロン製剤　139

妊娠方法

タイミング法・配偶者間人工授精（AIH）・生殖補助医療（ART） … 142
- タイミング法　143
- 配偶者間人工授精（AIH）　143
- 性交・AIH のタイミング　144
- 生殖補助医療（ART）　146

妊娠方法別の妊娠率 ········ 148
   タイミング法　148
   配偶者間人工授精（AIH）　149
   生殖補助医療（ART）　150
   治療法別の妊娠率と仮想累積妊娠率　150
      column：正常妊孕能女性における妊娠率　152

生殖補助医療
卵巣刺激法 ········ 154
   高卵巣刺激法　155
   低卵巣刺激法　156
   卵巣予備能が著しく低い症例における卵胞発育誘導　157
   卵巣予備能と卵巣刺激法別の採取卵子数　158
   至適な卵巣刺激法の選択　159

採卵 ········ 161
   採卵の実際　161

体外受精 ········ 165
   受精方法の検討　165
   精子調整法　166
   媒精　166
   受精確認　167
   培養液の選択　167
   培養環境の徹底管理　167
   タイムラプスインキュベーターを用いた培養　168

顕微受精（ICSI）········ 171
   適応　171
   実際の方法　172
   早期に行う rescue-ICSI　175
   ICSI 成功のカギ　178
   ICSI の失敗例　178

ピエゾ ICSI ········ 181
   ピエゾ ICSI とは　181
   ピエゾ ICSI の実際　182
   c-ICSI との相違点　183
   成績　184

黄体補充 ········ 187
   適応　187
   実際の方法　188

胚移植 ········ 193
   胚移植に用いるカテーテル・培養液　193
   手技の実際　194
   新鮮胚移植と凍結融解胚移植，胚移植時期　197
   移植胚数　198
   さまざまな胚移植法　198

胚・配偶子・卵巣組織凍結保存 ········ 201
   凍結保存法　201
   胚凍結保存　203
   がん生殖医療（oncofertility）　204
      column：社会的卵子凍結　206

着床前診断（PGT-A，PGT-SR）········ 208
   PGT-A　208
   PGT-SR　218

単一遺伝子疾患の着床前診断（PGT-M） ... 220
適応となる疾患の遺伝子異常の分類　220
適応となる遺伝子異常　221
PGT-M におけるカウンセリング　222
遺伝子異常（病的バリアント）の検査法　222
実際の PGT-M を施行した症例　223

不妊治療における保険診療および先進医療制度 ... 228
保険診療が可能な検査　229
保険診療が可能な薬剤　230
保険診療が可能な不妊治療　232

各論 2　疾患別の治療

不妊症

子宮内膜症 ... 238
妊娠への影響（妊娠前）　239
妊娠への影響（妊娠後）　240
診断方法　240
治療方法とその適応　241
　column：卵巣子宮内膜症性嚢胞の発生機序と卵巣予備能への影響　242

子宮筋腫 ... 245
妊娠への影響（妊娠前）　246
妊娠への影響（妊娠後）　246
診断方法　247
治療方法とその適応　248
　column：surgery-ART hybrid therapy の実際の方法　249

子宮腺筋症 ... 252
妊娠への影響（妊娠前）　252
妊娠への影響（妊娠後）　253
診断方法　254
治療方法とその適応　256

子宮腔内病変 ... 259
妊娠への影響（妊娠前）　259
妊娠への影響（妊娠後）　261
検査と診断方法　261
治療方法とその適応　263
治療後の妊娠・分娩への対応　264

多嚢胞性卵巣症候群（PCOS） ... 266
妊娠への影響　267
診断方法　267
治療方法とその適応　269
　column：高 AMH 血症が FSH を抑制する　272

低ゴナドトロピン性性腺機能低下症もしくは不全症 ... 275
妊娠への影響（妊娠前）　275
妊娠への影響（妊娠後）　277
診断方法　277
治療方法　278

早発卵巣不全（premature ovarian insufficiency；POI） ... 281
妊娠への影響（妊娠前）　281
妊娠への影響（妊娠後）　282
診断方法　282
治療方法とその適応　283

原因不明不妊症 ・・・ 289
不妊スクリーニングで検索不可能な不妊原因の存在　289
卵管疎通性のある卵管機能障害　291
受精障害　291
着床障害　293
column：反復着床不全に対するOPTIMUM treatment strategy　296

男性不妊症 ・・・ 299
造精機能障害に対する薬物治療　299
精索静脈瘤に対する外科的治療　300
閉鎖性無精子症に対する精路再建術　301
無精子症に対する精子採取術　302

卵管機能障害 ・・・ 304
妊娠への影響（妊娠前）　304
妊娠への影響（妊娠後）　305
診断方法　305
治療方法とその適応　308

慢性子宮内膜炎 ・・・ 312
妊娠への影響（妊娠前）　312
妊娠への影響（妊娠後）　313
診断方法　313
治療方法とその適応　314
column：子宮内細菌叢と妊孕能　316

不育症

子宮形態異常 ・・・ 318
子宮形態異常の分類　318
子宮形態異常における妊孕性への影響　319
子宮形態異常と不育症　320
不妊症・不育症を有する子宮形態異常の治療　321

甲状腺機能異常 ・・・ 323
妊娠への影響（妊娠前）　324
妊娠への影響（妊娠後）　325
診断方法　327
治療方法とその適応　327
column：子宮卵管造影検査による甲状腺機能への影響　329

血栓性疾患 ・・・ 331
不育症における血栓性疾患の占める割合　331
血栓性疾患を背景とした不育症発症の臨床症状　332
血栓性疾患を背景とした不育症発症の病態生理　332
血栓性疾患の診断　334
血栓性疾患を背景とした不育症予防のための薬物治療　335

染色体異常 ・・・ 337
カップルの染色体構造異常　337
自然妊娠の妊娠成績　337
PGT-SRの妊娠成績　338
均衡型転座に起因する反復流産における，自然妊娠と着床前診断の妊娠成績の比較　338
着床前スクリーニング　340

原因不明不育症 ・・・ 345
原因不明不育症で考えられる流産のリスク因子　345
原因不明不育症のこれまでの試験的な治療法　346
原因不明不育症に対する精神的サポート（tender loving care）　347
子宮内膜脱落膜化の異常と流産　348
流産後，絨毛染色体検査の必要性　349
column：natural embryo selection（自然胚淘汰）仮説　350

各論 Q&A

タイミング法・配偶者間人工受精による一般不妊治療 ……… 352
- **Q1** 生理開始から13日目に排卵検査で陽性になりました。いつから性交渉をもったらよいですか？　352
- **Q2** 現在40歳です。これまでに人工授精を4回行いましたが，妊娠しませんでした。今後も人工授精を続けようと思っていますが，いかがでしょうか？　352
- **Q3** 42歳で今までに妊娠したことはありません。抗ミュラー管ホルモンが3.8ng/mLで30歳台の卵巣予備能がある結果でした。自然妊娠も可能ということですよね？　353
- **Q4** 不妊検査を行い，多嚢胞性卵巣症候群による排卵障害と，主人に軽い乏精子症がみつかりました。今後の治療はどんなものがありますか？　353

Exposition　354

子宮筋腫や子宮内膜症に対する手術とその後の妊娠率 ……… 360
- **Q1** 子宮筋腫を核出するとき，妊娠を希望する場合に開腹術と腹腔鏡手術のどちらが有利ですか？　360
- **Q2** 腹腔鏡下子宮筋腫核出術の術後の妊娠率は，どのくらいですか？　360
- **Q3** 子宮内膜症に対する腹腔鏡手術は術後自然妊娠が期待できますか？　361

Exposition　362

子宮粘膜下筋腫や子宮内膜ポリープに対する子宮鏡手術とその後の妊娠率 ……… 367
- **Q1** 子宮粘膜下筋腫や子宮内膜ポリープは，妊娠に影響しますか？　367
- **Q2** 子宮腔内病変の検査と診断は，どのようなものがありますか？　367
- **Q3** 子宮粘膜下筋腫や子宮内膜ポリープを治療すると，どのような変化が起こりますか？　妊娠率などは改善しますか？　368
- **Q4** 子宮粘膜下筋腫や子宮内膜ポリープ治療後は，いつから妊娠してもよいでしょうか？　治療後は経腟分娩はできますか？　368

Exposition　369

子宮筋腫・子宮腺筋症合併女性の妊娠後合併症 ……… 373
- **Q1** 子宮筋腫があると検診でいわれました。妊娠を予定していますが，どのような合併症が起こるのでしょうか？　373
- **Q2** 子宮腺筋症があるといわれています。妊娠するとどのような問題があるのでしょうか？　373

Exposition　374

　column：子宮腺筋症と不育症　377

子宮内膜症合併妊娠女性の妊娠後合併症 ……… 378
- **Q1** 子宮内膜症は，妊娠中，どのような影響があるのですか？　378
- **Q2** 子宮内膜症病変は，妊娠中，どのようなトラブルを引き起こすのですか？　378
- **Q3** 子宮内膜症は，胎児や胎盤にどのような影響がありますか？　379

Exposition　380

子宮筋腫核出術後の患者の妊娠後合併症と発生率 ……… 385
- **Q1** 子宮筋腫核出術は，妊娠にどのような影響がありますか？　385
- **Q2** 子宮筋腫核出術後の妊娠で，経腟分娩は可能でしょうか？　385
- **Q3** 子宮筋腫核出術後の妊娠で，特別な管理が必要でしょうか？　385

Exposition　386

手術を要する子宮筋腫をもつ高齢女性 ……… 390
- **Q1** 妊娠前に手術したほうがよいのは，どのような子宮筋腫ですか？　390
- **Q2** 妊娠前に子宮筋腫核出術が必要な場合，どのような患者が術前に受精卵の凍結をしておくべきですか？　390
- **Q3** 高年の女性で妊娠前に子宮筋腫を核出しなければならない場合，どれくらいの受精卵の凍結をしたほうがよいのですか？　391

Q4 子宮筋腫に対する手術はどのような手術がありますか？ またその長所と短所を教えてください。　391
　　Exposition　392

卵巣子宮内膜症性嚢胞・子宮腺筋症をもつ不妊症に対する不妊治療 …… 396
Q1 子宮内膜症になると，どうして不妊症になるのですか？　396
Q2 妊娠前に，どのような子宮内膜症は手術したほうがよいのですか？　396
Q3 妊娠前に卵巣子宮内膜症性嚢胞を手術した場合，どのような長所と短所がありますか？　397
Q4 妊娠したいのですが，生理痛が本当にひどく，また性交痛があってタイミングが取れません。どうすればよいでしょうか？　397
Q5 子宮腺筋症が大きく，なかなか妊娠せず，やっと体外受精で妊娠したのですが，流産してしまいました。今後どうすればよいでしょうか？　397
　　Exposition　398

多嚢胞性卵巣症候群（PCOS） …………………………………………………… 403
Q1 クロミフェンを内服しましたが，2周期排卵しませんでした。今後どうすればよいでしょうか？　403
Q2 卵巣刺激を行い排卵して5周期タイミングをとってきましたが，妊娠に至りません。今後どうすればよいでしょうか？　403
Q3 卵巣刺激をして卵胞が3個育ちました。どのくらい多胎になりますか？　404
Q4 卵巣多孔術を行った場合，術後妊娠率を教えてください。また術後，手術の効果はどれくらい続きますか？　404
　　Exposition　405

早発卵巣不全(primary ovarian insufficiency；POI)を含む卵巣機能低下症例 … 410
Q1 32歳で生理周期が不順になり，産婦人科へ行ったらFSHが高く，卵巣機能が下がっているといわれました。妊娠したいのですがどうすればよいでしょうか？　410
Q2 どうして早発卵巣機能不全になるのですか？　410
Q3 卵巣予備能が下がって，エストロゲン補充をしても，なかなか採卵できなくなってしまいました。他に方法はありますか？　411
　　Exposition　412
　　column：抗老化作用のあるレスベラトロールは，妊娠成績を向上させる？低下させる？　414

卵管機能障害 ……………………………………………………………………… 417
Q1 子宮卵管造影検査で卵管がまったく写りませんでした。体外受精以外で妊娠することは難しいでしょうか？　417
Q2 33歳で卵管狭窄を指摘されました。できれば自然妊娠を希望しています。どうすればよいでしょうか？　417
Q3 42歳で両側卵管閉塞を指摘されました。卵管鏡手術を考えています。いかがでしょうか？　418
Q4 38歳，卵管留水症を指摘されました。卵管の手術はしないで体外受精を希望します。どのような問題がありますか？　418
Q5 43歳，卵巣予備能の低下と卵管留水症を指摘されています。胚移植を2回行いましたが着床しませんでした。今後どうすればよいでしょうか？　418
　　Exposition　419

原因不明不妊症 …………………………………………………………………… 423
Q1 不妊症の原因がなければ，自然に妊娠できますよね？　423
Q2 不妊症の原因がないのに，どうして妊娠できないのですか？　423
Q3 体外受精したくありません。ほかに何かできることはありますか？　424
Q4 36歳で結婚しました。1年間，避妊せず夫婦生活を送ったのに妊娠しません。不妊症の原因もみつかりませんでした。体外受精を行うべきでしょうか？　424
Q5 28歳で結婚し，現在31歳です。3年間，避妊せず夫婦生活を送ったのに妊娠しません。不妊症の原因もみつかりませんでした。体外受精を行うべきでしょうか？　424
　　Exposition　425

反復着床不全症例 428
- **Q1** 30歳で胚移植を4回行いましたが，一度も妊娠検査が陽性に出ません．今後どうすればよいでしょうか？　428
- **Q2** 42歳で胚移植を4回行いましたが，一度も妊娠検査が陽性に出ません．今後どうすればよいでしょうか？　428
- **Q3** 何度も良好胚移植をしても妊娠検査が陽性に出ないときは，どんな検査をすればよいのですか？　429
- **Q4** 着床不全の検査で異常が出た場合の治療法を教えてください．　429
- **Q5** 着床不全の検査を行いましたが，原因は何もありませんでした．妊娠は諦めたほうがよいですか？　429
- *Exposition*　430

男性不妊症 437
- **Q1** 結婚前に，男性でも妊孕性確認の検査を受けたほうがよいですか？　437
- **Q2** 飲酒や喫煙は男性不妊症の原因になりますか？　437
- **Q3** 精液検査の正常値や平均値はどのくらいですか？　438
- **Q4** 精液検査は一度受けるだけで十分ですか？　438
- **Q5** 精子数が少ない，あるいは無精子症と診断された場合，どんな治療法があるのでしょうか？　438
- *Exposition*　439

無精子症症例 444
- **Q1** 主人が無精子症といわれました．私たちは子どもをもつことができないのでしょうか？　444
- **Q2** 閉塞性か非閉塞性か，どのようにして区別するのですか？　治療法はどのように変わりますか？　444
- **Q3** 遺伝子検査と染色体検査は必要でしょうか？　445
- **Q4** AZF染色体微小欠乏と遺伝は，関係するのでしょうか？　445
- **Q5** 顕微鏡下精巣内精子回収法（micro-TESE）で精子が認められなかった場合はどうなりますか？　もう子どもは望めないのでしょうか？　445
- **Q6** 円形精子細胞注入法（ROSI）とは，何でしょうか？　446
- **Q7** 円形精子細胞注入法は，なぜ普及しないのですか？　446
- *Exposition*　447
  - column：無精子症の治療の進歩　453
  - column：極少数精子の凍結保存　454

潜在性甲状腺機能低下症 455
- **Q1** 母体や胎児の甲状腺ホルモンは，妊娠の前後でどう変化しますか？　455
- **Q2** 潜在性甲状腺機能低下症は，妊娠前に治療をしないと不妊治療に影響しますか？　455
- **Q3** 潜在性甲状腺機能低下症は，妊娠前に治療をしないと妊娠中にどのような影響がありますか？　456
- **Q4** 潜在性甲状腺機能低下症で，子宮卵管造影検査を行うとどうなりますか？　456
- *Exposition*　457

血栓性疾患由来の不育症 461
- **Q1** 血栓性疾患とは，どのようなものですか？　461
- **Q2** 血栓性疾患をもっていると，どのような経過で不育症となるのですか？　461
- **Q3** 血栓性疾患だと，どうして不育症になるのですか？　462
- **Q4** 血栓性疾患は，どのように診断されますか？　462
- **Q5** 無事に妊娠，出産するために，何か対策はありますか？　462
- *Exposition*　463

原因不明不育症 466
- **Q1** 繰り返す流産の原因がわからないのであれば，もう妊娠は諦めたほうがよいでしょうか？　466

- **Q2** 今まで2回流産を繰り返していますが，今後どうすればよいでしょうか？　466
- **Q3** 今まで5回流産しましたが，不育症の検査で何もみつかりませんでした。今後どうすればよいでしょうか？　466
- **Q4** 現在40歳で，3回連続流産をしました。妊娠・出産できますか？　467
- **Q5** 不育症について，やれることはなんでもやりたいのですが，治療法はありますか？　467
- **Q6** 次回，流産したときは，今後どうすればよいでしょうか？　467
- **Exposition**　468

胚（受精卵）・卵子・精子・卵巣組織凍結保存　472
- **Q1** 精子・卵子などの配偶子，および胚（受精卵）凍結のリスクはありますか？また，胚凍結に比べ，卵子凍結は成績が悪いと聞きましたが，本当ですか？　472
- **Q2** がん生殖医療において，化学療法前の卵子凍結と卵巣凍結との違いについて教えてください。また，それらのリスクはどのようなものですか？　473
- **Q3** 「社会的卵子凍結」とはどのようなものですか？　473
- **Exposition**　474

着床前診断と出生前診断　477
- **Q1** 着床前診断および着床前スクリーニングは，どのような疾患が対象になるのでしょうか？　477
- **Q2** 出生前診断には，どのような検査があるのでしょうか？　477
- **Q3** 確定的検査と非確定的検査には，どのような長所と短所がありますか？　478
- **Exposition**　479

第三者配偶子を用いた生殖医療　484
- **Q1** 第三者配偶子を用いた生殖医療とは，どういうことですか？　484
- **Q2** 精子提供は，どのような方が受けられますか？　484
- **Q3** AIDを行う際の注意事項はありますか？　485
- **Q4** AIDを行う際のカウンセリングとは，どのようなものですか？　485
- **Q5** 提供者はどのような方ですか？　485
- **Q6** 精子バンクでAIDを受けることはできますか？　486
- **Q7** AIDの臨床成績はどのようなものでしょうか？　486
- **Q8** 卵子提供とは，どのようなものですか？　486
- **Q9** 国内で卵子提供を受けるには，どのような方法がありますか？　487
- **Q10** 海外での卵子提供はどのようになっていますか？　487
- **Q11** 台湾での卵子提供を受ける人が増えている理由は何ですか　487
- **Q12** 提供卵子を用いた体外受精の妊娠率は，どのくらいでしょうか？　488
- **Exposition**　489

索　引　498

執筆者一覧

■ **編集**

黒田恵司	杉山産婦人科丸の内院長，順天堂大学医学部産婦人科学講座非常勤講師
竹田　省	順天堂大学医学部産婦人科学講座特任教授，恩賜財団母子愛育会愛育研究所所長
田中　温	セントマザー産婦人科医院院長，順天堂大学医学部産婦人科学講座客員教授

■ **執筆**［掲載順］

佐藤雄一	産科婦人科舘出張佐藤病院院長
黒田恵司	杉山産婦人科丸の内院長，順天堂大学医学部産婦人科学講座非常勤講師
熊切　順	東京女子医科大学産婦人科教授
地主　誠	国際親善総合病院産婦人科部長
桜井明弘	産婦人科クリニックさくら院長
堀川　隆	杉山産婦人科新宿診療部長
辻村　晃	順天堂大学医学部附属浦安病院泌尿器科教授
村上圭祐	順天堂大学医学部産婦人科学講座准教授
伊熊慎一郎	順天堂大学医学部附属浦安病院産婦人科助教
田中　温	セントマザー産婦人科医院院長，順天堂大学医学部産婦人科学講座客員教授
竹田　純	順天堂大学医学部産婦人科学講座准教授
牧野真太郎	順天堂大学医学部附属浦安病院産婦人科教授
会田拓也	あいだ希望クリニック院長
池本裕子	杉山産婦人科新宿
中尾佳月	杉山産婦人科新宿
根岸広明	横田マタニティホスピタル
竹本洋一	セントマザー産婦人科医院胚培養室主任
渡邉英明	杉山産婦人科新宿
菊地　盤	メディカルパーク横浜院長，順天堂大学医学部産婦人科客員准教授
杉山力一	杉山産婦人科理事長
太田邦明	東京労災病院産婦人科部長
齊藤寿一郎	順天堂大学医学部附属順天堂東京江東高齢者医療センター婦人科科長／教授
坂本愛子	行徳総合病院婦人科内視鏡室長
尾﨑理恵	東部地域病院婦人科
加藤紀子	メディカルトピア草加病院婦人科
黒田雅子	Natural ART Clinic 日本橋
杉村　基	浜松医科大学産婦人科家庭医療学講座特任教授
手島　薫	順天堂大学医学部附属順天堂東京江東高齢者医療センター婦人科
濱村憲佑	順天堂大学医学部附属練馬病院産科・婦人科助教

[第1版　執筆者一覧]

- 編集

  竹田　省　　　田中　温　　　黒田恵司

- 執筆

佐藤雄一	黒田恵司	熊切　順
地主　誠	桜井明弘	堀川　隆
辻村　晃	村上圭祐	伊熊慎一郎
田中　温	竹田　純	牧野真太郎
会田拓也	御木多美登	池本裕子
中尾佳月	根岸広明	山口貴史
竹本洋一	菊地　盤	北出真理
尾﨑理恵	加藤紀子	黒田雅子
齊藤寿一郎	坂本愛子	杉村　基
手島　薫	濱村憲佑	

なぜ不妊症・不育症になるのか？

生殖医療の背景
- 女性のライフスタイルの変化 　2
- プレコンセプションケア 　9
- 女性妊孕能に及ぼすエイジングの影響 　17
- 卵巣予備能に影響するリスク因子 　23

不妊治療に必要な基礎知識
- 婦人科内分泌の基礎知識 　27
- 月経周期 　32
- 妊娠の成立 　37
- 不妊症の原因 　45
- 不妊治療の基本指針 　51
- 男性生殖の基本 　56

不育症・習慣流産の基礎知識
- 流産について 　62
- 不育症のリスク因子 　67
- 不育症治療の基本指針 　73

なぜ不妊症・不育症になるのか？

生殖医療の背景

女性のライフスタイルの変化

Point

- 働く女性の増加により晩婚・晩産化が進行している。
- 初婚年齢の高年齢化による妊孕能の低下が心配される。
- 妊娠適齢期の女性の婦人科疾患や悪性腫瘍合併に対する対応を熟知しておく必要がある。
- やせの女性が増加しており，低栄養状態による周産期リスクの上昇が危惧される。
- やせや肥満に対する個別指導が大切である。
- DOHaD：生活習慣病胎児期発症起源説を踏まえ，妊娠前から妊娠・出産に向けたケアが必要である。

働く女性の現状

　女性の労働力率は，結婚・出産期に当たる年代にいったん低下し，育児が落ち着いた時期に再び上昇するという，いわゆるM字カーブを描くことが知られているが，近年，働きながら出産子育てをする女性が増えたため，M字の谷の部分が浅くなってきている（図1）。同時に平均結婚年齢・平均出産年齢も上昇傾向となり，2011年には第一子の平均出産年齢が30歳を超えた（図2）[1]。
　現代の女性は社会生活において過度のストレスや，不規則な生活習慣を強いられていることが多く，妊孕能の低下が心配される。さらに晩婚化・晩産化が進むと，加齢による卵巣機能低下だけでなく，婦人科疾患やその他の疾患を合併する可能性が高くなってくることが，妊娠・出産を難しくする要因となる。

> 労働力率
> 15歳以上人口に占める労働力人口（就業者＋完全失業者）の割合

図1 女性の年齢階層別労働力率の推移

近年，働きながら出産・子育てをする女性が増加してきているため，20歳台後半から30歳台後半の女性労働力率が高くなってきている。

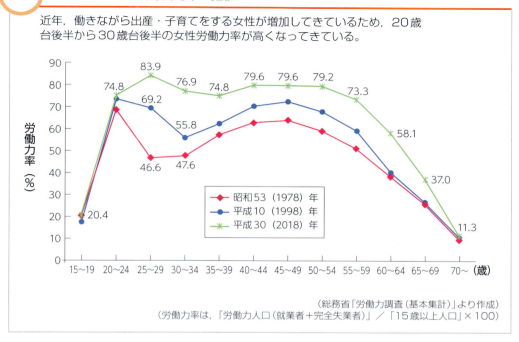

（総務省「労働力調査（基本集計）」より作成）
（労働力率は，「労働力人口（就業者＋完全失業者）」／「15歳以上人口」×100）

図2 平均初婚年齢と母親の平均出生時年齢の年次推移

平均初婚年齢・平均出産年齢は上昇傾向にある。

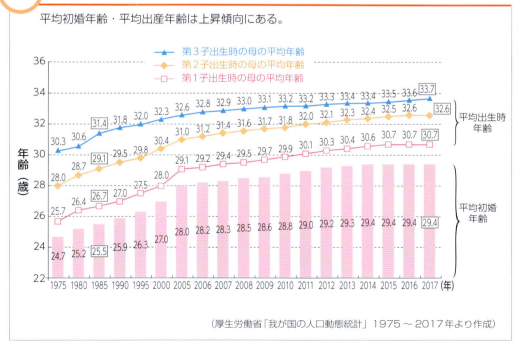

（厚生労働省「我が国の人口動態統計」1975〜2017年より作成）

婦人科疾患

　子宮筋腫は，30 〜 40歳台の20 〜 30％の女性に認められ，罹患率の高い病気とされる。不妊の原因になるだけでなく流・早産や分娩時の多量出血などトラブルを起こすことがある。

　子宮内膜症の罹患率は5 〜 10％といわれ，本疾患に悩む女性は国内でも200万〜 400万人に上ると推定されており，卵巣機能の低下や，不妊の原因にもなる。近年，診断技術の向上により，若年女性が子宮内膜症と診断されることが増えてきている[2]。

　両疾患とも定期的な婦人科検診を勧め，早期発見と，妊孕能温存を考慮した計画的な治療を心がける。妊娠を希望する場合には，原疾患の治療を優先するのか不妊治療を優先するのか熟慮すべきである。

　子宮頸癌・乳癌とも生殖年齢での罹患率が増加しており（図3, 4），若年者への検診啓発や，不妊治療を行う前の検査を勧めるべきである。また罹患した女性の妊孕能温存法や不妊治療についても熟知しておく必要がある。

➡「子宮筋腫」(p.245) 参照

➡「子宮内膜症」(p.238) 参照

やせと食生活

　わが国では，生殖年齢である若年女性のやせが問題となっており，そのBMIは右肩下がり傾向であった（図5）。最近になりBMIが，やや上昇しつつあるが，やせの女性の割合は依然変わっておらず，原因は肥満女性の増加によるものと考えられている。

図3　年齢階層別子宮頸癌罹患率の推移

20歳台後半から30歳台・40歳台前半の妊娠・出産を考える若年層で罹患率が増加している。

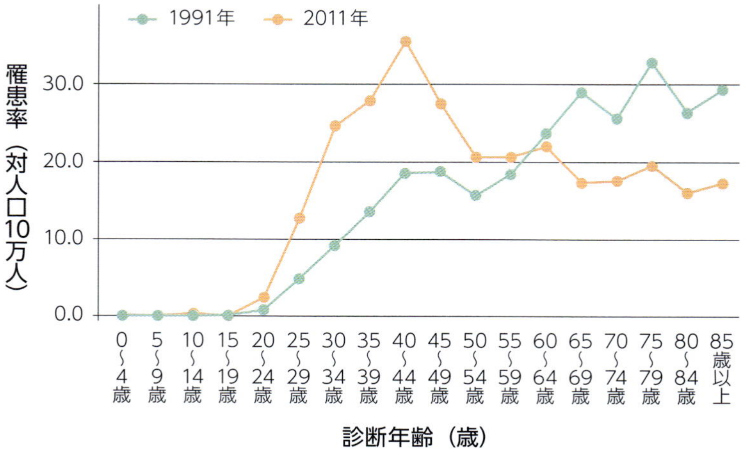

（国立がん研究センターがん対策情報センター　地域登録全国推計によるがん罹患データ1975〜2011年より引用）

図4　年齢階層別乳癌罹患率の推移

乳癌の罹患率は各年代で増加してきており，不妊治療を行う際には検診を勧めるべきである。

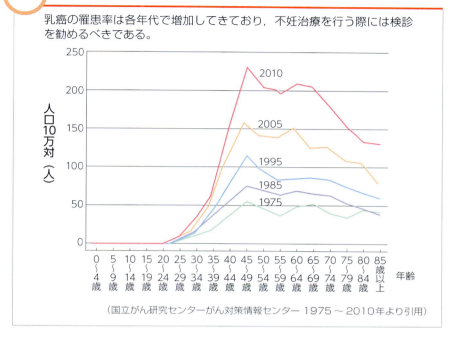

（国立がん研究センターがん対策情報センター 1975～2010年より引用）

図5　日本人女性のBMIの変化

日本人のBMIは全体的に増加傾向にあるが，妊娠・出産を考える20～30歳台の若年女性では低下してきている。

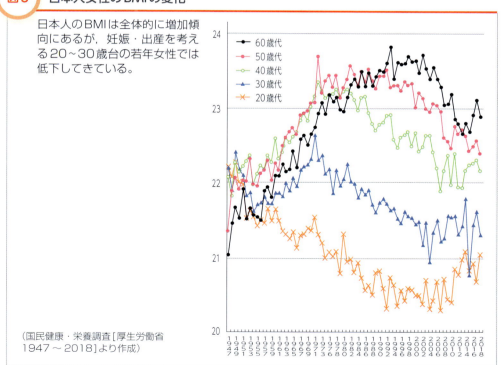

（国民健康・栄養調査［厚生労働省 1947～2018］より作成）

若年女性のなかには，偏った食生活のために肥満になってしまう人と，スリム志向やダイエットのためやせになっている人が混在しており，これを栄養障害の二重負荷というが，いずれも栄養状態はよくないと考えられる。

　肥満もやせも，排卵障害による不妊の原因になるだけでなく，低栄養の女性からは小さい児が生まれることが多く[3,4]，わが国の平均出生体重は，30年前と比べ200ｇ程度小さくなり（図6），厚生労働省が「健康日本21（第二次）」のなかでも低出生体重児の抑制を目標として掲げているが，2018年でも低出生体重児の割合は9.5％と高いまま横ばいとなっている[5]。

図6　平均出生体重と低出生体重児の変化

平均出生体重の低下の要因は，やせや妊娠中の摂取エネルギーの制限のほか，早産時の増加，喫煙，多胎の増加，高年出産の増加などが考えられている。

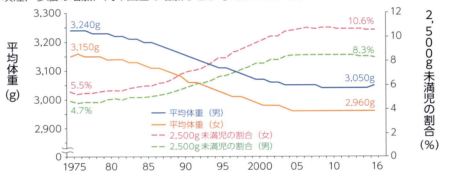

（厚生労働省「我が国の人口動態」2018年より引用）https://www.mhlw.go.jp/toukei/list/dl/81-1a2.pdf

図7　20歳代女性のエネルギー摂取量の推移

若年女性の摂取エネルギーは年々減少してきており，必要量に遠く及ばない。

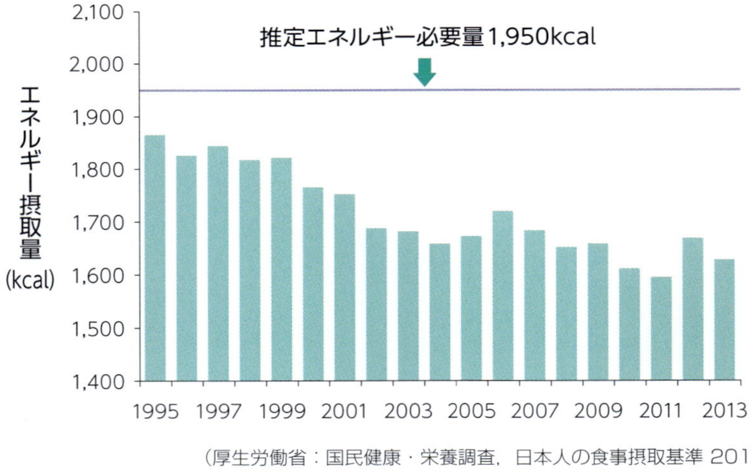

（厚生労働省：国民健康・栄養調査，日本人の食事摂取基準2015より作成）

20歳台の女性のエネルギー摂取量は1,600kcal/日前後と確実に減ってきており，必要エネルギー量1,950kcl/日に遠く及ばない状況である（図7）。

生活習慣病胎児期発症起源説（DOHaD）の観点からも妊娠期の栄養が重要視されているものの，食事の量・質ともに課題が多く，食生活の改善が必要である場合が多い。高い朝食欠食率・エネルギー不足だけでなく，蛋白質，葉酸，カルシウム，鉄，亜鉛，ビタミンDなどの栄養素も不足しており，不妊，流・早産，貧血，胎児発育不全などの周産期リスクを高める一因となっている。このような食習慣の女性に妊娠してから「栄養をとるように」と指導しても，なかなか食事を変えることができず，妊娠前から栄養についての認識を深めておくことが大切である。

一方で，肥満や糖代謝異常なども一定数おり，個別の指導が重要となっている。

> 生活習慣病胎児期発症起源説（DOHaD）
> Developmental Origins Health and Disease
>
> エピジェネティック
> 遺伝情報であるDNAの塩基配列の変化を伴わず，DNAやヒストン（DNAが巻きついている蛋白質）への後天的な化学修飾（メチル化など）によって遺伝子発現が制御される現象。

Column

DOHaD：生活習慣病胎児期発症起源説

David Barkarという英国の疫学者が，イギリスにおける1901～1910年の「乳児死亡率」と，1968～1978年の「男性虚血性心疾患死亡率」を，それぞれ地域ごとに検討した[6]。その結果，乳児死亡率の高かった地域は，約70年後の虚血性心疾患死亡率が高い地域と一致していることを見出した。

乳児死亡率が高いということは，妊娠中の母親の栄養状態が良くないことが大きな原因と考えられ，そのような状況では，乳児のときに生き残ったとしても，その影響を一生受け続け，恣意的，最終的には心疾患につながる可能性が高いということを示す。妊娠した時点から生まれて2年ぐらいまでの人生早期の短い期間の低栄養により，生活習慣病の素因がつくられ，その素因をもっている人が大人になって過剰な栄養，ストレス，運動不足などのマイナスの生活習慣が付加されることで生活習慣病を発症するという考え方である（図8）[7]。

日本女性はやせが多くもともと低栄養状態であり，妊娠前からのケアが必要と考えられる。

図8　DOHaD

> **DOHaD**
> （Developmental Origins of Health and Disease）
>
> 生活習慣病胎児期発症起源説
> （Fetal Origins of Adult Disease：FOAD）
>
> 生活習慣病の素因は，受精時，胎芽期，胎児期，乳児期に遺伝子と環境との相互関連で形成され，出生後のマイナス生活習慣の負荷で成人病が発症する。疾病はこの二段階を経て発症する。素因とはエピジェネティクス偏移である。（David Barker, 1986.）
>
> **（Transgenerational effect）**
> 国際DOHaD学会，日本DOHaD研究会

（佐藤雄一）

参考文献

1) 厚生労働省：令和元年人口動態統計月報年計（概数）の概況：結果の概要．
2) Templeman C：Adolescent endometriosis. Obstet Gynecol Clin North Am 2009; 36: 177-85.
3) 吉田穂波，加藤則子，横山徹爾：人口動態統計からみた長期的な出生時体重の変化と要因について．保健医療科学 2014; 63: 2-16.
4) Ehrenberg HM, Dierker L, Milluzzi C, et al：Low maternal weight, failure to thrive in pregnancy, and adverse pregnancy outcomes. Am J Obstet Gynecol 2003; 189: 1726-30.
5) 厚生労働省：平成30年人口動態統計．
6) Osmond C, Barker DJ, Winter PD, et al：Early growth and death from cardiovascular disease in women. BMJ 1993; 307: 1519.
7) 福岡秀興：クリニカルカンファレンス 7 妊娠中の栄養管理と出生児の予後 2) 胎内低栄養環境と成人病素因の形成．日産婦誌 2008; 60: N 300-5.

総論

なぜ不妊症・不育症になるのか？

生殖医療の背景

プレコンセプションケア

Point

- プレコンセプションケアは，適切な時期に適切な知識・情報を生殖可能年齢にあるすべての男女に提供し，将来の妊娠のためのヘルスケアを行うことである。
- 不妊患者は高年齢化してきており，妊孕能の低下，流産率の上昇のみならず，妊娠した際には，合併症や基礎疾患の悪化に伴うハイリスク症例の増加などが問題となっている。
- 若い女性の生活習慣の乱れや，やせ・肥満といった栄養障害が問題となっており，栄養指導や葉酸を含むサプリメント指導が重要である。
- 患者には，自らと将来の児の健康増進が目的であることを十分に理解してもらい，スタッフとの定期的なコミュニケーションで，生活習慣改善の行動変容までつなげたい。

プレコンセプションケアとは

プレコンセプションケア（PCC）は，適切な時期に適切な知識・情報を生殖可能年齢にあるすべての男女に提供し，将来の妊娠のためのヘルスケアを行うことである[1]。ヘルスリテラシーを向上させ，妊娠前の女性やカップルの健康状態を改善させることが，安全かつ安心な妊娠出産につながると考えられる。プレコンセプションケアの3つの目的を**表1**に示す。

海外では，2006年に米国疾病管理予防センター（CDC）[1]が，2012年には世界保健機関（WHO）がプレコンセプションケアを本格的に推奨し[2]，その後，世界産婦人科連合（FIGO）もプレコンセプションケア期の栄養の重要性に関して推奨している[3]。わが国では，2015年11月に国立成育医療研究センターに初めてプレコンセプションケアセンターが開設された[4]。WHOが提唱するプ

プレコンセプションケア（PCC）
preconception care

表1	プレコンセプションケアの目的
1.	若い世代の男女の健康を増進し、より質の高い生活を送れるようになること
2.	若い世代の男女が将来より健康になること
3.	より健全な妊娠・出産のチャンスを増やし、次世代の子どもたちをより健康にすること

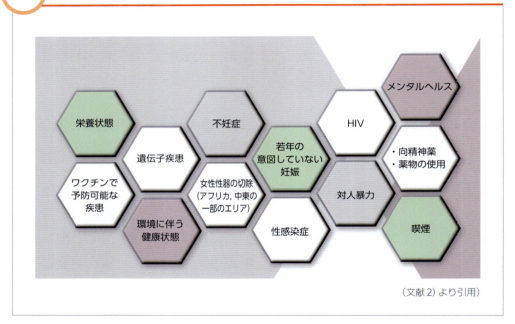

図1　WHOが提唱するプレコンセプションケア

(文献2)より引用）

レコンセプションケアを図1に示す。

プレコンセプションケアの必要性

　多くの先進諸国において、周産期医療の進歩により妊産婦死亡率や周産期死亡率は低下してきている一方で、先天異常や児の未熟や母体合併症に伴う乳児死亡は減っておらず、これらの改善のためには、妊娠前からの健康管理が大きな課題となっている。日本が抱えている社会課題に、若い男女への健康教育が十分になされていないことが挙げられる。意図しない妊娠、性暴力、性感染症およびそれと関連したがん、さらに不妊など、さまざまなリスクに晒されている若者が、自身の身を守るための知識とスキルを備え、男女いずれも健康増進

図2　日本女性において取り組むべきプレコンセプションケア

し，将来の子どもたちの健康も増進させる基礎構築のために必要なのがプレコンセプションケアである。

　世界的にみると，わが国での低出生体重児の割合は頻度が高く，原因として不妊治療などにおける多胎児の増加，それに伴う早産の増加，高年出産，喫煙などが挙げられているが，若い女性の生活習慣の乱れや，やせ・肥満といった栄養障害もより大きな一因と考えられている[5]。妊娠した時点から生まれて2年ぐらいまでの人生早期の短い期間の低栄養により，生活習慣病の素因が作られ，将来生活習慣病を発症するというDOHaD（Developmental Origins Health and Disease）もあり[6]，わが国におけるプレコンセプションケアでは，生殖可能年齢にある女性の栄養状態の改善が重要な課題の一つである。さらに神経管閉鎖障害予防のための葉酸摂取，風疹をはじめとするワクチンの必要性，遺伝病・基礎疾患や内服している薬の確認，食事，運動などヘルスリテラシーや妊娠率を高めるためにプレコンセプションケアを浸透させる必要があると考えられる。特にわが国で必要と考えられるプレコンセプションケアの内容を図2に示す。

不妊クリニックでのプレコンセプションケアの実際

　近年，不妊治療を行う患者の高年齢化が問題となっている。高年女性では，妊孕能が低下し，流産率が上昇する。さらに子宮筋腫や子宮内膜症など不妊の原因となりうる婦人科疾患の増加や，高血圧，糖尿病，甲状腺機能異常，自己

免疫疾患など基礎疾患をもつことも多くなり，周産期予後に重大な結果を招くことがある。そのため妊娠前に持病の有無の確認や，病気がコントロールされているかチェックすることは重要である。

また男性の加齢では，精子数の低下や妊娠率の低下，流産率が上昇すると報告されており[7]，男性に対する生活習慣のチェック・指導も重要である。

➡「男性生殖の基本」（p.56）参照

不妊クリニックにおけるプレコンセプションケアの流れ（図3）と，プレコンセプションケアチェックシート（女性用／男性用）（図4），検査内容を一例として紹介する[8]。

図3　不妊クリニックにおけるプレコンセプションケアの流れ

初診時・プレコンセプションケアチェックシートに記入
- 身体測定（身長，体重，体組成）・血圧測定・尿検査
- 血液検査（血算，生化学，脂質，糖代謝，甲状腺機能，感染症，風疹，ビタミンD，亜鉛，フェリチン，抗ミュラー管ホルモンなど）

問診：
生活・運動習慣，食事，飲酒，タバコ，ワクチン，既往症，子宮頸がん・乳がん検診，サプリメントなど

↓

- プレコンセプションケアチェックシートに沿って問診と内容の説明
- 看護師/栄養士による生活習慣・栄養・サプリメント指導
- 3〜6か月毎に定期的にフォロー
（プレコンセプションケアチェックシート・フォローアップ採血【血算・生化学・ビタミンD・亜鉛・フェリチンなど】）

↓

介入が必要と判断した患者に対しては
- 1か月ごとの身体測定・血圧測定
- 定期的な栄養士/看護師による栄養・生活習慣指導

介入必要例
1. BMI18.5未満，25以上
2. 血圧　140/80以上
3. HbA1c5.6以上

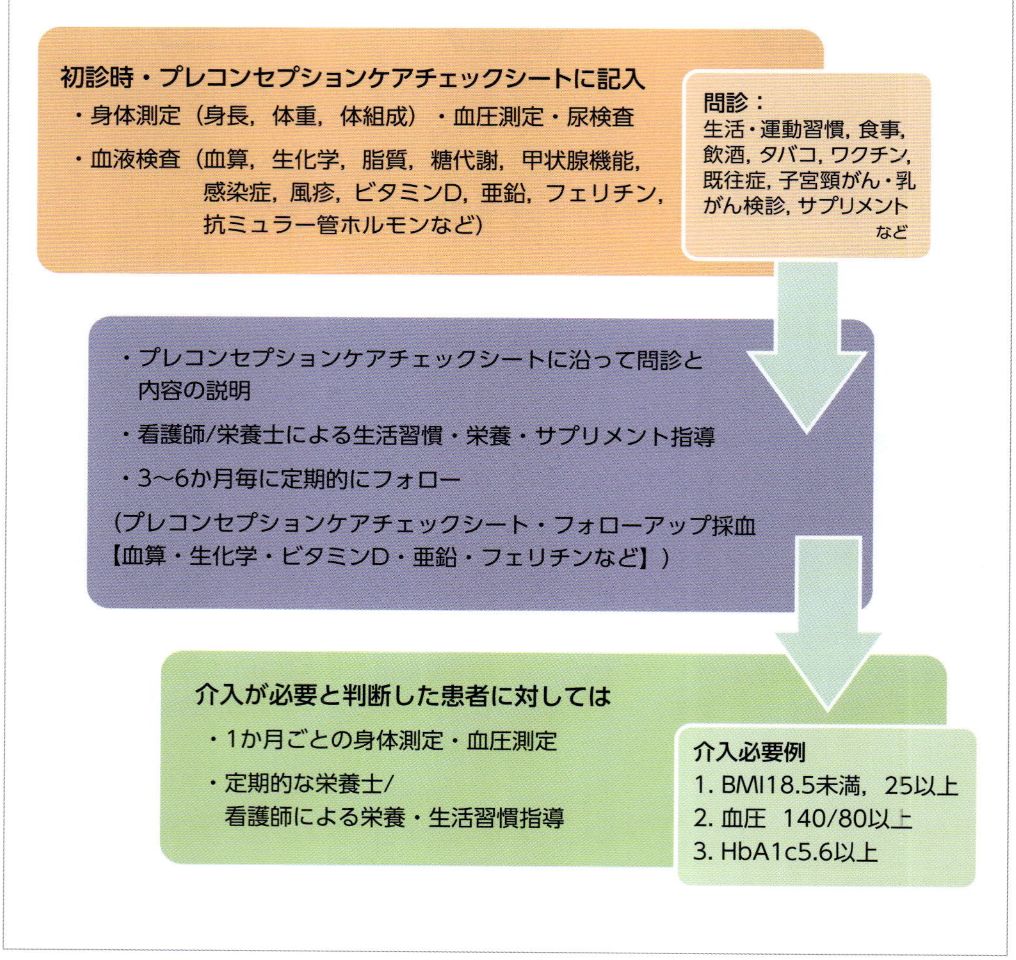

図4-1　プレコンセプションケア チェックシート　女性用

プレコンセプションケアに関するチェックシート

将来の妊娠を考えながら生活や健康と向き合うことをプレコンセプションケアといい，WHOが提唱し，日本でもその考え方が広がっています。からだとこころを良い状態に整えることは，妊娠しやすいからだへとあなたを導き，さらには妊娠中や出産時のトラブルを減らし，生まれてくる赤ちゃんの健康を守ることにつながります。下の設問に答えてみてください。あなたは妊娠への準備はできていますか？？

ID　　　　　名前

		初診 /	3ヶ月後 /	6ヶ月後 /
	質問項目　○または×で答えて下さい			
1　適正体重をキープしよう	適正体重である（BMI18.5以上25未満）BMI＝体重（Kg）÷{身長（m）×身長（m）}			
2　禁煙をしよう	喫煙をしていない			
	受動喫煙を避けている			
3　アルコールを控える	アルコールを控えている（機会飲酒程度）			
4　バランスの良い食事をこころがけよう	1日3食摂取している			
	タンパク質（肉・魚・卵など）を毎食片手盛り程度摂取している			
	毎食、野菜料理を2〜3品摂取している			
5　葉酸（サプリメント含む）を摂取しよう	葉酸の多い食事を摂取している（緑黄色野菜・レバー・果物など）			
	葉酸サプリメントを服用している（1日400μg以上1000μg未満）			
6　運動をしよう	150分/週運動している			
7　ストレスをためこまない	悩み事を相談する相手がいる			
	ストレスを発散する方法を実施できている			
8　感染症のチェックをしよう	風疹抗体価が十分にある（風疹HI 32倍以上）または風疹ワクチンを接種している			
9　生活習慣病に気を付ける	血圧は正常範囲内である（血圧130/80mmHg未満）			
	生活習慣病のチェックをしている、またはそれに対して取り組んでいる			
10　がんのチェックをしよう	子宮頸がん検診を受けている（1年以内）			
	乳がん検診を受けている（1年以内）			
11　歯のチェックをしよう	歯科検診を受け、治療が済んでいる			
12　家族の病気を知っておく	家族の持病を知っている（生活習慣病・遺伝性疾患・悪性腫瘍等）			

通院中の疾患（甲状腺疾患・糖尿病・高血圧・精神疾患）のある方はお答えください。

13　持病と妊娠について知ろう（薬の内服についてなど）	疾患のコントロールは良好である又は妊娠の許可がある			
	妊娠後の服薬は継続する又は変更する必要性があるのか知っている			

総論

生殖医療の背景

図4-2　プレコンセプションケア チェックシート　男性用

プレコンセプションケアに関するチェックシート

ID　　　　　　名前

	質問項目	初診 /	/	/
1　適正体重をキープしよう	適正体重である（BMI18.5以上25未満） BMI=体重（Kg）÷{身長（m）×身長（m）}			
2　禁煙をしよう	喫煙をしていない			
	受動喫煙を避けている			
3　アルコールを控える	アルコールを控えている（機会飲酒程度）			
4　バランスの良い食事をこころがけよう	1日3食摂取している			
	タンパク質（肉・魚・卵など）を毎食片手盛り程度摂取している			
	毎食、野菜料理を2〜3品摂取している			
5　運動をしよう	150分/週運動している			
6　ストレスをためこまない	悩み事を相談する相手がいる			
	ストレスを発散する方法を実施できている			
7　感染症のチェックをしよう	風疹抗体価が十分にある（風疹HI 16倍以上） または風疹ワクチンを接種している			
	感染症のチェック（B型肝炎・C型肝炎・梅毒・HIV）が済んでいる（1年以内）			
8　生活習慣病に気を付ける	血圧は正常範囲内である（血圧130/80mmHg未満）			
	生活習慣病のチェックをしている、またはそれに対して取り組んでいる			
9　がんのチェックをしよう	がん検診を受けている（1年以内）			
10　家族の病気を知っておく	家族の持病を知っている(生活習慣病・遺伝性疾患・悪性腫瘍等)			
11　自分の病気について知ろう （治療方針・薬の内服など）	疾患のコントロールは良好である又は不妊治療の許可がある			

不妊クリニックにおけるプレコンセプションケアの流れ

① プレコンセプションケアチェックシートの記入と測定・検査
- 初診時にはカップルで一緒に来院することを促し，カップルともにプレコンセプションケアに関するチェックシートを記入。生活習慣・持病など詳細な問診を行い，健康や妊娠に対する共通認識をもってもらう。
- 体格体組成測定（身長/体重/BMI）・血圧測定・血液検査。

② プレコンセプションケアチェックシートに沿って看護師スタッフによる問診と内容の説明
- 各項目の必要性，妊娠率向上，将来の児の健康などについて説明。
- 不妊治療に，より前向きになれるような方向付けができるよう指導。

③ 看護師/栄養士による，生活習慣，食事状況の聞き取りと妊娠に必要な食事内容の説明
- 妊娠出産には，食事や栄養が大切なこと，自分の体と将来の児の体は，食べたものからできていることを説明。
- タバコ，飲酒など改善すべき生活習慣と，サプリメント，運動についてもその必要性を説明。
- 特に葉酸については，知識はあるもののサプリメント服用者は多くないので（図5），妊娠前からのサプリメント服用を勧める[8]。

④ 3～6カ月ごとのフォローに向けての目標設定
- プレコンセプションケアチェックシートの内容と，スクリーニング採血検査結果をもとに，目標をもたせながら行動変容を起こせるよう指導を行う。
- 定期的にカウンセリングを行っていく。
- 介入が必要と判断した患者（1. BMI 18.5未満，25以上，2. 血圧140/80以上，3. HbA1c 5.6以上）に対しては，さらに重点的な指導を行っている。

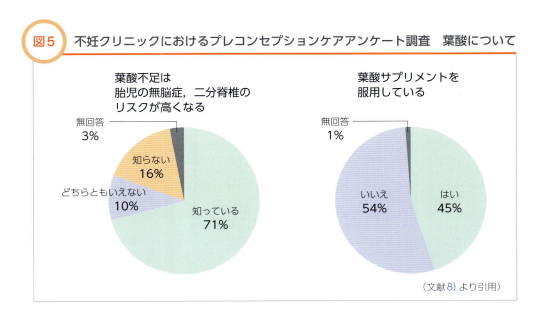

図5 不妊クリニックにおけるプレコンセプションケアアンケート調査　葉酸について

（文献8）より引用）

児の将来の健康に対する妊娠前の女性の栄養や生活スタイルの改善の重要性は注目されており[9]，日本の実情に合わせたプレコンセプションケアを実施していくことが大切である．

　不妊外来におけるプレコンセプションケアは，妊孕能・妊娠率を上げるための方法と捉えられがちだが，**本質は妊娠中・出産時のトラブルを減らし，母体の健康を増進することにより，健康な次世代を創出することにある**．不妊治療中のカップルには，妊娠率を上げるためだけにプレコンセプションケアを行うのではなく，自らと将来の児の健康増進が目的であることを十分に理解してもらう必要がある．

　実際のプレコンセプションケアでは，妊娠率向上に結びつく内容も多少盛り込みつつ指導を行い，定期的なスタッフと患者のコミュニケーション形成を促すことで，生活習慣改善の行動変容までつなげたい．

（佐藤雄一）

参考文献

1) Johnson K, Posner SF, Biermann J, et al：Recommendations to improve preconception health and health care—United States. A report of the CDC/ATSDR Preconception Care World Group and the Select Panel on Preconception Care. MMWR Recomm Rep 2006; 55: 1-23.
2) WHO：Preconception Care; Maximizing the gains for maternal and child health. Policy brief. Geneva: WHO 2013.
3) Hanson MA, Bardsley A, De-Regil LM, et al：The International Federation of Gynecology and Obstetrics (FIGO) recommendations on adolescent, preconception, and maternal nutrition: "Think Nutrition First". Int J Gynecol Obstet 2016; 131 Suppl 4: S213-53.
4) 荒田尚子：プレコンセプションケアと産後フォローアップ：妊娠前後の母性内科の役割．医学のあゆみ 2016; 256: 199-205.
5) 吉田穂波ほか：人口動態統計からみた長期的な出生時体重の変化と要因について．保健医療科学 2014; 63 No.1: 2-16.
6) 福岡秀興：胎内低栄養環境と成人病素因の形成．日産婦誌 2008; 60: N-300-N-305.
7) Stewart AF, et al：Fertility concerns for the aging male. Urology 2011; 78: 496-9.
8) 佐藤雄一：不妊外来におけるプレコンセプションケア．産と婦 2020; 87: 927-35.
9) Stephenson J, Heslehurst N, Hall J, et al：Before the beginning: nutrition and lifestyle in the preconception period and its importance for future health. Lancet 2018; 391: 1830-41.

なぜ不妊症・不育症になるのか？

生殖医療の背景

女性妊孕能に及ぼすエイジングの影響

Point

- 年齢とともに卵胞数は減少し35歳以上から減少率は加速し，閉経でほぼ0になる。
- 一生で排卵する卵子数は約400個。
- 子宮内膜症の発症などのライフイベントにより，卵巣機能が低下することがある。
- 一度低下した卵巣予備能は回復することはない。
- 卵子の数は，血清抗ミュラー管ホルモン（AMH）値でその目安が確認できる。
- 卵子の質は，AMHでは測定できず，年齢に相関する。
- 着床率は原則年齢の影響を受けないが，子宮疾患の発症により影響を受ける。

卵巣への影響

卵子の数への影響

女性の年齢は不妊治療の最も重要な因子である。わが国における女性の初婚平均年齢は，この50年間で25歳から29歳まで上昇し，これに伴い第一子出生時の母体平均年齢も現在は30歳を超えている[1]。

卵巣皮質には多数の卵胞が存在し，原始卵胞は胎生期に減数分裂を開始し，第一減数分裂前期の網状期で停止する。卵細胞は精細胞と異なり，すべてが減数分裂の途上であるため，細胞分裂により増加することはなく，これ以後，女性のエイジングに伴い減少の一途をたどる。胎生6カ月に800万個，出生時に

抗ミュラー管ホルモン（AMH）
anti-Müllerian hormone

200万個あった原始卵胞は年齢とともに減少し，思春期には5〜10万個となり，35歳を超えると減少率は加速し，閉経時にはほぼ0となる[2〜4]。

女性が一生のうち排卵する卵子の数は約400個で，実際に排卵する卵胞はごくわずかであり，ほとんどの卵胞は閉鎖卵胞となる。また一部の女性は，子宮内膜症の発症，卵巣腫瘍の手術，悪性腫瘍に対する化学療法などのライフイベントにより卵巣がダメージを受け，卵巣予備能が低下することがわかっている（**図1**）。また，一度低下した卵巣予備能は回復することはない。

➡「卵巣予備能に影響するリスク因子」(p.23)参照

現在では，卵巣内に残存する卵子の数に相関するAMHを測定することで，それぞれの卵巣予備能を評価することができる。

図1 年齢に伴う卵巣内卵胞数の変化

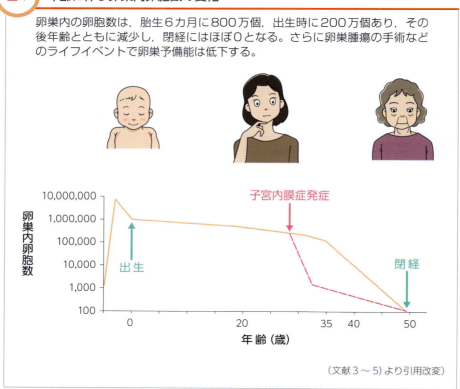

卵巣内の卵胞数は，胎生6カ月に800万個，出生時に200万個あり，その後年齢とともに減少し，閉経にはほぼ0となる。さらに卵巣腫瘍の手術などのライフイベントで卵巣予備能は低下する。

（文献3〜5）より引用改変）

Column

抗ミュラー管ホルモン(anti-Müllerian hormone；AMH)

卵巣内の原始卵胞の数と比例すると考えられているのが，前胞状卵胞の顆粒膜細胞から放出されるAMHである．血清AMH値を測定することで，卵巣内に残存する卵子の数の目安が確認できる．

年齢に伴う血清AMH値の平均値を図に示す（図2)[5]．AMHは卵巣予備能を評価できるが，そのピークが約25歳であり，25歳未満の女性は卵巣予備能とAMH値が相関していないため，低値でも卵巣予備能が低下しているのではない[6]．また，多嚢胞性卵巣症候群のような排卵障害では，排卵できない前胞状卵胞数が増加し，AMH値が高値を示す．AMHは原始卵胞からの卵胞発育や下垂体からの卵胞刺激ホルモン（FSH）の分泌を制御していることがわかっており，AMHが高値となると卵胞の発育が障害され，さらに排卵障害となることがわかっている．⇨「多嚢胞性卵巣症候群」(p.266)参照　40歳未満で10ng/mL以上，または40歳以上で5ng/mLを超えるようなAMHの異常高値は，妊孕能が高いのではなく，排卵障害などの不妊症の原因となる[7,8]．

図2　年齢と抗ミュラー管ホルモン(AMH)

抗ミュラー管ホルモン（AMH）は卵巣内の原始卵胞数と比例し，年齢とともに低下する．25歳から評価が可能であり，40歳未満で10ng/mL以上，40歳以上で5ng/mL以上のAMH異常高値は排卵障害の可能性がある．

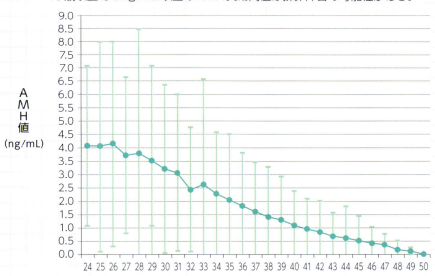

年齢	平均AMH値 (ng/mL)
25	4.0
30	3.0
35	2.0
40	1.0
45	0.5
50	0

(文献6)より引用)

卵子の質への影響

妊娠にとって卵子は数のみならず質が重要であるが，卵子の質はAMHでは測定することはできない。主に加齢に伴い卵子の質が低下すると考えられており，卵子の質の低下は卵子の染色体異常や受精後の胚発育障害，さらには妊娠後の流産と関係している。

➡「流産について」(p.62)参照

流産やダウン症候群を含む染色体異常の発症は，加齢とともに指数関数的に増加することがわかる（図3）[9,10]。つまり年齢に伴う卵子の質の低下は明らかであり，40歳以上の不妊患者にはAMHが高くても，年齢とともに卵子の質が急激に低下していることを考慮すべきである。

図3　年齢と流産・ダウン症候群の発症率

卵子の質の低下は卵子の染色体異常の発生率や妊娠後の流産，ダウン症候群の発生率と関与する。これらの発生率は年齢とともに指数関数的に増加する。

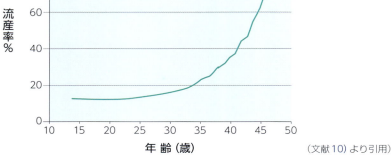

（文献10）より引用）

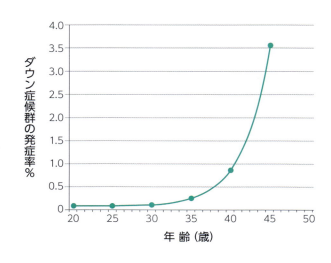

（文献9）より改変）

子宮への影響

子宮内膜は内膜腺と間質から構成され，それぞれ卵巣から分泌されるステロイドホルモンの影響で変化する。増殖期には，エストロゲンの作用により内膜腺はまず直線状に発育し，後期になるに従い迂曲し，内膜は次第に厚くなる。

分泌期には，排卵後の黄体から放出されるプロゲステロンの作用による間質が脱落膜変化および螺旋動脈の増生が観察され，これらは分泌中期に顕著となる。

黄体の退縮によるステロイドホルモンの低下により，螺旋動脈が収縮し，子宮内膜が剥脱して月経が起こる。子宮内膜は卵巣からの周期的なホルモンの変化により，増生と剥脱を繰り返すため，再生能力も非常に高く女性の年齢の影響をあまり受けないといわれている。提供卵子を用いた生殖補助医療のデータでも，閉経前後の女性においてもホルモン補充周期で胚移植を行えば，着床率は低下しない[11]。

ただ，高年女性で軽度臨床妊娠率が低下する原因としては，子宮筋腫や子宮腺筋症などの子宮疾患の発症率が上昇するためと考えられている（図4）。

> **ホルモン補充周期**
> 凍結胚を移植するため，エストロゲン・プロゲステロン製剤を投与し，通常の排卵周期と同様のホルモン状態にすること。

図4 提供卵子による体外受精における臨床妊娠率と流産率

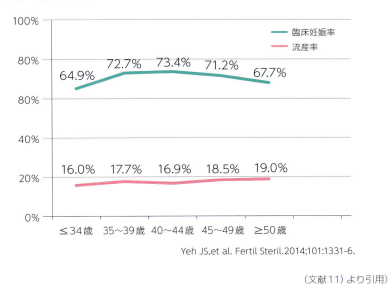

子宮は年齢の影響をほとんど受けない。そのため提供卵子による生殖補助医療の臨床妊娠率，流産率は高年でもほとんど変化を認めない。

Yeh JS, et al. Fertil Steril. 2014;101:1331-6.

（文献11）より引用）

（黒田恵司）

参考文献

1) 厚生労働省：令和元年（2019）人口動態統計（確定数）の概況．2020．
2) Broekmans FJ, Soules MR, Fauser BC：Ovarian aging: mechanisms and clinical consequences. Endocr Rev 2009; 30: 465-93.
3) vannoodzaadstra BM, Looman CWN, Alsbach H, et al：Delaying childbearing: effect of age on fecundity and outcome of pregnancy. BMJ 1991; 302: 1361-5.
4) Faddy MJ, Gosden RG, Gougeon A, et al：Accelerated disappearance of ovarian follicles in midlife: implications for forecasting menopause. Hum Reprod 1992; 7: 1342-6.
5) Seifer DB, Baker VL, Leader B：Age-specific serum anti-Müllerian hormone values for 17,120 women presenting to fertility centers within the United States. Fertil Steril 2011; 95: 747-50.
6) Kelsey TW, Wright P, Nelson SM, et al：A validated model of serum anti-müllerian hormone from conception to menopause. PLos One 2011; 6: e22024.
7) Carlsson IB, Scott JE, Visser JA, et al：Anti-Müllerian hormone inhibits initiation of growth of human primordial ovarian follicles in vitro. Hum Reprod 2006; 21: 2223-7.
8) Durlinger AL, Gruijters MJ, Kramer P, et al：Anti-Müllerian hormone attenuates the effects of FSH on follicle development in the mouse ovary. Endocrinology 2001; 142: 4891-9.
9) Newberger DS：Down syndrome: prenatal risk assessment and diagnosis. Am Fam Physician 2000; 62: 825-32.
10) Nybo Andersen AM, Wohlfahrt J, Christens P, et al：Maternal age and fetal loss: population based register linkage study. BMJ 2000; 320: 1708-12.
11) Yeh JS, Steward RG, Dude AM, et al：Pregnancy outcomes decline in recipients over age 44: an analysis of 27,959 fresh donor oocyte in vitro fertilization cycles from the Society for Assisted Reproductive Technology. Fertil Steri 2014; 101: 1331-6.

総論 なぜ不妊症・不育症になるのか？

生殖医療の背景

卵巣予備能に影響するリスク因子

Point

- 卵巣予備能は卵巣内の卵子数を示す指標であり，卵の質を示すものではない。
- 年齢は卵巣予備能を最も反映する。
- 卵巣予備能の低下させる要因には，先天的な要因と卵巣の手術や化学療法などの後天的な要因がある。
- 卵巣予備能の評価には，超音波断層法による月経初期の胞状卵胞数（AFC）の測定や，ホルモン検査，抗ミュラー管ホルモン（AMH）値が有用である。
- 卵巣予備能低下症例に対する不妊治療は，生殖補助医療（ART）が推奨される。

卵巣予備能を低下させる要因

年齢と卵巣予備能の関係は大きく，Faddyらの重指数関数モデルでは37.5歳時，卵胞数25,000個を境に，急激に卵胞数が減少すると予測している[1]。しかし，年齢による影響以外にも卵巣予備能は先天的もしくは後天的，特に医原的な要因により低下する。

卵巣予備能の低下を引き起こす病態を表1に示した[2]。先天的な卵巣予備能の低下は早期における早発卵巣不全（POI）を呈することが多いが，後天的な場合は，卵巣予備能を低下させる要因の種類，程度，曝露した期間および曝露時の年齢が大きく影響する。

手術

卵巣手術による卵巣予備能の低下は，術式と卵巣腫瘍の種類により大きく異

抗ミュラー管ホルモン（AMH）
➡（p.19）参照

生殖補助医療（ART）
assisted reproductive technology

早発卵巣不全（POI）
premature ovarian insufficiency
➡「早発卵巣不全（POI）」（p.281）参照

表1 卵巣予備能を低下させる病態

先天的要因	X染色体関連	Turner症候群（45 X monosomy） Trisomy X Fragile X syndrome
	常染色体関連	エストロゲン受容体異常
	自己免疫関連	多腺性自己免疫症候群 I〜III型
後天的要因	喫煙	
	感染症	HIV, ムンプス, 結核, マラリア
	医原性	卵巣手術 子宮動脈塞栓術 化学療法 放射線療法

なる。卵巣子宮内膜症性嚢胞に対する外科的摘出は，他の卵巣嚢腫と比較して，その低下がきわめて高いことが知られている。その理由として，卵巣子宮内膜症性嚢胞では，嚢胞摘出により正常卵巣組織の一部が嚢胞壁と同時に逸脱するためである[3〜5]。

➡「子宮内膜症」(p.238)参照

また，子宮筋腫などに対する子宮温存術式のひとつである子宮動脈塞栓術においても，術後に子宮だけではなく卵巣への血流も減少するため，術後に卵巣予備能が低下することが報告されている[6]。

化学療法

化学療法は，薬剤により卵巣予備能の低下の度合いが異なる。表2に卵巣予備能を低下させる化学療法薬を示す[6]。卵巣予備能に致命的な薬剤はシクロホスファミドを代表とするアルキル化剤であり，これらの製剤は卵巣における原始卵胞の破壊や，卵巣被膜の線維化の直接的なダメージを与えることが知られている。米国臨床腫瘍学会において，20歳以下の女性に対する$7.5 g/m^2$以上のシクロホスファミドの投与は，高率に無月経となることが報告されている[7]。

放射線療法

放射線療法の卵巣への影響は，全腹部および骨盤内の放射線照射量が成人女性では6 Gy，思春期女性で初潮後10 Gy，初潮前15 Gyを超えると，卵巣予備能の低下により高率に不妊症となることがわかっている[8]。

卵巣予備能の評価法

卵巣予備能の評価法には，生物学的検査と生化学的検査がある。表3に代表的な卵巣予備能の評価法を示す。いずれにおいても卵巣予備能を評価するために有用な検査法であるが，生物学的な検査としての超音波断層法での月経初期の胞状卵胞数（AFC）を測定する方法がある。AFCの測定には，比較的熟練した技術がないと再現性に欠ける可能性がある。また，生化学的検査は月経周期

胞状卵胞数（AFC）
antral follicle count

表2 卵巣予備能を低下させる薬剤

リスク群	分類	薬剤
高リスク群	アルキル化剤	Nitrogen mustard L-phenylalanine mustard Chrorambucil Cyclophosphamide Melphalan Busulfan Dacarbazine Procarbazine
	アントラサイクリン系薬剤	Doxorubicin (Adryamicin)
中リスク群	ビンカアルカロイド誘導体	Vinblastine
	プラチナ製剤	Cysplatin, Carboplatin
	代謝拮抗薬	Ara-C
	ポドフィロトキシン誘導体	Etoposide
	アルキル化剤	Carmustine Lomustine
	チロシンキナーゼ阻害薬	Imatinib
低リスク群	代謝拮抗薬	Methotrexate Fluorouracil (5-FU)
	DNA合成阻害薬	Bleomysin
	ビンカアルカロイド誘導体	Vincristine
	アルキル化剤	Mitomycin

表3 卵巣予備能の評価法の種類

検査区分	方法	項目
生物学的検査	超音波断層法	Antral follicle count Ovarian volume Ovarian blood flow
生化学的検査	血清マーカー	LH, FSH, E_2 inhibin, actibin Anti-Müllerian hormone (AMH)
	負荷試験	GnRH agonist stimulation test hMG test Clomiphene citrate challenge test

LH：黄体化ホルモン，FSH：卵胞刺激ホルモン，E_2：エストラジオール，
GnRH：ゴナドトロピン放出ホルモン，hMG：ヒト閉経期尿性ゴナドトロピン

において変動する血清マーカーがあることと，負荷試験における侵襲の問題点が挙げられる．

また，卵巣予備能の客観的な評価は，血清抗ミュラー管ホルモン（AMH）値の測定が最も優れている．AMHは2〜8mm大の前胞状〜胞状卵胞の顆粒膜細胞から分泌される周期非依存性（cycle-independent）な血清マーカーであり，その血清値から卵巣予備能の安定した評価を行うことができる．さらに，

従来から使用されてきた血清マーカーと相関することから，これらの検査と併せて評価することで，より精度の高い卵巣予備能の評価を行うことができる。

卵巣予備能低下症例に対する不妊治療

卵巣予備能が低下した症例における妊娠率は，きわめて低いことが多く報告されている。このため，やむなく卵巣予備能に影響する処置を行う場合は，事前にAMHなどで卵巣予備能を評価することが重要である。

子宮内膜症などによる不妊症例に対して外科的治療を行う場合は，施行時の年齢のみならず施行前の卵巣予備能が術後の低下率に大きく影響する[3,4]。このことから，施術する必要があり，かつ卵巣予備能の低下を認める不妊症例に対しては，Surgery-ART hybrid therapyなどで事前に採卵および胚凍結を行い，囊胞焼灼などの卵巣予備能が低下しない術式の選択が必要である。

➡「子宮筋腫」(p.245) 参照[9]

化学療法などによる卵巣予備能のダメージに対しても，事前に採卵および胚凍結を行うことが最も有効な方法だが，悪性腫瘍の治療を早期に開始しなければいけない場合も多く，妊娠のための十分な胚数を確保することができないこともある。

また，パートナーがいなければ，胚凍結をすることはできない。その場合に未受精卵および卵巣組織の凍結が報告されているが，まだその有効性ははっきりしていない。ただ，将来やむをえず化学療法などで卵巣予備能が低下しうる症例に対して，妊孕性温存の一助となることを期待したい。

（熊切　順）

参考文献

1) Faddy MJ, Gosden RG, Gougeon A, et al：Accelerated disappearance of ovarian follicles in mid-life: implications for forecasting menopause. Hum Reprod 1992; 7: 1342-6.
2) Fenton AJ：Premature ovarian insufficiency: Pathogenesis and management. J Midlife Health 2015; 6: 147-53.
3) Kuroda M, Kuroda K, Arakawa A, et al：Histological assessment of impact of ovarian endometrioma and laparoscopic cystectomy on ovarian reserve. J Obstet Gynaecol Res 2012; 38: 1187-93.
4) Raffi F, Metwally M, Amer S：The impact of excision of ovarian endometrioma on ovarian reserve: a systematic review and meta-analysis. J Clin Endocrinol Metab 2012; 97: 3146-54.
5) Ozaki R, Kumakiri J, Tinelli A, et al：Evaluation of factors predicting diminished ovarian reserve before and after laparoscopic cystectomy for ovarian endometriomas: a prospective cohort study. J Ovarian Res 2016; 9: 37.
6) Iwase A, Nakamura T, Nakahara T, et al：Assessment of ovarian reserve using anti-Müllerian hormone levels in benign gynecologic conditions and surgical interventions: a systematic narrative review. Reprod Biol Endocrinol 2014; 12: 125.
7) Lutchman Singh K, Davies M, Chatterjee R：Fertility in female cancer survivors: pathophysiology, preservation and the role of ovarian reserve testing. Hum Reprod Update 2005; 11: 69-89.
8) Levine J, Canada A, Stern CJ：Fertility preservation in adolescents and young adults with cancer. J Clin Oncol 2010; 28: 4831-41.
9) Kuroda K, Ikemoto Y, Ochiai A, et al：Combination treatment of preoperative embryo cryopreservation and endoscopic surgery (surgery-ART hybrid therapy) in infertile women with diminished ovarian reserve and uterine myomas or ovarian endometriomas. J Minim Invasive Gynecol 2019; 26: 1369-75.

なぜ不妊症・不育症になるのか？

不妊治療に必要な基礎知識
婦人科内分泌の基礎知識

Point

- 視床下部で生成されるゴナドトロピン放出ホルモン（GnRH）の影響で，下垂体からゴナドトロピン（LH，FSH）が分泌される。
- 下垂体から分泌されるFSHの影響を受け，一次卵胞からグラーフ卵胞へ発育する。
- エストロゲンは，2つのゴナドトロピンと莢膜細胞と顆粒膜細胞の2つの細胞により産生される（two cell two gonadotropin theory）。
- エストラジオールは視床下部を抑制し（ロングフィードバック），ゴナドトロピンは視床下部（ショートフィードバック）および下垂体自身を抑制する（ウルトラショートフィードバック）フィードバック機構がある。
- 卵胞発育に伴うエストラジオールの増加により，LHサージが誘起され（ポジティブフィードバック），排卵が起こる。
- 子宮内膜は主にエストロゲンの作用により増殖期となり，プロゲステロンの作用で分泌期となる。

　視床下部－下垂体－卵巣から分泌されるホルモンの影響によって，子宮内膜からの周期的な出血である月経が形成される（図1）。女性のホルモン動態とそれに伴う卵巣や子宮の周期的な変化を理解することは，生殖医療を行ううえで必須である。以下にその詳細を概説する。

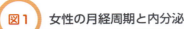

図1 女性の月経周期と内分泌

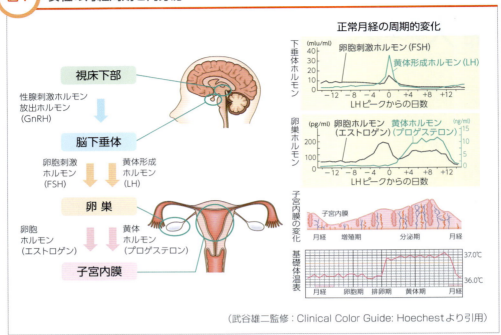

(武谷雄二監修：Clinical Color Guide：Hoechestより引用)

視床下部

　視床下部の弓状核で生成されるゴナドトロピン放出ホルモン（GnRH）はアミノ酸10個からなるポリペプチドで，正中隆起を通る軸索内を末梢へと運搬され，貯蔵される。軸索の終末は下垂体門脈に接しており，分泌刺激によりGnRHは下垂体門脈に分泌される。GnRHの血中半減期は2～3分ときわめて短い。

　GnRHは脈動性に分泌され，その分泌パターンは月経周期により異なる。GnRHの分泌周期は卵胞期では60～120分で分泌量は少なく，排卵期には20～40分で分泌量は増加し，黄体期には180～360分と長いが，分泌量は多いままである。GnRHの律動的分泌の周期と振幅（分泌量）は，月経周期の維持にきわめて重要な役割を担っている[1]。

下垂体

　下垂体門脈から下垂体前葉に分泌されたGnRHは，性腺刺激細胞の細胞膜にあるGnRHレセプターに結合して，黄体化ホルモン（LH）を含む卵胞刺激ホルモン（FSH）ゴナドトロピンの合成，分泌を促す。GnRHの脈動性分泌に同期して，下垂体前葉からLHおよびFSHの分泌が起こる。

　血中半減期の短いLHではGnRHに同調する脈動性分泌が明らかであるが，

ゴナドトロピン放出ホルモン（GnRH）
gonadotropin releasing hormone

黄体化ホルモン（LH）
luteinizing hormone

卵胞刺激ホルモン（FSH）
follicle stimulating hormone

半減期の長いFSHでは周期や振幅は明確にとらえにくい。また，FSHは卵胞から分泌されるインヒビンやアクチビンの調節も受け，前者はFSHの分泌を抑制し，後者は促進する。

卵巣

卵巣内の原始卵胞は一次卵胞まで減数分裂し，下垂体から分泌されたFSHの刺激により一次卵胞を二次卵胞へ，さらにグラーフ卵胞へと成熟させる（図2）[2]。この卵胞成熟により卵巣内の莢膜細胞でLHの作用によりコレステロールからアンドロゲンが合成され，卵巣内の顆粒膜細胞に移送し，顆粒膜細胞で

図2 卵胞刺激ホルモン（FSH）による卵胞発育

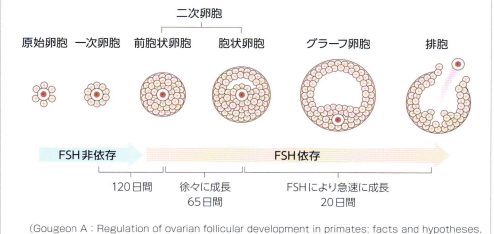

(Gougeon A：Regulation of ovarian follicular development in primates: facts and hypotheses. Endocr Rev 1996；17：121-55より引用)

図3 アロマターゼの作用

FSH作用によりアロマターゼ（芳香化酵素）がアンドロゲンをエストロゲン（エストラジオール）に転換させる。つまり，LH・FSHと莢膜細胞と顆粒膜細胞の2つの細胞によりエストロゲンが産生される（two cell two gonadotropin theory）。

エストラジオールはFSHの作用下に卵胞の発育とともに顆粒膜細胞で産生され，排卵の24～36時間前にピークとなる。アンドロゲンは，アンドロステンジオン，テストステロン，DHEA-Sの3種類があり，それぞれ芳香化酵素によりエストロン，エストラジオール，エストリオールに転換される。アンドロステンジオン→エストロンの転換は主に脂肪組織，テストステロン→エストラジオールの転換は卵巣，DHEA-S→エストリオールの転換は胎盤で行われる（図3）[3]。

エストラジオールによるフィードバック機構

視床下部－下垂体－卵巣系は，上位から下位にいたる一方通行ではなく，下位から上位へのフィードバック機構によっても調整される（図4）。卵巣から分泌されるエストラジオールは視床下部でのGnRHの生成・分泌を抑制し（ロングフィードバック），下垂体から分泌されるゴナドトロピンは視床下部（ショートフィードバック）および下垂体自身に作用して（ウルトラショートフィードバック）それぞれの産生を抑制する。

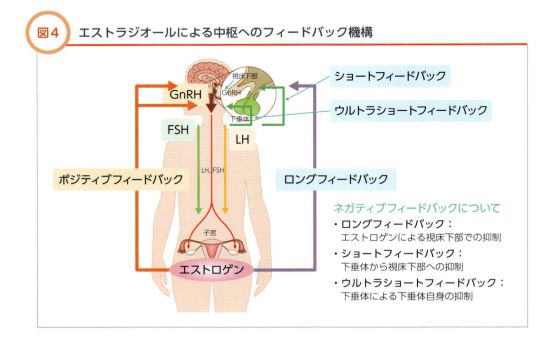

図4　エストラジオールによる中枢へのフィードバック機構

ポジティブフィードバック

下垂体－卵巣系に特有のものがポジティブフィードバックである。卵胞発育に伴い，顆粒膜細胞で産生されたエストラジオールの増加により，下垂体からLHの大量放出が起こる。これがLHサージであり，引き続き卵胞が破裂して排卵が起こる。

子宮

子宮内膜は内膜腺と間質から構成され，それぞれ卵巣から分泌されるステロイドホルモンの影響で変化する。

増殖期には，エストロゲンの作用により内膜腺は直線状に発育して，後期になるに従い迂曲し内膜は次第に厚くなる。組織学的な変化として，内膜腺は増殖するにつれて偽重層を呈し，増殖期中期の間質には軽い浮腫が認められる。

増殖期後期から排卵期にかけて，内膜腺には核下空胞がみられる。分泌期には，プロゲステロンの作用による間質の変化が中心となる。間質では，浮腫と脱落膜変化および螺旋動脈の増生が観察され，これらは分泌中期に顕著となる。黄体の退縮によるステロイドホルモンの低下により，螺旋動脈が収縮し，子宮内膜が剥脱して月経が起こる。

（地主　誠，黒田恵司）

参考文献

1) Kanasaki H, Bedecarrats GY, Kam KY, et al：Gonadotropin-releasing hormone pulse frequency-dependent activation of extracellular signal-regulated kinase pathways in perifused LbetaT 2 cells. Endocrinology 2005; 146: 5503-13.
2) Gougeon A：Regulation of ovarian follicular development in primates: facts and hypotheses. Endocr Rev 1996; 17: 121-55.
3) Hillier SG, Whitelaw PF, Smyth CD：Follicular oestrogen synthesis: the 'two-cell, two-gonadotropin' model revisited. Mol Cell Endocrinol 1994; 100: 51-4.

総論 なぜ不妊症・不育症になるのか？

不妊治療に必要な基礎知識

月経周期

Point

- 月経とは，「約1カ月の間隔で起こり，限られた日数で自然に止まる子宮内膜からの周期的な出血」である。
- 月経周期は基礎体温，卵巣，子宮からみて，月経〜排卵を，それぞれ低温相・卵胞期・増殖期といい，排卵〜月経を，高温相・黄体期・分泌期と表現される。
- 子宮内膜は主に卵胞期はエストロゲン，黄体期はプロゲステロンの影響により周期的な変化を認め，月経が起こる。
- 月経周期，出血の持続期間や基礎体温を基に，黄体機能不全などの疾患の有無を検討することができる。

月経とは

　月経とは，「約1カ月の間隔で起こり，限られた日数で自然に止まる子宮内膜からの周期的な出血」である。増殖期に肥厚した子宮内膜が，排卵後の黄体から放出されるプロゲステロン（黄体ホルモン）の作用により脱落膜化変化した分泌期となり，プロゲステロンの低下を契機に脱落膜化した子宮内膜が剥脱し月経となる。人の子宮内膜は生殖年齢期間において約400回もの増殖，分化，剥脱といったダイナミックな変化を繰り返す，非常に再生能力の高い組織であり，多数の幹細胞を認めることがわかっている[1]。

月経周期

　視床下部からゴナドトロピン放出ホルモン（GnRH）が分泌され，その刺激により下垂体前葉からゴナドトロピン，つまり黄体化ホルモン（LH）と卵胞刺激ホルモン（FSH）が分泌される。

図1 月経周期の表現法

月経周期は，月経と排卵により4つの時期に区分される。基礎体温，卵巣，子宮からみて表現法が異なり，月経から排卵までは，低温相・卵胞期・増殖期とよばれ，排卵を挟んで次回月経までは高温相・黄体期・分泌期と表現される。

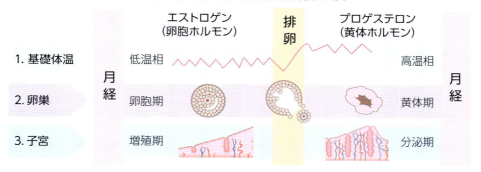

ゴナドトロピンは卵巣の卵胞に作用し，卵胞発育，排卵，黄体形成が起こる。卵胞や黄体で産生されたエストラジオールやプロゲステロンは子宮内膜に作用する。これらのホルモンの周期的な変化により月経がつくられている。

女性の月経周期は，月経と排卵により4つの時期に区分される（図1）。この区分は，基礎体温，卵巣，子宮からみて表現法が異なり，月経から排卵までは，低温相・卵胞期・増殖期とよばれ，排卵を挟んで次回月経までは高温相・黄体期・分泌期と表現される。

子宮内膜の周期性変化

子宮内膜は基底層と機能層からなり，さらに機能層は子宮内腔側から緻密層，海綿層に分けられ，月経により剥脱する。子宮内膜は内膜腺と間質から構成され，それぞれ卵巣から分泌されるステロイドホルモンの影響で変化する。

増殖期

増殖期には，エストロゲンの作用により内膜腺はまず直線状に発育し，後期になるに従い迂曲し子宮内膜は次第に肥厚し，内膜腺には偽重層を認める。増殖期中期の間質には軽い浮腫が認め，増殖期後期から排卵期にかけて，内膜腺には核下空胞（グリコーゲンの蓄積）がみられる。

分泌期

分泌期には，プロゲステロンの作用による間質の変化が中心となる。内膜腺は著明に迂曲を認め，分泌活性が高まり，間質では浮腫と脱落膜変化を認め，子宮ナチュラルキラー（NK）細胞が増加する。子宮NK細胞は血液中のNK細胞とは働きが大きく異なり，細胞障害性が少なく，主にはサイトカインを放出し新生血管の形成し，螺旋動脈を増生させ，着床に備える。

図2　月経周期に伴う子宮内膜の変化

ヒトの子宮内膜は増殖，分化，剥脱といったダイナミックな変化を繰り返す再生能の高い組織である。月経開始とともに卵巣では卵胞が発育し，一方，子宮では子宮内膜が増殖，脱落膜変化を起こし着床に備える。排卵後6～10日目が着床期（implantation window）とよばれ，その時期に受精卵が着床すれば妊娠が成立し，着床しなければ月経となる。

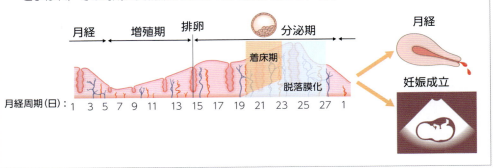

着床期

排卵後約6～10日目が着床期（implantation window）とよばれ，この時期に子宮内膜脱落膜細胞は栄養膜の侵入の調節，妊娠時特有の子宮内膜免疫細胞の動員，血管新生の制御をすることで，組織を再構築している[1]。この時期に受精卵が着床すれば妊娠が成立し，着床しなければ黄体が退縮し，プロゲステロンレベルの低下を認め，螺旋動脈が収縮し，子宮内膜が剥脱して月経が起こる（図2）[2]。

月経周期

上記のような子宮内膜の再生と剥離は，視床下部－下垂体－卵巣で産生されるホルモンによりコントロールされる。生殖年齢女性で月経周期の正常範囲は25～38日（平均28日）であり，子宮内膜の増殖期の平均が14日，分泌期が14日である。月経周期が25日以下を頻発月経，39日以上を希発月経という。また，月経持続日数が2日以下を過短月経，8日以上を過長月経としている（表1）。

増殖期

増殖期の日数は卵胞発育やエストロゲン産生量により大きく変化することがある。そのため希発月経の場合，卵胞発育不全や排卵障害などが疑われる。一方，頻発月経は前周期の分泌期後期ごろから卵胞発育を認め，早期に排卵する早期排卵や早期黄体化，黄体機能不全が疑われる。

分泌期

排卵後の分泌期は黄体機能により影響され，下垂体から分泌されるLHの刺激により維持される。黄体からはエストロゲン，プロゲステロンとインヒビン

表1　正常月経と異常月経

	正常範囲	異常	病名	主な原因
月経周期	25～38日 かつ 周期ごとの変動6日以内	<25日	頻発月経	思春期，更年期，黄体機能不全，無排卵周期症
		≧39日	希発月経	多嚢胞性卵巣症候群，無排卵周期症
持続日数	3～7日	≦2日	過短月経	無排卵性月経，少量のホルモン剤投与，子宮腔内癒着，子宮発育不全
		≧8日	過長月経	子宮筋腫，卵巣機能不全

（生水真紀夫：月経．標準産婦人科学（第4版）．岡井　崇，綾部琢哉編，p47, 医学書院，東京，2011より引用改変）

Aが分泌され，ネガティブフィードバックにより視床下部のゴナドトロピン分泌を抑制している。そのため黄体機能不全でなければ，分泌期は一定期間となる[2]。

妊娠時

一方，妊娠時にはヒト絨毛性ゴナドトロピン（hCG）により黄体が賦活化され，プロゲステロンの分泌が維持され，子宮内膜の脱落膜変化が促進し妊娠が継続する。

無月経

月経の発来を認めない場合，プロゲステロン単独負荷（ゲスターゲンテスト）により消退出血を認める第1度無月経と，消退出血を認めずエストロゲンと併用し出血を認める第2度無月経がある。

第1度無月経

第1度無月経は卵巣には発育途中の卵胞を認め，血中エストロゲン値を一定量認めるため，子宮内膜は増殖しているが，排卵せずプロゲステロンの分泌がない，多嚢胞性卵巣症候群のような排卵障害が考えられる。排卵障害が中枢性でも軽度であり，エストロゲンは分泌しているため，骨塩量の低下などのエストロゲン低下に伴う症状を認めることは少ない。無月経だけでなく，子宮内膜の肥厚に伴う破綻出血により不正性器出血を繰り返すこともある。

第2度無月経

第2度無月経は中枢性にゴナドトロピン分泌の低下（低ゴナドトロピン性性腺機能低下）もしくは卵巣機能が低下し，ゴナドトロピンの反応性が低下した早発卵巣不全（POI）や年齢に伴う閉経（高ゴナドトロピン性性腺機能低下）が主な原因である。

早発卵巣不全（POI）
premature ovarian insufficiency

図3 基礎体温

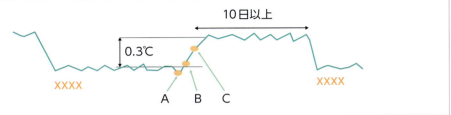

基礎体温は起床前の舌下で測定した体温であり，排卵後はプロゲステロンが視床下部の体温調節中枢に作用して体温が上昇する。高温相の定義は低温相より0.3℃以上の体温の上昇が7日以上継続することであり，10日以下の場合には黄体機能不全と診断される。排卵日は体温陥落日（A），低温相最終日（B），高温相初日（C）のいずれかであるが，一定していない。

基礎体温

　基礎体温は，外気温に影響を受けにくい朝目覚めたときの起床前の舌下で測定した体温であり，1日のうち最も低い。排卵後の黄体から分泌されるプロゲステロンが視床下部の体温調節中枢に作用して，体温が上昇する。体温上昇の変化とプロゲステロン分泌量に相関はなく，プロゲステロン値が2.5 ng/mL以上で体温が上昇する。

高温相

　高温相の定義は低温相より0.3℃以上の体温の上昇が7日以上継続することである。基礎体温は0.01℃刻みの婦人体温計で，覚醒後，起床前に舌下で検温する。毎日同じ時刻に計測するのが望ましいが，起床前の体温であればよく，必ずしも同一時刻でなくてもよい[3]。

　高温相が10日以下の場合には，黄体機能不全と診断される。基礎体温表には，36.7℃に境界線が描かれているが，体温には個人差があり，高温相を36.7℃以上とするのは誤りである。低温相より0.3℃以上高ければ，高温相と診断してよい。排卵日の基礎体温のパラメーターとして用いられるのは，体温陥落日，低温相最終日，高温相初日など諸説あるものの，一定の見解はなく，基礎体温表のみでの排卵日特定は困難である（図3）[4]。

（地主　誠，黒田恵司）

参考文献

1) Gellersen B, Brosens JJ：Cyclic decidualization of the human endometrium in reproductive health and failure. Endocr Rev 2014; 35: 851-905.
2) 日本生殖医学会編：生殖医療の必修知識2020．日本生殖医学会，2020，p30-5.
3) Kawamura M, Ezawa M, Onodera T, et al：Frequency of rate of body temperature chart at mid cycle in pregnant women and the subsequent effect on pregnancy. Clin Exp Obstet Gynecol 2008; 35: 45-7.
4) Direito A, Bailly S, Mariani A, et al：Relationships between the luteinizing hormone surge and other characteristics of the menstrual cycle in normally ovulating women. Fertil Steril 2013; 99: 279-85.

なぜ不妊症・不育症になるのか？

不妊治療に必要な基礎知識
妊娠の成立

Point

- 卵胞は原始卵胞から一次卵胞へ発育するのに150日間，二次卵胞までの発育にさらに120日間，排卵前のグラーフ卵胞までにさらに85日間かけて発育する。
- LHサージにより主席卵胞の第一減数分裂網状期の卵子が減数分裂を再開し，排卵時に第二減数分裂中期で停止し，受精することで再度減数分裂が再開する。
- 卵巣のエストロゲンは，LH，FSHと莢膜細胞，顆粒膜細胞の2つの細胞で産生される (two cell two gonadotropin theory)。
- 主席卵胞から分泌されるエストロゲンのポジティブフィードバックによりLHサージが起こり，排卵する。
- 卵管膨大部で精子と卵子が受精し，卵活性化により，多精拒否機構の成立，第二減数分裂の再開，前核形成が起こる。
- ハッチングした胚盤胞が脱落膜変化した子宮内膜に接着・侵入し絨毛構造を形成し着床が成立する。

　腟内に射出された精子と卵巣から発育し排卵された卵子，2つの配偶子が卵管内で受精し，分割を繰り返し，着床能を獲得した胚盤胞となり子宮内腔へ移動し，脱落膜化した子宮内膜に着床し，妊娠が成立する（図1）。これらの過程を概説する。

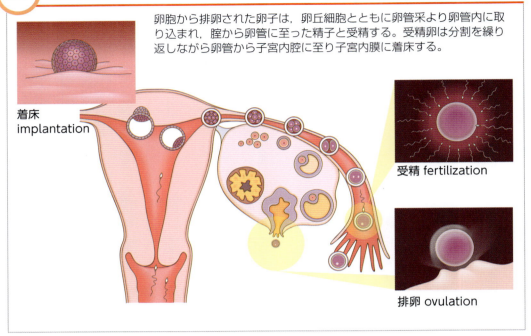

図1 妊娠の成立

卵胞から排卵された卵子は，卵丘細胞とともに卵管采より卵管内に取り込まれ，腟から卵管に至った精子と受精する。受精卵は分割を繰り返しながら卵管から子宮内腔に至り子宮内膜に着床する。

着床 implantation
受精 fertilization
排卵 ovulation

卵胞発育

卵巣皮質には多数の卵胞が存在する。卵巣に存在する原始卵胞は胎生期に減数分裂を開始して，第一減数分裂の前期の網状期で停止する。精細胞と異なり，卵細胞はすべてが減数分裂途上にあるため，細胞分裂により増加することはなく，これ以後減少の一途を辿る。

卵巣にある原始卵胞数は，胎生6カ月で最大の800万個であり，出生時には200万個に減少し，思春期には5〜10万個となり，閉経時には0となる。妊娠や出産がなかった場合でも，女性が一生のうち排卵する卵子の数は約400個で実際に排卵する卵胞はごくわずかであり，ほとんどの卵胞は閉鎖卵胞となる。

卵胞の分類

卵胞は，形態により原始卵胞，一次卵胞，二次卵胞に分類される。原始卵胞（直径0.1mm前後）は一層の扁平な上皮に囲まれ，一次卵胞（直径0.1〜0.3mm）は一層の立方状の顆粒膜細胞に囲まれ，二次卵胞（直径0.4〜20mm）は数層の顆粒膜細胞に囲まれる。二次卵胞のなかで，顆粒膜細胞から分泌された卵胞液により囲卵腔が形成されたものが胞状卵胞である（図2）。

原始卵胞 primordial follicle
一次卵胞 primary follicle
二次卵胞 secondary follicle
胞状卵胞 antral follicle

卵胞の発育

原始卵胞から一次卵胞に発育するには150日間，一次卵胞から二次卵胞の

発育には120日を要する。二次卵胞は約85日間で排卵直前のグラーフ卵胞まで発育する。原始卵胞から一次卵胞への発育はゴナドトロピンなしで起こり，一次卵胞から二次卵胞への発育はゴナドトロピン（FSH）依存性に起こる（図2）[1]。

単一排卵機構

月経初期の卵巣には，3mm前後の十数個の前胞状卵胞が存在し，FSH依存性に発育成熟し，その後卵胞期中期以降にFSHの分泌が減少する。この変化に耐えられるエストラジオールを産生している1個の卵胞のみが閉鎖を免れて，排卵にいたる。

卵子形成

胎生12週以降，卵祖細胞44＋XX（2n）は減数分裂を開始するための準備段階であるDNA合成期に入り，染色体が44＋XX（4n）の一次卵母細胞となる。一次卵母細胞は，第一減数分裂前期の網状期で分裂を停止し，この状態で出生し，思春期にいたるまでこのままである。

図2　卵胞発育

原始卵胞から一次卵胞の発育過程は150日間で，FSH非依存性に発育する。また，一次卵胞は120日かけて二次卵胞になる。さらに二次卵胞は85日かけて排卵にいたる。一次卵胞から二次卵胞の発育にはFSHが必要である。

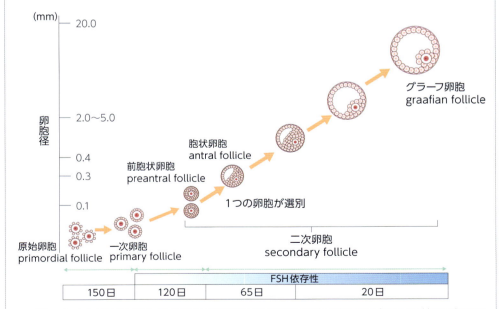

(Gougeon A : Regulation of ovarian follicular development in primates: facts and hypotheses. Endocr Rev 1996 ; 17 : 121-55より引用)

思春期以降

思春期に入り，主席卵胞の卵子のみがLHサージにより第一減数分裂を再開し，排卵時には第一極体を放出した第2減数分裂中期の一次卵母細胞22+X(2n)となる。精子が卵子に受精することにより第二減数分裂が終了し，22+X(n)の状態になる。

卵胞におけるホルモン産生

卵巣におけるエストロゲン（エストラジオール）は，2種類のゴナドトロピン（LHとFSH）と莢膜細胞と顆粒膜細胞の2つの細胞で産生される（two cell two gonadotropin theory：図3）。

すなわち，LHの作用により莢膜細胞ではコレステロールを基質にしてアンドロゲンが生成される。続いて顆粒膜細胞に移送されたアンドロゲンは，FSHの作用で誘導されたアロマターゼ（芳香化酵素）によりエストロゲンに転換される。

血中エストラジオール値はFSHの作用下に卵胞の発育とともに顆粒膜細胞で産生され，排卵の24〜36時間前にピークとなる。

図3　two cell two gonadotropin theory

LHの作用で莢膜細胞でアンドロゲンが合成され，アンドロゲンは顆粒膜細胞でFSHの作用により芳香化されてエストロゲンになる。

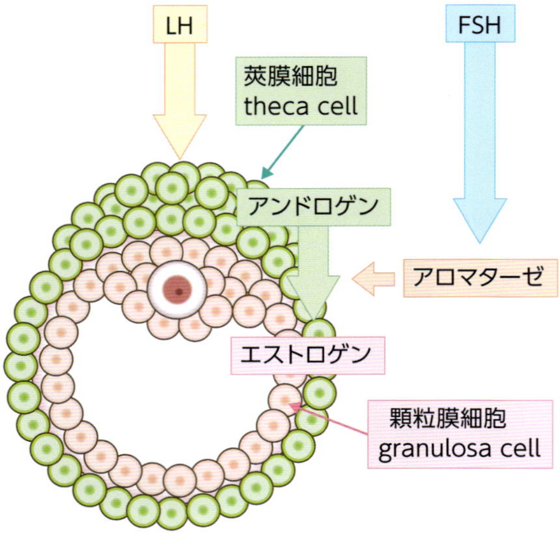

排卵

　主席卵胞から分泌されるエストロゲンは上昇を続け，200～400 pg/mLに達した時点でポジティブフィードバックによるLHサージが起こる。排卵前，卵胞内では卵丘細胞と顆粒膜細胞に解離が起こり，卵丘細胞・卵子複合体（COC）が卵胞液内に浮遊する。

　一方で卵胞壁はプロスタグランジンの作用により平滑筋が収縮し，卵胞内圧が上昇し，産生されたプラスミンの影響で卵胞壁が菲薄化し，破裂する。

　排卵の起きるタイミングはLHサージの立ち上がりから30～36時間後，エストロゲンのピークの24～28時間後，LHサージのピークの12～18時間後に起こる（図4）。プロゲステロン（P_4）はLHピークのころより分泌されはじめる。

卵丘細胞・卵子複合体（COC）
cumulus oocyte complex

受精と卵活性化

受精

　排卵された卵子は第二減数分裂中期で停止し，卵管膨大部で精子を待つ。一方で精子は受精能を獲得（capacitation）し，hyperactivationならびに先体反

図4　排卵のタイミング

卵胞内の顆粒膜細胞から分泌されたエストラジオールのポジティブフィードバックによってLHサージが起こる。排卵は，LHサージの立ち上がりから30～36時間後に起こる。LHサージのピークからは12～18時間後に排卵が起こる。プロゲステロン（P_4）はLHピークのころより分泌され始める。

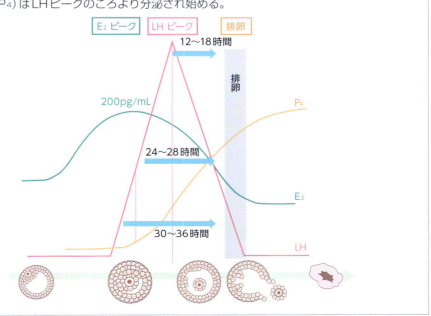

応を終え，卵周囲の透明帯を貫通し，卵子に横対横で接着・結合し狭義の受精が成立する。

これに伴い精子核および細胞質が卵内へ導入し，卵細胞内に著明なカルシウムイオン（Ca^{2+}）濃度の上昇が起きる[2]。Ca^{2+}の上昇は即時に卵表面顆粒の開口分泌を誘導し，透明帯蛋白ZP3の精子結合部位を分解する。これにより次の精子が先体反応を起こせず，多精拒否機構が成立する。

また，Ca^{2+}濃度の上昇は停止していた卵の減数分裂を再開し，分裂により第二極体が形成され，減数分裂が完了する。これにより，卵子および精子核は雌雄前核となり1細胞期となる。その後，雌雄前核が合同し，広義の受精が成立する[3]。

卵活性化

この受精後に起きる表層顆粒の開口分泌，第二減数分裂の再開，前核形成などの一連の現象を卵活性化という。卵活性化は精子内の精子ファクターが誘導していると考えられており，その最有力候補はイノシトール3リン酸（IP_3）産生酵素で精子特異的に発現している酵素ホスフォリパーゼCゼータ（PLCζ）である[4]。受精後IP_3の影響で小胞体からCa^{2+}が放出され，これにより他の小胞体からもCa^{2+}が放出することで，卵全体に伝播される（Ca^{2+}スパイク）（図5）。これが反復して長時間起こることをカルシウムオシレーションといい，前核形成まで継続する[3]。

卵活性化
egg activation

子宮内膜脱落膜化と着床

子宮内膜は基底層と機能層からなり，さらに機能層は子宮内腔側から緻密層，海綿層に分けられ，月経により剥脱する。子宮内膜は内膜腺と間質から構成され，それぞれ卵巣から分泌されるステロイドホルモンの影響で変化する。

増殖期

増殖期には，エストロゲンの作用により内膜腺はまず直線状に発育して，後期になるに従い迂曲し内膜は次第に厚くなる。組織学的な変化として，内膜腺は増殖するにつれて偽重層を呈し，腺細胞には有糸分裂が認められる。増殖期中期の間質には軽い浮腫が認められる。増殖期後期から排卵期にかけて，内膜腺には核下空胞がみられる。

分泌期

分泌期には，排卵後の黄体から放出されるプロゲステロンの影響を受けて子宮内膜細胞は形態学的，機能的にまったく異なる脱落膜細胞へ変化する。排卵後6～10日目が着床時期（implantation window）とよばれ，この時期に子宮内膜脱落膜細胞は栄養膜の侵入の調節，妊娠時特有の子宮内膜免疫細胞の動員，血管新生の制御をすることで，組織を再構築している[5]。子宮内膜脱落膜

図5 受精と卵活性化

卵細胞膜と融合した精子細胞から,精子核とともに細胞質が卵細胞内に取り込まれる。細胞質内の精子ファクター (PLCζ) によりIP$_3$が産生され,小胞体からのCa^{2+}遊離を誘導する。遊離されたCa^{2+}は次の小胞体からのCa^{2+}遊離を次々に引き起こす。卵細胞内に遊離されたCa^{2+}は再び小胞体内に取り込まれるため,卵細胞内のCa^{2+}濃度は上昇・下降を繰り返し,全体的にみるとCa^{2+}波(カルシウムオシレーション)として観察される。

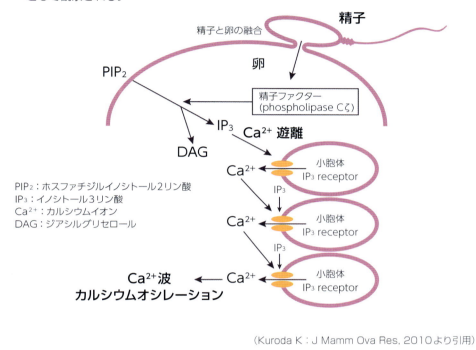

(Kuroda K:J Mamm Ova Res, 2010より引用)

化と制御因子を図6に示す。

その着床時期にハッチングした胚盤胞と子宮内膜上皮が相互応答(crosstalk)し,接着・侵入し絨毛構造を形成し着床が成立する。

図6 子宮内膜脱落膜化とその制御因子

排卵後の黄体から放出されるプロゲステロンの影響を受けてヒト子宮内膜細胞は形態学的，機能的にまったく異なる脱落膜細胞へ変化する．この子宮内膜脱落膜化過程は，細胞分化，着床局所での炎症反応や免疫機構など，さまざまな因子で制御されている．

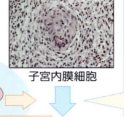

子宮内膜脱落膜化の制御因子
1. 細胞分化・細胞老化
   ・レチノイド代謝経路
   ・PI3K-Aktシグナリング
2. 着床局所の炎症・血管新生
   ・子宮NK細胞
   ・IL33-ST2シグナリング
3. 胚に対する免疫寛容
   ・Th1/Th2/制御性T細胞
   ・血清NK細胞活性
   ・レチノイド・ビタミンD代謝経路

（桜井明弘，黒田恵司）

参考文献

1) Gougeon A：Regulation of ovarian follicular development in primates: facts and hypotheses. Endocr Rev 1996; 17: 121-55.
2) Miyazaki S, Shirakawa H, Nakada K, et al：Essential role of the inositol 1,4,5-trisphosphate receptor/Ca2+ release channel in Ca2+ waves and Ca2+ oscillations at fertilization of mammalian eggs. Dev Biol 1993；158：62-78.
3) Kuroda K：Sperm factor, PLC ζ, and egg Activation. J Mamm Ova Res 2010；27：198-203.
4) Swann K, Ozil JP：Dynamics of the calcium signal that triggers mammalian egg activation. Int Rev Cytol. 1994；152：183-222.
5) Gellersen B, Brosens JJ：Cyclic decidualization of the human endometrium in reproductive health and failure. Endocr Rev 2014；35：851-905.

なぜ不妊症・不育症になるのか？

不妊治療に必要な基礎知識

不妊症の原因

Point

- 不妊症とは，生殖年齢の男女が妊娠を希望し，1年以上避妊せず性交を行っているにもかかわらず，妊娠の成立に至らない場合である。
- 不妊症の原因は女性因子と男性因子があり，男性に原因があるカップルは半数近くに達する。
- 不妊原因は卵巣因子，卵管因子，子宮因子，男性因子，免疫因子に大別される。
- 男性因子は精液所見の低下と精路障害，性機能障害に分けられる。
- 原因不明不妊症の一つである受精障害には，顕微授精が有効である。

不妊症の定義

　不妊症について日本産科婦人科学会では，次のように定義している。
　「生殖年齢の男女が妊娠を希望し，ある一定期間，避妊することなく通常の性交を継続的に行っているにもかかわらず，妊娠の成立をみない場合を不妊という。その一定期間については1年というのが一般的である。なお，妊娠のために医学的介入が必要な場合は期間を問わない。」
　月経周期ごとでの妊孕能をmonthly fecundity rate（MFR）といい，通常正常妊孕能のカップルが避妊をしない場合，MFRは約20％である。他の哺乳類と比較すると非常に低い（図1）[1〜3]。その累積妊娠率は6カ月で73.8％，12カ月で93.1％であり，10〜15％が不妊症であることから，1年間という期間は不妊症の定義として適正である[3]。

不妊症の原因

　1996年のWHO（世界保健機構）の発表では，女性のみ41％，男性のみ24％，男女ともに不妊原因がある場合が24％，原因不明が11％であり，約半数は男性に不妊原因がある[4]（図2）。不妊症の原因は男性因子と女性因子があり，女性因子には卵巣因子，卵管因子，子宮因子（頸管因子を含む），免疫因子があり，それぞれの因子を以下に解説する（図3）。

　また，卵管閉塞，無排卵症，重度の乏精子症や無精子症は，妊娠のために医療介入が必要なため，不妊期間を問わず「絶対的不妊」である。

図1　月経周期ごとの妊娠率　monthly fecundity rate（MFR）

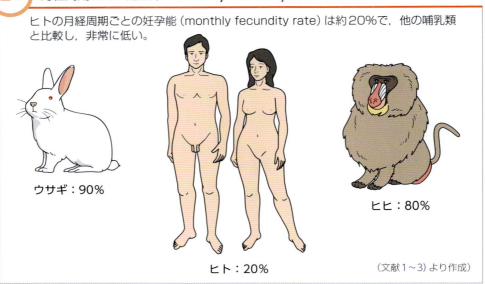

ヒトの月経周期ごとの妊孕能（monthly fecundity rate）は約20％で，他の哺乳類と比較し，非常に低い。

ウサギ：90%　　ヒト：20%　　ヒヒ：80%

（文献1〜3）より作成）

図2　男女別不妊原因の頻度

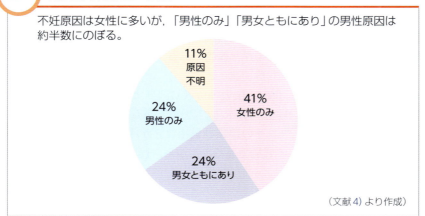

不妊原因は女性に多いが，「男性のみ」「男女ともにあり」の男性原因は約半数にのぼる。

11% 原因不明
41% 女性のみ
24% 男女ともにあり
24% 男性のみ

（文献4）より作成）

図3　不妊症の原因

排卵, 卵管における受精, 子宮内での胚の着床の経緯のどこかの過程が障害されると不妊症になる。不妊原因はさまざまでその多くが女性因子だが, 精子所見の異常以外で頸管通過障害と受精障害は男性因子も関係する。

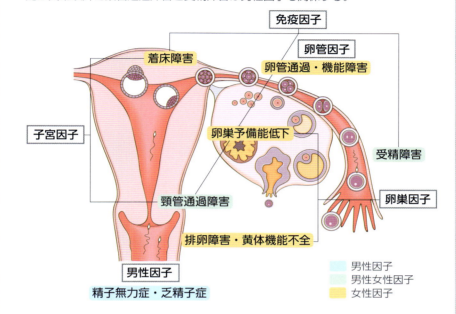

女性不妊症

卵巣因子

卵巣因子は主に排卵障害, 黄体機能不全, 卵巣予備能の低下に分けられる。排卵障害の原因は多岐にわたる（**表1**）。この中でもストレスや急激な体重減少などによる視床下部性排卵障害の頻度が最も多い。

➡「低ゴナドトロピン性性腺機能低下症もしくは不全症」(p.275)参照

高プロラクチン血症（乳汁漏出症）

高プロラクチン血症の原因には, プロラクチン放出抑制因子であるドーパミンを抑制する薬剤, プロラクチン産生腫瘍（プロラクチノーマ）, プロラクチン放出促進因子であるTRHを分泌する甲状腺機能低下症が挙げられ, 原因不明であることも多い。問診で抗精神病薬, 抗潰瘍薬, 降圧薬, エストロゲン製剤などを常用していないか確認することは重要である。また, プロラクチン値が100ng/mLを超える異常高値の場合は, 頭部MRI検査で下垂体腺腫の有無を確認するほうがよい。

黄体機能不全

排卵後黄体から分泌されるプロゲステロンの影響を受けて, 着床に向けて子宮内膜細胞は脱落膜化変化を起こす。黄体機能不全ではプロゲステロンの分泌が不十分なため, 適度な脱落膜化が起こらず着床時期（implantation

着床時期 implantation window
子宮内膜は排卵後, 5～6日後にエストロゲン, プロゲステロンの協調作用により, pinopodeとよばれる突起状の構造が現れ, 胚を着床させる。着床に適した期間をimplantation windowとよぶ。

表1 排卵障害の原因

卵巣性
・ ゴナドトロピンへの反応性の低下 ・（加齢による）卵巣予備能の低下
中枢性
・ 視床下部性（ストレス，体重減少） ・ 下垂体性（低ゴナドトロピン性性腺機能低下など） ・ 高プロラクチン血症
複合性
・ 多嚢胞性卵巣症候群

window）が合わないことによる着床障害や，その後の流産につながる可能性がある。

　排卵障害を伴う女性では，黄体機能不全を併発することがあるため，黄体期にプロゲステロン値を確認することを推奨する。

➡「黄体補充」
（p.187）参照

卵巣予備能の低下

　卵巣予備能の低下は，主に加齢が原因となるが，早発卵巣不全（POI）や子宮内膜症，卵巣の手術，悪性腫瘍に対する化学療法や放射線治療，Turner症候群のようなX染色体の異常などで低下することがある。

➡「卵巣予備能に影響するリスク因子」
（p.23）参照

卵管因子

　卵管因子は主に，卵管の通過性を認めない卵管閉塞や，卵管通過性を認めるにもかかわらず，卵管周囲癒着などによる排卵後の卵子を取り込むことができない，もしくは配偶子や受精卵の卵管輸送ができない卵管機能障害がある。

　後者は原因不明不妊症の一つであり，診断が困難である。いずれの原因もクラミジア感染症などに伴う上行性感染が多く，子宮内膜症や手術に伴う骨盤内癒着によるものもある。

➡「卵管機能障害」
（p.304）参照

子宮因子

　子宮因子は主に着床障害と頸管因子がある。

着床障害

　粘膜下筋腫，子宮内膜ポリープ，子宮腔内癒着症（Asherman症候群），慢性子宮内膜炎や中隔子宮が代表的であり，子宮内膜を障害し着床障害をきたす。粘膜下筋腫では過多月経を呈する症例も多く，子宮鏡などの手術療法を行う必要がある。

➡「子宮腔内病変」
（p.259）参照

　慢性子宮内膜炎は，子宮内感染が関与している可能性が高く，抗菌薬治療が必要となることが多い。

➡「慢性子宮内膜炎」
（p.312）参照

頸管因子

　頸管因子は，子宮頸管の狭窄もしくは精子の頸管粘液不適合により精子が進入できず，不妊となる。特に子宮頸部異形成などによる円錐切除後は，子宮頸管が狭窄することや排卵期に分泌される頸管粘液が減少し不妊となるが，子宮内に精子を注入する人工授精で妊娠は可能である。

男性不妊症

男性因子

　男性不妊症は造精機能障害，精路障害，性機能障害に大別される。

➡「男性不妊症」
(p.299) 参照

造精機能障害

　精液検査により精子数の減少や運動率が低下する乏精子症や精子無力症，さらには精子奇形症がある。いずれも正常な良好運動精子数の低下により卵管内の卵子にたどりつけない，もしくは卵管内で受精できないことが本態である。

精路障害

　精子は精巣で作られた後，精巣上体，精管を通って尿管に至るが，この精路が障害された状態である。原因は先天的，炎症，パイプカットや鼠径ヘルニアなどの手術などがある。また，逆行性射精という膀胱内に精子が射出される病態もある。

性機能障害

　勃起不全（ED）と性交障害があり，後者ではマスターベーションは可能であるが性交が不可能な場合と，また性交が可能であるが射精に至らない場合がある。性交障害はストレスや疲労，飲酒，加齢が原因であるが，近年は若年化しつつあり，性欲の低下が社会的な問題となっている。

免疫因子

　免疫性不妊症は原因不明不妊症に多く含まれていると考えられている。代表的な免疫性不妊症は，精子に対する自己免疫もしくは同種免疫が報告されており，男性においては乏精子症や無精子症の原因となる[5]。

　女性では抗精子抗体に伴う，頸管粘液不適合による子宮頸管通過障害や受精障害が起きることがある[6]。

　また最近は，ヘルパーT細胞由来の受精卵に対する免疫拒絶を認めることで着床率が低下することもわかっている[7]。

➡「原因不明不妊症」
(p.289) 参照

原因不明不妊症

　不妊原因を精査してもみつからない原因不明不妊症は，不妊症の原因がないのではなく検査が不可能な不妊原因があるか，偶発的に妊娠できていないことが考えられる。

➡「原因不明不妊症」
(p.289) 参照

一般不妊治療では精査ができない不妊原因

一般不妊治療では精査ができない不妊原因として，**①卵管疎通性のある卵管機能障害**，**②受精障害**，**③器質的疾患のない着床障害**，などが考えられる。

卵管機能障害や受精障害は生殖補助医療で妊娠は可能である。しかし器質的疾患のない着床障害の場合，子宮内局所もしくは全身における免疫異常などが考えられ，治療が困難なことも多い。

（桜井明弘，黒田恵司）

参考文献

1) Stevens VC：Some reproductive studies in the baboon. Hum Reprod Update 1997；3：533-40.
2) Viudes-de-Castro MP, Vicente JS：Effect of sperm count on the fertility and prolificity rates of meat rabbits. Anim Reprod Sci 1997；46：313-9.
3) Evers JLH：Female subfertility. Lancet 2002；360：151-9.
4) Rowe PJ, Farley TM：The standardized investigation of the infertile couple. In: Rowe PJ, Vikhlaeva EM (eds) WHO Symposium on Diagnosis and Treatment of Infertility, Yerevan, Armenia Toronto: Hans Huber Publisher, 1988；15-41.
5) Shibahara H, Tsunoda T, Taneichi A, et al：Diversity of antisperm antibodies bound to sperm surface in male immunological infertility. Am J Reprod Immunol 2002；47：146-50.
6) Witkin SS, Viti D, David SS, et al：relation between antisperm antibodies and the rate of fertilization of human oocytes invitro. J Assist Reprod Genet 1992；9：9-13.
7) Nakagawa K, Kwak-Kim J, Ota K, et al：Immunosuppression with Tacrolimus Improved Reproductive Outcome of Women with Repeated Implantation Failure and Elevated Peripheral Blood Th1/Th2 Cell Ratios. A J Reprod Immunol 2015；73：353-61.

なぜ不妊症・不育症になるのか？

不妊治療に必要な基礎知識
不妊治療の基本指針

Point

- 不妊治療はまず男女ともにスクリーニング検査を行い，原因を明らかにすることから始まるが，約3割は原因不明不妊であることも認識しておく。
- 不妊原因に則した治療を身体的・経済的により負担の少ないものから選択していく。
- 年齢・不妊期間を加味し治療方針を総合的に判断する。加齢による妊孕能低下を考慮し，積極的なステップアップを躊躇しない。
- 原因不明不妊に対しては早めの体外受精も検討する。
- 治療選択には患者カップルの意思が最も大切であり，それを支える十分な医療情報提供が必要となる。

治療法の選択

　スクリーニング検査の結果から，治療方針は，①原因が明らかとなった不妊症，②原因不明不妊症，の2つに大別される（図1）。不妊原因に則した治療を行うのが原則で，そのなかでも身体的・経済的に負担の少ないものから選択していく。

タイミング法
　タイミング法は超音波や基礎体温，尿中黄体化ホルモン（LH）測定等により排卵日を推定し性交を促す指導で，両側の卵管閉塞や重度の乏精子症・精子無力症を認めなければ適応となる。ただし，排卵日を特定することが妊娠率の上昇につながるという十分なエビデンスはない[1]。

図1 不妊治療の進め方

男女ともにスクリーニング検査を行い，効果的な治療を，より負担の少ないものから選択していく。原因不明不妊の存在も頭にいれて治療を進める。

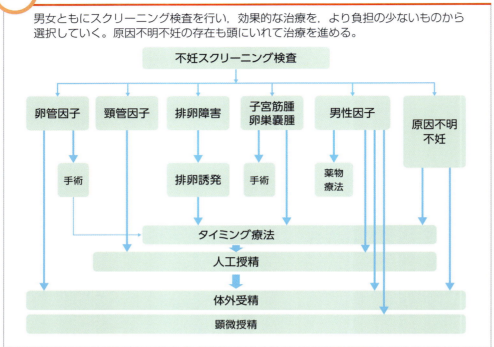

配偶者間人工授精

配偶者間人工授精（AIH）は，排卵日に合わせて調整した精液を子宮内に注入する治療で，適応はタイミング法同様である。また，勃起障害（ED）や腟内射精障害などの性交障害症例も適応となる。低侵襲・低コストであり広く行われているが，およそ6回の施行で妊娠に至らない場合には，体外受精へのステップアップを考慮する。AIHの施行にあたっては，漫然と繰り返さず各症例に対して年齢や精子所見，他の不妊因子によって柔軟に対応することが望ましい[2,3]。

配偶者間人工授精（AIH）
artifical insemination with husband's semen

体外受精

体外受精（IVF）は採卵により回収した卵子と採取した精子を，体外で受精させる治療である。受精後の胚を胚移植（ET）によって子宮内へ戻すまでが一連の治療となる。日本産科婦人科学会の見解では「これ以外の治療によっては妊娠の可能性がないか極めて低いと判断されるもの，および本法を施行することが，被実施者またはその出生児に有益であると判断されるもの」が適応とされている。

具体的には卵管性不妊や重度の乏精子症・精子無力症，精子不動化抗体による免疫性不妊，ほかの治療でうまくいかなかった原因不明不妊症が対象となる。

重度の乏精子症や精子無力症，通常のIVFでは受精困難な受精障害の場合は顕微授精（ICSI）の適応となる。

体外受精（IVF）
in vitro fertilization

胚移植（ET）
embryo transfer

顕微授精
卵細胞質内精子注入法（ICSI）
intra cytoplasmic sperm injection

不妊原因別の対応

卵管因子

卵管因子に対しては，腹腔鏡や卵管鏡下卵管形成術（FT），体外受精の選択肢がある。卵管通過性が確認できてもクラミジア抗体陽性の場合は自然妊娠のチャンスが低下するため，早めの体外受精も考慮する[4]。

卵管留水症では，貯留した卵管液の子宮内への流入によりIVF-ET後の着床率が低下するため，事前の卵管切断が推奨される[5]。

ヒューナーテスト

ヒューナーテストが不良の場合は，頸管炎の治療やAIHを検討する。ただし精子不動化抗体が高抗体価の場合はAIHでの妊娠は難しいため，IVFを検討する[6]。

排卵障害

排卵障害に対しては排卵誘発薬を用いた卵巣刺激を行う。クロミフェンやアロマターゼ阻害薬などの内服薬やhMG，recombinant FSH製剤による注射療法がある。卵巣刺激が強くなるほど排卵効果は高くなる一方で，過排卵に伴う多胎率の上昇が懸念されるため，単一卵胞発育を意識した薬剤投与に努める。

器質性疾患

不妊原因となる器質性疾患として子宮筋腫，卵巣嚢腫がある。

子宮筋腫

粘膜下筋腫や子宮内腔の変形を認めるような筋層内筋腫は切除を検討する[7]。

卵巣嚢腫

子宮内膜症性嚢胞，皮様嚢胞腫ともに手術による卵巣予備能低下を考慮し手術適応については慎重に判断する。嚢胞・嚢腫摘出術によるIVFの成績向上は見込めないため，無症状のものは経過観察とし不妊治療を優先する[8]。ただし，悪性を除外する必要のある場合は手術を優先する。

男性因子

男性因子に関しては，低ゴナドトロピン性の性腺機能低下症ではhMG（FSH）やhCG等のホルモン療法で造精機能の回復が見込めるが，そのほかの原因不明の造精機能障害に対しての薬物治療は有効性のエビデンスが乏しい。精液所見の程度でAIH，IVF，ICSIが検討される。重度の乏精子症や精子無力症ではIVFやICSIが第一選択となる。

射出精子に精子を認めない無精子症患者に対しては精巣生検を行い，精巣内に精子が確認できれば精巣内精子回収法（TESE）とICSIにより妊娠の可能性が期待できる[9]。

卵管鏡下卵管形成術（FT）
falloposcopic tuboplasty

➡「卵管機能障害」（p.304）参照

ヒューナーテスト
性交後の頸管粘液内の運動精子を確認する検査。精子の子宮内への遡上や抗精子抗体の存在を推測できる。

➡「多嚢胞性卵巣症候群（PCOS）」（p.266）参照

➡「子宮筋腫」（p.245）参照

➡「子宮内膜症」（p.238）参照

精巣内精子回収法（TESE）
testicular sperm extraction

原因不明不妊症への治療

以上のような原因に則した治療を行っても妊娠が成立しない場合は、判明している不妊原因だけではなく一般不妊検査では判明しない受精障害や卵子ピックアップ障害を含む卵管機能障害や器質性疾患のない着床障害を考え、原因不明不妊症に対する治療を検討する。

➡「男性不妊症」(p.299) 参照

積極的なステップアップ

原因不明不妊症に対しては、タイミング療法→AIH→IVFというステップアップ療法がこれまで一般的であったが、最近では年齢や不妊期間によっては積極的なステップアップや最初からIVFを選択する考えもある。

原因不明の不妊症において、自然周期のAIH単独とタイミング療法とでは妊娠率に差がなく、AIHの優位性は排卵誘発を併用したときのみであることが示されているが、排卵誘発の併用時には多胎率の上昇が懸念される[3,10]。また、ESHREや英国のNICEのように「高年女性に対しては第一選択としてIVFを勧めるべきである」[11]や「排卵誘発や子宮内人工授精は推奨されず、2年以上の不妊期間がある場合はIVFを提案すべきである」[12]などの意見や、早めのIVFを推奨する報告もある(図2)[13]。これらより、高年や不妊期間が長い場合はAIHを省略しIVFを第一選択とすることも検討する必要がある。

➡「原因不明不妊症」(p.289) 参照

ESHRE
European Society of Human Reproduction and Embryology

NICE
National Institute for Health and Clinical Excellence

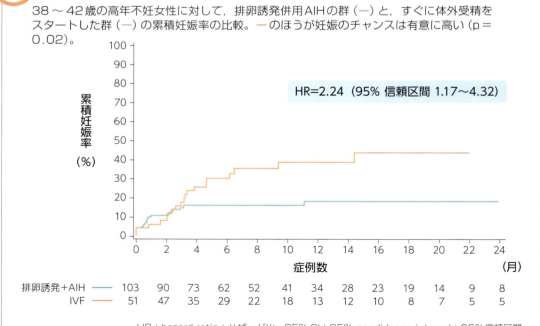

図2 高年不妊女性における、配偶者間人工授精と体外受精の累積妊娠率の比較

38〜42歳の高年不妊女性に対して、排卵誘発併用AIHの群(─)と、すぐに体外受精をスタートした群(─)の累積妊娠率の比較。─のほうが妊娠のチャンスは有意に高い(p=0.02)。

HR=2.24(95% 信頼区間 1.17〜4.32)

HR: hazard ratio; ハザード比、95% CI: 95% confidence interval; 95%信頼区間
(文献13) より抜粋 一部変更)

負担の少ない治療から選択していくのが原則であるが，タイミング療法やAIHで解決できない受精障害やピックアップ障害を含む卵管機能障害や器質性疾患のない着床障害を考え，**タイミング療法やAIHを漫然と繰り返してはいけない**。若年で不妊期間が短くとも，個人的にはタイミング療法もAIHも6周期程度までと考えている。

　不妊治療の方針は，原則として不妊原因に則した治療を身体的・経済的に負担の少ないものから選択していくが，年齢や不妊期間など患者それぞれで大きく異なり，一括りに治療方針を設定するのは困難である。それに加えて，**妊娠予後に大きく影響する不妊期間や年齢を考慮した治療選択が重要**となる。高年の患者にはタイミング療法やAIHの限界を考えながら，早期からIVFの情報も提供し，次の治療へのステップアップが手遅れにならないように納得のいく後悔のない治療が選択できるような説明をすることが重要である。

（堀川　隆，佐藤雄一）

参考文献

1) Practice Committee of American Society for Reproductive Medicine in collaboration with Society for Reproductive Endocrinology and Infertility: Optimizing natural fertility: a committee opinion. Fertil Steril 2013; 100: 631-7.
2) van Weert JM, Sjoerd Repping M.Sc, Van Voorhis, et al：Performance of the postwash total motile sperm count as a predictor of pregnancy at the time of intrauterine insemination: A meta-analysis. Fertil Steril 2004; 82: 612-20.
3) Huang HY, Lee CL, Lai YM, et al：The impact of the total motile sperm count on the success of intrauterine insemination with husband's spermatozoa. J Assist Reprod Genet 1996; 13: 56-63.
4) Coppus SF, Land JA, Opmeer BC, et al：Chlamydia trachomatis IgG seropositivity is associated with lower natural conception rates in ovulatory subfertile women without visible tubal pathology. Hum Reprod 2011; 26: 3061-7.
5) Johnson N, van Voorst S, Sowter MC, et al：Surgical treatment for tubal disease in women due to undergo in vitro fertilisation. Cochrane Database Syst Rev 2010; (1): CD002125.
6) Kobayashi S, Bessho T, Shigeta M, et al：Correlation between quantitative antibody titers of sperm immobilizing antibodies and pregnancy rates by treatments. Fertil Steril 1990; 54: 1107-13.
7) Practice Committee of American Society for Reproductive Medicine in collaboration with Society of Reproductive Surgeons: Myomas and reproductive function. Fertil Steril 2008; 90: S125-30.
8) Legendre G, Catala L, Morinière C, et al：Relationship between ovarian cysts and infertility: What surgery and when? Fertil Steril 2014; 101: 608-14.
9) Vloeberghs V, Verheyen G, Haentjens P, et al：How successful is TESE-ICSI in couples with nonobstructive azoospermia? Hum Reprod 2015; 30: 1790-6.
10) Gunn DD, Bates GW：Evidence-based approach to unexplained infertility: a systematic review. Fertil Steril 2016；105: 1566-74.
11) Good Clinical treatment in Assisted Reproduction. - An ESHRE position paper. European Society of Human Reproduction and Embryology（ESHRE), 2009, 1-5.
12) National Collaborating Centre for Women's and Children's Health（UK）：Fertility：Assessment and Treatment for People with Fertility Problems. National Institute for Health and Clinical Excellence: Guidance. 2013.
13) Goldman MB, Thornton KL, Ryley D, et al：A randomized clinical trial to determine optimal infertility treatment in older couples: The Forty and over Treatment Trial（FORT-T). Fertil Steril 2014; 101: 1574-81.

なぜ不妊症・不育症になるのか？

不妊治療に必要な基礎知識
男性生殖の基本

Point

- 不妊カップルの約半数は男性側に不妊原因を有している。
- 最も多いのは造精機能障害であり、そのなかでは特発性のものが多い。
- 造精機能も加齢とともに低下する傾向がある。
- 臨床的に最も多いのは、乏無力精子症である。
- 原因が判明しているものの代表が、精索静脈瘤である。
- 停留精巣、内分泌障害でも乏無力精子症を呈する。
- 最近、性機能障害による不妊症が増加している。
- 非閉塞性無精子症であっても、顕微鏡下精巣内精子採取術（micro TESE）で精子を確保できる可能性がある。

男性不妊症に対する診療の位置付け

　生殖補助医療（ART）生殖補助医療（ART）assisted reproductive technologyのめざましい発展に伴い、男性不妊症に対する治療は精子の確保のみに焦点が当たるようになった。実際、これまで挙児を断念してきた非閉塞性無精子症患者でも、精巣から精子数個を確保し顕微授精（ICSI）に供することで挙児が可能な時代となっている。しかしICSIに対する長期的な安全性、遺伝性疾患の問題、治療に関する医療費、健康女性に対する排卵誘発、採卵の問題や精神的倫理的問題などすべてが解決されたわけではない。

　また、カップルにとって自然妊娠が理想であることも間違いない。過去40年の研究で、年々、精子数が減少しているという報告もあり[1]、最近、男性不妊症の概念がより注目されるようになった。不妊夫婦を婦人科医と泌尿器科医

生殖補助医療（ART）
assisted reproductive technology

顕微授精（ICSI）
intracytoplasmic sperm injection

で同時に診察し、その原因を診断したうえで、泌尿器科的治療で精液所見の改善が期待できる場合には、まず、その治療が優先されるべきである。

男性不妊症の内訳

不妊カップルの原因について、男性のみに存在する場合が24％、男女ともに存在する場合が24％であるとWorld Health Organization（WHO）が報告していることから、約半数は男性側に原因があることが明確である。

男性不妊症の原因は、造精機能障害、精路通過障害、性機能障害に大別される。この原因の内訳について、1997年度と2015年度に全国調査が施行され（表1）、いずれの調査でも最も多いのは造精機能障害（80％以上）であることが明らかとなっている。

筆者は、これから結婚する男性、および妊活を開始する男性に対するブライダルチェックにて、精液量、精子濃度、精子運動率の項目が当時のWHO基準に到達しない精液不良群が25％以上であったと報告した[2]。また、この調査では無精子症が1.8％に認められており、精液不良群の多さとともに注目される結果となった。

1997年度と2015年度の全国調査結果比較で注目すべき点は、男性不妊症の原因のなかで性機能障害が3.3％から13.5％に急増していることである。最近では、結婚当初から性機能に問題を抱える（特に腟内射精障害）男性も多く、一説にはインターネットを介した性的動画が容易に視聴できる環境が影響しているのではないかと推測されている。

造精機能障害
精巣内での精子分化障害や精子の質の低下をもたらす。

精路通過障害
前立腺炎や精巣上体炎などによる精路の狭窄、閉塞が多い。

性機能障害
勃起障害、射精障害などを含む。

表1 男性不妊症の原因

	1997年度	2015年度
造精機能障害	83.0%	82.4%
原因不明	56.1%	51.0%
精索静脈瘤	35.9%	36.6%
その他	8.0%	12.4%
精路通過障害	13.7%	3.9%
性機能障害	3.3%	13.5%

最も多い乏無力精子症

　臨床的に最も多い造精機能障害は，精巣内で精祖細胞から精子までの分化に障害をきたした状態であり，乏精子症や無精子症などを呈する。また，乏精子症には精子運動無力症を合併していることが多く，合わせて乏無力精子症と称される。2015年度の全国調査においても，造精機能障害の51.0％は原因が特定されない特発性であった。

　造精機能の悪化にはさまざまな因子が関連している。女性ほどではないが，それでも男性の造精機能も加齢と関係しており（図1）[3]，精液量や精子運動率は加齢とともに減少する。最近の晩婚化傾向は，挙児を希望する意味合いからはマイナス因子となろう。

　精巣は，体温より低い33度程度の環境下（陰嚢内）で造精機能が活発となることが知られている。しかし，肥満は陰嚢内の精巣温度が上昇し，造精機能が悪化する。膝上にノートパソコンを置いて長時間作業しただけで，陰嚢内温度が上昇することも報告されている。

　単に肥満となるだけでなく，高血圧，高脂血症，高血糖などの生活習慣病因子を有すると，造精機能が悪化する。実際，メタボリック症候群を呈した患者の精液所見は悪化しており[4]，逆に，不妊男性は正常男性と比較してメタボリック症候群を呈する率が高いことも報告されている。

　過度の飲酒は体調を崩すことから造精機能に悪影響を及ぼし，喫煙も精子濃度，精子運動率を低下させることが示されている[5]。

　その他，睡眠時間や精神的不安状態も関与しているとの報告があり，不眠症や社会的ストレスの多さが現代人の精子数減少に関与しているのではないかとも推測されている。

図1　精子数と加齢の関係

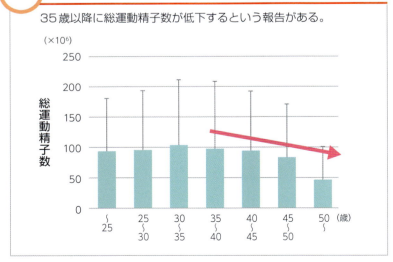

35歳以降に総運動精子数が低下するという報告がある。

2015年度の全国調査で，造精機能障害の36.6％と最も多くを占める基礎疾患が精索静脈瘤である。左片側例が80〜90％と多いが，それは左精索静脈血が左腎静脈から内精索静脈へ逆流するために，蔓状静脈叢の怒張，うっ血を生じるためである（図2）。精索静脈瘤の造精機能への影響についてはさまざまな説があるが，静脈血のうっ滞により陰嚢内温度が上昇するためとする説が有力である[6]。超音波検査で容易に同定できる。

　停留精巣は，陰嚢内まで下降せず陰嚢内よりも高温となる部位に精巣が留まった影響や，ある種の血流障害により造精機能障害が生じると考えられている。停留した部位により障害の程度はさまざまである。

　内分泌障害は，一般に高ゴナドトロピン性と低ゴナドトロピン性の性腺機能低下症に分類される。精巣そのものに異常を認める場合は，高ゴナドトロピン性となる。低ゴナドトロピン性には先天性ゴナドトロピン単独欠損症や汎下垂体性機能低下性小人症などが含まれ，視床下部，下垂体の外傷，感染，腫瘍，放射線照射による影響，手術侵襲によっても後天的に生じることもある。先天性のものは，第二次性徴が発来せず造精機能障害も併発し，多くは無精子症となる。まれに成人発症型下垂体性性腺機能低下症を呈する症例もあり，二人目不妊の原因になることがある。

　染色体異常の代表であるクラインフェルター症候群（non-mosaic型）は，わずかな射出精子を認めた例も報告されているが，通常は無精子症を呈する。ただし，mosaic型は乏無力精子症を呈することもある。

　さらに射精障害や，過去の鼠径ヘルニア，骨盤部の手術や射精管嚢胞などの精路部分的閉塞も乏無力精子症をきたす可能性を有する。流行性耳下腺炎や性精巣炎精巣上体炎などの感染症や，過去の抗癌剤や放射線治療も造精機能に影響を及ぼす。乏無力精子症の基礎疾患を表2に示した。

図2　左精索静脈瘤の外観と超音波検査像

精巣周囲に怒張した精索静脈を認める。

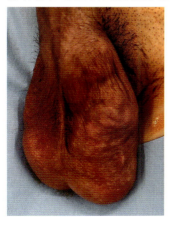
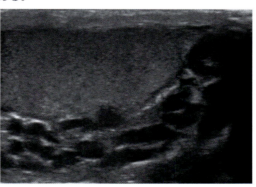

表2 乏無力精子症の基礎疾患

精索静脈瘤	
停留精巣	
内分泌異常	高ゴナドトロピン性性腺機能低下症 低ゴナドトロピン性性腺機能低下症 高プロラクチン血症
射精異常	逆行性射精 射精困難（糖尿病など）
精路障害	鼠径ヘルニア術後 骨盤部手術後 射精管嚢胞
染色体異常	クラインフェルター症候群など
感染症	流行性耳下腺炎 精路感染（精巣上体炎など）
物理化学因子	抗がん剤使用後 放射線曝露後 重金属曝露後 内分泌攪乱物質
その他	外傷・熱傷 死滅精子症 immotile cilia syndrome

無精子症

　閉塞性と非閉塞性に大別される。閉塞性無精子症は本来，造精機能に異常を認めない。従って，理論上はICSIに必要な精子が精巣もしくは精巣上体から必ず採取可能となる。そのため，可及的低侵襲の術式が選択される。

　一方，造精機能障害のなかで最も重症と位置づけられる非閉塞性無精子症は，無精子症全体の9割程度を占める。精巣が委縮し，血中卵胞刺激ホルモン（FSH）値の上昇が特徴である。かつては，非閉塞性無精子症と診断された時点で挙児を断念していたが，現在では顕微鏡下精巣内精子採取術（micro TESE）を施行することで，精巣内からわずかな精子を採取しうる可能性が残存することが知られている。

　精巣内の精細管は均一ではなく，精子が存在する精細管は太く，白濁し，蛇行しているという特徴を顕微鏡下に観察し，精子の採取を試みるのがmicro TESEである。この術式により，非閉塞性無精子症の採取率は向上し[7]，2015年度の全国調査で日本における精子採取率は34％と報告された。

卵胞刺激ホルモン（FSH）
follicle stimulating hormone

顕微鏡下精巣内精子採取術
(micro TESE)
microdissection testicular sperm extraction

将来的な問題点

2021年の欧州泌尿器科学会，男性不妊症ガイドラインアップデートによれば，男性不妊症患者は悪性疾患や心血管系疾患など他疾患に罹患するリスクが高いため，不妊症以外のスクリーニング検査も重要と強調されている[8]。

一方で，2019年にICSIを含めた体外受精で生まれた子どもが過去最多の60,598人で，年間の出生数から計算すると14人に1人に相当するほど，日本は最もARTが盛んな国となっている。

重度の造精機能障害のためICSIを施行することで誕生した男性の精液は，精子濃度や精子運動率が通常より劣ることから[9]，男性不妊症を原因としてICSIが選択された男性から得られた挙児の妊孕力については長期間の疫学調査が必須となる。

2021年，改訂された精液に関する『WHO laboratory manual』第6版には，精子DNA断片化検査や精液中酸化ストレス測定の項目が初めて記載されている。実際，非閉塞性無精子症と閉塞性無精子症から得られた精子のDNA断片化率を比較したところ，非閉塞性無精子症のほうが有意に高いことも報告されており，次世代へ引き継がれる障害等についても注意が必要となる。

（辻村　晃）

参考文献

1) Levine H, Jørgensen N, Martino-Andrade A, et al : Temporal trends in sperm count: a systematic review and meta-regression analysis. Hum Reprod Update 2017; 23: 646-59.
2) Tsujimura A, Hiramatsu I, Nagashima Y, et al : Erectile dysfunction is predictive symptom for poor semen in newlywed men in Japan. Sex Med 2020; 8: 21-9.
3) Levitas E, Lunenfeld E, Weisz N, et al : Relationship between age and semen parameters in men with normal sperm concentration: analysis of 6022 semen samples. Andrologia 2007; 39: 45-50.
4) Zhao L, Pang A : Effects of metabolic syndrome on semen quality and circulating sex hormones: A systematic review and meta-analysis. Front Endocrinol 2020; 11: 428.
5) Sharma R, Harlev A, Agarwal A, et al : Cigarette Smoking and Semen Quality: A New Meta-analysis Examining the Effect of the 2010 World Health Organization Laboratory Methods for the Examination of Human Semen. Eur Urol 2016; 70: 635-45.
6) Goldstein M, Eid JF : Elevation of intratesticular and scrotal skin surface temperature in men with varicocele. J Urol 1989; 142: 743-5.
7) Tsujimura A : Microdissection testicular sperm extraction: prediction, outcome, and complications. Int J Urol 2007; 10: 883-9.
8) Minhas S, Bettocchi C, Boeri L, et al, EAU Working Group on Male Sexual and Reproductive Health : European Association of Urology Guidelines on Male Sexual and Reproductive Health: 2021 Update on Male Infertility. Eur Urol Epub 2021; 80(5): 603-20.
9) Belva F, Bonduelle M, Roelants M, et al : Semen quality of young adult ICSI offspring: the first results. Hum Reprod 2016; 31: 2811-20.

なぜ不妊症・不育症になるのか？

不育症・習慣流産の基礎知識
流産について

Point

- 妊娠における着床と妊娠維持は，胚と子宮内膜の相互作用により成立する。
- 臨床妊娠の約15％が流産となる。
- 女性の加齢は流産の重要なリスク因子である。
- 散発性の流産の場合，その多くは胚の偶発的な染色体異常によるものである。
- 反復流産・習慣流産の場合は精査が必要であるが，50％以上が原因不明である。
- 反復流産・習慣流産既往の患者が流産した場合には，今後の治療方針を検討するうえで，胎児の絨毛染色体検査を推奨する。

妊娠初期の妊娠維持のメカニズム

　妊娠において，排卵後の黄体ホルモン（プロゲステロン）の上昇により子宮内膜は脱落膜化し，胚受容能を獲得する。卵管膨大部で受精した胚は，子宮腔内へ移動しながら内因性シグナルにより分裂・増殖し着床能を獲得した胚盤胞となり，排卵後6～10日目の着床時期に脱落膜化した子宮内膜に接着する。胚と子宮内膜は，相互に接触分泌，傍分泌，自己分泌によってシグナルを交換し，胚の成熟，子宮内膜受容性がさらに促進される。着床と胎盤形成，妊娠維持にとって，①胚の子宮内膜への侵入の制御，②semi-allograftである胚を受容する免疫学的妊娠維持機構の獲得，③胚と子宮に十分な酸素と栄養を供給するための血管新生・血管リモデリング，が重要である。

着床時期
implantation window

接触分泌
juxtacrine

傍分泌
paracrine

自己分泌
autocrine

このように，胚と子宮内膜の着床部位での巧妙精緻なネットワークの構築により，妊娠が成立し維持される。またこれらのネットワークの異常が流産や不育症のリスクにつながる可能性がある。

流産とは

流産とは，胎児が体外で生存不可能な妊娠22週未満の分娩をいい，妊娠12週未満の流産を初期流産，妊娠12週以降の流産を後期流産と称する。流産全体の約90％は初期流産である。

尿中や血液中のhCG測定では陽性と診断されるが，超音波断層法で胎嚢が子宮内に確認されずに流産にいたる場合は生化学的妊娠といい，着床部位は子宮内とは限らず，臨床的流産とは区別される。

頻度

臨床的に確認された妊娠の約15％が流産となり，妊娠歴のある女性の38％が流産を経験していると報告されている[1]。女性の加齢は重要な流産のリスク因子であり，35歳以下では流産率は10〜15％であるのに対し，40歳代では40％まで上昇する（図1）[2]。そのため，高年になれば流産率も上昇するため偶発的に流産を繰り返すことも多いが，流産を2回以上繰り返した場合は反復流産，3回以上繰り返した場合は習慣流産といい，それぞれ頻度は約5％，約1％である[1]。

図1　母体年齢と流産の発症率

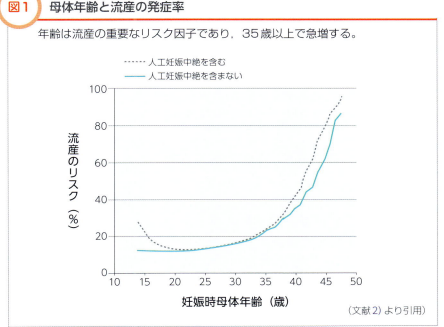

年齢は流産の重要なリスク因子であり，35歳以上で急増する。

（文献2）より引用）

米国生殖医学会（ASRM）および欧州生殖医学会（ESHRE）では，「2回以上の妊娠の失敗（連続しなくともよい）」を「recurrent pregnancy loss」と定義している。わが国とASRMではrecurrent pregnancy lossの定義について生化学的妊娠を流産の回数として含めないが，ESHREでは，生化学的妊娠も含んでいる[1]。

原因

妊娠初期流産の約80％は，胚に偶発的に生じた染色体異常が原因である。染色体異常の大部分は数的異常であり，常染色体のトリソミーが最も頻度が高く，倍数体，モノソミーXが次ぐ。染色体の数的異常のほとんどの場合は，女性の卵子の第一減数分裂の染色体異常分離に起因し，女性の加齢に伴いリスクは増加する[3]。

不育症においても胎児染色体異常が50％を占めるが，既往流産回数が多い患者ほど胎児染色体異常の発生頻度は低いことがわかっている。つまり流産回数が多いほど，胎児の染色体異常以外の流産のリスク因子が存在することが示唆される[4]。流産のリスク因子を表1に示す[3]。

そのリスク因子は多岐にわたり，女性だけでなく，男性にも存在するため，染色体検査などを行うときには必ずカップルともに検査が必要である。

➡「不育症のリスク因子」（p.67）参照

表1 流産のリスク因子

流産の母体側・男性因子	補足説明
カップルいずれかの染色体異常	相互転座，Robertson転座，逆位など
自己免疫異常	代表的な自己抗体マーカー：抗リン脂質抗体，抗核抗体抗甲状腺抗体など
胎児-母体間免疫応答異常	ナチュラルキラー細胞の異常，HLA-G抗原発現の異常，Th1/Th2バランスの異常など
血栓性素因	アンチトロンビン欠乏症，プロテインC欠乏症，プロテインS欠乏症，抗リン脂質抗体症候群，第XII因子欠乏症，高ホモシステイン血症など
内分泌異常	甲状腺機能異常，黄体機能不全，糖尿病，高プロラクチン血症など
子宮形態異常	先天性子宮形態異常，子宮筋腫，子宮内膜ポリープ，子宮腔内癒着症，子宮頸管無力症など
精子の異常	精子DNA断片化
子宮内膜脱落膜化異常	脱落膜化子宮内膜の胚選択能欠如，着床時期（implantation window）の異常延長，子宮内膜間葉系幹細胞の異常など
生活習慣因子	飲酒，喫煙，肥満など

（文献3）より作成）

臨床的診断

　流産の臨床的診断は，経腟超音波検査で子宮内胎嚢の有無，大きさ，胎児心拍の有無を確認することで行う。正常妊娠経過から超音波所見の解離が大きい場合には，流産を疑う（**表2**）[5]。胎芽・胎児が確認できない場合は，1～2週間以内の適切な間隔をあけて複数回診察した後で，稽留流産と診断する[1]。

　散発性の流産の場合，その原因の多くは胚の偶発的な染色体異常によるものである。しかし反復流産・習慣流産の場合は，染色体異常以外の流産のリスク因子を有している可能性があり，原因検索が推奨される。しかし，検査を行っても50％以上が原因不明である[1]。

　2回流産を繰り返す反復流産の場合は，偶発的な流産なことも多いが，反復流産・習慣流産の患者が再度流産した場合には，胎児の絨毛染色体検査を行うことが今後の治療方針を決めるうえで有用である。絨毛染色体検査の結果，不均衡転座を認めた場合にはカップルの染色体検査を行う必要があり，正常核型であれば他の流産リスク因子の精査を行い，数的異常であれば原因精査は不要で，現治療を継続する[1]。

稽留流産
胎児は死亡しているが，まだ出血，腹痛などの症状がない場合。

不均衡転座
転座のうち，染色体の一部に欠失や過剰があるもの。

表2　正常妊娠初期の超音波所見と血中hCGレベル

	妊娠週数	血中hCGレベル
胎嚢（1～3mm）確認	4週3日（4週2日～4週5日）	730（467～935）
卵黄嚢確認	5週1日（4週6日～5週3日）	4,130（1,120～7,280）
胎児心拍確認	5週6日（5週4日～6週1日）	12,050（5,280～22,950）

（文献5）より引用）

Column
子宮内膜菲薄化と流産について

　ヒト子宮内膜は生殖年齢期間において約400回もの増殖，分化，剥奪といったダイナミックな変化を繰り返す非常に再生能の高い組織である。子宮内膜の菲薄化は子宮内膜再生異常に起因するが，着床障害だけではなく流産の原因となることが報告されている。子宮内膜菲薄化と定義されるカットオフ値はコンセンサスを得られていないが，7～8mm未満として取り扱われていることが一般的である。Liuらによる，21,914新鮮胚移植周期の排卵誘起時の子宮内膜厚と流産率の後方視的検討では，流産率は≧8mm，22％；7.0～7.9mm，26.4％；6.0～6.9mm，27.1％；5.0～5.9mm，30％であり，子宮内膜が8mm未満では子宮内膜厚が薄くなるほど有意に流産率が高くなることが示されている[6]。子宮内膜厚が流産率に及ぼす影響はAsherman症候群に対する癒着剥離術後でより顕著であり，流産率は≦5mm，50％；＞5mm，8.3％であり5mm以下で有意に流産率が高いことが示されている[7]。

子宮内膜菲薄化が流産に及ぼすメカニズムについてはいまだ明らかではないが，酸化ストレスの増加や血管新生不全などが原因として推測されている[8]。また近年，子宮内膜間葉系幹細胞と流産についての研究報告も増えてきている。筆者らは，習慣流産の発生要因に子宮内膜間葉系幹細胞のコロニー形成能の欠乏が関与することを報告した[9,10]。子宮内膜間葉系幹細胞は子宮内膜再生過程の中心的役割を有し，子宮内膜菲薄化などの子宮内膜に由来する不妊症・不育症カップルの妊娠結果の改善のために，今後さらなる研究が期待される。

（村上圭祐）

参考文献

1) 日本産科婦人科学会/日本産婦人科医会編：産婦人科診療ガイドライン―産科編2020，日本産科婦人科学会，2020.
2) Nybo Andersen AM, Wohlfahrt J, Christens P, et al：Maternal age and fetal loss: population based register linkage study. BMJ 2000; 320: 1708-12.
3) Larsen EC, Christiansen OB, Kolte AM, et al：New insights into mechanisms behind miscarriage. BMC Med 2013; 11: 154.
4) Ogasawara M, Aoki K, Okada S, et al：Embryonic karyotype of abortuses in relation to the number of previous miscarriages. Fertil Steril 2000; 73: 300-4.
5) Cacciatore B, Tiitinen A, Stenman UH, et al：Normal early pregnancy: serum hCG levels and vaginal ultrasonography findings. Br J Obstet Gynaecol 1990; 97: 899-903.
6) Liu KE, Hartman M, Hartman A, et al：The impact of a thin endometrial lining on fresh and frozen-thaw IVF outcomes: an analysis of over 40000 embryo transfers. Hum Reprod 2018; 33: 1883-8.
7) Baradwan S, Shafi D, Baradwan A, et al：The effect of endometrial thickness on pregnancy outcome in patients with Asherman's syndrome post-hysteroscopic adhesiolysis. Int J Women's Health 2018; 10: 77-82.
8) Mouhayar Y, Franasiak JM, Sharara FI：Obstetrical complications of thin endometrium in assisted reproductive technologies: a systematic review. J Assist Reprod Genet 2019; 36: 607-11.
9) Lucas ES, Dyer NP, Murakami K, et al：Loss of Endometrial Plasticity in Recurrent Pregnancy Loss. Stem Cells 2016; 34: 346-56.
10) Murakami K, Bhandari H, Lucas ES, et al：Deficiency in clonogenic endometrial mesenchymal stem cells in obese women with reproductive failure-a pilot study. PLoS One 2013; 8: e82582.

総論 なぜ不妊症・不育症になるのか？

不育症・習慣流産の基礎知識
不育症のリスク因子

Point

- 不育症・習慣流産は偶発的に起こることもあるが，必ずリスク因子の精査が必要である。
- 流産のリスク因子は内分泌異常や血栓性素因など多様化しているが，その約半分は原因不明である。
- 不育症患者は検査・治療を進めることで，80％以上は出産することができる。

不育症・習慣流産とは

　不育症もしくは反復・習慣流産は日本産科婦人科学会で**表1**のとおりに定義されている。

　一般的に受精卵の約30％が着床前に喪失され，さらに30％が着床直後に淘汰され（生化学的妊娠），さらに妊娠後10〜15％が，臨床的流産となる[1]。妊娠歴のある女性の38％が流産を経験しており，流産は日常診療でも一般的であるが，一方で繰り返された場合の女性の精神的かつ肉体的な負担は非常に大きい[2]。

表1　不育症もしくは反復・習慣流産の診断基準

不育症	生殖年齢の男女が妊娠を希望し，妊娠は成立するが流産や早（死）産を繰り返して生児が得られない状態
反復流産	連続して2回流産を繰り返す状態
習慣流産	連続して3回以上流産を繰り返す状態

偶発的に繰り返す流産の確率は，一般的な流産率である10～15%の流産回数（n）の累乗（0.1^n～0.15^n）で推定できるが，3回繰り返す流産は計算上約0.1～0.3%であり，不育症の頻度4.2%，習慣流産0.9%より明らかに低頻度である[2]。そのため，不育症・習慣流産ではそのリスク因子の精査が必要である。

不育症・習慣流産のスクリーニング

不育症・習慣流産のリスク因子はさまざまである。その主な検査方法を**表2**に示す。

問診

まず問診を行い，詳細な妊娠歴を聞くことは大切である。また肥満，喫煙やカフェインの大量摂取，精神的なストレスも流産のリスク因子となりうるため，生活習慣の確認が必要である。また，経腟超音波断層法などによる診察によって，子宮の形態や子宮筋腫などの器質的な疾患の有無を確認する。

子宮形態・内腔の確認

子宮卵管造影法

子宮形態異常を確認する場合には，子宮卵管造影法が勧められている。流産率が高く，かつ子宮鏡手術が可能な中隔子宮を確認することは重要である。3次元超音波検査や骨盤MRI検査で冠状断撮影を行い，子宮の形状を確認することで，中隔子宮と双角子宮を鑑別することが可能である。

表2 不育症・習慣流産のスクリーニング

1.	問診	
2.	子宮形態・内腔の確認	超音波断層法，子宮卵管造影，骨盤MRI検査，子宮鏡検査
3.	内分泌検査	卵巣・下垂体ホルモン（LH, FSH, PRL, E_2, P_4） 甲状腺ホルモン（fT_3, fT_4, TSH） 糖尿病検査（空腹時血糖値，インスリン値）
4.	免疫学的検査	抗核抗体，抗リン脂質抗体（ループスアンチコアグラント，抗カルジオリピン抗体：IgG, IgM，抗β2-GP1抗体：IgG, IgM） 25OHビタミンD （甲状腺異常を認めた場合：抗サイログロブリン抗体，抗ペルオキシダーゼ抗体，TSH受容体抗体）
5.	血栓性素因検査	PT, APTT，プロテインC活性，プロテインS活性，第XII因子活性
6.	カップルの染色体検査	染色体Gバンド法
7.	卵巣予備能検査	抗ミュラー管ホルモン（AMH）

LH：黄体化ホルモン，FSH：卵胞刺激ホルモン，PRL：プロラクチン，E_2：エストラジオール，P_4：プロゲステロン，FT_3：遊離トリヨードサイロニン，FT_4：遊離サイロキシン，TSH：甲状腺刺激ホルモン，PT：プロトロンビン時間，APTT：活性化部分トロンボプラスチン時間

子宮鏡検査

経腟超音波検査でもはっきりしない子宮内膜ポリープや慢性子宮内膜炎を認めることがある。

血液検査

主に内分泌検査，免疫学的検査，血栓性素因検査，染色体検査がある。

内分泌検査

顕性甲状腺機能異常は，流産と関与していることは明らかであるが，または甲状腺ホルモンである遊離トリヨードサイロニン（FT3），遊離サイロキシン（FT4）値が正常であっても，甲状腺刺激ホルモン（TSH）が高値である潜在性甲状腺機能低下症や甲状腺に対する自己抗体をもつ橋本病（慢性甲状腺炎）でも流産と関与していることがわかっている。異常値を認める場合には，必ず内科に再度精査してもらい，レボチロキシン（チラーヂン®）などで適宜治療をすることが重要である。

また，多嚢胞性卵巣症候群と流産の関連性は，現在もさまざまな議論があるが，多嚢胞性卵巣症候群の有無を明らかにし，かつ存在する場合は，インスリン抵抗性などの糖尿病の精査を行うことは重要である。

免疫学的検査

免疫学的検査は，主には抗リン脂質抗体症候群の精査となる。診断基準にはループスアンチコアグラント，抗カルジオリピン抗体，抗β2-GP1抗体の3つの抗体がある。また，ビタミンD欠乏はNK（natural killer）細胞やヘルパーT細胞などの免疫異常を誘導し流産と関与することがわかっている[3〜5]。貯蔵型ビタミンDである25OHビタミンD値の測定し，30 ng/mL未満であればサプリメントで補充を行うことで流産が予防できる可能性がある。さらに前述のとおり，甲状腺ホルモン検査で異常がある場合は，橋本病やバセドウ病の精査として，抗サイログロブリン抗体（Tg-Ab），抗ペルオキシダーゼ抗体（TPO-Ab），TSH受容体抗体（TR-Ab）の測定も必要である。

抗リン脂質抗体症候群以外の血栓性素因の検査として，プロテインCおよびプロテインS，第XII因子の検査も必要である。

染色体検査

染色体検査に関しては，均衡型相互転座などの構造異常は，流産率が高いことがわかっている。そのため，染色体検査もスクリーニング検査として必要である。

検査を行う場合には必ず，カップルともに検査を行い，異常を認めた場合には遺伝カウンセリングが必要である。

また，染色体異常を認めても，その後初回の妊娠で約60％，2回目までに約70％，3回目の妊娠までに約80％の患者が生児獲得しており，その児の染色体異常の発生率は0.4％と報告されている[6]。流産を回避する治療としては，体外受精による着床前診断しかないため，生殖補助医療を希望しない患者には染色体検査は不要かもしれない。

遊離トリヨードサイロニン（FT3）
free triiodothyronine

遊離サイロキシン（FT4）
free thyroxine

甲状腺刺激ホルモン（TSH）
thyroid stimulating hormone

➡「甲状腺機能異常」（p.323）参照

抗サイログロブリン抗体（Tg-Ab）
thyroglobulin autoantibody

抗ペルオキシダーゼ抗体（TPO-Ab）
thyroid peroxidase autoantibody

➡「血栓症疾患」（p.331）参照

➡「染色体異常」（p.337）参照

さらに卵巣予備能は不育症のリスク因子ではないが，非常に低下している場合に不妊治療などで少しでも早く妊娠することが重要となるため，抗ミュラー管ホルモン（AMH）値で卵巣予備能を確認することも必要である．

不育症のリスク因子の頻度

　厚生労働省不育症班研究により，わが国における不育症のリスク因子の頻度が明らかになった[7]．そのリスク因子は，抗リン脂質抗体症候群を含む血栓性素因は約25％，子宮形態異常などの器質的な因子は7.8％，甲状腺異常が6.8％であり，リスク因子不明が半分以上を占めている（図1）．

　流産の原因がはっきりしない場合，患者をさらに不安に陥れ，ストレスに伴う流産率が増加する可能性がある．厚生労働省不育症班研究の結果でも，治療を進めることで，高年でなければ80％以上の患者が生児獲得できている．そのため，原因不明不育症であっても必ずきちんと検査を行ったうえで，治療を行えば80％以上の不育症患者が妊娠できる事実を伝え，患者の精神的な負担を取り除き，治療を進めることが重要である．

図1　不育症のリスク因子別頻度

不育症のリスク因子はさまざまである．しかし，その半分以上がリスク因子不明である．

不育症のリスク因子
1. 子宮形態異常
2. 甲状腺異常
3. 染色体異常
4. 抗リン脂質抗体陽性
5. 第XII因子欠乏
6. プロテインS欠乏
7. プロテインC欠乏

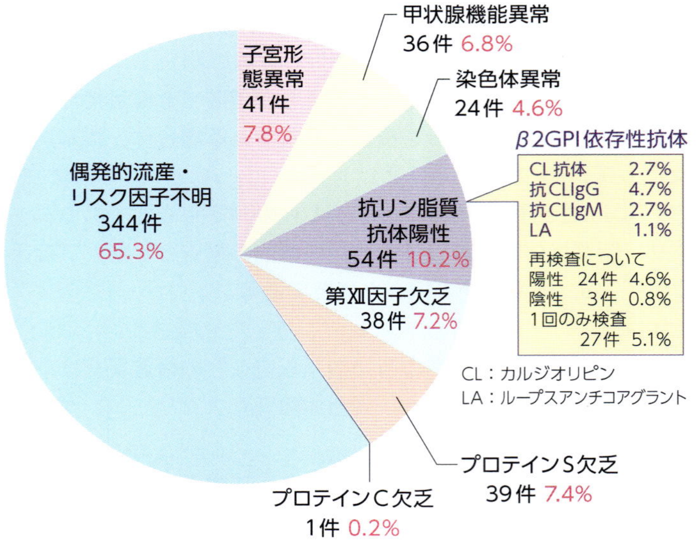

- 偶発的流産・リスク因子不明　344件　65.3％
- 子宮形態異常　41件　7.8％
- 甲状腺機能異常　36件　6.8％
- 染色体異常　24件　4.6％
- 抗リン脂質抗体陽性　54件　10.2％
- 第XII因子欠乏　38件　7.2％
- プロテインC欠乏　1件　0.2％
- プロテインS欠乏　39件　7.4％

β2GPI依存性抗体
CL抗体	2.7％
抗CLIgG	4.7％
抗CLIgM	2.7％
LA	1.1％

再検査について
陽性	24件	4.6％
陰性	3件	0.8％
1回のみ検査	27件	5.1％

CL：カルジオリピン
LA：ループスアンチコアグラント

n＝527（年齢34.3±4.8歳，既往流産回数2.8±1.4回，重複有43件）

（文献7）より引用）

Column
妊娠しやすい女性は流産もしやすい？

　Super-fertilityという概念をご存知だろうか？　1950年にTiezeらが雑誌「Fertility and Sterility」に1,727組のカップルの妊孕能について報告している。正常妊孕能のカップルの1カ月で自然妊娠する確率（monthly fecundity rate；MFR）は約20％である。女性全体の79％が正常妊孕能であり，18％が不妊症（infertility）もしくはMFRの低下を認め（subfertility），3％に非常に高い約60％のMFRをもつsuper-fertilityが存在すると報告している[8,9]。ただし，super-fertilityの女性は妊孕能も高いが流産率も高いことがわかっている。

　一方で，原因不明不育症の女性の妊娠から次の妊娠までの期間（time to pregnancy；TTP）の報告もある。560人の原因不明不育症の女性の2,076妊娠のTTPの解析で，全体の約半数がsuper-fertilityであった[10]。

　ヒト以外の哺乳類，例えばウサギやヒヒのMFRは約80〜90％であり，ヒトのMFR 20％は非常に低いことは明らかである。進化の過程で二足歩行となり，女性の骨盤が狭くなり，子宮や卵管はヒト特有の形態へと変化し，受精や着床，妊娠維持の過程で胚や配偶子は淘汰されているのかもしれないが，その詳細はわからない。ただ他の哺乳類と比較し，ヒトの着床まで到達できない受精卵（embryo wastage）やその後の流産率は，明らかに高い。

　受精卵は約30％着床できずに終わり（preimplantation loss），さらに30％は着床直後に流産となる（biochemical loss）。

　臨床的な流産が10〜15％であり，よく受精卵の選別は図2のように氷山にたとえられる。Super-fertilityの女性はその氷山における淘汰されるべき受精卵が着床，継続し，臨床的流産になっている可能性が考えられる[1]。原因不明不育症の一部は，妊娠・出産まで辿り着けない受精卵を選別する子宮内環境や免疫機構が欠如しているのかもしれない。（p.345「原因不明不育症」のトピックへ続く）

図2　受精卵の出産までの選別（embryo wastage iceberg）

妊孕能が正常な女性は，受精卵のうち約30％は着床せず，30％は着床直後に流産となり，10％は臨床的流産となる。super-fertilityの女性は着床後淘汰されるべき受精卵が継続し，臨床的流産となっている可能性がある。

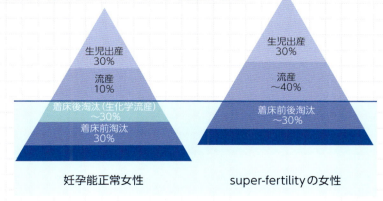

妊孕能正常女性　　super-fertilityの女性

（文献1）より引用）

（黒田恵司）

参考文献

1) Teklenburg G, Salker M, Heijnen C, et al : The molecular basis of recurrent pregnancy loss : impaired natural embryo selection. Mol Hum Reprod 2010 ; 16 : 886-95.
2) Sugiura-Ogasawara M, Suzuki S, Ozaki Y, et al : Frequency of recurrent spontaneous abortion and its influence on further marital relationship and illness: the Okazaki Cohort Study in Japan. J Obstet Gynaecol Res 2013 ; 39 : 126-31.
3) Ota K, Dambaeva S, Han AR, et al : Vitamin D deficiency may be a risk factor for recurrent pregnancy losses by increasing cellular immunity and autoimmunity. Hum Reprod 2014 ; 29 : 208-19.
4) Ikemoto Y, Kuroda K, Nakagawa K, et al : Vitamin D Regulates Maternal T-Helper Cytokine Production in Infertile Women. Nutrients 2018 ; 10 : 902.
5) Wang LQ, Yan XT, Yan CF, et al : Women with Recurrent Miscarriage Have Decreased Expression of 25-Hydroxyvitamin D3-1 α-Hydroxylase by the Fetal-Maternal Interface. PLoS One 2016 ; 11 : e0165589.
6) Franssen MTM, Korevaar JC, van der Veen F, et al : Reproductive outcome after chromosome analysis in couples with two or more miscarriages : index [corrected]-control study. BMJ 2006 ; 332 : 759-63.
7) Morita K, Ono Y, Takeshita T, et al : Risk Factors and Outcomes of Recurrent Pregnancy Loss in Japan. J Obstet Gynaecol Res 2019 ; 45 : 1997-2006.
8) Evers JLH : Female subfertility. Lancet 2002 ; 360 : 151-9.
9) Tietze C, Guttmacher AF, Rubin S : Time required for conception in 1727 planned pregnancies. Fertil Steril 1950 ; 1 : 338-46.
10) Salker M, Teklenburg G, Molokhia M, et al : Natural selection of human embryos : impaired decidualization of endometrium disables embryo-maternal interactions and causes recurrent pregnancy loss. PLoS One 2010 ; 5 : e10287.

なぜ不妊症・不育症になるのか？

不育症・習慣流産の基礎知識

不育症治療の基本指針

Point

- 不育症検査を行い，みつかったリスク因子をもとに治療を行う。
- 年齢に伴い流産率は増加する。
- 不育症の半分以上が原因不明であり，偶発的に繰り返す流産と精査不可能なリスク因子がある可能性がある。
- 精神的なストレスやカフェインの大量摂取，喫煙，肥満も流産と関連性があり，生活習慣を問診することも重要である。
- 不育症治療を行っても流産した場合は，絨毛染色体検査を行い，今後の治療方針を検討する。

不育症とは

不育症とは，「妊娠は成立するものの，流産，死産を繰り返して生児を獲得することができない状態」であり，多くは初期流産を2回以上繰り返す反復流産または3回以上繰り返す習慣流産である。

不育症の主なリスク因子

主なリスク因子として，血栓性素因疾患，子宮形態異常，内分泌異常，カップルどちらかの染色体構造異常などが挙げられる。また，わが国の生殖医療においては，妊娠を希望する女性の高年齢化により流産率が増加することも問題となっている。

➡「不育症のリスク因子」（p.67）参照

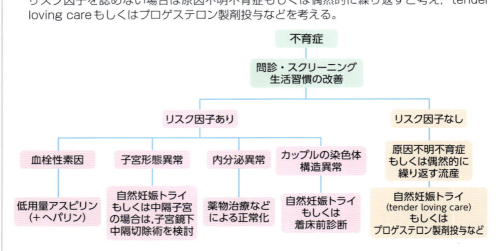

図1 不育症治療のプロトコール

不育症のスクリーニングを行い，リスク因子を検出した場合はそれに対する治療を行う。リスク因子を認めない場合は原因不明不育症もしくは偶然的に繰り返すと考え，tender loving careもしくはプロゲステロン製剤投与などを考える。

不育症のスクリーニング検査と生活習慣の改善

スクリーニング検査

流産を繰り返す患者に対し，まずリスク因子がないか精査することが必要である。不育症治療のプロトコールを図1に示す。

➡「不育症のリスク因子」(p.67)参照

表1 生活習慣における流産のリスク因子

（流産率1.5～2倍上昇する目安）

1. 喫煙（＞10本／日）
2. アルコール（＞2杯／週）
3. 肥満（BMI＞30）
4. カフェイン（＞2～3杯／日）

問診

流産は遺伝要因に環境要因が加わり，交互に影響していると考えられている[1]。そのため問診で流産と関与する環境因子や生活習慣を治療前に改善することは重要である。特に肥満，喫煙，アルコール，カフェインなどの環境要因は妊娠初期の自然流産，不育症のリスクを上昇させる可能性があるため，患者によく問診する必要がある[2,3]（表1）。肥満であればダイエットや適度な運動を勧め，禁煙，禁酒などで生活習慣を整えることが大切である。

また，患者のストレスは流産と関与することがわかっている。繰り返す流産は肉体的，精神的な負担が大きく，次回の妊娠の不安が強い。そのためストレスを取り除けるよう，定期的な診察を行い，精神的なサポートも重要である。

精神的なサポート
tender loving care

血栓性素因疾患

血栓性素因は最も有名な不育症のリスク因子で，抗リン脂質抗体症候群をはじめとして，プロテインC，プロテインS欠乏症や第XII因子欠乏症もリスク因子である[4]。

抗リン脂質抗体症候群

抗リン脂質抗体の血管内での血栓形成を誘導する要因として，血管内皮細胞でのプロテインC活性化阻害，組織因子放出などがある。また，絨毛，胎盤形成にも影響を与え，絨毛に対する細胞障害性，絨毛のホルモン産生，侵入への障害，絨毛表面annexin Ⅴを減少させ血栓を形成することなどが知られている[5]。また抗リン脂質抗体は胎盤で補体を活性化させ，胎盤の障害を生じる。

抗リン脂質抗体症候群は妊娠中の血栓リスクが高くなるため[6]，抗凝固療法が必要となる。低用量アスピリンとヘパリン（5,000〜10,000単位／日）の併用療法が有用である。

➡「血栓性疾患」
（p.331）参照

子宮形態異常

流産率を上昇する可能性のある子宮形態異常には，先天的な子宮形態異常と，後天的なものとして粘膜下筋腫やAsherman症候群などがある。

子宮形態異常は早産，胎児発育不全，胎位異常との関連が報告されるほか，不育症や不妊症とも関連が深く，特に中隔子宮と双角子宮は流産率が高い[7]。

中隔子宮

中隔子宮の手術は，従来からJones手術などの開腹子宮形成術が行われてきたが，腹腔腔内癒着や卵管閉塞といった合併症が起こる可能性があり，妊娠した場合も分娩様式は腹式帝王切開術となる。そのため，最近ではより低侵襲である子宮鏡下中隔切除術が一般的に行われている。

➡「子宮形態異常」
（p.318），
「子宮腔内病変」
（p.259）参照

内分泌異常

甲状腺機能亢進症や低下症，糖尿病は流産リスクが高いため，血液検査で甲状腺ホルモンや血糖検査などを行う。異常が見つかれば内科医と連携しながら内服や食事療法を行い，できるだけコントロールできてから妊娠することが望ましい。

➡「甲状腺機能異常」
（p.323）参照

カップルの染色体構造異常

　妊娠12週未満の流産の原因の多くは胚に生じた染色体数的異常といわれている。一方で，カップルのどちらかに均衡型相互転座やRobertson転座などの染色体構造異常が認められた場合，減数分裂の過程で不均衡型の配偶子が一定の頻度で形成されるため，流産あるいは不均衡型染色体異常をもつ児の出生の原因となる[8]。

　カップルの染色体構造異常に対して，流産率を減少させる目的で着床前診断（PGT-SR）を行うという選択肢がある。筆者らは，PGT-SRは自然妊娠と比較し生児を得るまでの流産回数を有意に減少させる（0.24回 vs 0.58回）が，最終的な累積生児獲得率の改善には貢献しない（67.6% vs 65.4%）と報告している[9]。

　PGT-SRを行う際には，生殖補助医療（ART）を必要とするため，卵巣刺激や採卵による身体的・肉体的負担や高額な治療費がかかる。そのため遺伝カウンセリングを行う際には，PGT-SRのメリットとデメリットを十分に説明する必要があると考えられる。

➡「染色体異常」（p.337），「流産と染色体異常」（p.108）参照

➡「着床前診断（PGT-A，PGT-SR）」（p.208）参照

着床前診断（PGT-SR）
Preimplantation Genetic Test for Structural Rearrangements

生殖補助医療（ART）
assisted reproductive technology

生殖年齢の高年齢化

　わが国の生殖医療においては，妊娠を希望する女性が高年齢化している。デンマークの女性約60万人を対象とした大規模調査では，34歳以下までの流産率は11〜15%であった。一方，35〜39歳で24.5%，40〜44歳で51.0%，45歳以上で93.4%と35歳以上で流産率の著明な増加が認められた（図2）[10]。

図2　女性の年齢と流産率の推移

35歳以上で流産率の著明な増加を認めた。

何度も流産を繰り返した場合，年齢に伴い妊孕能は低下し流産率も上昇する。そのため，40歳を超える患者，不妊症を伴う患者には適宜，不妊治療でサポートする必要がある。

原因不明不育症

不育症のうち半分以上が流産のリスク因子が不明と考えられている[11]。偶発的に流産を繰り返す可能性もあるが，検査不可能なリスク因子が存在する場合がある。

プロゲステロン投与

最近，原因不明不育症の一部に母体の免疫異常や子宮局所の子宮内膜脱落膜化の異常が関与していることがわかっている[12,13]。至適な子宮内膜脱落膜化を制御する因子であるプロゲステロンは，原因不明不育症の治療に効果があると考えられている。2015年に不育症に対する天然型プロゲステロン腟錠の有効性について無作為化対照試験が行われ，約65％が妊娠継続しているが有意差を認めなかった[14]。さらに，追加の無作為化対照試験と解析が行われ，3回以上の流産既往があり，出血を認める症例は，プロゲステロン腟錠の投与が有意に妊娠継続率を上昇することがわかった[15]。

また，精神的なサポートとしてプラセボ製剤も不育症治療に効果があるため，プロゲステロン製剤を用いることを検討すべきである。

➡「原因不明不育症」(p.345) 参照

図3 流産後の絨毛染色体検査

不育症治療を行ったにもかかわらず流産となった場合は，絨毛染色体検査を行い，検出された核型に合わせた治療を行うことが重要である。

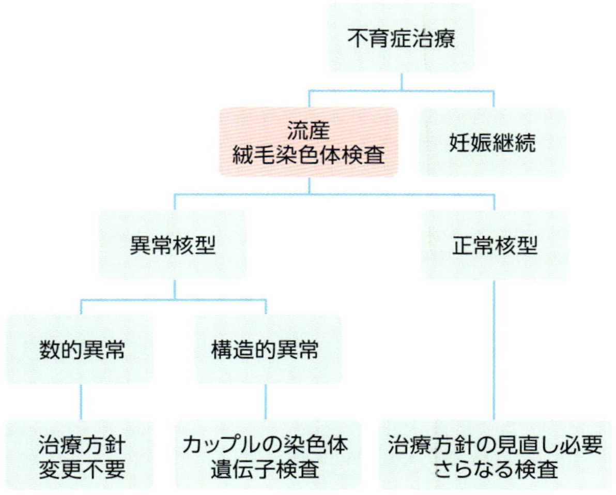

不育症治療
├─ 流産 絨毛染色体検査
│   ├─ 異常核型
│   │   ├─ 数的異常 → 治療方針変更不要
│   │   └─ 構造的異常 → カップルの染色体遺伝子検査
│   └─ 正常核型 → 治療方針の見直し必要 さらなる検査
└─ 妊娠継続

さらに，ビタミンD不足や慢性子宮内膜炎も流産と関与していることがわかっている。これらをサプリメントや抗菌薬で正常化することも検討すべきである。

➡「慢性子宮内膜炎」(p.312)参照

絨毛染色体検査の重要性

不育症に対し治療を行ったにもかかわらず，流産となった場合，その流産が**母体側の問題**なのか，**胎児側の問題**なのかを明らかにすべきである。

絨毛染色体検査を行い，染色体検査で**数的異常**を認めるようであれば，**回避できない流産**であるため，現在の治療を継続すべきである（**図3**）。

構造的異常を認め，カップルの染色体遺伝子検査を行っていないようであれば，施行すべきである。また**絨毛染色体検査で正常の場合は，その治療法を再度検討し直し，かつさらなる精査を検討**する必要がある。

（伊熊慎一郎，黒田恵司）

参考文献

1) 佐田文宏，山田秀人：厚生労働省科学研究費補助金（成育疾患克服等次世代育成基盤研究事業）不育症に係わる遺伝要因，環境要因およびそれらの交互作用．2011．
2) Maconochie N, Doyle P, Prior S, et al：Risk factors for first trimester miscarriage - results from a UK-population-based case-control study. BJOG 2007; 114: 170-86.
3) Peacock JL, Bland JM, Anderson HR：Preterm delivery - effects of socioeconomic-factors,psychological stress, smoking, alcohol, and caffeine. BMJ 1995; 311: 531-5.
4) Sugiura-Ogasawara M, Ozaki Y, Suzumori N：Management of recurrent miscarriage. J Obstet Gynecol Res 2014; 40: 1174-9.
5) 山本樹生，千島史尚，市川　剛ほか：抗リン脂質抗体症候群．産と婦 2016; 83: 521-7.
6) 日本産科婦人科学会／日本産婦人科医会．CQ004-1 妊娠中の深部静脈血栓症（DVT）の予防法は？産婦人科診療ガイドライン—産科編 2020: 8-12.
7) 中山敏男，永松　健：不育症の検索手順．臨婦産 不妊・不育症診療パーフェクトガイド 2016; 70: 314-9.
8) 伊熊慎一郎，田中 威づみ，山口貴史ほか：染色体異常．産と婦 2016; 83: 485-90.
9) Ikuma S, Sato T, Sugiura-Ogasawara M, et al：Preimplantation genetic diagnosis and natural conception: a comparison of live birth rates in patients with recurrent pregnancy loss associated with translocation. PLoS One 2015; 10: e0129958.
10) Nybo Andersen AN, Wohlfahrt J, Christens P, et al：Maternal age and fetal loss: population based register linkage study. BMJ 2000; 320: 1708-12.
11) Morita K, Ono Y, Takeshita T, et al: Risk Factors and Outcomes of Recurrent Pregnancy Loss in Japan. J Obstet Gynaecol Res 2019; 45: 1997-2006.
12) Gellersen B, Brosens JJ：Cyclic decidualization of the human endometrium in reproductive health and failure. Endocr Rev 2014; 35: 851-905.
13) Weimar CH, Kavelaars A, Brosens JJ, et al：Endometrial stromal cells of women with recurrent miscarriage fail to discriminate between high-and low-quality human embryos. Plos One 2012; 7: e41424.
14) Coomarasamy A, Williams H, Truchanowicz E, et al：A Randomized Trial of Progesterone in Women with Recurrent Miscarriages. N Engl J Med 2015; 373: 2141-8
15) Coomarasamy A, Devall AJ, Brosens JJ, et al：Micronized vaginal progesterone to prevent miscarriage: a critical evaluation of randomized evidence. Am J Obstet Gynecol 2020; 223: 167-76.

Q&A

妊娠前の準備	80
年齢ごとの妊娠率	88
年齢ごとの流産率　ダウン症候群発症率	94
その他，妊娠に伴う合併症の発症率	98
流産と染色体異常	108

妊娠前の準備

Q&A

Q1
太り過ぎや，やせ過ぎはよくないですか？

A1 太り過ぎや，やせ過ぎは妊娠率・生産率を低下させ，流産率を高めます。適正BMIは20〜24，体脂肪率は19〜28％ですが，わが国ではやせが増えている傾向にあります。適正な身体を目指し，食事や運動習慣を見直しましょう。

Q2
食事はどんなことに気を付けるとよいですか？

A2 日本人女性の多くが必要摂取カロリーを満たしていません。朝食を欠食することなく，3食しっかりバランスよく食べましょう。高蛋白，低糖質を心がけ，トランス脂肪酸は避け，不飽和脂肪酸を多くとるようにしましょう。

Q3
サプリメントは摂る必要がありますか？

A3 妊娠1カ月以上前から400μg/日の葉酸サプリメントを摂りましょう。鉄欠乏がある場合は，鉄分を含むマルチビタミンミネラルのサプリメントも摂るようにしましょう。その他，ビタミンDは日本人女性で不足している傾向にあり，検査，補充が勧められます。

Q4
運動は必要ですか？　どのくらいすればよいですか？

A4 日本人女性の運動不足が指摘されています。毎日30〜40分，または週150分程度のウォーキングなどの穏やかな運動習慣で妊娠率がアップします。カップルそろっての運動習慣が勧められます。

Exposition

現在の生活習慣，体格，食事，サプリメント，運動など妊娠前に改善しておいたほうがよいことなど，プレコンセプションケアの観点から説明する。

Q1：太り過ぎや，やせ過ぎはよくないですか？

BMIは18.5以上25未満が正常範囲である。世界的には肥満の増加が問題となる一方で，わが国では"やせ"が増えている傾向にある。『平成26年国民健康・栄養調査』[1)]では，20歳台のやせの割合は17.4％，30歳台では15.6％，肥満者の割合は20歳台10.7％，30歳台では15.9％であり生殖年齢の女性にやせが多いことがわかる（図1）。厚生労働省は食事バランスの悪化や，運動習慣の減少が原因ではないかとみており，やせへの対応が必要と考えられている。

BMIは，低くても高くても妊娠率・生産率は低下し，流産率は上昇する[2)]。これは女性に限らず男性においてもいえることで，カップルで適正BMIを目指す必要がある[3)]。

肥満

卵巣機能不全，卵巣刺激への反応不良，卵子の質が低下，子宮内膜の機能低下などから妊娠率・出産率低下をきたす。また妊娠に伴う合併症が母児ともに増加する。

やせ

多くの場合，栄養障害も伴うため，卵巣機能不全や卵子の質の低下が危惧される。妊娠した場合には，低出生体重児が生まれる率が高くなり，DOHaDの考え方では児の将来の生活習慣病の増加が心配される。

→「DOHaD」（p.7）参照

適正BMI

米国の女性看護師を対象にした疫学調査「The Nurses' Health Study Ⅱ」では，不妊症のリスクが低くなるBMI値の範囲は20～24で，最も理想的な値は21であった[4)]。

指導の際のポイント

やせや肥満者の指導をする場合は，体重だけでなく体脂肪も測定し，現在の自分の体格を理解させたうえで，目標を決めることにより適切なアドバイスが可能となる。適正体脂肪率は19～28％である。

図1　女性の肥満（BMI 25以上）とやせ（BMI 18.5未満）の割合

（厚生労働省：平成26年 国民健康・栄養調査結果の概要より引用）

Q2：食事はどんなことに気を付けたほうがいいですか？

　平成26年国民健康・栄養調査[1]によると，20～30歳台の女性の1日の平均摂取カロリーは1,650kcalほどであり，必要量とされる1,950～2,000kcalよりずいぶんと少ないことがわかる。また，朝食の欠食率は20歳台23.5％，30歳台18.5％と高く，妊娠前の栄養状態の悪化が心配されている。

理想的な食事

　厚生労働省より出された『妊産婦のための食生活指針』[5]では，妊娠前から「食事バランスガイド」[6]を参考に，主食（ごはん，パン，麺など），主菜（肉，魚，卵料理・大豆料理など），副菜（野菜，いも，豆，海藻料理など）を組み合わせ，バランスの良い食事が勧められている（図2）。

図2 食事バランスガイド

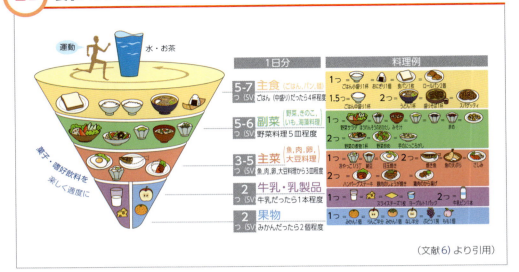

(文献6)より引用)

表1 妊娠の可能性を高める食生活

- 全粒粉など精製度の低い穀類をとり，血糖値を急激に上げるような精製度の高い炭水化物を減らす。
- 不飽和脂肪酸を多く摂り，トランス脂肪酸を避ける。
- 植物性蛋白質を多く摂り，動物性蛋白質を減らす。
- 無調整乳か無調整牛乳を使った乳製品を摂る。低脂肪乳は減らす。
- 水を十分に飲む。コーヒー，紅茶，アルコール，砂糖入りの清涼飲料水は控える。

(The Nurses' Health Study Ⅱより引用改変)

一方，「The Nurses' Health Study Ⅱ」では，妊娠しやすい食生活として**表1**に示すような食事が勧められている[7]。多くは日本人女性にも当てはまると思われるが，日本人女性では総合的に蛋白質が不足しているため，動物性蛋白質も積極的に摂ってもよいのではないかと考えられる。

日本女性の食事の特徴

日本人女性の食事は，低カロリー，低蛋白，高糖質が指摘されており，多くの栄養素の欠乏が危惧されている。サバ，イワシ，サンマ，アマニ油，ゴマ油などに含まれるDHAやEPAなどの不飽和脂肪酸は，高脂血症，高血圧，アレルギーなどを予防する。一方，マーガリンやショートニングに含まれるトランス脂肪酸は，心筋梗塞や肥満，アレルギー疾患との関連が指摘されており，妊娠を考える場合は多く摂るべきでない。食事指導にあたっては，それぞれの食生活を聴取して行うことが望ましい。

Q3：サプリメントは摂る必要がありますか？

「The Nurses' Health Study Ⅱ」では，マルチビタミン・ミネラルサプリメントの摂取が，排卵障害による不妊症になりにくくなるため推奨されている[8]。

葉酸

児の神経管閉鎖障害のリスクを低下させるため，妊娠1カ月以上前から食事以外に400μg／日の摂取が2000年に厚生労働省の通知により推奨されている。また，妊娠中の葉酸摂取は，早産，胎児発育遅延，常位胎盤早期剥離，妊娠高血圧症候群（妊娠中毒症）のリスクを減少させる可能性も示唆されている。

鉄

日本人女性は，鉄欠乏性貧血であることが非常に多い。妊娠前に鉄欠乏の評価をするとよい。ヘモグロビンだけでなく，フェリチンの測定が有用である。低値の場合は，鉄剤やサプリメントで補充しておくことが勧められる。

鉄分のサプリメントを飲んでいる女性は排卵障害による不妊症のリスクが40％も低い結果であった[9]。

ビタミンD

ビタミンDは食事や日光浴により蓄えられるビタミンで，骨形成に関与することで知られている。近年，生活習慣の変化からビタミンD低値の女性が増え，新生児くる病の増加が危惧されている。

不妊患者においても，ビタミンD濃度（25OHビタミンD）と抗ミュラー管ホルモン（AMH）が正の相関を示す報告や，体外受精での妊娠率や不育症のリスクにもかかわっている報告がみられる（表2）。

わが国でもビタミンD低値の女性は多く，妊娠前のビタミンD測定や，サプリメントでの補充を勧めるのもよいと思われる。

表2 ビタミンDに関する報告

ビタミンDの必要量は，20～50ng/mlが至適濃度	J Clin Endocrinol Metab 2011；96：53
40歳以上の女性ではAMHとビタミンD濃度が正の相関	Fertil Steril 2012；98：228
ビタミンD摂取によりAMH上昇	J Clin Endocrinol Metab 2012；97：2450
ビタミンD濃度が高いと（30ng/ml以上）体外受精の妊娠率がよい	Hum Reprod 2012；27：3321
ビタミンD欠乏（10ng/ml以下）で卵胞発育や妊娠率低下	Hum Reprod 2012；27：3015
ビタミンD不足（20ng/ml以下）で着床障害の可能性	Fertil Steril 2014；101：447
ビタミンD欠乏で不育症のリスク上昇	Hum Reprod 2014；29：208

Q4：運動は必要ですか？　どのくらいすればよいですか？

　厚生労働省の調査では，1回30分以上の運動を週2回以上，1年以上継続している運動習慣のある20歳台，30歳台の女性は10％に過ぎず，ここ数年減少傾向にある（図3）。身体的な活動と運動は，血糖値とインスリン濃度を抑制し，インスリン抵抗性を改善させる。

過度の運動のリスク

　運動不足はいけないが，毎日激しい運動をする女性や完全に消耗してしまうくらいの過度な運動も不妊リスクが高いことが報告されている[10]。過度な運動はエネルギーを消耗させるため，本人の生命活動を維持するのに精いっぱいになってしまい妊娠や出産のための余裕がなくなってしまう可能性が考えられている。ただし激しい運動による妊孕能の低下は，運動強度を弱めるとすぐに回復することも同時に報告されている。

　穏やかな運動時間が長くなればなるほど，妊娠までの期間が短くなり，激しい運動の時間が長くなればなるほど，妊娠までの期間が長くなることがわかっている[11]。

穏やかな運動の例

　穏やかな運動は，ウォーキングやゆっくりとしたサイクリング，ゴルフ，ガーデニングなど，激しい運動は，ランニングやスピードを意識したサイクリング，エアロビクス，水泳などである。

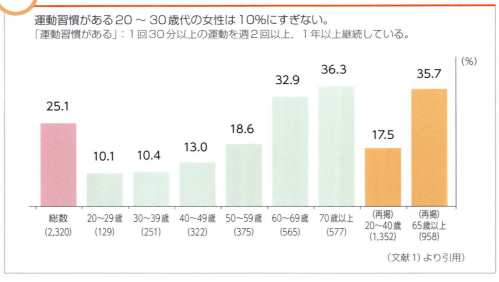

図3　運動習慣のある女性の割合（%）

運動習慣がある20〜30歳代の女性は10％にすぎない。
「運動習慣がある」：1回30分以上の運動を週2回以上，1年以上継続している。

（文献1）より引用）

肥満女性の場合

肥満女性の場合（BMI 25）には穏やかな運動でも，激しい運動でも，どちらでも妊娠しやすくなることが明らかになっている。

男性の場合

運動習慣のある男性は，運動しない男性に比べて，性機能が高く，勃起障害（ED）になるリスクも低いことが報告されており[12]，カップル揃っての運動習慣が勧められる。

（佐藤雄一）

参考文献

1) 厚生労働省：平成26年 国民健康・栄養調査結果の概要．
2) Provost MP, Acharya KS, Acharya CR, et al：Pregnancy outcomes decline with increasing body mass index: analysis of 239,127 fresh autologous in vitro fertilization cycles from the 2008-2010 Society for Assisted Reproductive Technology registry. Fertil Steril 2016; 105: 663-9.
3) Petersen GL, Schmidt L, Pinborg A, et al：The influence of female and male body mass index on live births after assisted reproductive technology treatment: a nationwide register-based cohort study. Fertil Steril 2013; 99: 1654-62.
4) Rich-Edwards JW, Spiegelman D, Garland M, et al：Physical activity, body mass index, and ovulatory disorder infertility. Epidemiology 2002; 13: 184-90.
5) 厚生労働省：妊産婦のための食生活指針－「健やか親子21」推進検討報告書－平成18年．
6) 厚生労働省・農林水産省：フードガイド検討会報告書．食事バランスガイド．2005．
7) Chavarro JE, Willett W, Skerrett P：The Fertility Diet: Groundbreaking Research Reveals Natural Ways to Boost Ovulation & Improve Your Chances of Getting Pregnant. McGraw-Hill Contemporary, 2009.
8) Chavarro JE, Rich-Edwards JW, Rosner BA, et al：Use of multivitamins, intake of B vitamins, and risk of ovulatory infertility. Fertil Steril 2008; 89(3): 668-76.
9) Chavarro JE, Rich-Edwards JW, Rosner BA, et al：Iron intake and risk of ovulatory infertility. Obstet Gynecol 2006; 108: 1145-52.
10) Gudmundsdottir SL, Flanders WD, Augestad LB：Physical activity and fertility in women: the North-Trøndelag Health Study. Hum Reprod 2009; 24: 3196-204.
11) Lauren AWise, Kenneth JR, Ellen MM, et al：A prospective cohort study of physical activity and time to pregnancy. Fertil Steril 2012; 97: 1136-42.
12) Hsiao W, Shrewsberry AB, Moses KA, et al：Exercise is associated with better erectile function in men under 40 as evaluated by the International Index of Erectile Function. J Sex Med 2012; 9: 524-30.

年齢ごとの妊娠率

Q&A

Q1
歳をとると，妊娠しにくくなるのですか？

A1 加齢に伴って妊娠率は低下し，流産率は上昇します。より確実に挙児を希望される方は，早めに積極的な不妊治療，特に生殖補助医療の検討をお勧めします。

Q2
なぜ，歳をとると妊娠率は低下し，流産率は高くなるのですか？

A2 すべての卵子は出生時から等しくあると考えられています。そのため，例えば40歳の時に排卵した卵子は，20歳の時に排卵した卵子より20年分老化したと考えることができます。従って，加齢に伴う卵子の老化現象はどうしても避けることはできません。

Q3

なぜ，閉経は起こるのでしょうか？

A3 きっと，閉経により妊娠というリスクから解放され，その後の人生を安全に長生きできることで，子孫の繁栄に貢献してきたのでしょう。また，仮に人間が70歳や80歳になっても出産が可能になったとしても，出産時の妊産婦死亡率は非常に高くなるでしょう。このようなリスクを避けるためにも，加齢に伴い妊娠率は低下し，流産率が高くなるのは合目的な現象であり，遺伝的にプログラミングされているものと考えられます。

Q4

今ある卵子を若返らせることはできないのでしょうか？

A4 卵子の若返りは不可能です。ただし，老化のスピードを遅くするような対策は可能だと思います。全身の健康状態を高めるために，規則正しい食生活と適度な運動を心がけて，体内での過酸化酸素の発生と動脈硬化症の進行を抑えてアンチエイジングすることが重要と考えます。サプリメントの効果はあまり期待できないと考えます。

Exposition

Q1：歳をとると妊娠しにくくなるのですか？

日本産科婦人科学会雑誌73巻9号「令和2年度倫理委員会　登録・調査小委員会報告（2019年分の体外受精・胚移植等の臨床実施成績および2021年7月における登録施設名）」および「ARTデータブック（2019年）」の結果をまとめると，**表1**のようになる。

表1　ART妊娠率・生産率・流産率（2019年）

年齢（歳）	妊娠率	生産率	流産率	年齢（歳）	妊娠率	生産率	流産率
20以下	66.7%	9.3%	0.0%	35	40.6%	19.0%	20.6%
21	56.3%	15.8%	33.3%	36	40.1%	18.3%	21.7%
22	42.9%	13.3%	13.3%	37	38.5%	16.7%	24.1%
23	45.3%	20.0%	13.2%	38	35.2%	14.5%	26.0%
24	41.1%	18.4%	17.1%	39	32.2%	12.3%	29.4%
25	45.9%	20.1%	15.8%	40	28.3%	9.8%	32.9%
26	45.9%	21.7%	15.5%	41	24.5%	7.3%	38.6%
27	46.0%	21.5%	14.2%	42	20.3%	5.2%	44.0%
28	46.3%	22.1%	15.3%	43	16.7%	3.6%	48.4%
29	45.7%	21.8%	17.0%	44	12.0%	2.2%	53.1%
30	45.1%	21.8%	15.6%	45	8.5%	1.2%	60.0%
31	44.4%	21.9%	16.5%	46	6.2%	0.7%	68.0%
32	44.7%	22.0%	17.8%	47	5.0%	0.5%	65.2%
33	43.0%	20.7%	18.2%	48	3.5%	0.4%	64.0%
34	41.9%	19.7%	19.3%	49	3.5%	0.4%	63.6%
				50以上	4.8%	0.9%	41.7%

※妊娠率：（妊娠周期／胚移植周期），生産率：（生産周期／治療周期）

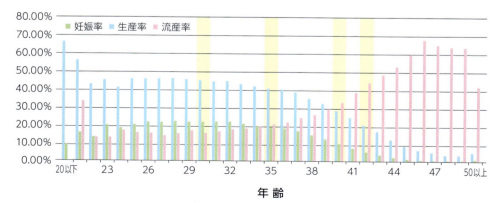

（日本産科婦人科学会：ARTデータブック2019より引用）

対移植周期当たりの妊娠率

30歳と35歳の5歳では約5％低下し，35歳と40歳の5歳では約12％低下し，40歳と42歳でさらに約8％低下する。

対妊娠周期当たりの流産率

30歳と35歳の5歳で約5％上昇するが，35歳と40歳の5歳では約12％も上昇し，42歳になると35歳の2倍以上にも及ぶ。

対治療周期当たりの生産率

44歳以上になると軒並み3％未満と低値を示す。

先天異常児

先天異常児における調査結果では，母体年齢の全体平均は36.3歳であるのに対し，ダウン症候群（21トリソミー）のみに絞ると39.1歳に上昇する。

これらの結果より，加齢に伴って妊娠率は低下，流産率は上昇することが明らかである。

高年齢者のART

近年の晩婚化に伴い，不妊治療を受ける女性も高年齢化している。2019年にARTを施行した年齢別周期数は40歳が38,221周期と最も多く，また38歳から41歳までは軒並み33,000超えとなっており，これらの年齢群の合計周期数は全体の3割以上に相当する（表2）。

表2 ART治療周期数（2019年）

年齢（歳）	周期数	構成比
30以下	33,466	7.3％
31〜34	78,600	17.1％
35〜37	88,450	19.3％
38〜41	146,449	32.0％
42以上	111,136	24.3％

（日本産科婦人科学会：ARTデータブック2019年より引用）

高年齢者のARTでは，老化卵子しか採れず治療に行き詰まるケースも多くある。そのような場合は，①本人の老化卵子を用いたARTを反復継続する，②子どもを諦める，③養子を受ける，④卵子提供を受ける，この4つの方法しかない。
　このような事態に陥る前に，挙児を希望する患者には早めにARTに入ることを勧める。タイミング法，人工授精とステップアップしていく方法もあるが，より確実なほうを選ぶことも選択肢の一つである。

Q2：なぜ，歳をとると妊娠率は低下し，流産率は高くなるのですか？

　女性は生まれたときから卵子の元となる原始卵胞をもっており，成熟期に至るまでは出生時と同じ状態で卵巣内に留まっている。そして，成熟期（思春期）になると脳下垂体から分泌されるホルモンによって卵胞が順番に発育し，排卵が開始される。この時期から妊娠する可能性が現れる。毎月排卵することによって卵子は減少していくが，すべての卵子は出生時から等しくあったものである。
　そのため，40歳のときに排卵した卵子は，20歳のときに排卵した卵子より20年分老化したと考えることができる。この20年の間に，卵子にとって重要である「精子と受精して染色体を分配する機能」が低下してしまうのは自然の流れであり，加齢に伴う卵子の老化現象はどうしても避けることはできない。そのため，女性の年齢が上がるに従い妊娠率は下がり，流産率は上がる。

Q3：なぜ，閉経は起こるのでしょうか？

　閉経は，哺乳動物のなかで唯一人類のみ（シャチも閉経があるといわれている）がもつ現象である。人間以外の哺乳動物にとっての閉経は死を意味する。憶測の域を出ないが，人類も起源時は閉経という現象はなく，言語を扱い，道具を使い，火を起こすといった進化の過程のなかで得られたひとつの現象だと考える。閉経により妊娠というリスクから解放され，その後の人生を安全に長生きできることで，子孫の繁栄に貢献してきたのではないか。ただし，石器時代など古来のヒトの寿命は20〜30歳，織田信長は49歳と覚悟していたことを考えると，閉経は人の年齢が50〜60歳以上となった後に，ヒトの生命維持を高めるための進化の結果とも推測できるが，真理は不明である。
　それゆえ，高年齢者における不妊治療は本来の人類の自然現象に逆行することとなるので，妊娠率が低く，流産率が高く，たとえ出産したとしても染色体異常が増えるという現象が生じることは当然のことと考える必要がある。
　第二次性徴を迎えて妊孕力を得た女性が排卵を開始した時点では数十万個の原始卵胞があるといわれているが，実際に排卵される卵胞は妊娠が可能な約40年の間で400〜500個である。数十万個あった卵胞を50歳の時点で0にす

るために，1回の排卵と同時に約1,000個の卵胞がアポトーシスして減少するように進化を遂げた。そのため，蛋白質などの卵細胞質内にある受精にかかわる多くの物質の機能が低下し，胚の発育に必要なチューブリンなどの蛋白質の機能低下や，メチル化またはアセチル化などのエピジェネティックな問題を引き起こす。

　仮に，人間が70歳や80歳になっても出産が可能になったとしても，出産時の妊産婦死亡率は非常に高くなるだろう。このようなリスクを避けるためにも，加齢に伴い妊娠率は低下し，流産率が高くなるのは合目的な現象であり，遺伝的にプログラミングされているものと考えられる。

> **アポトーシス**
> 細胞死
>
> **エピジェネティック**
> 遺伝情報であるDNAの塩基配列の変化を伴わず，DNAやヒストン(DNAが巻きついている蛋白質)への後天的な化学修飾(メチル化など)によって遺伝子発現が制御される現象。

Q4：今ある卵子を若返らせることはできないのでしょうか？

　卵子の若返りは不可能である。ただし，老化のスピードを遅くするような対策は可能と考えられている。全身の健康状態を高めるために，規則正しい食生活と適度な運動を心がけて，体内での過酸化酸素の発生と動脈硬化症の進行を抑えてアンチエイジングすることが重要である。ただし，サプリメントの効果はあまり期待できないと考えられている。

卵細胞質置換

　また，老化卵子しか採取できない場合，「卵子の若返り」は適当な表現ではないが，卵子間の細胞質を交換する卵細胞質置換という技術がある。この技術は老化した卵子と若い健常な卵子の細胞質を入れ替える方法で，主にミトコンドリア病という遺伝子疾患の治療のために開発された方法である。

　臨床応用には賛否両論があったが，2015年2月に英国の議会はミトコンドリア病に限定して卵細胞質置換を応用することを承認し，すでに臨床応用が始まっている。英国では老化卵子に対する治療法は卵子提供が一般的であるため，老化卵子の救済を目的として，この治療が行われることはないであろう。

　しかし今後，老化卵子の救済法として，同じ技術である卵細胞質置換は一つの治療法となる可能性はあるが，最近の厚生労働省，文部科学省のゲノム編集のガイドラインでは，同法の臨床応用は認めていない。

（田中　温）

年齢ごとの流産率 ダウン症候群発症率

Q&A

Q1
高年の妊娠では流産する確率は高いのでしょうか？

A1 妊婦の年齢が上がるにつれて，流産する確率も上昇します。2019年の日本のARTデータでは30歳で15.6％，35歳で20.6％，40歳で21.9％，45歳で60％でした。

Q2
高年の妊娠ではダウン症候群が多いと聞いたのですが，どのくらいの確率なのでしょうか？

A2 ダウン症候群を含めたさまざまな染色体異常の確率が上昇します。特に，40歳から急速に上昇することがわかっています。その確率は30歳では1/900，35歳では1/350，40歳では1/100程度と考えられています。

Q3
ダウン症候群かどうかは，どうしたらわかるのでしょうか？

A3 検査には非確定的検査と確定的検査があり，それぞれ行える妊娠週数が異なります。確定的検査は確実に診断できる反面，非確定的検査と比べて侵襲度が高く流産などの合併症を起こす可能性があります。

Exposition

　妊娠を希望する女性の年齢の上昇に伴い流産の可能性は高まる。不妊症の割合も高くなる結果，生殖補助医療（ART）による妊娠も増えるが，このARTによる妊娠も独立した流産のリスク因子である。また高年の妊娠では妊娠成立後も胎児の形態異常や染色体異常の頻度が上昇するため，出生前検査を検討する妊婦も増えてきている。出生前検査は，胎児の異常の診断を可能にし，その状態に応じた妊婦健診や分娩管理のための情報となりうるが，妊娠中絶の選択にもつながる可能性があり，倫理的な面でも留意する必要がある。そのため，いたずらに出生前検査を行うことはせず，カップルの自由意志決定の支援として遺伝カウンセリングが受けられる体制づくりが望まれる。

Q1：高年の妊娠では流産する確率は高いのでしょうか？

　高年の妊娠では妊娠高血圧症候群，早産，前置胎盤，常位胎盤早期剥離などのさまざまな産科合併症のリスクが上昇し[1]，流産もその発生率が増える[2,3]。また高年の妊娠は，妊娠率も下がることが知られており，体外受精をはじめとするさまざまな生殖補助医療によって高年の女性が妊娠成立となることも考えられる。これらの生殖補助医療によって妊娠した場合も，年齢とは独立して流産の確率が高くなることが知られている（図1）。プロゲステロン腟錠の投与などをはじめとする治療により流産を起こしにくくする工夫もされてきており，さらなる医療の進歩が望まれる。

図1　ARTにおける流産率／総妊娠数

年齢の上昇とともに，流産率が指数関数的に増えていることがわかる。

（日本産科婦人科学会：ARTデータブック2019年より作成）

図2 年齢別ダウン候群症発生率と全染色体異常

ダウン症候群を含めた染色体異常は年齢の上昇とともに増加する。

（文献4）より作成）

Q2：高年の妊娠ではダウン症候群が多いと聞いたのですが，どのくらいの確率なのでしょうか？

　高年の妊娠では常染色体の異常（21トリソミー，18トリソミーなど）や性染色体の異常（47XXX，47XXYなど）のある児を妊娠するリスクが増加する。そのなかでも，発生頻度の高いダウン症候群の発症率は年齢ごとに急速に上昇する（図2）[4]。その確率は30歳では1/900，35歳では1/350，40歳では1/100程度と考えられている。また，染色体異常のない先天性形態異常の可能性も増加することが知られている[4]。

Q3：ダウン症候群かどうかは，どうしたらわかるのでしょうか？

　ダウン症候群を含めた染色体異常の妊娠中の検査には非確定的検査と確定的検査がある。いずれの検査においても遺伝カウンセリングのあと，インフォームドコンセントを得て実施することが望ましい。また，得られた結果に関しても適切な情報提供を行うことが重要である。

　非確定的検査には母体血を用いた胎児染色体検査（妊娠10週以降），NT（妊娠11〜13週），妊娠初期母体血清マーカー＋NT（妊娠11〜13週），妊娠中期母体血清マーカー（妊娠15〜18週）などがある。確定的検査には絨毛検査（妊娠11〜14週），羊水検査（妊娠15週以降），臍帯血検査（妊娠18週以降）がある。また胎児超音波検査（妊娠全期間）は染色体検査に関しては非確定的検査であるが，胎児疾患に関しては確定的検査にもなりうる。

　NTの測定は従来から行われてきたが，近年では鼻骨の病室，三尖弁の逆流，静脈管血流速度波形など他のソフトマーカーを用いて総合的に染色体数的異常の確率を算出していることが現状であり，NT値計測単独での推定は一般的で

NT
nuchal translucency

はなくなってきた[5]。母体血清マーカーはAFP, hCG, uE₃, inhibin Aなどのマーカーと，年齢，家族歴などから検査会社が独自に設定した確率でダウン症候群や神経管開放症などの先天異常の発症率を示す検査である。母体血を用いた胎児染色体検査（NIPT）はメタ解析によると，ダウン症候群の偽陽性率は0.05％，感度は99.5％程度といわれている[6]。

　確定診断には，絨毛検査や羊水検査などがある。しかし，これらの検査は採血と比べて疼痛が強く，また，ある一定の確率で流産に至ることもありうる。羊水穿刺に伴う流産リスクは0.1〜0.3％であり，絨毛検査の流産リスクは0.2％とされる[7]。このような有害事象が発生する可能性もあるため，いたずらに羊水検査や絨毛検査を選択することは好ましくない。

（竹田　純）

AFP
alpha fetoprotein

hCG
human chorionic gonadotropin

uE₃
unconjugated estriol

NIPT
non-invasive prenatal genetic testing

参考文献

1) Matsuda Y, Kawamichi Y, Hayashi K, et al：Impact of maternal age on the incidence of obstetrical complications in Japan. J Obstet Gynecol Res 2011; 37: 1409-14.
2) Cleary-Goldman J, Malone FD, Vidaver J, et al：Impact of maternal age on obstetric outcome. Obstet Gynecol 2005; 105: 983-90.
3) Nybo Anderson AM, Wohlfahrt J, Christens P, et al：Maternal age and fetal population based resister linkage study. BMJ 2000; 320: 1708-12.
4) Maternal Fetal Medicine：Practice and Principles. third ed. Creasy RK, Resnick R, eds. WB Saunders, 1994, p71.
5) The Fetal Medicine Foundation. Available from URL：(https://courses.fetalmedicine.com/fmf/introduction?locale=en)
6) Osamu Samura：Update on noninvasive prenatal testing: A review based on currentworldwide research. J Obstet Gynaecol Res 2020; 46: 1246-54, PMID: 32558079.
7) Practice Bulletin No.162：Prenatal Diagnostic Testing for Genetic Disorders. Obstet Gynecol 2016; 127: e108-e122.

その他，妊娠に伴う合併症の発症率

Q&A

Q1

不妊治療で妊娠できましたが，子宮筋腫もあり高年の出産となるため心配です。気を付けることはありますか？

A1 婦人科疾患合併妊娠は比較的多くみられますが，不妊症のみならず周産期異常の原因となるため注意が必要です。子宮筋腫の場合，その大きさやできた場所，筋腫の数によって，流早産など，影響の仕方はさまざまです。妊娠期間から出産まで，さまざまなリスクが考えられるので，まずはそれらを精査して，慎重に管理していきましょう。

Q2

生まれつき心臓の持病がありますが，妊娠・出産は可能でしょうか？どのようなことに気を付けたらよいでしょうか？

A2 近年は，新生児期の医学の進展のおかげで先天性の心疾患や喘息，腸疾患など，難病といわれてきた小児期からの持病があっても，ある程度の基準，条件を満たしていれば，厳密な管理のもとでの妊娠，出産は可能です。しかし，通常の妊娠や分娩と比べるとリスクは高く，母体死亡や服用薬剤による胎児へ影響などの問題もあります。産科医と専門医の連携のもとで慎重に妊娠管理していく必要があります。

Exposition

Q1：不妊治療で妊娠できましたが，子宮筋腫もあり高年の出産となるため心配です．気を付けることはありますか？

子宮筋腫

　妊娠に子宮筋腫が合併する頻度は0.45～3.1%といわれている[1,2]。子宮筋腫や子宮内膜症は，病態の進展に女性ホルモンが関与することから，高年出産傾向に伴い合併頻度が高くなっている。また，腹腔鏡や生殖補助医療（ART）などの不妊治療技術の発展による妊娠率の上昇もその一因となっている。多くは無症状で経過するが，子宮筋腫の大きさ・部位・数により及ぼす影響はさまざまである。症状の発生頻度の高いものとしては，切迫流産が17.1～25.9%，切迫早産が16.3～39.9%，前期破水が7.3%，早産が9.3～20%と報告されている[2]。これらは筋腫の大きさが5cm以上あるいは200cm^{3}以上のときに出現しやすく，筋腫と胎盤が接していると流・早産，常位胎盤早期剥離，産後異常出血が増すともいわれている[3]。また，粘膜下筋腫や子宮内腔に近い筋層内筋腫では，子宮内腔の変形や狭窄に伴う疼痛，胎児発育不全（FGR）などを引き起こす。

　その他，子宮内胎児死亡，胎児形態異常，低置胎盤・前置胎盤・癒着胎盤などの胎盤位置や付着異常なども妊娠への影響として挙げられる。

→「子宮筋腫」(p.245)参照

生殖補助医療（ART）

胎児発育不全（FGR）
fetal growth restriction

卵巣腫瘍

　妊娠に卵巣腫瘍が合併する頻度は0.1～0.2%で，約95～98%が良性腫瘍である[4]。また，妊娠に合併した悪性卵巣腫瘍の頻度は12,000～25,000妊娠に1例である[5]。

　妊娠・分娩に及ぼす影響としては，①卵巣腫瘍茎捻転（妊娠早期と産褥期に多く，その頻度は5%前後で皮様嚢腫が最も多い），②流・早産（頻度は5～15%で，妊娠前半期に集中する），③卵巣嚢腫破裂（分娩時に起こりやすく，その頻度は3%），④分娩停止などが挙げられる[4]。

　妊娠初期に認める場合は，黄体嚢胞との鑑別が必要である。妊娠によって生じた黄体嚢胞は妊娠週数が進むにつれて消退し，4カ月までに消失することが多い。黄体嚢胞で7cmを超えたものは6.8%で，妊娠12～13週では7cmを超えるものはないと報告されている[5]。

　妊娠12週を過ぎても直径が7cm以上で消退傾向のないものは，妊娠12～14週以降で妊娠18週までに手術療法で摘出する。

　妊娠中の良性腫瘍の組織型は，皮様嚢胞腫が約40%，漿液性嚢胞腺腫が10～20%，粘液性嚢胞腫が5～10%，子宮内膜症性嚢胞が5%前後である[6]。悪性腫瘍の補助診断としての腫瘍マーカーは，妊娠により影響されるものもある（表1）[7]。良性と同様に，妊娠12週を過ぎても縮小しないものや増大傾向にあるものは腫瘍性と考え，手術適応となる。

　良性か悪性かの診断には超音波断層法が有用である。National Radiological Protection Boardは，妊娠中のMRI検査に関して1st trimesterでの使用は

→「子宮内膜症」(p.238)参照

表1 妊娠による腫瘍マーカーの変動

妊娠による修飾パターン	腫瘍マーカー	非妊娠時のカットオフ値	母体血中の生理的上限値	ピークの時期
Ⅰ	CA125	35 IU/mL	200～350 U/mL	妊娠2カ月
	CA602	63 IU/mL	200 U/mL	妊娠2カ月
	SLX	38 IU/mL	50 U/mL	妊娠前期
	SCC	1.5 U/mL	3.0 ng/mL	妊娠3～4カ月あるいは妊娠後期
Ⅱ	AFP	20 ng/mL	300～400 U/mL	32週前後
Ⅲ	TAP	100 U/L	200 U/L	妊娠末期
	CYFRA	3.5 ng/mL	4～5 ng/mL	妊娠末期
	CA72-4	4 U/mL	10 U/mL	妊娠中期～末期
	GAT	13.6 U/mL	80 U/mL	妊娠後期
Ⅳ	CA19-9	7 U/mL		
	STN	45 U/mL		
	CEA	5.0 U/mL		
	CA546	12 U/mL	30 U/mL	全妊娠経過を通して0～10％の陽性率

(文献7)より引用, 一部改変)

控えるよう勧告しており, 造影剤の胎児への影響も考慮すると妊娠14週以降が安全と考えられる[8]。

境界悪性または悪性群でも高分化型腺癌の場合には, 進行期がⅠa期であれば患側付属器摘出, 健側楔状切除を行い超音波検査や腫瘍マーカーで管理する。

Ⅰb期以上の場合は母体の安全を優先し, 原則的に妊娠中断・根治術を行う。妊娠28週以降では児のintact survivalの比率が高まる週数となるが, 妊娠22～28週の管理については, 児娩出時期や卵巣悪性腫瘍に対する治療について十分に検討し, インフォームドコンセントのもと, 慎重に対応していく必要がある。一般的な麻酔のリスクに加え, 早産や出血のリスクがある。

高分化型腺癌
分化度の高い腺癌。低分化型に比し悪性度が低い。

子宮頸癌

初交年齢の低下による細胞診異常の若年化と, 晩婚化に伴う妊娠年齢の上昇により, 子宮頸癌の約2.7～3.5％が妊娠中に診断される。妊娠に合併する悪性腫瘍のなかで, 子宮頸癌は2,000～2,500妊娠に1例とされ, 頻度としては最も多い[9]。

子宮頸癌は0期やⅠa期が多く無症状であるため, 細胞診の異常から診断されることが多い。円錐切除術後の腟内では, 頸管粘液の減少によって細菌フローラに変化が起こるとの報告もある。抗菌作用を示す頸管粘液分泌が減少し, 絨毛膜羊膜炎を引き起こしやすい状態にあるため, 頸管無力症ではなく, 絨毛膜羊膜炎を起因とする前期破水を主とした早産が増えると考えられている[10]。

絨毛膜羊膜炎
子宮内感染の原因となる。早産の原因として重要。

妊娠時は出血を回避するため綿棒で細胞診をとる。細胞診で異形成以上の病変と判断された場合はコルポスコピーを行うが，非妊娠時ほどは深く十分には生検できず，病変が過小評価されやすいことに注意する。頸管内掻爬は破水や出血を起こす可能性があるので禁忌である。

Q2：生まれつき心臓の持病がありますが，妊娠・出産は可能でしょうか？
どのようなことに気を付けたらよいでしょうか？
（キャリーオーバー疾患合併妊娠とその不妊治療に際しての注意点）

先天性心疾患

成人の先天性心疾患（CHD）の疾患別頻度は，心房中隔欠損（ASD），心室中隔欠損（VSD），ファロー四徴症の順に多い。CHDのほとんどは多因子遺伝によるものだが，一般に母親がCHDの場合に児がCHDを有する率は数％程度であり，父親がCHDである場合に比べて2～3倍の危険性がある[11]。

妊娠は，循環血液の増大，心拍出量の増加，心拍数の増多，体血管抵抗の低下，分娩時努責など，血行動態に大きく影響する。また，治療薬による胎児催奇形性なども考慮しなければならない。心疾患の重症度の評価にはNYHAの分類を用い，これは母体死亡リスクを分類しており[12]，NYHA分類Ⅱ度までは妊娠を許可されることが多い。ただし，NYHA Ⅱ度以上では基本的に麻酔分娩（特に硬膜外麻酔）が望ましく，他の産科的適応がなければ経腟分娩が推奨されている（表2）。

高血圧

2014年に第8版が出版されているが，米国高血圧合同委員会第7次報告（JNC7）で高血圧前症（preHT）という新しいカテゴリーが使用された。注目すべきは140/90 mmHg以上を高血圧とする基本は同じものの，従来，正常

先天性心疾患 (CHD)
chronic heart disease

心房中隔欠損 (ASD)
atrial septal defect

心室中隔欠損 (VSD)
ventricular septal defect

NYHA
New York Heart Association

> **NYHA**
> 心不全の重症度判定に用いる。種々の身体労作により生じる自覚症状に基づいて判定される。

高血圧前症 (preHT)
pre hypertension

表2 心疾患合併妊娠における母体死亡リスク分類

Group Ⅰ	死亡率 ＜1％ ASD，VSD，PDA，肺動脈・三尖弁疾患　ファロー四徴症根治術後，生体弁　僧帽弁狭窄症（NYHA Ⅰ・Ⅱ）
Group Ⅱ	死亡率 5～15％ 心房細動を伴った僧帽弁狭窄症，人工弁　僧帽弁狭窄症（NYHA Ⅲ・Ⅳ） 大動脈弁狭窄症，大動脈弁縮窄症　未治療のファロー四徴症，心筋梗塞の既往　大動脈病変のないMarfan症候群
Group Ⅲ	死亡率 25～50％ 肺高血圧症，大動脈縮窄症（合併症をもつ）　大動脈病変をもつMarfan症候群

（文献20）より引用，一部改変）

あるいは正常上限とされていた収縮期血圧120～139mmHgまたは拡張期血圧80～89mmHgを高血圧前症と定義した点である[13]。

　JNC7において高血圧前症というカテゴリーを作成した背景として，Framingham heart studyのデータを紹介している[14]。すなわち，preHTでは正常血圧群に比べ高血圧（140/90mmHg）を発症するリスクが2倍以上になるというものである。筆者らは妊娠初期のpreHTと妊娠高血圧症候群発症率について検討を行い，妊娠初期にすでに軽度の血管内皮障害の存在が疑われるpreHT症例では，妊娠高血圧症候群の発症率が高く，妊娠高血圧腎症（PE）を発症するような症例ではさらに高血圧付加が加わり，分娩後も症状が遷延する傾向があったと報告している[15]。

　このため，免疫学的機序から説明される初産婦に多い典型的な妊娠高血圧症候群とは異なり，高血圧としては現れない軽度の血管内皮障害が発症要因となっている妊娠高血圧症候群のサブグループが存在することが示唆された。妊娠初期の血圧管理が妊娠予後に及ぼす影響については，さらなる検討が望まれる。また，この場合においても自己血圧測定（SMBP）による検討も重要と思われる。

　白衣高血圧の発生頻度は妊婦の正常昼間平均血圧が一定でなく，妊娠週数により正常値が変化することから3.2～62％とさまざまな報告がされている。妊娠中期までは随時血圧－昼間平均血圧の差が大きいことから，妊娠初期～中期には白衣現象の頻度が高くなる。外来血圧のみでの診断は過剰な治療の原因となるため，妊婦においては積極的に自宅におけるSMBPを導入すべきである。筆者らは外来血圧が高い場合には自宅で血圧を測定させ，再診時に結果を持参してもらい高血圧を診断している[16]。

　日本高血圧学会が発表した高血圧治療ガイドライン「JSH 2019」において，診察室血圧140/90mmHgに相当する家庭血圧は135/85mmHgと規定されており，妊娠時のSMBPにおいても135/85mmHg以上の場合には妊娠高血圧症候群，さらには産褥子癇などのハイリスクであることを念頭に置くべきであろう[17]。

喘息

　喘息は妊娠中最もよく合併する疾患の一つであり，妊娠中の4～7％に認められる[18]。喘息患者が妊娠すると，23％が症状改善すると報告されているが，妊娠前の喘息が軽症例では13％が妊娠中に増悪，中等症では26％が増悪，重症例では50％が増悪するという[19]。また，増悪する時期は妊娠24～36週が最も多く，分娩後3カ月以内に約75％が妊娠前の状態に戻る[20]。喘息が重症化した場合，早産，低出生体重児，妊娠高血圧症候群，帝王切開率，周産期死亡率が増加するため，慎重な管理が必要とされる。

　臨床症状としては，発作性の咳や喘鳴，呼吸困難がある。喘息の重症度の指標として，1秒量が最も大切である。ピークフロー値（最大呼気流速度：PEF）は喘息発作をきたす前から有意に低下するため，早期に治療を開始でき喘息の

妊娠高血圧腎症（PE）
preeclampsia

自己血圧測定（SMBP）
self monitoring of blood pressure

重症化を防ぐことが可能である。

妊娠中の喘息合併妊婦管理のガイドラインは，2008年にACOGが改訂し，非妊婦の気管支喘息の治療と同様に治療を行うとされている[21]。喘息治療に主に使用されるのは，テオフィリン，吸入β刺激薬，ステロイド薬，抗アレルギー薬である。長期管理薬（コントローラ）と発作治療薬（リリーバー）に分かれる（**表3**）[22]。

ACOG
American College of Obstetricians and Gynecologists

消化器疾患

消化器疾患では，炎症性腸疾患であるCrohn病や潰瘍性大腸炎（UC）が代表的である。Crohn病の妊娠時の再燃率は，非活動期が20〜25％で活動期が50％といわれており[23]，健常女性に比べ早産・胎児発育遅延を合併する危険性が高くなるとの報告もある[24,25]。一方，UCは妊娠初期から中期に再燃することが多いが，一般的に臨床経過に及ぼす影響は少ないといわれている[26]。

潰瘍性大腸炎（UC）
ulcerative colitis

妊娠中に活動性を示した際の薬剤治療は非妊娠女性と同じである。スルファサラジンやメサラジンなどのアミノサリチル酸製剤は，妊娠中や授乳中の安全性が確立されている。ただし，スルファサラジンは葉酸吸収と拮抗するため，葉酸摂取を促すことが推奨されている。また，メサラジンは3g/日までなら安全性が証明されているが，それより高用量の際は不明であることに注意する[27]。ステロイドは胎盤通過性があるが，胎盤の11-ヒドロキシゲナーゼによって活性化が低い代謝物に変換されるため安全と考えられている。免疫抑制薬にはアザチオプリンおよびメルカプトプリン（6-MP）が使用される。

表3　喘息合併妊婦への処方

1．長期管理薬：コントローラー
- 吸入ステロイド薬：フルチカゾン吸入剤（フルタイド®）　100μg/1吸入×2回吸入/日
- 長時間作用性β2刺激薬：ツロブテノール貼布（ホクナリンテープ®）2mg/枚×1枚/日
（吸入/貼布/経口）
- 抗アレルギー薬：クロモグリク酸ナトリウム吸入剤（インタール®）
　　　　　　　　2噴霧/回×2〜4回吸入/日
- テオフィリン徐放剤内服（テオロング®）200mg/回×2回/日

2．発作治療薬：リリーバー
- 吸入β2刺激薬：塩酸プロカテロール吸入剤（メプチンエアー®）
　　　　　　　　10μg/1吸入×1〜2吸入/回，頓用間隔4時間以上
- β2刺激薬注射：硫酸テルブタリン（ブリカニール®）0.2mg/アンプルを皮下注
　　　　　　　　※エピネフリン（ボスミン®）は子宮血管攣縮・催奇形性のため妊娠中は原則禁忌
- アミノフィリン点滴静注（ネオフィリン注点滴用バッグ®）：250mg/250mL

3．重症発作時
- 全身性ステロイド薬（プレドニゾロン内服/静注，ヒドロコルチゾン静注）

甲状腺機能異常

甲状腺機能亢進症についてはほとんどが**Basedow病**であり，機能低下症については**橋本病や慢性甲状腺炎**がある。甲状腺機能が正常にコントロールされているかが直接母児の予後に関連し，Basedow病の母親の1～2%程度で自己抗体が胎児に移行し，新生児一過性に甲状腺機能異常を発症することがある。

甲状腺機能亢進症に対して，抗甲状腺薬としてプロピルチオウラシル（PTU）やチアマゾールが使用される。チアマゾールは妊娠初期に内服した場合に催奇形性があることが報告されており，PTUのほうが血漿蛋白と結合しやすく胎盤通過性や母乳移行性が低いため，PTUのほうが使用されることが多い。一方，甲状腺機能低下症では妊娠中に甲状腺ホルモンとしてレボチロキシンの補充が必要である。

低甲状腺ホルモン状態では，児の神経発達障害や新生児一過性甲状腺機能低下症を発症するので，**甲状腺刺激ホルモン（TSH）**値を指標に投与量を決定する。また，産後には自己免疫の増悪が起こり，一過性の甲状腺機能異常を惹起することもあるため，妊娠中からの専門医による治療が望ましい。

甲状腺刺激ホルモン（TSH）
thyroid stimulating hormone

膠原病

全身性エリテマトーデス（SLE），**抗リン脂質抗体症候群（APS）**，**関節リウマチ（RA）**，**特発性血小板減少性紫斑病（ITP）**は比較的若年の女性に好発するため，これらを合併した妊娠の頻度は少なくない。また，IgG型の自己抗体が胎児に移行するため，母児ともに厳重な管理が必要である。ここでは，膠原病のなかでも最も頻度の高いSLEについて述べる。

SLEは自己抗体・免疫複合体により細胞障害や組織障害が全身に及ぶ疾患であり，自己抗体としては，抗2本鎖DNA抗体，抗Sm抗体が特異的である。**妊娠条件は，SLEが活動期ではなく，できれば6カ月以上病状が安定していることが望ましい。**

寛解期の目安は，ステロイドの投与量がプレドニゾロンとして1日15mg以下である。妊娠中は14週までの初期は症状が増悪する傾向にあるが，それ以降は分娩まで軽快するといわれている[28]。しかし，抗リン脂質抗体が陽性の場合は，寛解期であっても児の予後が不良であることが多い。血栓症の発症のみならず，流産：20～40%，死産：～10%，胎児発育不全（FGR）：～37%，新生児死亡：～6%を合併することがあるので，妊娠初期からヘパリン＋低用量アスピリン療法を必要とし，**血漿交換療法**を考慮する。

また，抗SS-A抗体や抗SS-B抗体が陽性の場合は，**新生児ループス（NLE）**や**胎児完全房室ブロック（CCAVB）**を発症する頻度が高くなる[29]。新生児ループス（NLE）は母体からの移行抗体によりSLE様の症状がみられるが，生後6カ月ころから症状は徐々に改善する。しかし，CCAVBは非可逆的であり，児は永久にペースメーカーを必要とする。抗SS-A抗体陽性の場合，免疫ブロット法において60kD SS-Aであればローリスクのため妊娠22週以降の胎児超音波管理を行い，52kD SS-A・48 kD SS-Bの場合はNLE・CCAVBのリス

全身性エリテマトーデス（SLE）
systemic lupus erythematosus

抗リン脂質抗体症候群（APS）
antiphospholipid antibody syndrome

関節リウマチ（RA）
rheumatoid arthritis

特発性血小板減少性紫斑病（ITP）
idiopathic thrombocytopenic purpura

血漿交換療法
病因物質を選択的に除去し，必要な血漿を補う療法。

新生児ループス（NLE）
neonatal lupus erythematosus

胎児完全房室ブロック（CCAVB）
congenital complete atrioventricular block

クが高いため血漿交換のうえ、抗体が胎児に移行する妊娠16週以降には胎児超音波で完全房室ブロックの有無を検査する[29,30]。

妊娠中の活動性の判定としては、補体低下（C3，C4，CH50）が最も重要な指標で、その他、自己抗体の増加，汎血球減少，発熱なども指標とする。

妊娠高血圧症候群を合併する頻度が高く、その際にSLEが増悪することがある。治療は非妊娠時と同様、副腎皮質ステロイドが中心となる。コルチゾールやプレドニゾロンは胎児に移行する前に不活化されるが、ベタメタゾンやデキサメタゾンは合成コルチコイドのため代謝されず、胎盤を通過して児に移行するので注意する。陣痛や分娩中のストレスにより胎盤からステロイドホルモンが消失するため、産褥期には再燃することが多い。そのため、分娩後には通常維持量の3倍量を投与し、症状に応じて減量する。プレドニゾロンの母乳移行率は低く、20mg/日程度であれば母乳を止める必要はない。

てんかん

全人口の1〜2%が痙攣性疾患をもつとされ、てんかん合併妊娠は少なくない。てんかんの母親から遺伝する確率は8〜9%で、父親からの2〜3%の遺伝率に比べると高率となる。妊娠前に頻回に発作が起こっていた場合は、70%で妊娠中も発作が続き、20%が増加し10%が減少するといわれている[31]。

抗てんかん薬は、葉酸吸収を低下させる。葉酸濃度が5μg/mL以下になると児の神経管欠損症が増加するため、妊娠前から積極的な摂取を促し、低値であれば1〜2mg/日の補充を行う。葉酸摂取量は、妊娠前0.4mg/日、妊娠時0.6mg/日、授乳期0.5mg/日といわれている[32]。

抗てんかん薬はプリミドン（PRM），バルプロ酸（VPA），フェニトイン（PHT），カルバマゼピン（CBZ），フェノバルビタール（PB）の順に奇形率が強いため[33]、VPAやCBZを服用している場合は、妊娠16週にα-フェトプロテイン（AFP）を測定し、妊娠18週には超音波検査を行う。奇形は、口唇裂，口蓋裂，心奇形が多く、VPAとCBZは二分脊椎の関係が注目されている[32]。

分娩1カ月前よりビタミンK 10〜30mg/日を内服し、出生した児には1mgを投与する。母乳は原則的に可能である。ただし、移行率の高いBDZ，PRM，PB，ゾニサミド（ZNS）では生後1週間は人工栄養も併用し、傾眠、低緊張、哺乳力低下などの症状があれば母乳を控え、児の血中濃度を測定する。また、母親は育児で睡眠不足に陥り発作が増悪することもあり、家族の協力を求めるよう指導する。

（牧野真太郎）

α-フェトプロテイン（AFP）
alpha fetoprotein

参考文献

1) Coronado GD, Marshall LM, Schwartz SM：Complications in pregnancy, labor, and delivery with uterine leiomyomas: a population-based study. Obstet Gynecol 2000; 95: 764-9.
2) 平松祐司編：子宮筋腫合併妊婦の管理．子宮筋腫の臨床 第1版，メジカルビュー社，2008, 227-34.
3) Exacoustos C, Rosati P：Ultrasound diagnosis of uterine myomas and complications in pregnancy. Obstet Gynecol 1993; 82: 97-191.
4) 村田雄二編：合併症妊娠 改訂2版，メディカ出版，2003, 34.
5) 東　正弘：Ⅱ クリニカルカンファランス　B.妊娠合併症の取り扱い　3. 卵巣腫瘍．日産婦誌 1995; 47: N197-200.
6) 青木陽一：クリニカルカンファランス　5.婦人科腫瘍合併妊婦の取り扱い　3. 卵巣腫瘍　日産婦誌 2007; 59: N556-9.
7) 下平和久，岡井　崇：子宮・卵巣腫瘍合併妊婦の問題点とその対策　合併症妊娠とその管理．産婦治療 2006; 93: 201-7.
8) Donegan WL：Cancer and pregnancy. CA Cancer J Clin 1983；33：194-214.
9) Shivvers SA：Preinvasive and invasive breast and cervical cancer prior to or during pregnancy. Clin Perinatol 1997; 24: 369-89.
10) Sadler L, Saftlas A, Wang W, et al：Treatment for cervical intraepithelial neoplasia and risk of preterm delivery. JAMA 2004; 291(17): 2100-6.
11) 松浦裕行，佐地　勉：系統別疾患のキャリーオーバー　循環器疾患．治療 2003; 85: 26-30.
12) Clark SL：Labor and delivery in the patient with structural cardiac disease. Clin Perinatol 1986; 13: 695.
13) The Seventh Report of the Joint National Committee. U.S. DEPARTMENT OF HEALTH AND HUMAN SERVICES, National Institutes of Health National Heart, Lung, and Blood Institute, 2004.
14) Vasan RS, Larson MG, Leip EP, et al：Assessment of frequency of progression to hypertension in non-hypertensive participants in the Framingham Heart Study: a cohort study. Lancet 2001; 358: 1682-6.
15) Makino S, Iwata A, Seki H, et al：Pre-hypertension predicts pregnancy induced hypertension and its postpartum progress. Hypertens Res in pregnancy 2013; 1: 71-4.
16) 牧野真太郎，竹田　省：周産期臨床検査のポイント　基本的な検査　妊娠時の心肺機能．周産期医学 2008; 38: 27-30.
17) 日本高血圧学会高血圧治療ガイドライン作成委員会 編：高血圧治療ガイドライン 2019. ライフサイエンス出版，2019.
18) Namazy JA, Schatz M：Pregnancy and asthma: Recent developments. Curr Opin Pulm Med 2005; 11: 56-60.
19) Schatz M, Dombrowski MP, Wise R, et al：Asthma morbidity during pregnancy can be predicted by severity classification. J Allergy Clin Immunol 2003; 112: 283-8.
20) Tan KS, Thomson NC：Asthma in pregnancy. Am J Med 2000; 109: 727-33.
21) American College of Obstetricians：Asthma in pregnancy. ACOG Practice Bulletin No.90. Obstet Gynecol 2008; 111: 457-64.
22) 田所　望，稲葉憲之：周産期診療プラクティス 5.呼吸器疾患合併妊娠．産婦治療 2008; 96: 637-41.
23) 大楽紀子，小島康弘，樋渡信夫：クローン病診療の進歩　妊娠と活動期の関係．Modern Physician 2007; 27: 978-80.
24) Fonager K, Sorensen HT, Olsen J, et al：Pregnancy outocome for women with Crohn's disease: a follow-up study based on linkage between national registries. Am J Gastroenterol 1998; 93: 2426-30.
25) Dominitz J, Young JC, Boyko EJ：Outcomes of infants born to mothers with inflammatory bowel disease: a population-based cohort study. Am J Gastroenterol 2002; 97: 641-8.
26) 高添正和，酒匂美奈子：炎症性腸疾患と妊娠出産．Medical Practice 2005; 22: 787-92.
27) 酒匂美奈子，高添正和：クローン病診療の進歩　薬物療法との関係．Medical Practice 2007; 22: 981-3.
28) 吉田幸洋：クリニカルカンファランス　3) 内科疾患合併妊娠の管理　①膠原病．日産婦誌 2000; 52: N258-62.
29) Makino S, Yonemoto H, Itoh S, et al：Effect of steroid administration and plasmapheresis to prevent fetal congenital heart block in patients with systemic lupus erythematosus and/or Sjogren's syndrome. Acta Obstet Gynecol Scand 2007; 86: 1145-6.
30) Buyon JP：Autoantibodies reactive with Ro（SSA）and La（SSB）and pregnancy. J Rheumatol

suppl 1997; 24: 12-6.
31) Otani K：Risk factors for the increased seizure frequency during pregnancy and puerperium. Folia Psychiatr Neurol Jpn 1985; 39: 33-41.
32) 日本産科婦人科学会／日本産婦人科医会編：産婦人科診療ガイドライン産科編2020．日本産科婦人科学会，東京，2020．
33) 兼子　直，管るみ子，田中正樹ほか：てんかんをもつ妊娠可能年齢の女性に対する治療ガイドライン．てんかん研究 2007; 25: 27-31.

流産と染色体異常

Q&A

Q1
流産の原因となる染色体異常とは，どういうものですか？

A1 ヒトの染色体は，22対の常染色体と1対の性染色体により46本で構成されます。
流産の原因となる染色体異常の多くは染色体数的異常で，特定の常染色体が3本存在するトリソミー，1本だけが存在するモノソミーやすべての染色体が3本または4本ずつ存在する倍数体などが含まれます。わずかに，カップルどちらかの染色体構造異常が原因となることがあります。

Q2
流産回数と染色体異常は関係していますか？

A2 流産回数が増えるとその後の流産率は高くなるというデータがあります。一方，染色体異常率は減少すると考えられています。

Q3
どうして染色体構造異常があると，流産するのでしょうか？

A3 染色体構造異常を有する場合，精子または卵子を形成する際に遺伝子量を半分にする，減数分裂の過程で染色体分離に異常が生じ，不均衡型の配偶子を形成することがあります。不均衡型の配偶子が受精すると不均衡型の胚を形成し，着床したとしても胎児形成の過程で異常が生じ，流産に至ると考えられます。

Q4
染色体異常が原因の不育症に対して，どのような治療法がありますか？

A4 不育症のカップルのどちらかに染色体均衡型転座を認め，体外受精で着床前診断（PGT-SR）を施行した場合，自然妊娠と比較して流産率は低下しますが，最終的な生児獲得率は変わりません。また不育症に対する着床前スクリーニング（PGT-A）は，高年の女性の場合に妊娠率が上がり生児獲得率を上昇することがわかっており，流産率も低下する可能性が高いのですが，現在はまだエビデンスは不足しています。

Exposition

> 流産の原因の多くは，胚や胎児の染色体異常と考えられているが，反復流産患者のなかには染色体が正常であったにもかかわらず，流産してしまうケースもある。実際の患者の質問例に沿って，流産と染色体異常について検討する。

Q1：流産の原因となる染色体異常とは，どういうものですか？

染色体数的異常

　一般に，臨床的に確認された妊娠の約15％が自然流産に帰結し，その原因の約80％は受精卵に偶発的に生じた染色体異常で，多くは常染色体トリソミー，Xモノソミー，倍数体などの染色体数的異常である[1]。常染色体トリソミーは，減数分裂の過程で偶発的に発生する染色体の不分離や早期分離が原因であり，女性の加齢による影響を強く受ける[2]。

染色体構造異常

　また，数的異常に比較し少数であるが，両親のどちらかが保因者と推測される染色体構造異常が原因となることがある。国内の多施設共同研究の報告では，不育症のカップル2,382組に対し染色体検査を施行し，2.31％に染色体構造異常が検出された（均衡型相互転座；1.51％，Robertson転座；0.27％，逆位；0.52％）（表1）[2]。

表1　わが国の不育症患者における染色体構造異常の頻度

	男性（n＝2,382）	女性（n＝2,382）	計（n＝4,764）
均衡型相互転座	28（1.18％）	44（1.85％）	72（1.51％）
Robertson転座	7（0.29％）	6（0.25％）	13（0.27％）
逆位	8（0.34％）	17（0.71％）	25（0.52％）
計	43（1.81％）	67（2.81％）	110（2.31％）

（文献3）より引用）

Q2：流産回数と染色体異常は関係していますか？

　杉浦らは，反復流産既往のある患者の1,309妊娠について調査し，既往流産回数の増加とともに，無治療で妊娠した場合の流産率が高くなり，染色体異常

率が有意に減少することを示した（表2）[4]。しかし，既往流産回数が2〜4回と比較的少ない集団では，染色体異常が原因の流産は50％以上であった。

　反復流産既往の患者において，胎児染色体異常は重要な流産の原因の一つであるが，流産後の生児獲得率は，胎児染色体異常を認めた場合，胎児染色体正常であった場合と比較し有意に高かった［62.0％（44/71）vs 38.3％（23/60），オッズ比2.6，p=0.001］。従って，<u>胎児染色体数的異常による流産は次回の妊娠で生児を獲得する可能性が高い</u>ことが考えられる。

表2　過去の流産回数と流産率と胎児染色体異常率の関係

過去の流産回数	流産率（％）	染色体異常率（％）
2	23.2（105/452）	63.6（35/55）
3	32.4（149/460）	59.0（46/78）
4	37.0（71/192）	55.3（21/38）
5	48.7（38/78）	38.9（7/18）
6	64.1（25/39）	28.6（4/14）
7	66.7（16/24）	50.0（4/8）
8	70.6（12/17）	0.0（0/7）
9	78.6（11/14）	28.6（2/7）
10回以上	93.9（31/33）	11.0（1/9）

（文献4）より引用）

Q3：どうして染色体構造異常があると，流産を繰り返しやすくなるのでしょうか？

　不育症と関係する染色体構造異常の多くは，<u>均衡型相互転座</u>や<u>Robertson転座</u>などの均衡型転座である。

均衡型相互転座

　2本の染色体の長腕または短腕の一部分が切断し断片を交換した状態である。減数分裂では，転座染色体2本と正常染色体2本の相同部位が対合して<u>四価染色体</u>が形成される。分離様式は，交互分離・隣接Ⅰ型分離・隣接Ⅱ型分離・3：1分離・4：0分離のいずれかとなり，交互分離のみが正常または均衡型の配偶子を形成する（表3）。

　それ以外は，部分トリソミーや部分モノソミーなどの不均衡型となり，<u>妊娠が成立した場合に多くが流産や死産の転帰となるが，まれに不均衡型転座をもった児として出生することもある</u>。

Robertson転座

2本の端部着糸型染色体が短腕で切断し長腕同士が結合したものである。減数分裂では，転座染色体1本と正常染色体2本の相同部位が対合して三価染色体が形成される。分離様式は，交互分離・隣接分離・3：0分離のいずれかとなり，交互分離により正常または均衡型の配偶子が形成される（**表4**）。

それ以外は不均衡型となるが，13番染色体，21番染色体が関与する場合は，13トリソミー，21トリソミー児を出生する可能性があるため注意が必要である[5]。

表3 均衡型相互転座の減数分裂における分離様式（4：0分離を除く）

	減数分裂によって起こりうる組み合わせ							
	交互分離		隣接Ⅰ型分離		隣接Ⅱ型分離		3：1分離	
配偶子								
接合子								
核型	正常	均衡型	不均衡型	不均衡型	不均衡型	不均衡型	不均衡型	不均衡型

表4 Robertson転座の減数分裂における分離様式（3：0分離を除く）

	減数分裂によって起こりうる組み合わせ			
	交互分離		隣接分離	
配偶子				
接合子				
核型	正常	均衡型	不均衡型	不均衡型

Q4：染色体異常が原因の不育症に対して，どのような治療法がありますか？

均衡型相互転座やRobertson転座などの均衡型転座がカップルのどちらかに検出された場合，さらなる流産を予防するため日本産科婦人科学会で承認された一部の生殖補助医療（ART）施設で着床前診断（PGT-SR）が実施されている。

着床前診断（PGT-SR）

PGT-SRは日本産科婦人科学会の臨床研究として行われており，PGT-SR実施を承認された施設と第三者施設の臨床遺伝専門医による遺伝カウンセリングを実施したのち，症例を学会に申請し，承認が得られたのちに施設内倫理委員会での倫理審査により承認されたカップルに限定して行われている。

カップルのどちらかに染色体転座を認めた場合，自然妊娠群の生児獲得率は83.0％と報告されている[6]。一方，年齢と流産歴がマッチした自然妊娠群とPGT-SR群を比較した報告では，PGT-SR群はその後の流産回数を有意に減少させたが，生児獲得率はPGT-SR群が67.6％，自然妊娠群が65.4％と同等であると結論付けられている[7]。

着床前スクリーニング（PGT-A）

染色体の数的異常は，減数分裂の過程で発生する染色体不分離が原因と考えられている。染色体数的異常が原因と推測される不妊症や不育症に対し，PGTの技術を用いて数的異常胚をスクリーニングする着床前スクリーニング（PGT-A）という方法がある。現在，日本産科婦人科学会の特別臨床研究として現在行われている。日本における初めての不育症に対するPGT-Aの報告では，PGT-Aは流産率の低下に寄与しないと報告しているが，妊娠症例数が非常に少ないため症例数を増やし再度検討する必要がある（PGT-A施行群：14.3％ 2/14妊娠，PGT-A非施行群：20.0％ 2/10妊娠，p=0.68）[8]。

また，米国より後方視的研究だが，大規模な不育症に対するPGT-Aの有効性について報告された[9]。PGT-A施行群はPGT-A非施行群と比較し，臨床妊娠率および生児獲得率が有意に高く，流産率が低い結果であった（PGT-A施行群：10.8％ 463/4,288胚移植周期，PGT-A非施行群：12.6％ 517/4,116胚移植周期，p=0.02）。しかし，ロジスティック回帰分析結果では，35歳以上ではオッズ比が35〜37歳0.85（95％ CI：0.65-1.11），38〜40歳0.81（95％ CI：0.60-1.08），41〜42歳0.86（95％ CI：0.58-1.27），42歳以上0.58（95％ CI：0.32-1.07）と高年齢ほど流産率が低下する可能性はあるが，流産予防に寄与しない結果であった。ただしこの研究では，解析結果が胚移植周期ごとで検討されており，一般的な妊娠ごとの流産率で検討するとPGT-A施行群：15.7％（463/2,954妊娠），PGT-A非施行群：21.5％（517/2,399妊娠）であり，PGT-A施行群の流産率が明らかに低い（p＜0.001）。妊娠ごとの流産率で検討すれば，PGT-Aの有効性も明らかになるかもしれないが，いまだエビデン

生殖補助医療（ART）
assisted reproductive technology

着床前診断（PGT-SR）
Preimplantation Genetic Test for Structural Rearrangements

➡「着床前診断（PGT-A，PGT-SR）」（p.208）参照

着床前スクリーニング（PGT-A）
Preimplantation Genetic Testing for Aneuploidy

ス不足となっている。

（伊熊慎一郎，黒田恵司）

参考文献

1) Segawa T, Kuroda T, Kato K, et al：Cytogenetic analysis of the retained products of conception after missed abortion following blastocyst transfer: a retrospective, large-scale, single-centre study. Reprod Biomed Online 2017; 34: 203-10.
2) 西山幸江，西澤春紀，大江瑞恵ほか：産婦人科臨床で扱われる染色体異常．産婦の実際 2011; 60: 1277-85.
3) Sugiura-Ogasawara M, Aoki K, Fujii T, et al：Subsequent pregnancy outcomes in recurrent miscarriage patients with a paternal or maternal carrier of structural chromosome rearrangement. J Hum Genet 2008; 53: 622-8.
4) Ogasawara M, Aoki K, Okada S, et al：Embryonic karyotype of abortuses in relation to the number of previous miscarriages. Fertil Steril 2000; 73: 300-4.
5) 小澤伸宏：不育と染色体異常．産婦の実際 2015; 64: 349-54.
6) Franssen MT, Korevaar JC, van der Veen F, et al：Reproductive outcome after chromosome analysis in couples with two or more miscarriages: index [corrected]-control study. BMJ 2006; 332: 759-63.
7) Ikuma S, Sato T, Sugiura-Ogasawara M, et al：Preimplantation genetic diagnosis and natural conception: a comparison of live birth rates in patients with recurrent pregnancy loss associated with translocation. PLoS One 2015; 10: e0129958.
8) Sato T, Sugiura-Ogasawara M, Ozawa F, et al：Preimplantation genetic testing for aneuploidy: a comparison of live birth rates in patients with recurrent pregnancy loss due to embryonic aneuploidy or recurrent implantation failure. Hum Reprod 2019; 34: 2340-8.
9) Bhatt SJ, Marchetto NM, Roy J, et al：Pregnancy outcomes following in vitro fertilization frozen embryo transfer (IVF-FET) with or without preimplantation genetic testing for aneuploidy (PGT-A) in women with recurrent pregnancy loss (RPL): a SART-CORS study. Hum Reprod 2021; 36: 2339-44.

各論

1 不妊治療の実際―どのように妊娠に導くのか？

- 不妊治療のスケジュール　　　　　　　　　　　　　　116
- 排卵予測　　　　　　　　　　　　　　　　　　　　122

不妊治療に用いられる薬剤
- 排卵誘発剤　クエン酸クロミフェン，アロマターゼ阻害薬，hMG/FSH 製剤，
　GnRH アゴニスト製剤，GnRH アンタゴニスト製剤，hCG 製剤　　130
- その他　ドーパミン作動薬，エストロゲン製剤，プロゲスチン製剤　　136

妊娠方法
- タイミング法・配偶者間人工授精（AIH），生殖補助医療（ART）　　142
- 妊娠方法別の妊娠率　　　　　　　　　　　　　　　148

生殖補助医療
- 卵巣刺激法　　　　　　　　　　　　　　　　　　　154
- 採卵　　　　　　　　　　　　　　　　　　　　　　161
- 体外受精　　　　　　　　　　　　　　　　　　　　165
- 顕微受精（ICSI）　　　　　　　　　　　　　　　　171
- ピエゾ ICSI　　　　　　　　　　　　　　　　　　　181
- 黄体補充　　　　　　　　　　　　　　　　　　　　187
- 胚移植　　　　　　　　　　　　　　　　　　　　　193
- 胚・配偶子・卵巣組織凍結保存　　　　　　　　　　201
- 着床前診断（PGT-A，PGT-SR）　　　　　　　　　208
- 単一遺伝子疾患の着床前診断（PGT-M）　　　　　　220
- 不妊治療における保険診療および先進医療制度　　　228

2 疾患別の治療

不妊症
- 子宮内膜症　　　　　　　　　　　　　　　　　　　238
- 子宮筋腫　　　　　　　　　　　　　　　　　　　　245
- 子宮腺筋症　　　　　　　　　　　　　　　　　　　252
- 子宮腔内病変　　　　　　　　　　　　　　　　　　259
- 多嚢胞性卵巣症候群（PCOS）　　　　　　　　　　266
- 低ゴナドトロピン性性腺機能低下症もしくは不全症　275
- 早発卵巣不全（premature ovarian insufficiency；POI）　281
- 原因不明不妊症　　　　　　　　　　　　　　　　　289
- 男性不妊症　　　　　　　　　　　　　　　　　　　299
- 卵管機能障害　　　　　　　　　　　　　　　　　　304
- 慢性子宮内膜炎　　　　　　　　　　　　　　　　　312

不育症
- 子宮形態異常　　　　　　　　　　　　　　　　　　318
- 甲状腺機能異常　　　　　　　　　　　　　　　　　323
- 血栓性疾患　　　　　　　　　　　　　　　　　　　331
- 染色体異常　　　　　　　　　　　　　　　　　　　337
- 原因不明不育症　　　　　　　　　　　　　　　　　345

各論 1　不妊治療の実際—どのように妊娠に導くのか？

不妊治療のスケジュール

Point

- 徹底的に不妊スクリーニング検査を行い，みつかった不妊原因を治療する。
- 無事に妊娠・出産できるために，妊娠中に問題となる疾患を不妊治療前に確認する。
- 不妊原因が不明な場合は，検査ができない不妊原因があると考え治療を進める。
- 患者に不妊治療や妊娠の正しい知識を提供し，納得して治療に進んでもらう。
- 女性の年齢，卵巣予備能，精子所見などの不妊因子と患者の妊娠に対する希望の強度を考慮し，治療方針を検討する。

　どんな疾患にも発症する原因があり，治療の原則は原因検索とその治療である。妊娠できないことにも原因があり，通常は検査でみつかった不妊原因を治療できれば，妊娠は可能である。
　ヒトは1カ月での妊娠率が約20％と，他の哺乳類と比較し著明に低い。そのため避妊せず夫婦生活を送っているにもかかわらず妊娠ができなくても，偶然妊娠できていない可能性も否定できない。
　しかし，原因がみつからないときや，不妊原因を治療しても妊娠しないときには，偶然妊娠していないと考えず，検査が不可能な不妊原因があると考え不妊治療を進める必要がある。

➡「原因不明不妊症」(p.289) 参照

　不妊治療の実際のスケジュールに沿って解説する。

不妊スクリーニング検査

不妊症のスクリーニング検査を表1に示す。

不妊原因には男性因子，女性因子があり，すべての検査を必ず行い，徹底的に原因検索を行うことが重要である。

また，不妊治療のゴールは妊娠することではない。無事に妊娠・出産ができることである。そのため，流産などの妊娠中の合併症の発症リスクの有無や，妊娠中に問題となる合併症（循環器疾患，代謝内分泌疾患，膠原病など）も確認し，必要な場合は妊娠出産の安全性を他科の医師と相談する必要がある。したがって，一般的な肝機能や腎機能などの血液検査や風疹抗体も含めた感染症検査，子宮頸部細胞診も行う。

不妊治療に対する正しい知識の提供

順天堂大学では患者ごとに図1の用紙を使用し精査している。用紙の左側は問診票で不妊外来の初診時に患者に記入してもらい，右側は医師が検査結果を説明するときに記載している。この用紙を記載することで患者ごとの不妊原因や合併症が抽出され，プロブレムリストを作成することができる。

現在はインターネットなどにより不妊治療の誤った情報が氾濫しており，患者が不妊治療に対し偏った考えをもって来院することも珍しくはない。そのため治療開始時に，不妊治療やその後の妊娠について説明やカウンセリングを行い，誤った情報を排除し正しい知識を提供することも重要である。

表1　不妊スクリーニング検査

男性因子
1．精液検査
女性因子
2．排卵確認：基礎体温測定
3．ホルモン値測定（LH，FSH，E_2，P_4，AMH，プロラクチン，テストステロン，甲状腺ホルモンなど）
4．子宮，卵巣の検査：内診，経腟超音波検査
5．卵管の検査：子宮卵管造影検査
6．感染症検査：クラミジア検査
共通因子
7．免疫因子：ヒューナーテスト
その他
8．一般血液検査（肝機能，腎機能，貧血などの確認）
9．一般感染症検査　風疹抗体
10．子宮頸部細胞診

LH：黄体化ホルモン，FSH：卵胞刺激ホルモン，E_2：エストラジオール，P_4：プロゲステロン，AMH：抗ミュラー管ホルモン

図1 不妊外来の問診票と検査結果記載用紙（順天堂大学）

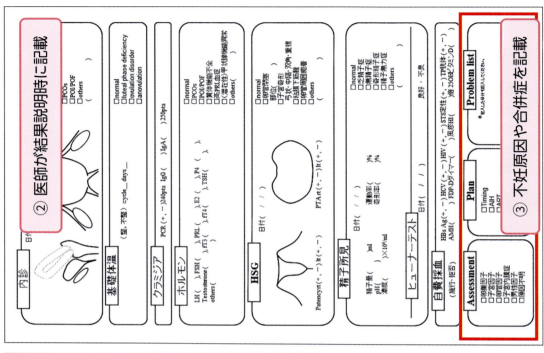

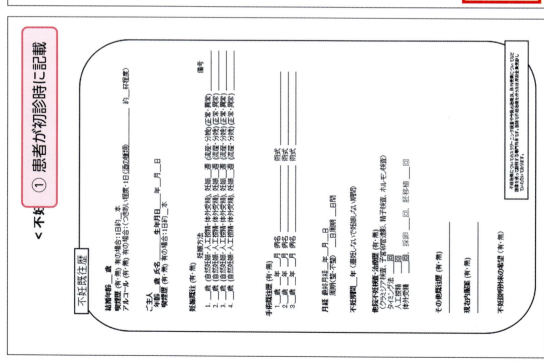

順天堂大学では，「不妊治療説明外来」という専門外来を設け，初診患者は全員受診しスライドを用いた説明を受けている．外来の内容は，妊娠成立の過程，不妊治療における検査や妊娠方法［タイミング法・人工授精（AIH）・生殖補助医療（ART）］を治療費用も含め説明している．この外来により患者は不妊治療や妊娠の理解を深め，納得して不妊治療に進むことができる．

不妊治療のスケジュール

　不妊治療は不妊原因をみつけ，治療することが原則である．例えば不妊原因が排卵障害であれば，排卵をサポートすることで，他に不妊原因がなければ妊娠できる．

　不妊治療の難しい点は2つある．ひとつは受精障害などの検査できない不妊原因が存在することである．そのため，ある一定期間の一般不妊治療を行い，妊娠できないときに，検査不可能な不妊原因を予想し治療を進めなければならない．

　もうひとつは，日本語の不妊症は，まったく妊娠しない「infertility」と妊娠しにくい「subfertility」が含まれていることである．subfertilityで代表的な因子は年齢である．加齢により低下した卵巣予備能は回復することはない．また卵巣予備能を評価する抗ミュラー管ホルモン（AMH）が高値でも，高齢であれば卵子の質は低下しており，流産率も高く生児獲得率は低い．そのため患者ごとに，ある一定期間で治療をステップアップできる基本方針を決め，治療を行う必要がある．

不妊治療の基本方針

　筆者らの不妊治療の基本方針を図2に示す．治療方針を検討する主な因子は，女性の年齢，卵巣予備能，精子所見としている．

　年齢が35歳未満，AMH 2 ng/mLと卵巣予備能が十分にあり，精子所見も問題がないようであれば，タイミング法-AIH-ARTとステップアップを行ってもよい．35～39歳，AMH 1～2 ng/mL，軽度男性不妊のいずれかが当てはまるようであれば，原則AIHからスタートしている．女性の年齢が40歳以上と高齢，卵巣予備能の著明な低下（AMH 1 ng/mL未満），重症男性不妊症のいずれかが当てはまるようであれば，ARTからの開始を検討している．ただし，例えば患者が40歳以上でも，体外受精で不妊治療を行うくらいなら妊娠を諦める，という場合には一般不妊治療を行っている．

　また，20歳台でも今まで避妊しないで2年間以上妊娠せず，少しでも早く妊娠を希望する場合には，AIHやARTから不妊治療を開始している．

　つまりこれらの基本方針を元に，患者の妊娠に対する希望の強度をふまえて治療方針を決定している．

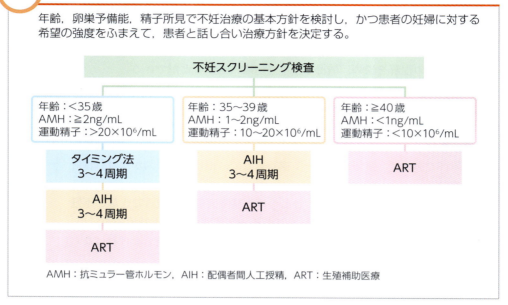

図2 不妊外来の問診票と検査結果記載用紙(順天堂大学)

参考文献

1) El-Toukhy T, Campo R, Sunkara SK, et al：A multi-centre randomised controlled study of pre-IVF outpatient hysteroscopy in women with recurrent IVF implantation failure: Trial of Outpatient Hysteroscopy-[TROPHY] in IVF. Reprod Health 2009; 6: 20.
2) Smit JG, Kasius JC, Eijkemans MJC, et al：Hysteroscopy before in-vitro fertilisation (inSIGHT): a multicentre, randomised controlled trial. Lancet 2016; 387: 2622-9.
3) El-Toukhy T, Campo R, Khalaf Y, et al：Hysteroscopy in recurrent in-vitro fertilisation failure (TROPHY): a multicentre, randomised controlled trial. Lancet 2016; 387: 2614-21.
4) Johnston-MacAnanny EB, Hartnett J, Engmann LL, et al：Chronic endometritis is a frequent finding in women with recurrent implantation failure after in vitro fertilization. Fertil Steril 2010; 93: 437-41.

Column
子宮鏡検査はARTの成績を向上させるのか？

　子宮鏡検査は，経腟超音波検査や子宮卵管造影検査では見つけることのできない子宮内膜ポリープや慢性子宮内膜炎，子宮内癒着などを見つけることができる，不妊治療にとって重要な検査である。

　また子宮鏡検査を行うことで，子宮内腔に炎症反応が誘起され，着床をサポートし妊娠率を上げることが報告されている[1]。しかし子宮鏡検査は，一般不妊検査として行うべきか明らかになっていなかった。

　2016年に，相次いで雑誌Lancetに ART開始前後の子宮鏡検査に関する無作為化比較試験が報告された。Smitらの inSIGHT トライアルは，ARTへ進む前に子宮鏡検査施行群373人と未施行群（対照群）377人を比較している。子宮鏡群，対照群での臨床妊娠率はそれぞれ27％，30％，累積妊娠率は57％，54％と有意差を認めなかった（図3）[2]。El Toukhyらの TROPHY トライアルは2～4回体外受精を行い，着床しなかった不妊女性に対し，350人は子宮鏡検査を施行し，1～3カ月後にARTを再開し，352人は子宮鏡検査を行わずにARTを継続した対照群を比較している。

　子宮鏡検査の結果，一部の患者に子宮内腔異常が見つかっているが，生児獲得率は子宮鏡群，対照群でともに29％と差をまったく認めず，妊娠成績向上には寄与していない[3]。これらの結果からは子宮鏡検査はARTによる妊娠成績に寄与せず不要と考えられるが，複数回良好胚移植を行っても妊娠しない反復着床不全のなかには，その不妊原因として慢性子宮内膜炎や超音波検査で見つけることのできない子宮内膜ポリープが存在する[4]。ARTを行うすべての患者に子宮鏡検査を行う必要はないが，絶対に必要な患者も存在するため，さらなる検討が必要である。

図3　子宮鏡検査施行，未施行患者のARTによる累積生児獲得率

ART開始前後の患者に子宮鏡検査の必要性の無作為化比較試験（inSIGHTトライアル）が行われた。子宮鏡群・対照群でのARTの臨床妊娠率に有意差を認めなかった。

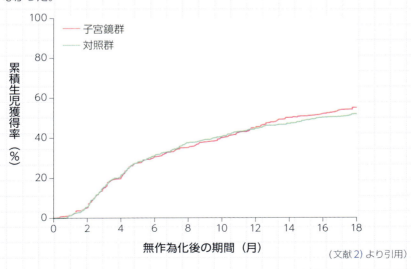

（文献2）より引用）

各論 1　不妊治療の実際—どのように妊娠に導くのか？

排卵予測

Point

- 排卵時期を厳密に予測することは不妊治療，特に生殖補助医療における自然周期または低卵巣刺激周期で採卵時期を決定するのに重要である。
- 厳密な排卵予測には，経腟超音波検査による卵胞モニタリングと血中ホルモン測定〔エストラジオール，黄体化ホルモン（LH），卵胞刺激ホルモン（FSH）など〕が必要である。
- 患者の病態と卵巣刺激方法も踏まえて排卵予測を行う。

　排卵の予測には，基礎体温や子宮頸管粘液の確認，血中もしくは尿中ホルモン検査，経腟超音波断層法による卵胞確認などがある。通常，タイミング法では排卵時期の2日前から複数回性交渉をもち，人工授精では排卵当日に行うと妊娠率が高い[1,2]。ただし，タイミング法や人工授精は，非常に自然妊娠に近い方法であり，精子の卵管内での生存期間を考慮すると，排卵時間まで合わせても妊娠率が上がることはない[3]。そのため簡易的な基礎体温や子宮頸管粘液の確認，尿中LH検査，経腟超音波検査などで排卵予測は十分である[4]。
　厳密な排卵予測を必要とする場合は，生殖補助医療（ART）で，排卵抑制を行うことのない自然周期または低卵巣刺激周期で採卵時期を決定するためにとても重要である。厳密な排卵時期を理解すれば，タイミング法，人工授精での排卵予測をすることは容易であるため，以下に採卵に向けて行う正確な排卵予測方法を示す。

生殖補助医療（ART）
assisted reproductive technology

卵胞モニタリング

　経腟超音波断層法を用いて卵胞径を計測することは，不妊治療において必須

図1 卵胞の測定方法

経腟超音波で卵胞の最大径と直交する最大径を測定し，平均値を卵胞径とする。

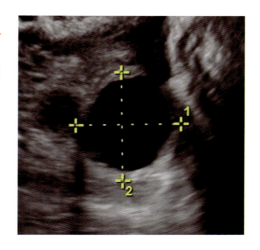

の検査である。実際には，卵巣内の低エコー領域の，最大径と直交する最大径を測定し，平均値を卵胞径とする（図1）。また，現在では3D超音波断層法の自動的容積計測を利用し，より短時間で高精度の計測が可能になってきている[5]。厳密な排卵予測では，予想排卵日の4日前から計測を開始すると予測が容易になる。実際の卵胞の計測方法を以下に示す。

月経3日目

胞状卵胞数（AFC），遺残卵胞の有無などを確認し，治療の可否や卵巣刺激法について検討する。

胞状卵胞数（AFC）
antral follicle count

月経8～12日目

卵胞径の計測により，排卵日の予測を行う。超音波所見から以下のように採卵時期を検討する。通常は，後述の血中ホルモン検査結果と併せて検討する。

> 主席卵胞径11～13mm：3日後再度診察
> 主席卵胞径13～15mm：2日後再度診察
> 主席卵胞径15～18mm：1日後再度診察
> 主席卵胞径18mm以上：採卵予定を決定し卵巣刺激

上記は原則，自然周期もしくはアロマターゼ阻害薬であるレトロゾールで卵巣刺激した周期での目安のため，排卵前の平均卵胞径は20mmである。しかしクエン酸クロミフェン周期では，最大卵胞径が23～28mmで卵巣刺激を行ったときに妊娠率が高く，自然周期と異なる[6]。

> 主席卵胞径12～14mm：3日後再度診察
> 主席卵胞径14～16mm：2日後再度診察
> 主席卵胞径16～19mm：1日後再度診察
> 主席卵胞径19mm以上：採卵予定を決定し卵巣刺激

血中ホルモン検査

上記の超音波検査所見だけではARTにおける厳密な排卵時期の予測は不可能である。発育卵胞の大きさや数と，血中ホルモン検査結果を併せて排卵時期を予測する。主に以下の4つのホルモン検査を適時確認し，予測を立てる。

① 卵胞ホルモン（エストラジオール：E_2）
② 黄体ホルモン（プロゲステロン：P_4）
③ 黄体化ホルモン（LH）
④ 卵胞刺激ホルモン（FSH）

月経3日目で，LH，FSH，E_2値を測定し，LH，FSH：2～15 mIU/mL，LH＜FSH，E_2＜50 pg/mLであれば正常と考える。しかし，LH，FSH＞15 mIU/mLであれば卵巣予備能の低下，LH，FSH＜2 mIU/mLであれば中枢性性腺機能不全もしくは低下，LH＞FSHであれば多嚢胞性卵巣症候群を疑う。

また月経8～12日目にLH，E_2，P_4値を確認し，卵胞の数と大きさを確認し，採卵時期を検討する。排卵前後のホルモン動態を図2に示す。卵胞が発育し，E_2値が発育卵胞1個につき約200 pg/mLとなり，その時期に合わせてLHサー

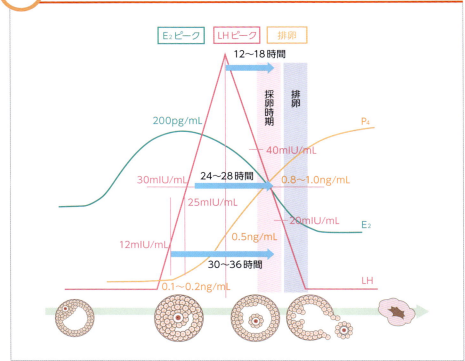

図2 排卵前後のホルモン動態

ジが開始する。LHサージ開始の目安はLH値25mIU/mL以上である。卵子が卵胞壁から離れ，それとともに顆粒膜細胞から放出されるE₂値が低下する。その後LHがピークとなる時期からP₄値が上昇し，排卵するころになると1ng/mLを超えてくることが多い。またFSH値を測定した場合，LH同様，サージが起きるが，LHほど上昇することはない。そのため，LH値とFSH値の差が約20mIU/mL以上となるとLHサージの開始と考える。FSH値を測定することで，卵巣予備能低下などでもともとFSH値が高値の症例でも，LHサージを正確に確認することができる。これらのホルモン動態を考えながら排卵時期を検討する。

排卵時間の調整

採卵では，卵成熟や卵胞内に卵子が浮遊するタイミングから排卵直前に採取するのがよい。その場合に，理想は卵胞が十分に発育し，かつLHサージが起こる前にGnRHアナログ点鼻薬などで排卵誘起を行い，35～36時間後に採卵することが理想的である。自然なLHサージが起こった場合，排卵時間を予測し採卵を行うが，不可能な時間に排卵が起こる場合は，排卵の調整が必要になる。卵胞の破裂はプロスタグランジンによる炎症反応のため，非ステロイド性消炎鎮痛薬（NSAIDs）で卵胞破裂を抑制することができ，排卵時間の調整が可能である[7]。

非ステロイド性消炎鎮痛薬（NSAIDs）
non-steroidal inflammatory drugs

排卵予測の実際

実際の生殖補助医療の症例をもとに採卵のタイミングを検討する。

症例1：38歳　自然周期（図3）

月経3日目　血清LH：3.2mIU/mL，FSH：9.3mIU/mL，E₂：46.9pg/mL，AFC：5個
月経10日目　血清LH：4.6mIU/mL，E₂：61.2pg/mL，P₄：0.27ng/mL，卵胞13mm
月経13日目　血清LH：9.8mIU/mL，E₂：215pg/mL，P₄：0.20ng/mL，卵胞18mm
　　　　　　23時GnRHアゴニスト点鼻薬投与
月経15日目　11時1個穿刺1個採卵（成熟卵1個）

月経初期は遺残卵胞もなく，LH：FSH比も正常なため，自然周期を選択。月経10日目で卵胞発育を認めるが小さく，E2値から3日後に診察とする。月経13日目で十分な卵胞発育を認め，LHサージが起きていないことを確認し，GnRHアゴニスト点鼻薬を用いて排卵誘起を行い，採卵を行った。

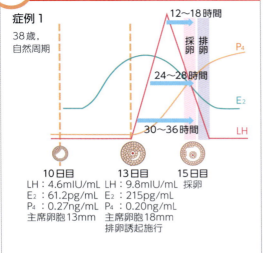

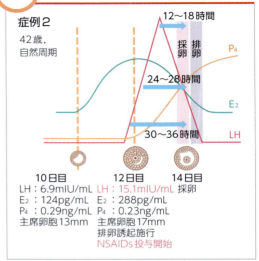

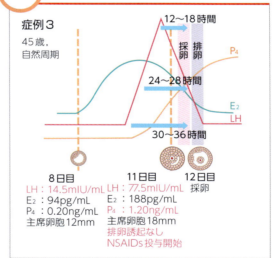

症例2：42歳　自然周期（図4）

月経3日目	血清LH：3.1mIU/mL, FSH：12.3mIU/mL, E_2：44.0pg/mL, AFC：2個
月経10日目	血清LH：6.9mIU/mL, E_2：124pg/mL, P_4：0.29ng/mL, 卵胞14mm
月経12日目	14時 血清LH：15.1mIU/mL, E_2：288pg/mL, P_4：0.23ng/mL, 卵胞17mm 23時 GnRHアゴニスト点鼻薬噴霧，NSAIDs（ジクロフェナクナトリウム：ボルタレン®，25mg）を24時から8時間ごとに挿肛（採卵日8時まで）。
月経14日目	11時1個穿刺1個採卵（成熟卵1個）

月経3日目で血中E₂値正常，FSH値は軽度高値だがほぼ正常と考える。月経10日目E₂値・卵胞径から2日後診察とする。月経12日目LH値の軽度上昇を認めたため，LHサージの開始直後の可能性を考え，23時に排卵誘起を行い，排卵予防目的で月経13日目にNSAIDsを投与し，14日目に採卵を行った。

症例3：45歳　自然周期（図5）

月経3日目　血清LH：3.8mIU/mL，FSH：17.6mIU/mL，E₂：45.0pg/mL，AFC：2個
月経8日目　血清LH：14.5mIU/mL，E₂：94pg/mL，P₄：0.20ng/mL，卵胞12mm，11mm
月経11日目　18時　血清LH：77.5mIU/mL，E₂：188pg/mL，P₄：1.20ng/mL，卵胞18mm，12mm，排卵誘起なし，NSAIDs（ジクロフェナク）を投与。
月経12日目　10時30分2個穿刺2個採卵（成熟卵1個，未成熟卵1個）

月経3日目で血中E₂値正常だが，FSH値高値で卵巣予備能の低下が考えられる。その場合，通常よりLH値が高めで早期に排卵するリスクがあるため，月経8日目に診察した。その時点のLH値は軽度高値であったが，E₂値・卵胞径から卵巣予備能低下によるネガティブフィードバックと考え，3日後に診察とした。月経11日目，LH値，P₄値の上昇を認めたため，LHサージのピーク後と判断し，排卵誘起は行わず，本来は6〜12時間後の採卵と考えるが夜間になるため採卵は不可能である。そのため卵胞破裂を防ぐ目的でNSAIDsを投与し，12日目（16時間半後）に採卵を行った。

症例4：38歳　クエン酸クロミフェン周期（図6）

月経3日目　血清LH：9.8mIU/mL，FSH：6.6mIU/mL，E₂：45.0pg/mL，AFC：20個
月経10日目　血清LH：4.6mIU/mL，E₂：91.2pg/mL，P₄：0.27ng/mL，卵胞14mm，13mm，12mm
月経13日目　血清LH：10.8mIU/mL，E₂：302pg/mL，P₄：0.20ng/mL，卵胞26mm，16mm，12mm，23時GnRHアゴニスト点鼻薬噴霧
月経15日目　11時3個穿刺3個採卵（成熟卵2個，未成熟卵1個）

月経3日目でLH値＞FSH値でAFCも高く，多嚢胞性卵巣症候群の疑いがあり，クエン酸クロミフェンによる卵巣刺激を選択した。月経10日目で14mmの卵胞を認め，自然周期では2日後診察とするが，クロミフェン周期のため3日後診察。26mmまで主席卵胞が発育し，LH値はほぼ正常なため，同日夜排卵誘起を行い36時間後に採卵となった。

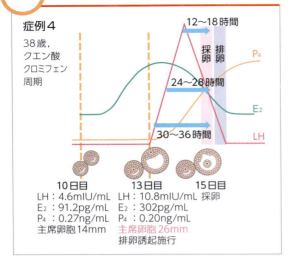

図6 症例4：排卵誘発周期

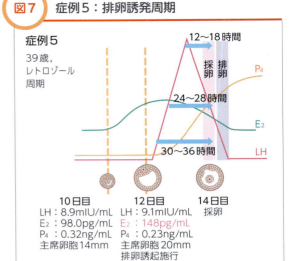

図7 症例5：排卵誘発周期

症例5：39歳　レトロゾール周期（図7）

月経3日目　血清LH：4.2mIU/mL, FSH：8.2mIU/mL, E₂：37.9pg/mL, AFC：3個
月経10日目　血清LH：8.9mIU/mL, E₂：98.0pg/mL, P₄：0.32ng/mL, 卵胞14mm
月経12日目　血清LH：9.1mIU/mL, E₂：148pg/mL, P₄：0.23ng/mL, 卵胞20mm
　　　　　　23時GnRHアゴニスト点鼻薬投与
月経14日目　11時1個穿刺1個採卵（成熟卵1個）

　月経3日目のホルモン検査に異常はなく，レトロゾールによる卵巣刺激を選択した。月経10日目卵胞14mmと採卵には不十分なため，2日後に診察。月経12日目で卵胞20mmまで発育し，E₂値が148pg/mLと低値にみえるが，レトロゾールの影響であるため，同日夜排卵誘起を行い，36時間後に採卵となった。

　厳密な排卵予測には，症例に挙げたように経腟超音波検査による卵胞モニタリングと血中ホルモン測定が必要である。またLH，FSHなどのホルモン動態が変動する多嚢胞性卵巣症候群や卵巣予備能低下症例などでは，排卵予測に難渋することもあり，さらには，卵巣刺激法によってもその血中ホルモン値の結果が大きく異なる。妊娠をサポートするため，患者の病態と排卵誘発薬の特徴をよく把握し，排卵予測を行うことが重要である。

（会田拓也，黒田恵司）

参考文献

1) Wilcox AJ, Weinberg CR, Baird DD：Timing of sexual intercourse in relation to ovulation. Effects on the probability of conception, survival of the pregnancy, and sex of the baby. N Engl J Med. 1995; 333: 1517-21.
2) Andersen AG, Als-Nielsen B, Hornnes PJ, et al：Time interval from human chorionic gonadotrophin (HCG) injection to follicular rupture. Hum Reprod 1995; 10: 3202-5.
3) Hafez ES:In vivo and in vitro sperm penetration in cervical mucus. Acta Eur Fertil 1979; 10: 41-9.
4) Behre HM, Kuhlage J, Gassner C, et al：Prediction of ovulation by urinary hormone measurements with the home use ClearPlan Fertility Monitor: comparison with transvaginal ultrasound scans and serum hormone measurements. Hum Reprod 2000; 15: 2478-82.
5) Hernández J, Rodríguez-Fuentes A, Puopolo M, et al：Follicular Volume Predicts Oocyte Maturity: A Prospective Cohort Study Using Three-Dimensional Ultrasound and SonoAVC. Reprod Sci 2016; 23: 1639-43.
6) Palatnik A, Strawn E, Szabo A, et al：What is the optimal follicular size before triggering ovulation in intrauterine insemination cycles with clomiphene citrate or letrozole? An analysis of 988 cycles. Fertil Steril 2012; 97: 1089-94. e1-3.
7) Kawachiya S, Matsumoto T, Bodri D, et al：Short-term, low-dose, non-steroidal anti-inflammatory drug application diminishes premature ovulation in natural-cycle IVF. Reprod Biomed Online 2012; 24: 308-13.

各論 1

不妊治療の実際―どのように妊娠に導くのか？

不妊治療に用いられる薬剤

排卵誘発剤
クエン酸クロミフェン，アロマターゼ阻害薬，hMG/FSH製剤，GnRHアゴニスト製剤，GnRHアンタゴニスト製剤，hCG製剤

Point

- 近年，治療に使われる代表的な排卵誘発剤について解説する。
- 卵巣刺激の基本は，いかにして卵巣に作用する卵胞刺激ホルモン（FSH）濃度を上昇させるかによる。
- それぞれの薬剤のFSHに対する上昇作用を解説する。
- タイミング法，配偶者間人工授精（AIH），生殖補助医療（ART）に対して，適切な誘発を選択することが望まれる。
- 卵巣刺激を施行することによる副作用や，多胎となるリスクがあることに留意し，薬剤を使用する。
- 多嚢胞性卵巣症候群（PCOS）など，誘発に対して抵抗性を示す症例に対しては，卵巣過剰刺激症候群（OHSS）の発症に注意する。

配偶者間人工授精（AIH）
artificial insemination with husband's semen

多嚢胞性卵巣症候群（PCOS）
polycystic ovary syndrome

排卵誘発剤の本質

卵巣刺激の基本的な考え方については，体内のFSH濃度をいかにして上昇させるかを考えるとその理解が容易になる。

自然周期の場合，体内でのFSHは脳下垂体より放出され，卵巣に作用する。そこで主席卵胞が発育し，その顆粒膜細胞よりエストラジオールが放出され，ネガティブフィードバックにより脳下垂体を抑制してそのFSH濃度が低下する。すなわち，この体内でのFSH，エストロゲンのフィードバック機構のいずれかに作用し，FSH濃度を上昇させるものが排卵誘発剤の本質となる（図1）。

図1　各ホルモンの調節機構

a：FSH濃度は，E₂濃度の上昇低下によりフィードバック作用が起こるため，適正に保たれている。

b：E₂濃度が上昇（卵胞が成長する）するとネガティブフィードバックによりホルモン分泌が抑制される。

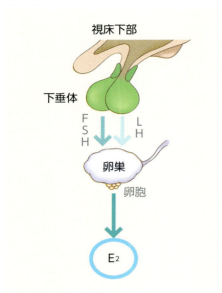
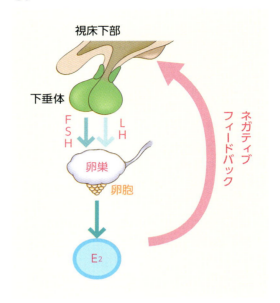

c：クエン酸クロミフェン
クロミフェンは，抗エストロゲン作用により視床下部のエストロゲン受容体において内因性エストロゲンと拮抗し，下垂体からのゴナドトロピンの分泌を促進し，卵胞を発育させる。

FSH：卵胞刺激ホルモン，
E₂：エストラジオール，
LH：黄体化ホルモン

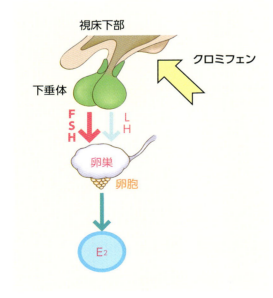

クエン酸クロミフェン（クロミッド®）

クエン酸クロミフェンは不妊治療で最も頻繁に使用される薬剤であり、月経初期から1日50mg、5日間の使用から開始し、無効の場合1日150mgまでの増量が可能である（保険診療では1日100mgまで）。薬理作用としては「エストロゲン存在下において抗エストロゲン作用を示す」とある。つまり、クロミフェンは、抗エストロゲン作用により視床下部のエストロゲン受容体において内因性エストロゲンと拮抗し、下垂体からのゴナドトロピンの分泌を促進し、卵胞を発育させる。

➡「婦人科内分泌の基礎知識」（p.27）参照

注意点

不妊治療において注意することとして、その抗エストロゲン作用により、子宮内膜の菲薄化や頸管粘液を減少させるなどの作用が高頻度に発生することが挙げられる。

特に、子宮内膜の菲薄化は着床率の低下につながるおそれがあるため、排卵前後で内膜厚が6〜7mm以下の場合、ほかの薬剤への変更、または薬剤の中止を考慮する必要がある。

アロマターゼ阻害薬（フェマーラ®、レトロゾール）

アロマターゼ阻害薬は閉経後乳癌患者の術後、再発時などのホルモン療法の薬剤として知られている[1]。

薬理作用としては、アロマターゼ阻害作用を介してエストラジオール濃度の低下をきたす。低エストラジオール状態は負のフィードバック作用をきたし、結果としてFSH濃度を上昇させ、卵胞を発育させる（図2）。

図2　アロマターゼ阻害薬の作用機序

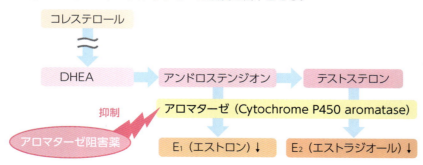

アロマターゼ阻害薬は、アンドロステンジオンやテストステロンからの女性ホルモン産生を促すアロマターゼの働きを抑制することにより、生体内のエストロン、エストラジオール濃度を低下させる。

アロマターゼ阻害薬は血中半減期が36時間と短いため，頸管粘液・子宮内膜への影響がない。

一般的にはクロミフェンに抵抗を示した場合や，子宮内膜の菲薄化をきたした場合にセカンドラインとして選択される傾向にある。

通常月経初期から1日1回，2.5mgを5日間服用する。

注意点

アロマターゼ阻害薬は排卵誘発剤として保険適用されているが，一方で乳癌の治療薬としての側面があることにより，投与に対して患者の不安を回避するために十分なインフォームドコンセントの後に使用すべきである。

hMG/FSH製剤

ヒト閉経期尿性ゴナドトロピン（hMG）/FSH製剤を注射することによって体内のFSH濃度を上昇させ卵胞を発育させる。現在，hMG/FSH製剤とも数社より発売されているが，もともと閉経女性の尿より抽出してつくられた製剤がhMGである。

hMG製剤中にはFSHと種々の濃度の黄体化ホルモン（LH）が含有され，LHの存在が難点となる。例えば，PCOSは高濃度内因性LHの状態であり，hMG投与はさらなるLH上昇をきたすため卵巣過剰刺激症候群（OHSS）の発症リスクを上昇させる。

この難点を克服したものがFSH製剤であり，LHを限界まで除去したpure-FSH製剤（LH含有0.1％以下）（ゴナピュール®，フォリルモンP®など）と遺伝子組み換えを利用したrecombinanto FSH製剤（フォリスチム®，ゴナールエフ®など）に大別される（表1）。ただし，体外受精においてはhMGとFSHの違いによって卵胞の質が変わるという報告はない。また，低ゴナドトロピン性性腺機能不全症の場合，LHを含むhMG製剤の使用が推奨される。

ヒト閉経期尿性ゴナドトロピン（hMG）
human menopausal gonadotropin

卵巣過剰刺激症候群（OHSS）
ovarian hyperstimulation syndrome

➡「低ゴナドトロピン性性腺機能低下症もしくは不全症」(p.275)参照

表1　hMG，FSH製剤の種類

分類	製剤名	単位	製造販売元	FSH/LH
recombinant-FSH製剤（遺伝子組み換え型）	ゴナールエフ®皮下注	75, 150	メルクバイオファーマ	1/0
	ゴナールエフ®皮下注ペン	300, 450, 900	メルクバイオファーマ	1/0
	レコベル®	12μg, 36μg, 72μg	フェリング・ファーマ	1/0
pure-FSH製剤	uFSH注用	75, 150	あすか製薬	1/0.0053
	フォリルモン®P注	75, 150	富士製薬	1/0.0053
hMG製剤	HMG筋注用「F」	75, 150	富士製薬	1/0.33
	HMG筋注用「あすか」	75, 150	あすか製薬	1/1
	HMG注射用「フェリング」	75, 150	フェリング・ファーマ	1/1

GnRHアゴニスト製剤
[①鼻腔内噴霧剤（スプレキュア®，ブセレキュア®，ナサニール®など），②皮下注射（リュープリン®，デカペプチル®）]

　GnRHアゴニスト製剤は脳下垂体に直接作用し，FSH/LHを放出させる作用がある。投与後数日はFSH/LH濃度が上昇し排卵誘起作用がある。これをflare-upとよび，卵巣刺激法のショート法はこの作用を利用している。

　また長期使用した場合，体内のFSH/LHが枯渇し，月経を抑制する作用や排卵を抑制する作用がある。これをdown-regulationとよび，ロング法はこの作用を利用している。

　排卵誘起としての投与には，一般的に点鼻薬が使用されている。しかし，鼻腔内投与はアレルギー性鼻炎，鼻腔疾患および投与方法が複雑で効果が一定しない欠点があり，世界的には皮下注射が使用されているが，日本では保険適用はない。

➡「卵巣刺激法」(p.154)参照

GnRHアンタゴニスト製剤（ガニレスト®，セトロタイド®）

　GnRHアンタゴニスト製剤は厳密には排卵誘発剤ではない。ゴナドトロピン放出ホルモン（GnRH）アゴニスト同様，脳下垂体にあるGnRHレセプターと結合するが，刺激作用がないためflare-upの作用がない。内因性のGnRHと拮抗的に作用するため，投与後から速やかにLH/FSH濃度が低下する。これを利用したものがGnRHアンタゴニスト法とよばれる卵巣刺激法である。

　LH濃度を低下させるため，排卵を抑制するが同時にFSHも抑制するので卵胞も縮小することがあり，投与開始のタイミングの判断が困難なこともある。

hCG製剤
（プレグニール®，ゴナトロピン®，HCGモチダ®，オビドレル®など）

　hCGとはヒト絨毛性ゴナドトロピン（human chorionic gonadotropin）のことであり，生体内では妊娠成立後に胎児の栄養膜合胞体層で作られる。その作用としては卵胞から変化した黄体の維持であり，そのため黄体ホルモン濃度の低下を防ぎ，妊娠を維持する。

　構造としてはLH，FSH，TSHと同一のαサブユニットと独自のβサブユニットからなる。

　hCG製剤としては，そのLH類似作用から排卵を促すために排卵調節に使用される。一般的に成熟した卵胞が存在する場合，hCG投与から36～42時間のうちに排卵が起こるといわれている。また，黄体補充として使用されることもあり，凍結胚移植後の黄体補充として経口黄体ホルモンとhCGを組み合わせて使用することにより，黄体ホルモン腟剤と同様の効果を得られるという文

献も存在し，その黄体維持作用も認められている[2]。近年，遺伝子組み換え型のHCG（recombinant HCG）オビドレル®も使用可能になっている。

（田中　温）

参考文献

1) 日本乳癌学会編：乳癌診療ガイドライン1治療編2018年版．金原出版（東京），2018．
2) Zarei A, Sohail P, Parsanezhad ME, et al：Comparison of four protocols for luteal phase support in frozen-thawed Embryo transfer cycles: a randomized clinical trial. Arch Gynecol Obstet 2017; 295: 239-46.

各論 1　不妊治療の実際―どのように妊娠に導くのか？

不妊治療に用いられる薬剤

その他
ドーパミン作動薬，エストロゲン製剤，プロゲスチン製剤

Point

- 高プロラクチン血症の原因として，下垂体腺腫，薬剤性，甲状腺機能低下症がある。
- 高プロラクチン血症の治療は，薬剤性や甲状腺機能低下症以外は，原則ドーパミン作動薬（カベルゴリン）で治療を行う。
- カベルゴリンは，卵巣過剰刺激症候群の治療も可能である。
- ホルモン補充周期の凍結融解胚移植において，子宮内膜の肥厚のためにエストラジオール製剤，脱落膜化の誘導のためにプロゲスチン製剤を用いる。
- ホルモン補充周期の融解胚移植は，黄体が形成されないため天然型プロゲステロン製剤の投与を推奨する。
- プロゲスチン製剤は，ARTの卵巣刺激において，内因性LHサージを抑制し，早発排卵の防止に用いることもできる。

ドーパミン作動薬

高プロラクチン血症の病態と原因

　プロラクチンは下垂体前葉から分泌される蛋白ホルモンであり，ドーパミンはその分泌に抑制的に働く（図1）。このプロラクチンの分泌が過剰になると，乳汁分泌や月経不順などの臨床症状を呈し，不妊症の一因となる。高プロラクチン血症の原因として，下垂体腺腫，薬剤性，甲状腺機能低下症が挙げられる（図2）。下垂体腺腫は直接プロラクチンの産生を増加する。薬剤性はドーパミンの分泌を抑制することで高プロラクチン血症となる。抗精神病薬，降圧薬，制吐薬などの薬剤が高プロラクチン血症の原因となる（表1）。甲状腺機能低

図1 ドーパミンの作用とプロラクチン

ドーパミンの抑制が優位に働くため，プロラクチンは低値に抑えられている。

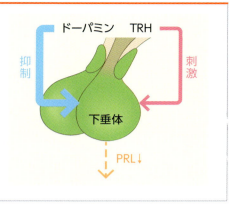

図2 病態による高プロラクチン血症の発症機序

a：下垂体腺腫
プロラクチンを産生する下垂体腺腫の存在によって，高プロラクチン血症となる。

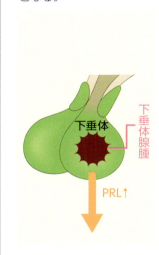

b：薬剤性
ドーパミン自体を抑制する薬剤の働きにより，高プロラクチン血症となる。

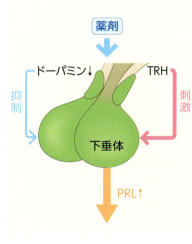

c：甲状腺機能低下症
甲状腺機能低下においてはフィードバックによりTRHの刺激が，ドーパミンの抑制を逆転してしまい，高プロラクチン血症となる。

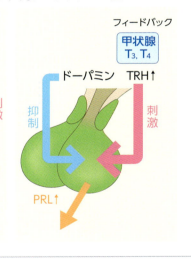

下症では，フィードバックにより甲状腺刺激ホルモン放出ホルモン（TRH）の分泌が亢進するため，高プロラクチン血症となることがある。

高プロラクチン血症の治療法

閉経前女性のプロラクチンの正常値はECLIA法で4.9〜29.3ng/mLであり，約30ng/mL以上が高プロラクチン血症となる。日内変動があるため，原則，

表1　高プロラクチン血症をきたす薬剤

		一般名	商品名
ドーパミンの生成を抑制	降圧薬	レセルピン	アポプロン®
		α-メチルドパ	アルドメット®
ドーパミンの作用を阻害（ドーパミン受容体拮抗作用）	フェノチアジン系	クロルプロマジン ペルフェナジン	ウィンタミン®，コントミン® トリオミン®，PZC®
	ブチロフェノン系	ハロペリドール	セレネース®
	三環系抗うつ薬	イミプラミン	トフラニール®
	ベンズアミド系抗精神病薬（胃薬，制吐薬としても用いられる）	スルピリド メトクロプラミド	ドグマチール® プリンペラン®
	H₂受容体拮抗薬（抗潰瘍薬）	ファモチジン ラニチジン塩酸塩 シメチジン	ガスター® ザンタック® タガメット®

表2　ドーパミン作動薬

一般名	主な製剤の商品名	凍結融解胚移植におけるホルモン補充周期における投与方法
カベルゴリン	カバサール®	経口投与，0.25mg/週（1回投与量は1.0mgまで）
ブロモクリプチンメシル酸塩	パーロデル®	経口投与，2.5mg 1日1回（1回投与量は5～7.5mg 1日2～3回まで漸増可能）

午前中に測定することを推奨する．不妊症で主に治療の対象となる場合は，排卵障害などで月経不順を伴う高プロラクチン血症である．

　高プロラクチン血症の治療は，原因となる薬剤や甲状腺機能低下症がある場合は，その薬剤の中止やレボチロキシン（チラーヂン®）などによる治療を優先する．また**プロラクチン値が100 ng/mL以上で異常高値の場合は，頭部MRI検査で下垂体腺腫の有無を確認する**．薬剤性や甲状腺機能低下症以外は，原則，ドーパミン作動薬で治療を行う．主に，カベルゴリン（カバサール®），ブロモクリプチンメシル酸塩（パーロデル®）が使用されている（**表2**）．特に，カベルゴリンは週に1回の内服で効果があるため，服薬コンプライアンスも高く，現在，高プロラクチン血症の治療の主流である．

卵巣過剰刺激症候群（OHSS）の治療

　カベルゴリンは，高プロラクチン血症の治療だけではなく，OHSSの治療としても用いることができ，2022年4月から保険適用となった．カベルゴリンは血管内皮成長因子（VEGF）を抑制し，OHSSで問題になる血管透過性の

➡「不妊治療における保険診療および先進医療制度」(p.228)参照

表3 エストラジオール製剤

天然/合成	主な製剤の商品名	ホルモン補充周期の凍結融解胚移植における投与方法	ARTにおける保険適用の有無*
天然型	ジュリナ錠	経口投与，保険では0.5〜4.5mg/日（1回投与量は2.0mgまで）	有
合成型	エストラーナテープ	経皮投与，保険では0.72〜5.76mg/日を貼付し，2日ごとに貼り替える	有
合成型	ル・エストロジェル	経皮投与，保険では2〜10プッシュ/回（1.8〜9.0g，E_2量1.08〜5.40mg含有）1回/日塗布	有
合成型	ディビゲル	経皮投与，保険では2〜4包/回（2.0〜4.0g，E_2量2〜4mg含有）を2回/日塗布	有

*2022年4月現在

亢進を抑制することでOHSSを予防することができる[1]。投与方法は，採卵前にhCG製剤などにより排卵誘起（卵胞成熟）を施行した日，もしくは採卵日から0.5mg/日を7〜8日間内服する。

エストラジオール製剤

エストロゲンは生体内における，エストロン（E_1），エストラジオール（E_2），エストリオール（E_3）の総称である。エストロゲンは生体内で乳房の発育，LDLコレステロールの低下，抗動脈硬化作用，骨量の維持などの作用があるが，不妊治療では子宮内膜の肥厚作用において重要なホルモンであり，その効果はエストラジオールが最も強い。

特に，ホルモン補充周期による凍結融解胚移植において，子宮内膜を肥厚するために用いる。凍結融解胚移植に使用する主なエストラジオール製剤を表3に示す。原則，天然型エストラジオール製剤で，経口投与と貼付剤やゲル剤のような経皮投与がある。ホルモン補充周期には結合型エストロゲン製剤（プレマリン®）や注射製剤もあるが，2022年4月現在保険適用はない。

エストラジオール製剤は，子宮内膜の肥厚作用や乳腺の増殖作用があるため，子宮体癌や乳癌のリスクがあることを留意し，定期的な癌検診をすることも必要である。

プロゲスチン製剤

プロゲスチン製剤の投与方法とその効果

プロゲスチン製剤は，プロゲステロン活性をもつすべての薬剤を含み，天然型プロゲステロン薬剤と合成型プロゲスチン製剤が含まれる。プロゲステロンは，子宮内膜における脱落膜化を誘導し，胚の着床とその後の妊娠を継続するために必須のホルモンで，プロゲスチン製剤は不妊治療における黄体補充に用

表4　プロゲスチン製剤

天然/合成	プロゲスチン	主な投与方法	主な製剤の商品名	黄体補充における保険適用の有無*
天然型	プロゲステロン	経腟投与	ワンクリノン腟用ゲル，ルティナス腟錠，ウトロゲスタン腟用カプセル，ルテウム腟用坐剤	有
		筋肉内投与	プロゲホルモン，ルテウム	無
合成型	ヒドロキシプロゲステロンカプロン酸エステル	筋肉内投与	プロゲデポー，オオホルミンルテウムデポー	無
	ジドロゲステロン	経口投与	デュファストン錠	有
	クロルマジノン	経口投与	ルトラール	有
	メドロキシプロゲステロン酢酸エステル	経口投与	プロベラ，ヒスロン錠	無

*2022年4月現在

いられる。プロゲスチン製剤の詳細を**表4**に示す。投与方法はさまざまで，経腟投与，経口投与および筋肉内・皮下注射がある。経口剤は簡便だが，腸管で吸収され肝臓で代謝されるため，生体内での利用効率が低く，効果発現に時間がかかる。筋肉内・皮下注射剤は投与効果が優れているが，自己注射剤が存在しないため通院が必要になり，かつ注射に伴う身体的な負担がある。腟坐剤は，黄体補充において世界で最も頻用されているプロゲステロン製剤であり，注射剤と比較して血中プロゲステロン値は低いが，子宮内局所のプロゲステロン濃度は高くなる[1]。

➡「黄体補充」
（p.187）参照

メタ解析では，ARTの新鮮胚移植周期で黄体補充を行わない無治療群と比較し，筋肉内注射（オッズ比：4.57），腟内投与（オッズ比：3.34），皮下注射（オッズ比：3.36），および経口投与（オッズ比：2.57），すべての投与経路でも有意に臨床妊娠率が高くなることが報告されている[3]。

黄体補充における推奨されるプロゲスチン製剤

いずれの投与方法も黄体補充として効果が期待できるが，合成型プロゲスチン製剤であるクロルマジノンとメドロキシプロゲステロン酢酸エステルは，アンドロゲン受容体への親和性があり[4]，米国生殖医学会（ASRM）では出生する男児の尿道下裂のリスクが懸念されるため投与は推奨されていない（**表5**）[5]。また，子宮内膜脱落膜化にとってプロゲステロン受容体（PR）を介したプロゲステロン活性だけでなく，グルココルチコイド受容体（GR）とミネラルコルチコイド受容体（MR）の遺伝子ネットワークの活性化が重要である（**表5**）[6]。GRやMRへの親和性はジドロゲステロンにはなく，子宮内膜脱落膜化の効果を期待する場合，天然型プロゲステロンが必要である。ホルモン補充周期による融解胚移植は，黄体が形成されないため妊娠率向上にとって天然型プロゲステロン製剤の投与を推奨する。

米国生殖医学会
（ASRM）
American society for reproductive medicine

表5　プロゲスチンの核内受容体への親和性

天然/合成	プロゲスチン	PR	AR	ER	GR	MR
天然型	プロゲステロン	50	0	0	10	10
合成型	ジドロゲステロン	75	0	-	-	-
	クロルマジノン酢酸エステル	75	5	0	8	0
	メドロキシプロゲステロン酢酸エステル	115	5	0	29	160

PR：progesterone receptor (promegestone = 100%), AR：androgen receptor (metribolone = 100%), ER：estrogen receptor (estradioll-17β = 100%), GR：glucocorticoid receptor (dexamethasone = 100%), MR：mineralocorticoid receptor (aldosterone = 100%)

(文献4)より抜粋)

　2022年4月から不妊治療の保険適用が大幅に拡大し，多くのプロゲスチン製剤が保険診療で処方が可能となった(**表4**)。2022年4月現在，天然型プロゲステロン製剤の腟坐剤と合成型ジドロゲステロンとクロルマジノンのみ保険適用となった。

➡「不妊治療における保険診療および先進医療」(p.228)参照

卵巣刺激における早発排卵防止

　ARTの卵巣刺激における早発排卵の防止は，GnRHアナログ製剤だけでなく，プロゲステロン製剤で内因性LHサージを抑制するprogestin-primed ovarian stimulation (PPOS) も一般的となった[7]。2022年4月現在，PPOSのためのジドロゲステロン(デュファストン錠®)やメドロキシプロゲステロン酢酸エステル(ヒスロン錠®)も保険診療で投与が可能である。

(黒田恵司，田中　温)

参考文献

1) Mourad S, Brown J, Farquhar C：Interventions for the prevention of OHSS in ART cycles: an overview of Cochrane reviews. The Cochrane database of systematic reviews 2017; 1: Cd012103.
2) Miles RA, Paulson RJ, Lobo RA, et al：Pharmacokinetics and endometrial tissue levels of progesterone after administration by intramuscular and vaginal routes: a comparative study. Fertil Steril 1994; 62: 485-90.
3) Mohammed A, Woad KJ, Mann GE, et al：Evaluation of progestogen supplementation for luteal phase support in fresh in vitro fertilization cycles. Fertil Steril 2019; 112: 491-502.e3.
4) Schindler AE, Campagnoli C, Druckmann R, et al：Classification and pharmacology of progestins. Maturitas 2008; 61: 171-80.
5) Practice Committee of the American Society for Reproductive Medicine：Progesterone supplementation during the luteal phase and in early pregnancy in the treatment of infertility: an educational bulletin. Fertil Steril 2008; 89: 789-92.
6) Kuroda K, Venkatakrishnan R, Salker MS, et al：Induction of 11 beta-HSD 1 and Activation of Distinct Mineralocorticoid Receptor- and Glucocorticoid Receptor-Dependent Gene Networks in Decidualizing Human Endometrial Stromal Cells. Mol Endocrinol 2013; 27: 192-202.
7) Kuang Y, Chen Q, Fu Y, et al：Medroxyprogesterone acetate is an effective oral alternative for preventing premature luteinizing hormone surges in women undergoing controlled ovarian hyperstimulation for in vitro fertilization. Fertil Steril 2015; 104: 62-70.e3.

各論 1　不妊治療の実際―どのように妊娠に導くのか？

妊娠方法

タイミング法・配偶者間人工授精（AIH）・生殖補助医療（ART）

Point

- 不妊治療における妊娠方法には，タイミング法，配偶者間人工授精，生殖補助医療がある。
- 自然周期では卵胞径18mm以上，クロミフェン周期では23〜28mmで排卵を調節する。
- タイミング法における性交のタイミングは，排卵1〜2日前が最も妊娠率が高く，排卵当日までに3回以上行うことを指導する。
- 人工授精は，排卵前日もしくは当日に精子を採取し，調整後40〜80分以内に行う。
- 人工授精の適応は，①軽度乏精子症・精子無力症，②性交障害，③頸管粘液不適合，④原因不明不妊症である。
- 生殖補助医療の適応は，一般不妊治療で妊娠が難しい，①卵管性不妊症，②極度の乏精子症・精子無力症，③免疫性不妊症，④原因不明不妊症，⑤重症子宮内膜症である。

　不妊治療における妊娠方法には，一般不妊治療である**タイミング法**，**配偶者間人工授精（AIH）**と，**体外受精を含む生殖補助医療（ART）**がある。それぞれの方法について概説する。

配偶者間人工授精（AIH）
artificial insemination with husband's semen

生殖補助医療（ART）
assisted reproductive technology

タイミング法

　自然周期では最大卵胞径が18mmを超えると，卵胞1つ当たりの血中エストラジオール値が平均200pg/mLまで上昇する。経腟超音波検査による卵胞発育の確認，血中あるいは尿中黄体化ホルモン（LH）でLHサージの有無を確認し，エストラジオール値や基礎体温などを用いて排卵日を予測し，性交のタイミングを合わせる方法である。性交のタイミングや性交回数については後述する。

　クエン酸クロミフェン周期では，最大卵胞径が23～28mmで排卵誘起を行った場合に妊娠率が高い[1]。自然周期より卵胞発育を待って，排卵時期の卵胞径が20mm以上になるように調節することも大切である。

　また，排卵障害症例やクロミフェン周期の場合で診察時にLHサージを認めないときには，卵胞の発育を認めても排卵時期を予想することが難しいことがある。そのため，ヒト絨毛性ゴナドトロピン（hCG）製剤やゴナドトロピン放出ホルモン（GnRH）アゴニスト点鼻薬による排卵誘起を積極的に行い，タイミングを調節する。

配偶者間人工授精（AIH）

　採取した精液を遠心分離器にかけ，運動性の高い精子を回収して子宮内に注入する方法である（図1）。その方法と適応を以下に示す。

方法

　採取した精子の調整方法には，主に密度勾配を利用する方法（パーコール法）と精子自身の運動による分離法がある。

図1　密度勾配法による精子調整法と人工授精の方法

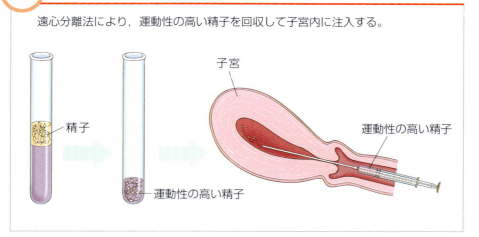

遠心分離法により，運動性の高い精子を回収して子宮内に注入する。

パーコール法

精子に浸透圧による機械的な損傷を与えないよう密度勾配を作成し，効率よく精子を凝縮させる方法である．成熟した精子の細胞密度は1.11～1.12 g/mLであるが，未熟精子や死滅精子は細胞密度が低く，この細胞密度の違いを利用する．

分離法

精子自身の運動により運動精子を回収する方法には，swim-up法とswim-down法がある．swim-up法は精液に培養液を重層し，培養液に移動してきた精子を回収する方法で，直接swim-up法と，精液を遠心し精子を分離した精子浮遊液を回収する洗浄swim-up法がある．

密度勾配法は手技が煩雑で高価であるが，swim-up法に比べ処理時間が短く，精漿や血球成分，細菌などの除去効果も優れており有用である．両方の方法を組み合わせることでより選別された成熟運動精子を回収することができる．調整後精子は40～80分以内に子宮内に注入することが推奨されている[2]．

適応

軽度乏精子症・精子無力症

WHOの定めた正常精子所見を表1に示す[3]．少なくとも2回以上，この基準値を満たしていない場合にはタイミング法での十分な妊娠率は期待できないため，AIHを検討する．AIHが有効な総運動精子数は10×10^6個以上とされ，これより少ない場合は，顕微授精による不妊治療を検討する必要がある．

性交障害

勃起障害や射精障害，性交痛，精神的な問題などで性交ができず，マスターベーションによる射精が可能な場合にAIHの適応となる．

頸管粘液不適合

ヒューナーテストで頸管粘液内に運動精子が少なく，かつ精子所見が正常な場合，AIHの適応となる．これは抗精子抗体やクエン酸クロミフェンの投与，子宮頸部円錐切除術による影響のことがある．

原因不明不妊

タイミング法を施行しても妊娠に至らない場合，ARTを行う前段階として行われる．通常，原因不明不妊症は，原因が精査できないところに不妊原因がある可能性が高い．そのため，性交障害や頸管粘液不適合症例と異なり，妊娠率はあまり期待できない．

➡「原因不明不妊症」(p.289)参照

性交・AIHのタイミング

一般的に受精能力があるのは，卵子は排卵後約24時間，精子は女性の生殖器内に入って48時間までとされる．そのため女性の排卵時期，子宮内に精子が入るタイミングを考慮して，一般不妊治療を行うことが重要である．

タイミング法では，性交のタイミングと妊娠率のデータによると妊娠成立の

表1 WHO（2010年）の精液検査の基準値

精液量	1.5mL以上
精液濃度	1,500万/mL以上
運動率	40%以上
総精子数	3,900万以上
正常形態率	4%以上
前進運動率	32%以上

（文献3）より引用改変）

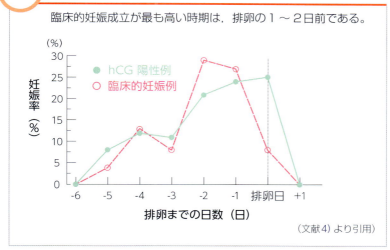

図2 排卵までの日数と妊娠率

臨床的妊娠成立が最も高い時期は，排卵の1～2日前である。

（文献4）より引用）

確率が最も高いのは，排卵日の1～2日前である。排卵の6日以前もしくは排卵1日後には可能性がない（**図2**）[4]。そのため排卵1～2日前にタイミングをとるよう指導する。

　性交の頻度は，精液所見が正常の場合，妊娠の可能性のある排卵5日前から排卵当日までに3回以上性交すると妊娠率が高い（**図3**）[5]。

　また，基礎研究では，AIHの場合には洗浄後の精子は受精能獲得阻止因子が精子細胞膜から除去され，受精能を獲得した状態になっている。そのため長時間この状態をキープできず，通常より受精能力のある時間が短くなる[6]。AIHは処理後の精子を子宮内に直接注入するため，排卵前日から当日に行うことが望ましい。

受精能獲得阻止因子
decapacitation factor

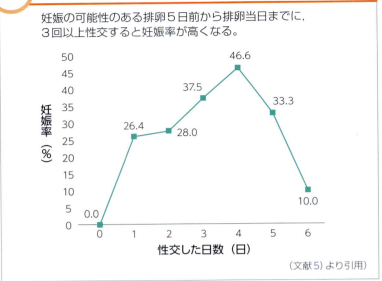

図3 性交の日数と妊娠率

妊娠の可能性のある排卵5日前から排卵当日までに，3回以上性交すると妊娠率が高くなる。

(文献5)より引用)

生殖補助医療（ART）

　ARTとは，明確な定義はないが，卵子を採取する採卵，体腔外での卵子と精子の体外受精・卵細胞質内精子注入法（顕微授精），培養後の受精卵を子宮内に移植する胚移植などを含む医療技術の総称である。日本産科婦人科学会は体外受精・胚移植に関して，これ以外の治療によっては妊娠の可能性がないかきわめて低いと判断されるもの，および施行することが被実施者またはその出生児に有益であると判断されるものを対象としている。その方法の詳細は「生殖補助医療」の項に記載する。適応は以下の通りである。

➡「生殖補助医療」(p.154〜)参照

適応

卵管性不妊症

　卵管閉塞もしくは狭窄，卵管周囲癒着などにより，卵管の通過障害や機能障害がある場合に適応となる。**両側性の場合は絶対的適応**であるが，片側の場合でも子宮内膜症や骨盤内感染性疾患既往後など高度な癒着が予測される場合には相対的適応となる。

極度の乏精子症および精子無力症

　採取された精子所見が，総運動精子数 10×10^6 個未満の場合には，顕微授精が必要となる。また，無精子症などで精巣内精子回収法（TESE）が必要な場合も同様である。

精巣内精子回収法（TESE）
testicular sperm extraction

免疫性不妊症

　免疫性不妊症の場合，主なものとして抗精子抗体があるが，その機序として精子の通過障害，卵への結合障害，受精障害，胚の発育障害がある。最も頻用されている抗精子抗体検査は**抗体価が高値でも10倍未満であれば人工授精，10倍以上の高抗体価症例は受精障害となるため顕微授精の適応となる**[7]。またNK細胞やヘルパーT細胞の異常を伴う免疫性不妊症は，ARTの適応とはなっていない。

➡「原因不明不妊症」(p.289)参照

原因不明不妊症

　タイミング法やAIHを施行しても妊娠に至らない場合に適応となる。**ARTを施行して初めて受精障害や胚の質，着床障害など原因がわかることも少なくない。**

➡「原因不明不妊症」(p.289)参照

子宮内膜症

　子宮内膜症では，癒着による骨盤内臓器の解剖学的異常や卵管輸送などの機能的異常，腹水貯留による骨盤内環境の悪化などの，一般不妊治療による妊娠が難しい不妊原因が存在する場合がある。

（池本裕子，黒田恵司）

参考文献

1) Palatnik A, Strawn E, Szabo A, et al：What is the optimal follicular size before triggering ovulation in intrauterine insemination cycles with clomiphene citrate or letrozole? An analysis of 988 cycles. Fertil Steril 2012; 97: 1089-94.
2) Fauque P, Lehert P, Lamotte M, et al：Clinical success of intrauterine insemination cycles is affected by the sperm preparation time. Fertil Steril 2014; 101: 1618-23.
3) Cooper TG, Noonan E, von Eckardstein S, et al：World Health Organization reference values for human semen characteristics. Hum Reprod Update 2010; 16: 231-45.
4) Wilcox AJ, Weinberg CR, Baird DD：Post-ovulatory ageing of the human oocyte and embryo failure. Hum Reprod 1998; 13: 394-7.
5) Wilcox AJ, Weinberg CR, Baird DD：Timing of sexual intercourse in relation to ovulation – Effects on the Probability of Conception, Survival of the Pregnancy, and Sex of the Baby. N Engl J Med 1995; 333: 1517-21.
6) Allahbadia NG：Does The Time Interval Between Semen Collection, Processing & Insemination affect results of IUI?. J obstet Gynecol India 2009; 59: 407-9.
7) 柴原浩章：症例から学ぶ生殖医学 不妊 抗精子抗体. 日産婦誌 2005; 57: 325-31.

各論1 不妊治療の実際—どのように妊娠に導くのか？

妊娠方法

妊娠方法別の妊娠率

Point

- 排卵障害，性交障害などの明らかな不妊原因がある場合は，タイミング法，人工授精でも妊娠できる可能性が十分にある。
- 不妊原因が不明の場合，妊娠率は1周期あたりタイミング法で0〜5％，人工授精で5〜10％である。
- タイミング法は5〜6周期，配偶者間人工授精は3〜4周期を目安にステップアップを検討する。
- 高齢女性は加齢で妊孕能が低下しているため，適時，生殖補助医療を検討する。

　不妊治療における妊娠方法には，一般不妊治療のタイミング法，配偶者間人工授精（AIH）と体外受精を含む生殖補助医療（ART）があり，それぞれ妊娠率が異なる。また，不妊原因や不妊期間，年齢によって妊娠率はさまざまである。それぞれについて概説する。

タイミング法

　正常妊孕能女性のタイミング法1周期あたりの妊娠率は17〜20％である[1,2]。30歳以上の正常妊孕能女性では6カ月で65％，12カ月で78％が妊娠する[1]。排卵障害などで今まで排卵の時期に性交渉がもてていなかった場合や，子宮筋腫などの明らかな不妊原因があり手術で治療した場合などには，タイミング法は治療効果が高い。しかし，明らかな不妊原因がなくこれまで基礎体温が二相性で避妊せず夫婦生活を送ってきている場合，若年女性でもタイミング法での妊娠率は0〜5％と低い[2]。

配偶者間人工授精（AIH）

　AIHは，採取した精子から運動性の高い精子を集め子宮内に注入する方法である。自然に近い不妊治療法であり，1周期あたりの妊娠率は5～10％と高くはない[4]。ただし，性交障害やヒューナーテストで頸管粘液不適合症例などに限れば治療効果が期待できる。

　図1にAIHにおける年齢別の累積妊娠率を示す。AIHを4周期以上行った累積妊娠率は，37歳未満で約20％，38～42歳で5～15％である[3]。つまり，80％以上の患者がAIHでは妊娠が難しい。またAIHにより妊娠した症例の88.0％が4周期以内に妊娠する[3]。若年女性でも，AIHを5周期以上続けてもわずか3～5％しか妊娠を期待できない。そのため，3～4周期AIHを行っても妊娠しない場合は，ARTを検討すべきである。

　排卵障害，性交障害などの明らかな不妊原因がある場合は，タイミング法，AIHの一般不妊治療でも十分治療効果が期待できる。しかし，これらの一般不妊治療は，自然に近い治療法であり，原因不明不妊症と考えられている受精障害や，卵管采における排卵後の卵子のピックアップ障害などの不妊原因には無力である。

　そのため，ある一定の治療回数を行って妊娠しない場合は，検査できない不妊原因があると考え，ARTや腹腔鏡手術などの積極的な不妊治療へ進むべきである。ARTにより，一般不妊治療では妊娠不可能な不妊原因が明らかとなることも少なくない。

図1　年齢別AIHの施行回数と累積妊娠率

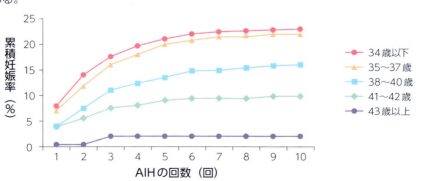

AIHを4周期以上行った累積妊娠率は37歳未満で約20％，38～42歳で5～15％である。

(Honda T, Tsutsumi M, Komoda F, et al : Acceptable pregnancy rate of unstimulated intrauterine insemination: a retrospective analysis of 17,830 cycles. Reprod Med Biol 2015; 14: 27-32より引用)

生殖補助医療（ART）

日本産科婦人科学会の「ARTデータブック」によると，2018年の総治療あたりの妊娠率は17.6％，総胚移植あたりの妊娠率は31.9％であった[5]。総胚移植あたりの妊娠率を不妊女性の年齢別に確認すると，20歳台，30～34歳，35～39歳，40～44歳，45歳以上でそれぞれ45.9％，42.5％，36.1％，21.1％，6.5％であり，加齢に伴い妊娠率が低下することは明らかである。

さらに流産率は20歳台，30～34歳，35～39歳，40～44歳，45歳以上でそれぞれ15.7％，17.8％，24.6％，39.6％，60.7％であり，加齢とともに流産率は急増し，生産率が低下することがわかる（図2）。

そのため，40歳以上の高齢女性は，一般不妊治療にこだわらず，適時ARTへ移行することが重要である。

治療法別の妊娠率と仮想累積妊娠率

不妊治療の妊娠方法別の妊娠率の目安を表1に示す。例えば，不妊原因が排卵障害のみであれば，排卵をサポートすれば，タイミング法でも十分に妊娠が期待できる。しかし，前述の通り，避妊せず夫婦生活を送り，不妊検査で明らかな不妊原因がない場合の妊娠率は0～5％と低い。またタイミング法で妊娠できない場合，AIHまで行っても5～10％とあまり高くはない。つまり，原

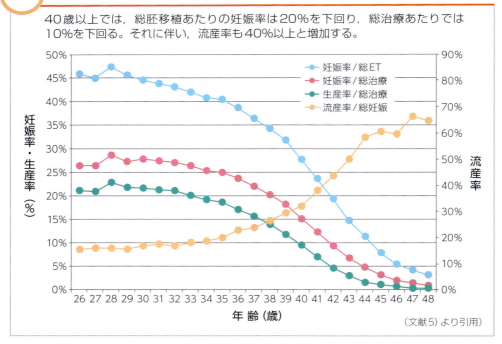

図2 ART妊娠率・生産率・流産率（2018）

40歳以上では，総胚移植あたりの妊娠率は20％を下回り，総治療あたりでは10％を下回る。それに伴い，流産率も40％以上と増加する。

（文献5）より引用）

因不明不妊症は偶発的に妊娠できていないのではなく，検査ができない不妊原因が存在する可能性が高い。

また，ARTでの年齢別の妊娠率のデータを含めた，計算上の仮想累積妊娠率を図3に示す。実際は図1で示したように，AIHの累積妊娠率は20％でプラトーとなり，仮想累積妊娠率より低い。これは，一般不妊治療では妊娠不可能な不妊原因がある女性も，AIHを行っているためである。

高齢女性の場合，通常のステップアップ法で不妊治療を行うと，一般不妊治療で時間を費やし，年齢に伴う妊孕能の低下が懸念される。不妊原因を精査し，妊娠方法別の妊娠率を考慮し，患者と相談したうえで，治療方針を決定すべきである。

表1 治療方法別の妊娠率の目安

タイミング法

正常妊孕能：20％
不妊症（排卵障害以外）：0〜5％

AIH

40歳未満：5〜10％
40歳以上：3〜5％

ART（/ET）

30歳未満　　：46％（流産率16％）
30〜34歳：43％（流産率18％）
35〜39歳：36％（流産率25％）
40〜44歳：21％（流産率40％）
45歳以上　　： 7％（流産率61％）

図3 不妊女性における妊娠方法別の仮想累積妊娠率

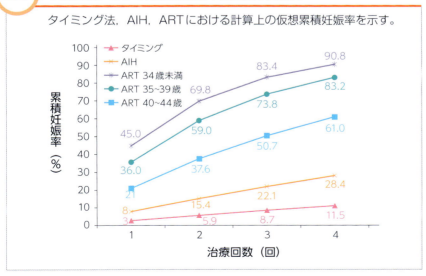

タイミング法，AIH，ARTにおける計算上の仮想累積妊娠率を示す。

Column
正常妊孕能女性における妊娠率

不妊症女性の体外受精における妊娠率は35歳まで大きな変化はなく，35歳以降で加齢とともに低下する。

2016年に正常妊孕能女性における自然妊娠率について報告された[1]。不妊症既往（男性不妊も含む），多嚢胞性卵巣症候群，子宮内膜症，授乳中の方を除き，避妊せずに妊娠をトライした期間が3カ月以下の30～44歳の女性，960人3,593周期を対象に自然妊娠率を検討した前方視的研究である。

正常妊孕能女性の年齢別累積妊娠率を図4に示す。年齢別の累積妊娠率は30～33歳で妊娠率は変わらないが，34歳を超えると徐々に妊娠率が低下し，40歳を超えるとその低下率が加速することがわかる。また，この結果から40～41歳の女性でも妊孕能が正常であれば，自然妊娠を40～50％期待できることがわかる。

ただし，図5の妊娠既往の有無における累積妊娠率を確認すると，妊娠既往のある女性は明らかに妊娠率が高く，40歳以上では未経妊女性はまったく妊娠していない。つまり40歳以上の女性は，過去に妊娠経験があれば自然妊娠を期待できるが，未経妊であれば，不妊期間にかかわらず積極的な不妊治療を検討する必要がある。

図4　正常妊孕能女性における累積自然妊娠率

妊娠率は30～33歳で妊娠率は変わらないが，34歳を超えると徐々に妊娠率が低下し＜40歳を超えるとその低下率が加速する。

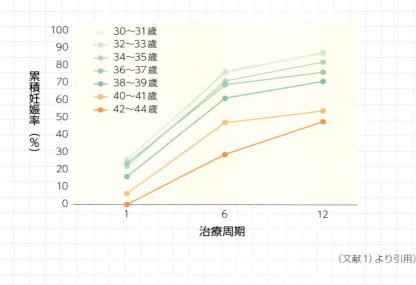

（文献1）より引用）

図5 妊娠既往の有無における年齢別累積妊娠率

同年齢でも，妊娠既往のない女性は，既往のある女性と比較し累積妊娠率が低い。

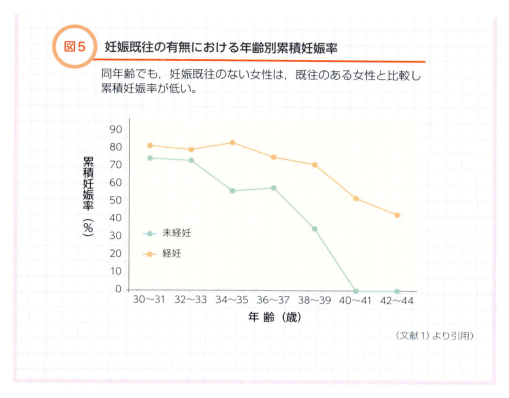

(文献1) より引用)

(池本裕子，黒田恵司)

参考文献

1) Steiner AZ, Jukic AM：Impact of female age and null gravidity on fecundity in an older reproductive age cohort. Fertil Steril 2016; 105: 1584-8.
2) Evers JL：Female subfertility. Lancet 2002; 360: 151-9.
3) 大野原良晶ほか：当院不妊外来における治療成績と年齢との関連．鳥取医誌 2012; 40: 130-5.
4) Honda T, Tsutsumi M, Komoda F, et al：Acceptable pregnancy rate of unstimulated intrauterine insemination: a retrospective analysis of 17,830 cycles. Reprod Med Biol 2015; 14: 27-32.
5) 日本産科婦人科学会：ARTデータブック2018.

各論1 不妊治療の実際—どのように妊娠に導くのか？

生殖補助医療
卵巣刺激法

Point

- 高卵巣刺激法は，GnRHアナログ製剤でLHサージを抑制し，hMG/FSH製剤を高用量（≧225IU）連日投与する方法で，採取卵子数が多く妊娠率も高いが，卵巣過剰刺激症候群のリスクがある。
- 低卵巣刺激法は，hMG/FSH製剤を低用量（＜225IU）で連日投与，もしくは短期間で投与，もしくはその両方で投与する方法で，採取卵子数が少ないが，患者の負担が少なく安全性も高い。
- 卵巣予備能が著しく低い場合には，自然周期法，自然周期変法やホルモン補充周期法を検討する。
- 患者の卵巣予備能や年齢から採取卵子数や獲得胚数を予測し，卵巣刺激法を選択する。

　生殖補助医療（ART）では，できる限り多くの卵胞を発育させる高卵巣刺激法（Conventional stimulation）と，マイルドに卵巣を刺激する低卵巣刺激法（Mild stimulation）がある。

　なるべく多くの卵子獲得を目指す場合は，高刺激卵巣法を選択する。体の負担の軽減を目的にする場合や，卵巣過剰刺激症候群（OHSS）のリスクが高い場合，卵巣予備能が低く過去の高卵巣刺激法で採取卵子数が少なかった場合は，低卵巣刺激法を検討する。卵胞刺激ホルモン（FSH）が上昇しているような卵巣予備能が著しく低い場合には，自然周期，自然周期変法やカウフマン療法を用いたホルモン補充周期法を検討する。

> **カウフマン療法**
> エストロゲンとプロゲステロンを周期的に投与する方法。

　以上に加えて，患者の年齢や希望や環境を考慮し，卵巣刺激法を決定する。患者の卵巣予備能から採取卵子数を予測し，至適な卵巣刺激法を選択することは，ARTにおける安全性と妊娠率の向上に重要である。それぞれの卵巣刺激法の特徴を解説する。

高卵巣刺激法（図1a）

GnRHアゴニスト法（ロング法，ショート法）

　ゴナドトロピン放出ホルモン（GnRH）アゴニスト法は，GnRHアゴニスト製剤を連日投与し，内因性ゴナドトロピンの分泌を抑え，月経3日目ごろよりゴナドトロピン製剤であるヒト閉経期尿性ゴナドトロピン（hMG）もしくはFSH製剤を225IU/日以上連日投与し，複数の卵胞発育を促す方法である。

　主席卵胞径が，18mm以上に到達し複数の卵胞が発育したら，ヒト絨毛性ゴナドトロピン（hCG）製剤で排卵誘起を行い，約35〜36時間後に採卵をする。新鮮胚移植を行う場合は，黄体補充が必須である。GnRHアゴニスト法は，他の卵巣刺激法と比較してOHSSのリスクが高い。OHSSのリスクが高い場合は，全胚凍結を推奨する。

　GnRHアゴニスト法には，GnRHアゴニスト製剤を採卵前周期の高温相中期から使用するロング法と，月経開始直後から使用するショート法がある。

ロング法

　できる限り多くの卵子を採取する方法であるが，hMG/FSH製剤（225IU/日以上）を開始する月経3日目には内因性ゴナドトロピンが抑制されているため，hMG/FSH製剤の使用量が多くなる欠点がある。また，卵巣刺激開始時の発育卵胞のサイズを整えることを目的に前周期から低用量ピルを投与する方法もある。

ショート法

　hMG/FSH製剤（225IU/日以上）とGnRHアゴニスト製剤を月経3日目から同時に開始する。hMG/FSH製剤による卵巣刺激と，GnRHアゴニスト製剤によるflare up（一過性の内因性ゴナドトロピン分泌亢進）により，強い卵巣刺激を与える。ショート法は，卵巣予備能が十分あり，かつ卵巣刺激に対する反応性が低い場合に使用されることが多いプロトコールである。

GnRHアンタゴニスト法

　GnRHアンタゴニスト法は，月経3日目頃よりhMG/FSH製剤（225IU/日以上）を連日投与し，主席卵胞径が14〜15mmに達したらGnRHアンタゴニスト製剤を併用し，内因性黄体化ホルモン（LH）サージを抑制しながら複数の卵胞発育を促す方法である。

　主席卵胞径が，18mm以上に到達し複数の卵胞が発育したら，hCG製剤で排卵誘起を行い，約35〜36時間後に採卵をする。新鮮胚移植を行う場合は，黄体補充が必須である。OHSSのリスクが高い場合は，排卵誘起をhCG製剤からGnRHアゴニスト製剤へ変更することも可能である[1]。またOHSSのリスクが高い場合は，全胚凍結を推奨する。

　GnRHアンタゴニスト法は，GnRHアゴニスト法と比較して，GnRHアンタゴニスト製剤を投与することによりエストロゲン産生が抑制され，かつhMG/FSH製剤の投与量が少ない[2]。そのため，GnRHアゴニスト法より

➡「胚移植」
（p.193）参照

OHSSのリスクが低く，現在，世界で最も行われている排卵誘発法である[3]。

近年，GnRHアンタゴニスト製剤の内服薬，レルゴリクスが発売された。安価で投与が容易なため，今後GnRHアンタゴニスト周期に用いられることが予想される[4]。

プロゲスチン併用卵巣刺激法（PPOS）

また最近では，GnRHアゴニスト/アンタゴニスト製剤の代わりにプロゲスチン製剤を使用し，内因性LHサージを抑制するプロゲスチン併用卵巣刺激法（PPOS）が注目されている[5]。月経3日目ごろよりhMG/FSH製剤とプロゲスチン製剤を連日投与し，内因性LHサージを抑制しながら卵胞発育を促す方法である。プロゲスチン製剤は内服薬のため，従来のGnRHアンタゴニスト製剤と比較し安価で投与が容易である。ただしプロゲスチン投与のため全胚凍結は必須となる。

プロゲスチン併用卵巣刺激法（PPOS）
progestin-primed ovarian stimulation

低卵巣刺激法（図1b）

低卵巣刺激法は，①ゴナドトロピン製剤が従来の高卵巣刺激法と比較し低用量（＜225IU）で連日投与を行うか，もしくは②短期間で投与を行う，もしくは③その両方で投与され，場合によりクエン酸クロミフェンなどの経口排卵誘発剤と組み合わせた卵巣刺激法と定義されている[6,7]。

自然周期法や経口排卵誘発剤のみの卵巣刺激法とは区別される。内因性ゴナドトロピン抑制を行わないため，高卵巣刺激法と比較して，自然排卵により採卵中止となる可能性がある。そのため，採卵前にLHサージを認めた場合は，必要に応じてGnRHアンタゴニスト製剤を投与し排卵抑制を行う。

一方で，高卵巣刺激法と比較して，注射と通院回数が少なく，患者の身体的金銭的負担は少ない。高卵巣刺激法より採取卵子数は少ないが，重症OHSSのリスクは低く安全性が高い[8]。

クロミフェン-hMG/FSH法／レトロゾール—hMG/FSH法

月経3日目からクロミフェン（50～100mg/日），またはレトロゾール（2.5～5mg/日）を連日投与（保険診療の場合は5日間）し，hMG/FSH製剤を150～300IU/日隔日投与もしくは150～200IU/日連日して，十分な卵胞発育を確認したら，GnRHアゴニスト製剤もしくはhCG製剤を投与し，約35～36時間後に採卵をする。注射量を抑えつつより多くの卵子の獲得を目指す方法である。

クロミフェンを併用する場合，排卵抑制効果があるため自然排卵することは少ないが，子宮内膜に影響して着床が阻害されるため全胚凍結を推奨する。

一方，アロマターゼ阻害薬であるレトロゾールはクロミフェンと比較して排卵抑制効果が低いため，自然排卵する可能性はクロミフェン—hMG/FSH法より高いが，着床への影響がほとんどないため新鮮胚移植が可能である[9]。ま

図1　卵巣刺激法

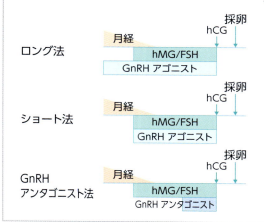

たレトロゾールは，血中エストラジオール値を抑えるためOHSSのリスクは低い[10]。

卵巣予備能が著しく低い症例における卵胞発育誘導（図2）

自然周期法・自然周期変法

　自然周期法と自然周期変法（Modified natural cycle）は，自然に発育した卵胞から採卵することを目的とした方法である。自然周期法の場合，採卵前に排卵することや，採卵しても卵子が採取できないことがあり，胚移植がキャンセルとなることがある。そのため自然周期変法は，卵胞期後期からhMG/FSH製剤とGnRHアンタゴニスト製剤を投与し，LHサージを抑制しながら卵胞発育を促す方法である。

クロミフェン連続投与法

　クロミフェンの抗エストロゲン作用とそれに伴うFSH分泌増加とLHサージを抑制する作用により，排卵を抑制しながら卵胞発育を促す方法である。

　月経3日目からクロミフェン（50～100mg/日）を連日投与し，排卵を抑制しながら十分な卵胞発育を促す方法である。卵巣予備能が低下し内因性LHが上昇して早期に排卵しやすい症例に適している[11]。

　採卵直前までクロミフェンを使用するため，子宮内膜への着床が阻害される。そのため全胚凍結が推奨される。

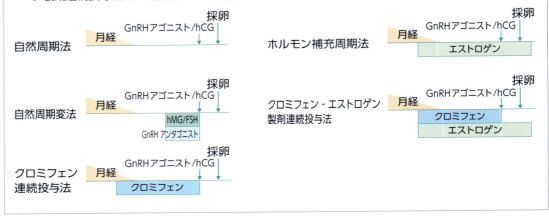

図2 卵巣予備能が著しく低い症例における排卵誘導

原則，自然に発育した卵胞から採卵する方法。クロミフェン連続投与法は，クロミフェンにより排卵を抑制しながら卵胞を発育させ採卵する方法。ホルモン補充周期法やクロミフェン―エストロゲン製剤連続投与法は，内因性FSHが上昇し，卵胞が発育しない場合に行う方法。

ホルモン補充周期法

月経開始よりエストロゲン製剤を連続投与し，内因性LHおよびFSHの上昇を適度に抑制して，卵巣顆粒膜細胞のLH/FSH受容体の感受性を向上させ，卵胞発育を促す方法である。

早発LHサージによる早期の排卵や卵胞発育を認めず，採卵が中止となることも多い。卵胞発育を認めない場合は，プロゲスチン製剤を投与して月経を起こし，次周期に備える。

自然周期法や自然周期変法で卵胞発育を認めない症例や，卵巣予備能が著しく低い高ゴナドトロピン性性腺機能低下症例に適している。

クロミフェン-エストロゲン製剤連続投与法

エストロゲン製剤と同時にクロミフェンを投与し，エストロゲン製剤によって高LH/FSHレベルを適度に抑制して卵巣のLH/FSH受容体の感受性を高め，かつクロミフェンの卵胞発育と早期排卵抑制効果で卵胞発育を促す方法である。

ホルモン補充周期法で早発LHサージによる排卵や卵胞発育を認めず採卵が中止となった症例や，クロミフェン連続投与法で卵胞発育が認めず採卵が中止となった症例に適している[12]。

卵巣予備能と卵巣刺激法別の採取卵子数

卵巣予備能と卵巣刺激法別の採取卵子数を図3（2011年1月～2016年7月，1,289周期，ウイメンズ・クリニック大泉学園）に示す。患者の卵巣予備能は

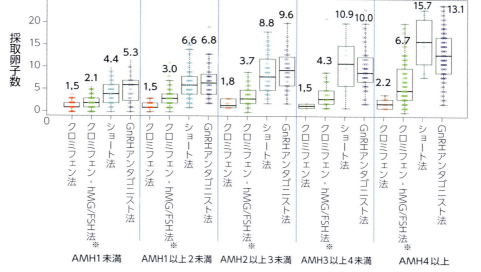

図3 AMHと卵巣刺激法別の採取卵子数　1,289周期（2011.1-2016.7）

採取卵子数は，AMHにかかわらず，低卵巣刺激法より調節卵巣刺激法で多い。

※クロミフェン-hMG/FSH法：月経2,3日目からクロミフェン50〜100mg/日＋月経6,7日目からhMG/FSH連日または隔日投与

(Ishii R, et al：Different anti-Mulerian hormone (AMH) levels respond to distinct ovarian stimulation methods in assisted reproductive technology (ART)：Clues to better ART outcomes. Reprod Med Biol. 2019；18：263-272.より作成)

抗ミュラー管ホルモン（AMH）で確認している。AMHが低い場合でも，採取卵子数は低卵巣刺激法に比べて高卵巣刺激法で多いことがわかる。

卵巣予備能が低い症例は，通常，低卵巣刺激法を選択するが，患者の希望により高卵巣刺激法も検討する[13]。

至適な卵巣刺激法の選択

卵巣刺激法は，患者の年齢や卵巣予備能，不妊原因，希望や環境などを考慮して決定する。採取卵子数と妊娠率の関係は，採取卵子数10〜15個において最も妊娠率が高く，15個以上で妊娠率が低下するとの報告がある[14]。20個以上で，早産や低出生体重児の発症率が増加するとの報告があり[15]，OHSSのリスクも上昇する。

OHSSの重症化は，生命の危機に関わるため注意を要する。重症化リスクの高い症例には，カベルゴリン（0.25mg/錠）やレトロゾール（2.5mg/錠）を投与し，重症化リスク軽減を図ることも考慮する[16]。

低卵巣刺激法は，採卵ごとの妊娠率は低いが，OHSSのリスクは低く安全性が高い。

至適な卵巣刺激法の選択は，患者の卵巣予備能から採取卵子数を予測し，ARTにおける安全性と妊娠率の向上を目指して，個々の患者と相談することが重要である。

（中尾佳月，根岸広明）

参考文献

1) 京野廣一：排卵誘発―誘発派．産婦の実際 2009; 58：1806.
2) 高橋克彦：GnRHアンタゴニストの効果的応用．今日の不妊診療，医歯薬出版株式会社，2004, 195.
3) Tobler KJ, Zhao Y, Weissman A, et al：Worldwide survey of IVF practices: trigger, retrieval and embryo transfer techniques. Arch Gynecol Obstet 2014; 290: 561-8.
4) 中尾佳月，高見澤聡ほか：採卵決定日にLHサージが開始された採卵周期におけるレルゴリクスの排卵抑制効果. 日本IVF学会誌 2020; 23: 24-6.
5) Kuang Y, Chen Q, Fu Y, et al：Medroxyprogesterone acetate is an effective oral alternative for preventing premature luteinizing hormone surges in women undergoing controlled ovarian hyperstimulation for in vitro fertilization. Fertil Steril 2015；104: 62-70.e3.
6) Nargund G, Datta AK, Fauser B：Mild stimulation for in vitro fertilization. Fertil Steril 2017；108: 558-67.
7) Fauser BC, Devroey P, Yen SS, et al：Minimal ovarian stimulation for IVF：appraisal of potential benefits and drawbacks. Hum Reprod 1999; 14: 2681-6.
8) Rinaldi L, Lisi F, Selman H：Mild/minimal stimulation protocol for ovarian stimulation of patients at high risk of developing ovarian hyperstimulation syndrome. J Endocrinol Invest 2014; 37: 65-70.
9) Eftekhar M, Mohammadian F, Davar R, et al：Comparison of pregnancy outcome after letrozole versus clomiphene treatment for mild ovarian stimulation protocol in poor responders. Iran J Reprod Med 2014; 12: 725-30.
10) Haas J, Casper RF：In vitro fertilization treatments with the use of clomiphene citrate or letrozole. Fertil Steril 2017; 108: 568-71.
11) Teramoto S, Kato O：Minimal ovarian stimulation with clomiphene citrate: a large-scale retrospective study. Reprod Biomed Online 2007; 15: 134-48.
12) Kuroda K, Kitade M, Kumakiri J, et al：A Minimum Ovarian Stimulation Involving Combined Clomiphene Citrate and Estradiol Treatment for In Vitro Fertilization of Bologna-Criteria Poor Ovarian Responders. J Obstet Gynaecol Res 2016; 42: 178-83.
13) Ishii R, Tachibana N, Okawa R, et al：Different anti-Mulerian hormone（AMH）levels respond to distinct ovarian stimulation methods in assisted reproductive technology（ART）：Clues to better ART outcomes. Reprod Med Biol 2019; 18: 263-72.
14) Sunkara SK, Rittenberg V, Raine-Fenning N, et al：Association between the number of eggs and live birth in IVF treatment: an analysis of 400135 treatment cycles. Hum Reprod 2011; 26: 1768-74.
15) Sunkara SK, La Marca A, Seed PT, et al：Increased risk of preterm birth and low birthweight with very high number of oocytes following IVF: an analysis of 65868 singleton live birth outcomes. Hum Reprod 2015; 30: 1473-80.
16) Sahin N, Apaydin N, Toz E, et al：Comparison of the effects letrozole and cabergoline on vascular permeability, ovarian diameter, ovarian tissue VEGF levels, and blood PEDF levels, in a rat model of ovarian hyperstimulation syndrome. Arch Gynecol Obstet 2016; 293: 1101-6.

不妊治療の実際—どのように妊娠に導くのか？

生殖補助医療

採卵

Point

- 採卵は体外受精の第一歩である。できるかぎり発生した大半の卵子を獲得することを目的とする。そのためには，まず患者に痛みがないこと，安心感を与えると同時に腹腔内出血や血尿などの採卵特有の合併症が発生する可能性があることも事前に説明しておく必要がある。

- 採卵時のリスクで避けるべきことは血管損傷である。そのためには超音波のドプラを用いて血管の有無，走行を確認することが必要である。

- 採卵数の多い場合は全体図をとらえ中心から採卵するか，また大きいものだけを取って小さいもののゲージ，20ゲージと細い針を挿入する。麻酔は原則的にプロポフォールを用いる。もし痛みを伴う場合はペンタジンを投与する。プロポフォールを使用する場合は常に緊急体制をとれる人員と救急処置用の器具を確認する。

採卵法は体外受精のなかで核となる手技である。卵巣刺激法が革新され，胚移植方法や黄体補充が進化した現在であっても，採卵方法が稚拙であれば体外受精は成功しない。腹腔鏡下で行う過去の採卵とは異なり，現在では経腟超音波で容易に行うことができ，多くは入院を必要としない。

採卵の実際

採卵準備

　筆者らは，卵胞が18〜20mmとなったところで，ヒト絨毛性ゴナドトロピン（hCG）5,000単位またはGnRHアゴニスト900mgを投与し，約36時間後に採卵を行えるように調節している。

　採卵当日は，経腟超音波にて未排卵であることを確認し，卵胞の位置から，膀胱や子宮を穿刺する可能性の有無や経腟的に採卵が可能かを判断する。また，卵胞の個数によって採卵時の麻酔の必要性を判断する。

麻酔法

穿刺部位，卵胞の個数によって麻酔を使い分けている。

鎮痛薬（無麻酔）

採卵の直前，非ステロイド性消炎鎮痛薬であるボルタレン®座薬（50 mg）を挿入する。手術室で砕石位となり腟内消毒を施行した後に穿刺を開始する。患者は意識下であるため，可能な限りリラックスして採卵が行えるよう積極的に声をかける。

局所麻酔

前述のように鎮痛薬を投与した後，穿刺前に経腟超音波ガイドを穿刺卵胞に合わせ，20 G採卵針で0.5％リドカイン（キシロカイン®）を5〜10 mL腟壁に局所注射する。このとき，穿刺部位が超音波上膨隆していること，および，血管内注入を避けるためドプラで動静脈の走行を確認することが重要である。卵胞周囲の局所麻酔投与が困難な場合は，傍頸管ブロックが有効である。

静脈麻酔

手術室入室後，心電図，パルスオキシメーター，血圧測定でバイタルサインが問題がないことを確認する。1％プロポフォールを80 mg（8 mL）静脈内投与したのち30 mg（3 mL）/時にて持続点滴を行う。同時に酸素を3 L/分で呼吸管理を行う。呼吸管理はカプノメーターで行い，必要に応じて下顎挙上にて気道確保する。体動が強い場合や意識がある場合は，プロポフォールの追加投与や笑気またはソセゴン6 mgを併用する。卵黄や大豆アレルギーがある場合は，ケタミン塩酸塩（ケタラール®）を体重10 kgあたり10 mg（1 mL）で用いる。

採卵

採卵時の実際の配置について図示した（図1）。

卵胞液の吸引は，用手吸引する施設と器械によって吸引する施設に分かれる。筆者の経験では40歳以上や卵胞の質がよくない採卵の場合，卵胞液を吸引するのみでは卵胞が回収できないという経験も多く，卵胞内を洗浄することによりどうにか回収できたという症例を数多く経験している。文献的には卵胞内を洗浄したとしても採卵個数，妊娠率，着床率に変化はなく，いたずらに採卵時間のみ長引くという報告をしている論文が散見されたが[1〜3]，卵胞を回収できたという結果により患者の満足度が上がるため，筆者らの施設では，採卵時，卵胞内を洗浄している。また，そのため採卵方法も器械による吸引ではなく，用手吸引を行っている。しかし用手吸引の場合，吸引圧が一定ではない，吸引圧がわからないなどのデメリットも存在する。採取した卵胞液は速やかに検卵し，採取ができた場合はすぐに次の穿刺へ移行し，麻酔時間を最短にするよう心がけるべきである。

採卵時留意すべきこと

腟壁の穿刺回数はできるだけ少なくすることを目指す。ただし，穿刺したまま針を動かした場合，卵巣表面などから出血するリスクもあるため，穿刺後の

図1　採卵風景（静脈麻酔時）

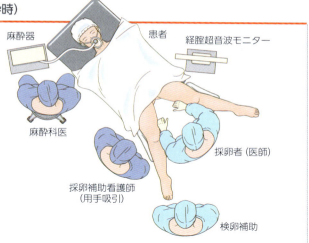

採卵には4人のスタッフが必要である。採卵者（医師），吸引担当の看護師と，採取した注射等を隣のラボに運ぶ運搬助手，麻酔科医である。麻酔科医は採卵者が兼ねてもよいし，熟練した看護師が対応しても構わない。しかし緊急時を想定した対応を管理しておく必要がある。

図2　経腟超音波における卵胞と血管の鑑別

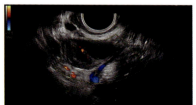

採卵前に卵胞周囲の血管の有無，走行をドプラで確認したものである。この図より，2個の卵胞と卵胞壁の間には血管は存在しないが，卵胞の下方には内腸骨静脈が近接していることに注意しなければならない。細い動脈にも注意して採卵しなければならない。

他の卵胞へのアプローチに関しては十分にシミュレーションをする必要がある。腟壁は血流が豊富であり穿刺回数が増えることにより採卵後の消毒時，動脈性の出血があることも少なくない。多くはガーゼによる圧迫で止血が可能であるが，入院を要することもまれにある。

　また，さらに留意すべきこととしては卵胞をすぐに穿刺しないことである。これは卵巣の直下には内腸骨静脈が存在し，経腟超音波像によっては非常に卵胞と酷似することがあるためである（図2）。卵胞は発見後すぐに穿刺するので

図3　経腹採卵の手技

卵巣が子宮の上方に位置した場合には経腟的には子宮を貫通しなければならない。この場合には腹壁から採卵するほうが安全である。腹壁からの超音波の周波数3.5MHzの経腹プローブを用い，卵胞を確認しながら採卵する。

経腟超音波に比べ腹壁は脂肪・筋肉などがあり，また周波数が低い点もあり解像度がかなり低下するため，採卵率が低下する点は避けられない。しかし，十分な大きさの卵胞であり，またプローブでの卵胞の位置を確認できれば，約80～90％の採卵は可能である。この技術を獲得するにはかなりの経験が必要である。

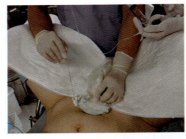
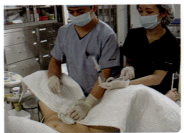
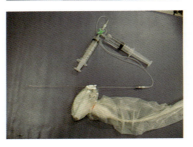

はなく，**全体の位置を確認し，プローブの向きを変化させるなどし，常に用心して穿刺することが重要である**と考える。超音波装置のカラードプラは必ず採卵前に施行し，血管の走行の確認が必要である（図2）。

　卵胞が子宮の上方に位置し，麻酔後用手的移動を試みても位置がかわらない場合は，経腟的に子宮を貫通する方法は避け，経腹的に行う方法もある。腹壁が厚い場合には，超音波の波長の長い経腟プローブに採卵針アダプターを装着し採卵する方法もある。平均的な体型の場合は経腟超音波プローブを腹壁に垂直にし，採卵する（図3）。

（田中　温）

参考文献

1) Knight DC, Tyler JP, Driscoll GL：Follicular flushing at oocyte retrieval:areappraisal. Aust N Z J Obstet Gynaecol 2001；41：210-3.
2) Kara M, Aydin T, Turktekin N：Is follicular flushing really effective? A clinical study. Arch Gynecol Obstet 2012；286：1061-4.
3) Mehri S, Levi Setti PE, Greco K, et al：Correlation between follicular diameters and flushing versus no flushing on oocyte maturity, fertilization rate and embryo quality. J Assist Reprod Genet 2014；31：73-7.

各論 1　不妊治療の実際—どのように妊娠に導くのか？

生殖補助医療

体外受精

Point

- 通常の体外受精（c-IVF）の受精方法の検討は，精子の所見により判断するが，40歳以上で行う場合はより慎重に判断する。
- 精子の処理法にはswim-up法と密度勾配法がある。
- 卵子の顆粒膜の状態，精子の運動性，数をみながら，適した濃度で媒精を行うことが重要である。
- 受精後の培養液の選択：培養液にはsequential mediaとsingle step mediumの2種類があり，現在ではsingle step mediumのほうが主流である。
- 培養環境の徹底：培養環境は胚の発育に大きな影響力をもつ。そのなかで最も影響のある因子は，温度とpHと浸透圧である。

現在までに，わが国の体外受精・胚移植（IVF-ET）で生まれた子供の数は70万人を超え，2019年には14人に1人が体外受精による赤ちゃんとなった。体外受精は，すでに日常的に広く定着した治療法である。しかし，いまだ多くの改良点が残されている。また，近年新しい機器の開発により胚のタイムラプス撮影が可能になり，良好胚の選択や初期発生のメカニズムの解明が進んでいる。

通常の体外受精（c-IVF）
conventional in vitro fertilization

体外受精・胚移植（IVF-ET）
in vitro fertilization-embryo transfer

受精方法の検討

受精方法の検討においては，精子の運動率が最も重要である。精子数が5,000万/mL以上，運動率が80％（再活発前進運動が半数以上）の良好精子の場合は体外受精（c-IVF）でまったく問題ないが，再活発前全身運動の占める割合が30～40％以下の場合，また凍結精子の場合は，同様の良好精子の割合が30～

40％であっても時間とともに低下するスピードが遅いため，50％以下の場合は運動性が良好かつ頭部の形態が良好な精子を1匹卵細胞質内に注入する卵細胞質内精子注入法（ICSI）とする。

40歳以上の患者の場合は卵子の数，質，ともに低下傾向が強いために，基本的には精子所見の良好な場合にはc-IVFを優先するが，良好に至らない場合にはICSIを選択している。

精子調整法

swim-up法

swim-up法とは，精子自身の運動性により良好運動精子を回収する方法である。精液性状が正常な場合に行われる。

10mLの丸底試験管に全精液を入れ，培養液（筆者らの施設では0.3％ HSA添加HTF）を精液量の3倍量を加えて撹拌し，250×g，10分間遠心洗浄する。ペレットを残して上清を抜いた後に培養液をさらに3倍量加え撹拌後，250×g，10分間遠心洗浄する。上清除去後，ガス平衡後の3mLの培養液が入った10mLの丸底試験管に精子懸濁液を沈め，37℃で30°傾けて15～30分間静置した後，ペレットより上方をswim-upした運動精子を回収する。

精子の運動性によって培養液の量や，傾ける角度を調整する。

> HSA：Human Serum Albumin
> ヒト血清アルブミン

密度勾配法

密度勾配法とは，精液中に混在する不純物（死滅精子・奇形や未熟な精子・白血球など）との比重の違いを利用して良好精子だけを選別する方法である。

採精後，10～30分静置して液化した精液を，34～85％の9段階のパーコールから精液性状に応じたパーコールを選択して3～4層重層し，その上に精液を乗せ，250×g，10～13分間遠心分離する。その後培養液を3mL加え，250×g，5分間遠心洗浄後，最下層の運動精子を回収する。良好精子は細胞密度が高く，丸底試験管の一番下に白い層となって沈殿するため，運動性良好な精子だけを分離・濃縮することができる。

媒精

筆者らの施設では，採卵後3～4時間の前培養を行ってから媒精を実施する。前日より培養液であるG-IVF™ PLUS（Vitrolife社）を37.0℃，5.0％ O_2，6.0％ CO_2，89.0％ N_2のインキュベーター内に入れ十分に気相平衡を行い，pHを7.2～7.4に安定させる。また培養液をミネラルオイル（OVOIL™，Vitrolife社）で覆うことにより，培養液の蒸発による浸透圧変動や，pHの変動を抑制することができる。ただし品質によっては胚発生が阻害される場合があるので，ミネラルオイルの選択と保管には十分な注意が必要である。

swim-up法もしくは密度勾配法によって得られた精子を卵子1つあたり最

終濃度5〜10万/mLになるように調整を行い,卵子の入った5-well dish（Vitrolife社）に注入する。精子濃度を高くすれば多精子受精率も高くなるので,卵子の顆粒膜の状態,精子の運動性,数をみながら適した濃度で媒精を行うことが重要である。

また受精状況によっては,c-IVFからICSIに切り替えが必要な場合もあり,この選択の判断がその後の発生に大きく影響する。筆者らの施設ではc-IVF 3〜4時間後に染色体と紡錘体の状態をみて,受精兆候がみられない,またはかなり低いと判断された場合で,採取した卵子の数の過半数がM-Ⅰ期の場合,またM-Ⅱ期卵子における従来の顕微授精で受精後の胚発生率が悪い症例,または患者が希望する症例に対してRescue-ICSIを行っている。染色体の動向を1時間おきに確認するので,症例としてはかなり限定して行っている。

> **Rescue-ICSI**
> 体外受精を行った後に受精ができない症例に顕微授精を行う方法。

受精確認

c-IVFから16〜20時間後に受精確認を行う。筆者らの施設では,極小ガラスピペットを作製しており,それを使って裸化処理を行い,倒立顕微鏡下で卵を転がしながらなるべく短時間で観察する。

大半の症例は顆粒膜細胞は外れており,雌雄両前核（2PN）の確認は容易であるが,顆粒膜の付着が強く,前核の確認が困難な場合には極小ガラスピペットで軽くピペッティングを行い裸化処理を短時間で行う。

2PNを正常受精とし,単一前核（1PN）の場合は雌雄前核の融合（syngamy）,もしくは1つの前核が非常に小さくて見えていない可能性があるために数時間後に再度確認し,1PNのままの場合には単為発生と考え,移植はしない。

3PNに関しては,1個目の正常大のPNに比べ2個目と3個目の大きさが1個目より小さく,さらに差がある場合にはすべて異常とは判断せず,過去の記録,患者の背景などを勘案して移植するかどうかを検討している[1]。1PNの原因として雌性前核の放出不全があり,3PNになる場合もある。また,モザイク胚でAnaphase lagging（分裂後期移動遅延）を起こした症例ではマイクロPNが認められる場合もある。

3つとも同じ大きさの前核の場合には多精子受精と判断して移植はしない。

培養液の選択

培養液は,胚にとって移植・凍結に至るまでの間を過ごす大切な環境となる[2]。培養液の選択は,安定した培養成績を維持するために大変重要である。これまで胚の栄養要求性に沿ったsequential media[3]を培養に使用するのが主流となっていたが,最近,培養液交換を必要としないsingle step mediumを用いた胚培養が注目されている。

筆者らの施設では両者の培養液の検討を行っているが,single step mediumはsequential mediaと同等の培養成績が得られたため,2015年よりsingle

> **sequential media**
> 胚の発育に応じた培養液を8細胞期胚前後で使い分ける二段階培養液のこと。
>
> **single step medium**
> 必要な培養成分をすべて含む,受精から胚盤胞までの単一胚培養液。胚は適宜必要な成分を取り込み発育する。

step mediumを採用している。Single step mediumであるG-TL™で受精後の培養を行っている。

培養環境の徹底管理

妊娠率向上のためには培養環境のクオリティコントロールがとても重要である。さまざまな培養液が入手可能であるが，大切なのは温度，pH，浸透圧の管理[4〜7]である。特にsingle step mediumによる長期間培養では，十分な胚の培養環境の管理が行われないと，多量に含まれているアミノ酸由来のアンモニアが発生し胚に悪影響を与える。これらの諸因子については，培養液を覆っているミネラルオイルと同様に十分な検討が重要である[8,9]。

温度管理

温度の変化は紡錘体を構成する微小管のチューブリンの重合，脱重合に大きく影響するため決して胚を低温度にさらしてはならない。

pH管理

筆者らの施設では，毎朝，胚を培養するインキュベーター内の温度と使用する培養液のpHチェックを欠かさずに行っている。インキュベーターから取り出した培養液のpHは急激に上昇していき，また光が胚の発育の妨げになることもあるので，インキュベーター外での操作は必要最小限にする[10]。

浸透圧管理

クリーンベンチにガスチャンバーを設置し，培養液の気相変動を最小限にするようにしている。ただし，採卵やICSI時など長期間，配偶子や胚をインキュベーター外で扱う場合はHEPES緩衝系培養液であるG-MOPS™ PLUS（Vitrolife社）を使用している。

筆者らは何よりも培養環境の徹底に力を入れており，この培養環境がより良い胚の発生を促すと考えている。胚の培養成績は培養液組成だけでなく，さまざまな要因による影響の総合的な結果だと考えられるため，今後もより安定した培養系を確立できるように検討を続けていく。

タイムラプスインキュベーターを用いた培養

近年ではタイムラプスインキュベーター（TL）が大きく普及してきた。TLによる培養のメリットは，安定した胚の培養環境の提供と胚の継続的な観察が可能な点にある。

TLによる培養は，従来の加湿型インキュベーターと比較して胚発生が良好であったという報告がある[11]。これは胚の観察時に大気下に暴露しないこと

図1 培養日数における浸透圧の変化

表1 c-IVFにおける培養成績の比較

	ES区	C区
受精率 (受精卵数/ART施行数)	71.4% (150/210)	77.1% (594/770)
分割率 (分割胚数/ART施行数)	71.0% (149/210)	76.4% (588/770)
胚盤胞到達率 (胚盤胞数/受精卵数 -Day 4凍結胚数)	48.7% a (73/150)	37.8% a' (194/513)
良好胚盤胞到達率 (良好胚盤胞数/受精卵数 -Day 4凍結胚数)	37.3% b (56/150)	26.5% b' (136/513)

a-a' b-b':$p<0.05$ (χ^2検定)

表2 ICSIにおける培養成績の比較

	ES区	C区
受精率 (受精卵数/ART施行数)	77.5% (79/102)	72.6% (345/475)
分割率 (分割胚数/ART施行数)	77.5% (79/102)	71.4% (339/475)
胚盤胞到達率 (胚盤胞数/受精卵数 -Day 4凍結胚数)	57.0% a (45/79)	40.8% a' (119/292)
良好胚盤胞到達率 (良好胚盤胞数/受精卵数 -Day 4凍結胚数)	45.6% b (36/79)	29.8% b' (87/292)

a-a' b-b':$p<0.05$ (χ^2検定)

で培養液中のpHや気相，温度の変化によるストレスの軽減が影響しているのではないかと考えられている。

ただし，ほとんどのTLがドライな環境での培養となるため，浸透圧上昇を考慮する必要がある。実際，TLのほうが従来のインキュベーターに比べて大きく上昇している（図1）。近年のsingle step mediumは，TLによる培養を前提として胚への影響が少なくなるように開封時の浸透圧が低く設定されている培養液もあるため，培養液の選択には配慮すべきである。

筆者の施設では2017年3月から2018年2月の間にTLと従来のインキュベーターによる培養の比較を行ったがc-IVFおよびICSIともに胚盤胞率や良好胚盤胞率で有意に成績の向上がみられた（表1, 2）。

一方で，胚盤胞率や胚利用率に有意な差はみられないという報告もあるが，胚の形態学的，時間的な分析を可能にしながらも胚の質を損なうものではないとも考えられている[12]。

継続的な観察において，従来の定点観察ではわからなかった異常分割の観察や動態的評価が可能となった。

　胚の異常分割には1つの割球が3つ以上の割球に分割するdirect cleavageや一度分割した割球がすぐに融合するreverse cleavageがある。これらの異常分割が観察された胚では胚盤胞率が低下するという報告がある[13,14]。

　また，今まで形態学的な評価のみであったが，TLによって各分割期までの時間や各分割期の長さなどの動態的評価を組み合わせることで妊孕能の高い胚の選別が可能である[15]。

　タイムラプスの画像を用いたAIによる良好胚の選択など，今後の研究にも期待していきたい。

（田中　温，竹本洋一）

参考文献

1) Hashimoto S, Nakano T, Yamagata K, et al：Multinucleation per se is not always sufficient as a marker of abnormality to decide against transferring human embryos. Fertil Steril 2016; 106(1): 133-9.
2) 日本哺乳動物卵子学会編：生命の誕生に向けて＜第二版＞　生殖補助医療（ART）　胚培養の理論と実際．近代出版，東京，2011.
3) Gardner DK, Lane M, Calderon I, et al：Environment of the preimplantation human embryo in vivo: metabolite analysis of oviduct and uterine fluids and metabolism of cumulus cells. Fertil Steril 1996; 65: 349-53.
4) Fischer B1, Bavister BD：Oxygen tension in the oviduct and uterus of rhesus monkeys, hamsters and rabbits. J Reprod Fertil 1993; 99: 673-9.
5) Ando H, Kobayashi M, Toda S, et al：Establishment of a ciliated epithelial cell line from human Fallopian tube. Hum Reprod 2000; 15: 1597-603.
6) Duszewska AM, Reklewski Z, Pieńkowski M, et al：Development of bovine embryos on Vero/BRL cell monolayers（mixed co-culture）. Theriogenology 2000; 54: 1239-47.
7) Trounson AO, Mohr LR, Wood C, et al：Effect of delayed insemination on in-vitro fertilization, culture and transfer of human embryos. J Reprod Fertil 1982; 64: 285-94.
8) 中潟直己，田中　温：排卵直前のマウス卵胞卵の受精能および初期発生能に及ぼす卵子前培養の効果について．日不妊会誌 1988; 33: 160-5.
9) 中潟直己，田中　温：排卵直前マウス卵胞卵の新生仔への発生能に及ぼす卵子前培養の効果について．日不妊会誌 1988; 33: 415-8.
10) Edwards LJ, Williams DA, Gardner DK：Intracellular pH of the preimplantation mouse embryo: Effects of extracellular pH and weak acids. Molecular Reproduction and Development 1998; 50: 434-42.
11) Alhelou Y, et al：Embryo culture conditions are significantly improved during uninterrupted incubation: a randomized controlled trial. Reprod Biol 2018; 18: 40-5.
12) Cruz, et al：Embryo quality, blastocyst and ongoing pregnancy rates in oocyte donation patients whose embryos were monitored by time-lapse imaging. J Assist Reprod Genet 2011; 28(7): 569-73.
13) Zhan Q, et al：Direct Unequal Cleavages: Embryo Developmental Competence, Genetic Constitution and Clinical Outcome. Published online 2016.
14) Liu Y, et al：Prevalence, consequence, and significance of reverse cleavage by human embryos viewed with the use of the Embryoscope time-lapse video system. Fertil Steril 2014; 10: 1295-300.
15) Basile N, et al：The use of morphokinetics as a predictor of implantation: a multicentric study to define and validate an algorithm for embryo selection. Hum Reprod 2015; 30(2): 276-83.

各論 1　不妊治療の実際—どのように妊娠に導くのか？

生殖補助医療

顕微授精（ICSI）

Point

- 精子の不動化は一般的には精子尾部を擦って行うが，完全に切断する方法もある。
- 顕微授精（ICSI）のなかでピエゾICSIは有用であり，その長所は従来のICSIとは異なり，卵細胞質を吸引し細胞膜を穿破する必要がなく，卵細胞質の物理的な侵襲が少なくなり胚の発生に良好な影響を与えるという点である。
- 精子の選別は頭部形態が良好で運動性が良好，尾部の屈曲がないものを選ぶ。ほとんどの精子の表面には陥没があるが，明らかにサイズが大きく，深いものは避けたほうが望ましい。
- インジェクションピペットの先端の状態は，ICSIの成績を大きく左右する。
- 通常の体外受精（c-IVF）にて媒精後4〜5時間で受精徴候が確認できない卵子には，早期にrescue-ICSIを行うことも有用である。

適応

卵細胞質内精子注入法（ICSI）が1992年にPalermoら[1]によって初めてヒト卵子で行われ生児を得たことが報告された。これは，従来挙児が不可能であった不妊患者の大きな福音となった。

重症乏精子症，重症精子無力症，無精子症で顕微鏡下精巣内精子回収法（micro-TESE）にて精子が回収された場合や精子運動性が良好であるにもかかわらず通常の体外受精で受精を認めない受精障害の症例がICSIの適応となり，良好な結果を得ている。

卵細胞質内精子注入法（ICSI）
intra cytoplastmic sperm injection

顕微鏡下精巣内精子回収法（micro-TESE）
microdissection testicular sperm extraction

実際の方法

マニピュレーター準備
マイクロマニピュレーター，マイクロインジェクターには，手動タイプと電動タイプがあり，どちらでも基本的な操作は同じであるが，筆者らが従来より使用している手動タイプについて解説する。

ICSIを行うための機材
マイクロマニピュレーターを装着した倒立顕微鏡，精子を注入するためのガラスピペット，卵子を把持するためのホールディングピペット，マイクロインジェクターが必要となる。

インジェクションピペットやホールディングピペットは国内外数社から市販されているが，培養士自身で作製することも可能である（図1a, b）。

マイクロマニピュレーター
マイクロマニピュレーターは粗動と微動からなり，倒立顕微鏡に取り付けられたアダプターに粗動マニピュレーターを取り付け，そこに微動マニピュレーターを装着する。このとき微動マニピュレーターの角度に注意し，顕微鏡のステージ面と微動マニピュレーターのX軸，Y軸方向それぞれの動きが水平となるように装着しなければならない。

微動マニピュレーターはジョイ・スティックタイプとドラムタイプがあるが，ジョイ・スティックタイプが多く使用されているようである。ジョイ・スティックタイプには上下2種類のタイプがあり，使いやすいと感じたタイプを選択する（図1a〜d）。

ピペット装着
ピペットを装着するマイクロインジェクターには油圧式と空圧式があり，油圧式はインジェクターとピペットホルダーまでのラインにオイルを充填して用いる。空圧式はオイル等をまったく使用せず，空気圧のみでピペット内培養液のコントロールを行うものである。

油圧式は圧力の伝達が敏感で強い圧力をピペットに加えることができるため，ピペットをピペットホルダーに装着する際に少量の空気を入れることで微細なコントロールが可能となる（図1e, f）。

空圧式の圧力は弱く，ホールディングピペットで卵子を把持する際に吸引圧によるダメージを軽減することができる。しかしながら，アシステッド・ハッチング（AH）や胚生検を行う場合，胚がホールディングピペットから外れやすく圧力のコントロールが難しい。また，マイクロインジェクターとピペットホルダーを繋ぐチューブが軽く，チューブの振動がピペットに伝わることに注意が必要である（図1g）。

取り付け方
ガラスピペットの先端がストレートではなく角度がついている場合は，ピペットホルダーにピペットを装着する際，その向きに注意してピペットをホルダーに固定する（図1h, i）。

アシステッド・ハッチング（AH）
assisted hatching

アシステッド・ハッチング
胚の周囲の透明帯をレーザーなどで切開もしくは菲薄化させ，胚の孵化（ハッチング）をサポートする方法。

図1 マニピュレーターの準備

a：ICSI用のシャーレ：精子良好の場合には2個玉（左），精子の所見が悪いほう4個玉（右）。
精子良好の場合は2個玉の上の玉3% PVP（↑）に少量入れる。精子の所見が悪い4個玉の場合には上の大きな2個の玉の中（HEPES添加HTF）（↑）の中に入れる。
ICSIは良好の場合は2個玉の大きい玉（HEPES添加HTF）の中で，精子不良の場合は4個玉の下の段の左の玉の中で行う。培養液のマイクロドロップはミネラルオイルで覆われる。

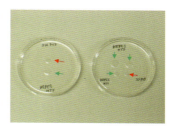

b：ICSI用のインジェクションピペット。一般的にはピペットの先端の良し悪しが非常に重要となる。
筆者らの施設では自家製を用いている。

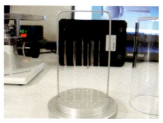

c：c-ICSIの実際に使用される機器の全体像

d：倒立顕微鏡に装着されたホールディングピペット（左）とインジェクションピペット（右）

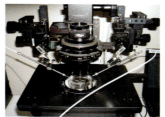

e：インジェクションピペットを装着しているところ

f：顕微操作を容易にするためにミネラルオイルとエアーをサンドイッチにし，インジェクションピペットの吸引スピードをコントロールする。

g：マイクロマニピュレーター（ナリシゲ社）のジョイスティック（→）に装着した空圧式インジェクター（S社）（←）

h：インジェクションピペットの装着先端の角度は約30度とする。

i：ホールディングピペットの装着

ピペットホルダーをマニピュレーターに取り付ける場合は，粗動マニピュレーターを上限まで上げた状態でディッシュが入る高さに注意して，ピペット先端が光路の中央になるように取り付ける．対物レンズを4倍にして，顕微鏡の視野にピペットの先端が確認できるまで粗動マニピュレーターでゆっくりと下げる．ピペットの先端が視野に見えたら，ピペット先端が水平になるようにピペットホルダーを回転させ固定し，粗動マニピュレーターを上限まで上げて準備完了である．

ICSI用ドロップ準備

　筆者らは60 mmディッシュに，精子，卵子をICSI前に留置するドロップを作成している．精子用には3% PVP-mHTF，卵子用には10% SPS-mHTFで100 μLのドロップをディッシュの中央に縦に並べてつくり，ミネラルオイルで覆い37℃インキュベーター内で加温しておく（図1a）．
　ICSI直前に精子浮遊液を精子用ドロップの12時方向に少量注入し，裸化処理した卵子を卵子用ドロップに注入する．精子を12時方向に注入することで，精子浮遊液の培養液は12時方向に留まり，精子はドロップの中を前進運動しながら拡散する．

従来のICSI〔c-ICSIの実際（尾部からの吸引）〕

視野の確認
　精子，卵子を留置したディッシュをICSI用の顕微鏡ステージに載せ，4倍の対物レンズにて精子ドロップの右側境界面にピントを合わせる．インジェクションピペットの粗動マニピュレーターをゆっくりと下げて，視野にピペット先端が見えることを確認する．

オイルのコントロール
　ピペットの先端がオイル内に見えると，ピペット先端からオイルが少しずつ出てきていることがわかるので，オイルの流出が止まるようにインジェクターをコントロールする．このときピペットの先端を，ドロップに出し入れするようにステージを左右に動かしながら，オイルの流出が止まることを確認するとよい．

精子のコントロール
　オイルのコントロールができたら，少量の培養液を吸引した状態で対物レンズを20倍に上げる．ディッシュ面にピントを合わせ，運動精子を確認する．
　精子を吸引する際には細胞膜を傷つける必要がある．一般的にはピペットを精子尾部に当てて不動化するだけでよいといわれているが，尾部が残ったままではピペット内で精子がガラス面にくっついてコントロールが難しく，受精率が低下する．筆者らは，ピペットで中辺部よりやや先端側の精子尾部を擦って，尾部全体の2/3〜3/4を切断してICSIを行っている（図2a〜c）．切断することでピペット内での精子のコントロールが容易となる．
　精子のコントロールがスムーズに行えることを確認し，対物レンズを4倍にしてステージを移動させ，卵子側のドロップに移る．

卵子側のドロップ

　ホールディングピペットをゆっくりと下げ，軽く陰圧をかけて卵子を把持する。卵子染色体はおおむね第一極体付近に存在するため，ピペットで損傷しないようにインジェクションピペットで卵子を回転させて第一極体の位置を12時または6時方向にする。卵子染色体が第一極体から離れた位置に存在することもあるので，紡錘体可視化装置を顕微鏡に装着し，紡錘体位置を確認してからICSIを行うことも有効である。

　卵子細胞膜とインジェクションピペット先端のピントを合わせ，ピペット先端を透明帯に接着させ，精子を先端まで移動させる（図2d）。ゆっくりとピペットを刺入して細胞膜に先端を押し付けながら，少しずつ陰圧をかける（図2e, f）。細胞膜が破れると細胞質がピペット内部に流入してくるので，圧力をコントロールしゆっくりと精子を注入する（図2g）。このとき培養液を入れないように注意する。少量の培養液混入でも卵子は壊れるので，インジェクターのコントロールはきわめて重要である。

　感覚としては，ピペット先端で精子だけを細胞質内に置いてくるということを心がける。精子がピペット先端から出ると同時にピペットをゆっくりと引き抜きながら，わずかに陰圧をかけることでピペットが抜けた穴を閉じることができる（図2h）。

従来のICSI〔c-ICSIの実際（頭部から吸引）〕

　精子の切断から注入までは尾部の場合とすべて同じ（図3）であり，細胞質の注入も同様である。ただ，尾部と頭部のどちらを先に注入するかは技術が安定すれば，頭部から吸引し注入するほう（図3c, d）が注入した精子の逆流がほとんどないという利点もあり，この方法も臨床上有用である。

> 従来のICSI
> (c-ICSI)
> conventional-ICSI

早期に行うrescue-ICSI

　c-IVFでは完全受精障害が10〜15%ほど発生するが，このような症例に対してICSIを施行し受精障害を回避するのがRescue-ICSI（r-ICSI）である。

　1993年Nagyらによるr-ICSIはc-IVF翌日にICSIを行う1 day old ICSIであり，通常のICSIと比較しても受精率が低く，臨床上有用的ではないと考えられた[4]。

　これに対してc-IVF6時間後にr-ICSIを施行した場合，通常のICSIと同程度の結果が得られたとの報告がある[5]。近年では，c-IVF4時間後に受精していないと判断された卵にr-ICSIを行う早期r-ICSIを行う施設もある[6,7]。

　r-ICSIは三倍体胚を作出するリスクがあるため，正確な受精判定を行う必要がある。

　現在の受精判定は，第二極体放出のほかに卵細胞質の変化としてみられるfertilization coneやcytoplasmic flare，前核出現を直接倒立顕微鏡下で観察する方法と，LC-Polscopeを用いて間接的に紡錘体の有無や位置を観察す

> fertilization cone
> 卵細胞質の隆起減少
>
> cytoplasmic flare
> 細胞内顆粒状物質の移動

図2 従来のICSI（conventional ICSI；c-ICSI）の実際（尾部より吸引）

a：精子（↑）の尾部の切断。インジェクションピペットで精子の尾部を切断する。

b：切断された短い尾部を有する精子（↑）を認め，これを吸引する。

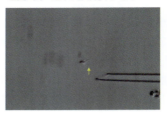

c：尾部よりインジェクションピペット内に吸引された精子尾部は，本来の1/3になっている。

d：インジェクションピペットを透明帯に近づけ，インジェクションピペット内の精子を先端に移動させる。12時方向に第一極体（↑）を認める。

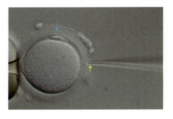

e：インジェクションピペットを3時方向より透明帯を貫通するために刺入する。

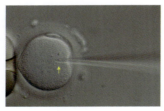

f：インジェクションピペット内を陰圧とし細胞膜を穿破する。

g：吸引された細胞質および精子を卵子内に注入する。

h：インジェクションピペットを抜き，ICSI終了。卵細胞質内に精子を認める。

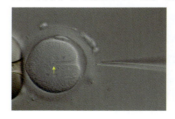

る方法との両方を用いることで正確かつ早期の受精判定を行っている[6,7]。

　筆者の施設ではノマルスキー微分干渉顕微鏡を用い，直接卵子染色体の状態を観察することが可能であると報告してきた[8]。これを生かし，より早期に受精判定を可能にしたので次に紹介する。

　図4aは，排卵直後の第二減数分裂中期の微分干渉装置ノマルスキー倒立顕

図3　従来のICSI（conventional ICSI；c-ICSI）の実際（頭部より吸引）

a：精子（↑）の尾部の切断。インジェクションピペットで精子の尾部を切断する。

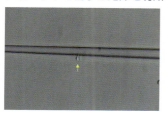

b：切断された短い尾部を有する。精子（↑）を認め、これを吸引する。

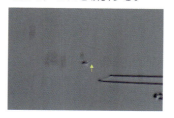

c：頭部よりインジェクションピペット内に吸引された精子尾部は本来の1/3になっている。

d：インジェクションピペットを透明帯に近づけ、インジェクションピペット内の精子を先端に移動させる。12時方向に第一極体（↑）を認める。

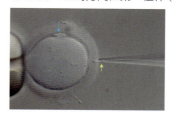

e：インジェクションピペットを3時方向より透明帯を貫通するために刺入する。

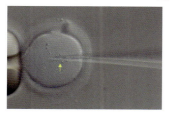

f：インジェクションピペット内を陰圧とし細胞膜を穿破する。

g：吸引された細胞質および精子を卵子内に注入する。

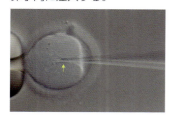

h：インジェクションピペットを抜き、ICSI終了。卵細胞質内に精子を認める。

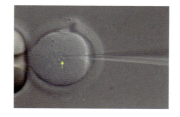

微鏡下のM-Ⅱ染色体像および、PM像である。M-Ⅱ染色体が赤道盤上に一列に並んでおり、常染色体が2個ずつあることがわかる。一方、PM像では白い紡錘体が第一極体の下に認められる。この状態では受精したかどうかはまだわからない。

　図4bは、左上の赤印で挟まれたM-Ⅱ染色体が2つに分裂していることが

PM
polarization microscope

わかる。一部が細胞膜のほうへ移動しており第二減数分裂後期が開始したことが認められ，そのときのPM像は細胞膜直下に紡錘体が認められる。さらに時間が経つと，左下の写真のように，第二極体が放出され半数体となったM-Ⅱの卵子染色体が細胞膜直下に認められる。PM像では一部が囲卵腔内に突出していることがわかるが，この両者をPM像だけで判定するのは非常に困難である。

図4cは第二減数分裂終期のノマルスキー像およびPM像で明らかに第二極体が囲卵腔に放出されており，PM像でも認められることができ，この時点で受精が終了したことの観察は容易である。

問題は**図4b**の像であり，ノマルスキー像を用いることによってPM像でははっきりしなかった，受精現象がすでに始まっているということが確認できる。ここまでの時間は媒精後3～4時間で，これにより業務時間内でr-ICSIを行うことができるようになった。

精子融合から極体放出まで30～40分ほどかかるため[9]，受精していないと判定された場合でもすぐにr-ICSIを施行すべきではない。不要な顕微授精を行うことで多精子受精を防ぐためにも，30分～1時間後に再度受精確認を1回以上行うべきである。

表1が当院におけるr-ICSIの成績である。

2016年の顕微授精における3PN率が2.0%（133/6,751）であり，r-ICSIにおける3PN率はやや高い値となっている。

筆者の施設では当時，移植する胚盤胞以外はDay4桑実期胚を凍結していたため，Day5胚盤胞率は低くなっているが，r-ICSI後4割ほどの胚を活用できている。また，対移植周期あたり25.0%の妊娠率もあることから，r-ICSIの有効性が考えられる。

ICSI成功のカギ

技術的にICSIが不成功となる原因には，ピペットの不良，マニピュレーター操作の習熟不足などがある。ピペットの形状は製造元各社によってさまざまな太さ，角度，ガラス厚などがあり，ICSIが成功するかどうかは，いかに精子のピペッティングがスムーズに行えるか，いかにピペット先端の切れ味が良いかにかかっている。マニピュレーター操作においては，微動マニピュレーターを手足のごとく自在に操り，インジェクターの操作においては，ピペット内圧の微細なコントロールが行えるかどうかが重要である。

ICSIの失敗例

①細胞膜吸引時に細胞質の吸引量が多すぎて，精子とともに培養液が多量に卵子に入ってしまう。
②細胞膜の穿破ができていないことに気付かずに精子を注入してしまうと，

図4 第二減数分裂中期・後期・終期

a：第二減数分裂中期（metaphase II）
ノマルスキー像　卵子染色体（↑）　　PM像　紡錘体（↑）

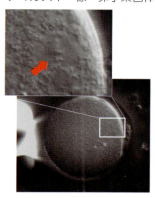
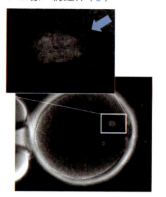

b：第二減数分裂後期（anaphase II）
ノマルスキー像　卵子染色体（↑）　　PM像　紡錘体（↑）

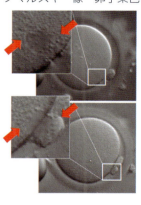
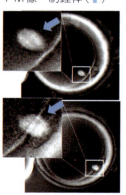

c：第二減数分裂終期（telophase II）
ノマルスキー像　卵子染色体（↑）　　PM像　紡錘体（↑）

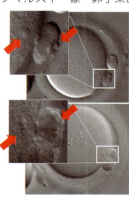
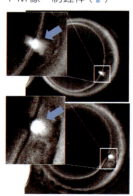

表1 筆者らの施設におけるrescue-ICSIの結果

	r-ICSI (n=122)
前核形成率（前核形成数／r-ICSI数）	87.7% (107/122)
3PN率（3PN数／r-ICSI数）	8.2% (10/122)
2PN率（2PN数／r-ICSI数）	76.2% (93/122)
1PN率（1PN数／r-ICSI数）	3.3% (4/122)
PN-率（PN-数／r-ICSI数）	12.3% (15/122)
桑実期胚率（Day4桑実期胚数／正常受精数）	46.2% (43/93)
胚盤胞率（Day5胚盤胞数／正常受精数）	19.4% (18/93)
移植周期数	40
臨床妊娠率	25.0% (10/40)
流産率	20.0% (2/10)

精子が卵子内に注入できず囲卵腔に残ってしまう。
③精子を注入する際にインジェクターのコントロールがうまくいかず，卵子内に多量の培養液が入ってしまう。
④精子注入後のピペットの引き抜きが速すぎて，精子がピペット先端に引きずられて外に飛び出してしまう。
⑤ホールディングピペットの吸引圧が強すぎて透明帯が切れてしまい，卵子細胞質まで吸引されて卵子を変性させてしまう。

　以上の失敗例を考慮し，トレーニングを十分に行い，安全確実なICSIを行うように心がけることが受精率の向上，良好胚の作成，ARTの成功へとつながる。

（田中　温，竹本洋一）

参考文献

1) Palermo G, Joris H, Devroey P, et al：Pregnancies after intracytoplasmic injection of single spermatozoon into an oocyte. Lancet 1992; 340: 17-8.
2) 田中　温，田中威づみ，永吉　基：老化卵子救済のための卵細胞質置換(今月の臨床 生殖医療の進歩と課題：安全性の検証から革新的知見まで)-(ARTの発展). 臨婦産 2014; 68: 49-53.
3) JISART編：結果の出せる不妊治療．メジカルビュー社，2011.
4) Nagy ZP, et al：Fertilization and early embryology: Intracytoplasmic single sperm injection of 1-day-old unfertilized human oocytes. Hum Reprod 1993; 8: 2180-4.
5) Chen C, et al：Rescue ICSI of oocytes that failed to extrude the second polar body 6 h post-insemination in conventional IVF. Hum Reprod 2003; 18: 2118-21.
6) 山本新吾ほか：Conventional IVF周期におけるrescue ICSIを用いた受精障害回避の取り組み．第33回日本受精着床学会，2015，p125.
7) 越知正憲ほか：レスキューICSIを中心とした当クリニックの対応．第33回日本受精着床学会，2015，p126.
8) Tanaka A, et al：Direct visualization of metaphase-ii chromosomes in human oocytes under an inverted microscope. Recent Patents on Medical Imaging 2011; 1: 84-8.
9) 見尾保幸：Time-lapse cinematographyによるヒト初期胚発生過程の動的解析．日産婦誌 60; 9: 389-98.

各論1　不妊治療の実際—どのように妊娠に導くのか？

生殖補助医療

ピエゾICSI

Point

- ピエゾICSIとは，ピエゾ圧電素子を用いて顕微授精を行う方法である。
- 透明帯と卵細胞膜を別行程で穿破することにより，従来のICSIと比較してより非侵襲的なICSIが可能となった。
- ほとんどの報告で，従来のICSIと比較し，ピエゾICSI施行後の卵子の生存率，受精率が有意に高く，累積妊娠率も高い。
- 従来のICSIと比較して，手技の簡略化，マニュアル化が容易であり，ICSIを行う技術者の育成の効率化を図ることが可能である。

ピエゾICSIとは

ピエゾICSI（p-ICSI）とは，ピエゾ圧電素子を用いてインジェクションピペットを細かく振動させ慣性力を与えることで，透明帯や卵細胞膜を穿破し顕微授精を行う方法である。

p-ICSIの最初の報告は，1992年に木村らによってマウスで産子作出の成功例であった[1]。当時，マウスのICSIは卵子の脆弱性から非常に困難とされており，p-ICSIでの成功は画期的であった。その後，p-ICSIは他の実験動物にも急速に広がり，生殖工学の発展に大きく寄与している。

ヒトでは，1999年に柳田らによって，p-ICSIを用いることで，従来のICSI（c-ICSI）と比較して，有意にICSI後の卵子の生存率やその後の受精率が上昇したと報告されている[2]。だが，それ以降はセッティングが標準化されていないことや慣性体として使用していた水銀やフロリナートの卵子への危険性が指摘され，ヒトにおいて積極的に使用されることはなかった。その後，2015年に平岡らがp-ICSIにおいて，ガラスの肉厚を薄くしたピペットを用いることで受精率89％という非常に高い成績を報告し[3]，今現在では，国内の多くの施設で用いられるようになっている。

ピエゾICSI
(p-ICSI)
piezo-ICSI

従来のICSI
(c-ICSI)
conventional ICSI

図1 ピエゾICSIの機器

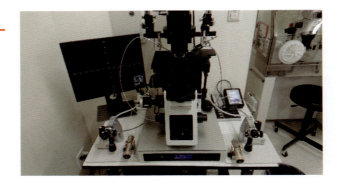

図2 インジェクションピペットへの慣性体の充填

ピペットの先端から半分程度まで慣性体（オペレーションリキッド）を注入する。

ピエゾICSIの実際

機器

　c-ICSIのマイクロマニピュレーターに，ピエゾドライブユニットやコントローラーなどをアドオンすることで施行が可能となる（図1）。

インジェクションピペットへの慣性体の充填

　インジェクションピペットに慣性体（オペレーションリキッド）とよばれる液体を充填する必要がある（図2）。

Dishの作成

　各施設の基準に沿って作成して問題ないが，p-ICSI用のインジェクションピペットは，ピエゾパルスを効率よくピペット先端に伝えるために，ベントの角度が20〜25度で作成されている（c-ICSIは30度が一般的）。そのため，c-ICSIと同様にDishを作成した場合に，インジェクションピペットがDishの側壁に当たってしまうことがある。そのような場合は，Dishのドロップを中央より左側に配置することでピペットとDishの接触を避けることができる。

図3　精子の不動化

ピペットを上下に動かすことで，簡単にピペットの内壁に精子を当てることができる。

a
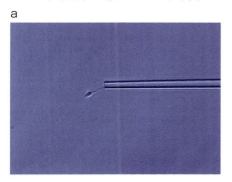

b
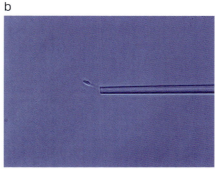

精子の不動化

　運動性や形態的にも良好な精子を選別し，尾部からピペット内に吸引し，頭部から1/3程度の部分にピエゾパルスを2〜3回当て，精子の不動化を行う。その際，尾部がピペットの内壁に当たるようにピペットを上下させながら，ピエゾパルスをかけると効率的に不動化を行うことができる（図3a, b）。

透明帯／卵細胞膜の穿破と精子注入

　精子をピペット先端より少し奥の部分で保持し，ピペットの先端を透明帯に押し当てピエゾパルス（intensity：4，speed：3）にて透明帯を穿刺する（くり貫く）（図4a）。

　次に，くり貫かれた透明帯がピペット先端に認められる場合は，透明帯の外側でくり貫かれた透明帯を排出して精子を先端に移動させ，細胞質内へピペット先端を進入させる。ピペット先端が細胞質の60〜80％程度まで進めたところで，単回のピエゾパルスを当て細胞膜を破膜する（intensity：2，speed：1）。ピエゾパルスを当てた際の細胞膜の"戻り"や，精子のわずかな移動で破膜を確認し（図4b, c），精子を細胞質内へ注入する（図4d）。

c-ICSIとの相違点

　c-ICSIでは，先端が尖ったインジェクションピペットを用いて，インジェクションピペットを卵子内へ進めることにより物理的に透明帯を穿破し，続けて吸引圧をかけることにより卵細胞膜を破膜する。それに対し，p-ICSIでは先端が平らなインジェクションピペットを用いて，透明帯と卵細胞膜を穿破する。

　ここで大きく異なるのは，ピペットの形状のみならず，p-ICSIは透明帯と卵細胞膜を別々の行程で穿破する（できる）ことである。c-ICSIでは，インジェクションピペットを卵子内へ進めることにより，まずは透明帯を穿破するが，

図4 透明帯／卵細胞膜の穿破と精子注入

a：ピエゾパルスにて透明帯の最内層を残してくり貫き，最後は単回のパルスもしくは推進力にて最内層を貫通させる。

b：卵細胞膜をピエゾパルスにて破膜する直前。

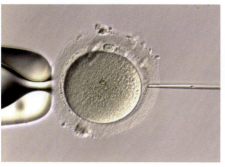
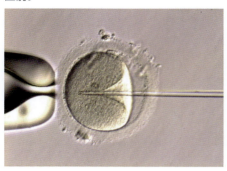

c：単回のピエゾパルスによる破膜。進展していた細胞膜が，破膜により右方向にわずかに戻っていることが確認できる。

d：精子を卵細胞質内へ注入し，ピペットを抜去する。

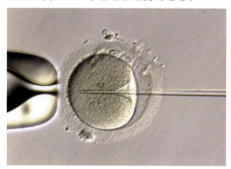
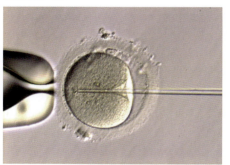

その際に本来であれば，次に吸引圧で破膜したい卵細胞膜が，透明帯穿破と同時に破膜してしまうことが往々に認められる。これは，透明帯を穿破するための力が細胞膜に同時にかかってしまい，その力に細胞膜が耐えることができない場合に起こると考えられ，このような卵子はいわゆる脆弱卵子といわれ，ICSI後の生存率が低下することが報告されている[4]。

それに比べ，p-ICSIではピエゾパルスの強弱を「intensity」と「speed」によって調節が可能であり，透明帯（intensity：4，speed：3）と卵細胞膜（intensity：2，speed：1）を別行程で，しかも異なるパルス強度でアプローチできるため，c-ICSIに比べ非侵襲的な卵細胞膜の破膜が可能となっている。

成績

ヒトでのp-ICSIについて，1999～2020年に6つの臨床研究が報告されており，そのほとんどでp-ICSIは，c-ICSIと比較して，ICSI施行後の受精率が

表1 各論文のc-ICSIとp-ICSIの受精率と生存率の比較

Study		c-ICSI	p-ICSI	p値
Yanagidaら (1999)	受精率	66.4% (816/1,510)	79.4% (1,139/1,629)	＜0.001
	生存率	81.4% (1229/1,510)	88.1% (1,435/1,629)	＜0.001
Takeuchiら (2001)	受精率	83.1% (544/655)	90.3% (1,214/1,344)	＜0.01
	生存率	95.7% (627/655)	96.1% (1,291/1,344)	NS
Hiraokaら (2015)	受精率	67.9% (424/624)	89.4% (607/679)	＜0.0001
	生存率	89.6% (559/624)	99.4% (675/679)	＜0.0001
Furuhashiら (2019)	受精率	64.3% (171/266)	74.8% (202/270)	＜0.01
	生存率	92.5% (246/266)	94.1% (254/270)	NS
Fujiiら (2020)	受精率	70.6% (502/711)	83.5% (532/637)	＜0.001
	生存率	94.1% (669/711)	97.0% (618/637)	0.01
合計	受精率	65.2% (2,457/3,766)	70.1% (3,194/4,559)	＜0.0001
	生存率	88.4% (3,330/3,766)	93.7% (4,273/4,559)	＜0.0001

NS：有意差なし　　　　　　　　　　　　　　　　　　　　　　　（文献2,3,5～7）より作成）

有意に高く[2,3,5～8]，また卵子の生存率も高いと報告されている（**表1**）[2,3,7,8]。

　これらの既存の報告をまとめたsystematic reviewは報告されていないが，6つの臨床研究を合計したc-ICSIとp-ICSIの受精率はそれぞれ65.2%（2,457/3,766），70.1%（3,194/4,559）で，生存率は88.4%（3,330/3,766），93.7%（4,273/4,559）であり，いずれも有意にp-ICSIが高い成績であった（ともにp＜0.0001）。

　また受精後の胚発育については，p-ICSIのほうが良好胚獲得率が高かったという報告[3,6]と，有意差は認められなかったとする報告がある[5,7,8]。また，臨床的な成績に関しても同様に，p-ICSIのほうが妊娠率の向上に寄与していたという報告[2,3,6]と，c-ICSIと有意差がなかったという報告[5,7,8]がある。

　Deirdreらは，p-ICSIを行った69例の不妊女性を夫婦の年齢や卵巣予備能，精子所見でマッチングした女性のc-ICSIの成績を前方視的に確認し，さらに女性の年齢，BMI，採取卵子数で調整後に比較，検討している（**表2**）[8]。p-ICSIは，c-ICSIと比較して受精率が有意に高く，さらに変性率や異常受精率は有意に低く，その結果，利用可能な胚の獲得数（凍結と移植に使用できた胚の個数）は，p-ICSIで有意に高かったと報告している。妊娠成績に関しては，単一胚盤胞移植後の臨床妊娠率および生産率には有意差は認めなかったが，胚移植のチャンスを増やし，ICSI後の累積妊娠率の向上に貢献していることは明らかである。

表2　c-ICSIとp-ICSIの受精率とその後の妊娠成績の比較

	c-ICSI	p-ICSI	p値
受精卵数	6.4±0.4個	7.9±0.4個	0.007
受精率	65.8±2.3%	80.5±2.4%	<0.0001
変性率	8.6±1.2%	4.4±1.3%	0.019
異常受精率	7.4±1.1%	2.9±1.1%	0.003
利用可能胚数	3.1±0.2個	3.8±0.2個	0.038
臨床妊娠率(/胚盤胞移植)	60.0%	57.1%	NS
生産率(/胚盤胞移植)	48.0%	47.6%	NS

NS：有意差なし
夫婦の年齢や卵巣予備能，精子所見でマッチングし，女性の年齢，BMI，採取卵子数で調整後に比較。
(文献8) より変更し作成)

　c-ICSIと比較し，p-ICSIは受精時の卵子のダメージを最小限に抑え，かつ臨床成績の向上に寄与する可能性が高いが，論文ごとで多少意見の相違もある。私見ではあるが，p-ICSIの大きな特徴は手技の簡略化と，ICSIの方法がマニュアル化できるため再現性が高いことである。そのため，ICSIの手技や受精率における胚培養士ごとの個人差や施設間差が，c-ICSIと比較しp-ICSIでは少ない。また，技術の習得に非常に時間を要したc-ICSIと比較し，その習得期間が明らかに短い。p-ICSIは，受精率や妊娠成績の向上だけでなく，病院における効率化にも期待ができる。

（渡邉英明，黒田恵司）

参考文献

1) Kimura Y, Yanagimachi R：Intracytoplasmic sperm injection in the mouse. Biol Reprod 1995; 52: 709-20.
2) Yanagida K, Katayose H, Yazawa H, et al：The usefulness of a piezomicromanipulator in intracytoplasmic sperm injection in humans. Hum Reprod 1999; 14: 448-53.
3) Hiraoka K, Kitamura S：Clinical efficiency of Piezo-ICSI using micropipettes with a wall thickness of 0.625 μm. J Assist Reprod Genet 2015; 32: 1827-33.
4) Rubino P, Vigano P, Luddi A, et al：The ICSI procedure from past to future: a systematic review of the more controvercial aspects. Hum Reprod Update 2016; 22: 194-227.
5) Takeuchi S, Minoura H, Shibahara T, et al：Comparison of Piezo - assisted micromanipulation with conventional micromanipulation for intracytoplasmic sperm injection into human oocytes. Gynecol Obstet Invest 2001; 52: 158-62.
6) Furuhashi K, Saeki Y, Enatsu N, et al：Piezo-assisted ICSI improves fertilization and blastocyst development rates compared with conventional ICSI in women aged more than 35 years. Reprod Med Biol 2019; 18: 357-61.
7) Fujii Y, Endo Y, Mitsuhata S, et al：Evaluation of the effect of piezo-intracytoplasmic sperm injection on the laboratory, clinical, and neonatal outcomes. Reprod Med Biol 2020; 19: 198-205.
8) Deirdre ZF, Kevin L, Leanne PI, et al：PIEZO-ICSI increases fertilization rates compared with standard ICSI: a prospective cohort study. Reprod Biomed Online 2021; 43: 404-12.

各論 1　不妊治療の実際—どのように妊娠に導くのか？

生殖補助医療

黄体補充

Point

- プロゲステロンは，子宮内膜における脱落膜化を誘導し，胚の着床とその後の妊娠を継続するために必須のホルモンである。
- 黄体補充の適応は，黄体機能不全と生殖補助医療による不妊治療，特に高卵巣刺激後の新鮮胚移植の場合である。
- 凍結融解胚移植における黄体補充は，ホルモン補充周期では必須であり，自然排卵周期でも行ったほうが妊娠率が高くなる。
- 現在，確立された黄体補充法は存在せず，それぞれの施設が適切な黄体補充を検討する必要がある。

　排卵後の卵巣に形成される黄体から放出されるプロゲステロン（黄体ホルモン）は，子宮内膜における脱落膜化を誘導し，胚の着床とその後の妊娠を継続するために必須のホルモンである。そのため，不妊治療，特に生殖補助医療（ART）において，黄体補充は妊娠率の向上に重要である。妊娠におけるプロゲステロンの役割や不妊治療における黄体補充の方法について概説する。

生殖補助医療（ART）
assisted reproductive technology

適応

　黄体補充の主な適応は黄体機能不全とARTによる不妊治療，特にGnRHアンタゴニスト法などの高卵巣刺激後の新鮮胚移植の場合に適応となる。
　黄体機能不全は，内因性プロゲステロンが黄体期の子宮内膜を維持し，胚の着床とその後の妊娠継続に十分ではない状態と定義されており[1]，不妊症や流産の原因となる可能性がある。つまり，内因性プロゲステロンの不足だけでなく，プロゲステロンに対する子宮内膜の応答不全も含まれる。そのため，診断

は難しく，さまざまなガイドラインでは黄体機能不全が不妊症や不育症に寄与するかはいまだ議論があり，積極的な黄体機能不全の診断は推奨されていない[2,3]。

ARTにおいては，黄体補充の重要性が確立している。ARTでは複数の卵子採取のために高卵巣刺激法が行われることが多く，これによりGnRHアナログ製剤により直接内因性プロゲステロンの分泌が抑制され，また，異常高値となったエストロゲン値によりLHがダウンレギュレーションされ，黄体機能が低下する[4,5]。さらに，採卵により卵胞内の多数の顆粒膜細胞が喪失するため，黄体形成が不完全となる。そのため，GnRHアナログ製剤を用いた卵巣刺激後の新鮮胚移植では，黄体補充は必須である[5]。

凍結融解胚移植では，ホルモン補充周期と自然排卵周期の2つの方法があり，それぞれ黄体補充の必要性が異なる。ホルモン補充周期では，通常排卵せず黄体は形成されないため，黄体補充は必須である。自然排卵周期では，自然に形成された黄体から分泌されるプロゲステロンがあるため，理論上，黄体補充は不必要である。しかし，ランダム化比較試験では，黄体補充を行った症例の臨床妊娠率が高いことがわかっている[6]。

不育症，特に原因不明不育症に対し黄体補充をする方法もある。原因不明不育症の一部は，子宮内膜脱落膜化の異常が関与していることがわかってきている[7,8]。子宮内膜脱落膜化の異常は，子宮内膜局所の異常増殖した子宮NK細胞と異常発育した新生血管と関与し，子宮内膜における胚選択能が欠如し流産しやすくなることがわかっている[7,9]。さらに排卵後の着床時期が遅延すると，その後の流産率が著明に上昇する[10]。そのため，原因不明不育症に対する黄体補充は，脱落膜化を促進し着床時期を整え，流産を予防する可能性があり，その効果を支持する論文も多いが，いまだ十分なエビデンスは得られていない[11]。しかし，不育症は精神的なストレスと強く関係があり，プラセボ薬でも治療を受けていることで，ストレスが軽減され流産予防効果があることがわかっている[12]。原因不明不育症に対する黄体補充は，エビデンスは得られていないがプラセボ効果を期待して行うことは可能である。

➡「原因不明不育症」(p.345)参照

実際の方法

プロゲスチン製剤とはプロゲステロン活性をもつすべての薬剤を含み，天然型プロゲステロン製剤と合成型プロゲスチン薬剤が含まれる。プロゲスチン製剤の投与方法は経腟，筋肉内，皮下および経口投与があるが，2022年4月の不妊治療の保険適用の拡大において，天然型プロゲステロン製剤の腟坐剤と一部の合成型の経口薬が保険適用となった。通常はプロゲステロン腟坐剤や経口剤のジドロゲステロンを用いて黄体補充を行う。

高卵巣刺激および採卵後の新鮮胚移植周期において，排卵誘起のhCG製剤の影響で，採卵4日後にプロゲステロン値がピークとなり，8～10日目頃まで低下する（図1）[13]。そのため，黄体補充は外因性hCGによる影響が消失し，着床した胚から放出される内因性hCGが上昇するまでの低いプロゲステロン

➡「ドーパミン作動薬，エストロゲン製剤，プロゲスチン製剤」(p.136)および「不妊治療における保険診療および先進医療制度」(p.228)参照

図1 卵巣刺激および採卵後の血中hCG値およびプロゲステロン値の推移

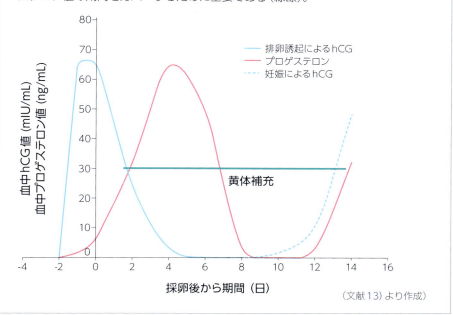

採卵前の排卵誘起のhCG製剤の影響で、血中hCG値は採卵時にピークとなり（青線）、プロゲステロン値は遅れて採卵4日後にピークとなり、その後に8－10日目頃までに低下する（赤線）。そのため、黄体補充は外因性hCGによる影響が消失し、着床した胚から放出される内因性hCGが上昇するまで（青点線）の低いプロゲステロン値の期間をカバーするために重要である（緑線）。

（文献13）より作成）

値の期間をカバーするために重要である[14]。また採卵前の排卵誘起としてhCG製剤の代わりにGnRHアゴニスト製剤を用いた場合は、さらに十分な黄体補充が必要となる[15]。

ただ、低卵巣刺激法では、GnRHアナログ製剤を用いていないため、高卵巣刺激法と比較し黄体抑制効果は少ないが、卵巣刺激方法もさまざまであるため、その至適な黄体補充の検討はそれぞれのプロトコルで個々の施設が行う必要がある。

ホルモン補充周期以外の黄体補充は通常、妊娠判定まででよいが、症例によって妊娠後のプロゲステロン値の上昇が低く、流産する症例もいることがわかっている。Peterson JFらは、至適な黄体補充方法を検討するために、採卵後からプロゲステロン腟坐剤を投与し新鮮胚移植を行った600名の不妊女性において、妊娠予後とプロゲステロン値の関係について検討している[14]。出産例は、胚盤胞移植後13～15日目の妊娠判定時のプロゲステロン値は全例12.3ng/mL以上で、一方流産となった女性のうち15.2%（14/92名）はhCG値が正常であるにもかかわらずプロゲステロン値が低く、8週未満で流産となっている。妊娠7～8週は内因性プロゲステロンの黄体－胎盤移行時期であり、内因性プ

ロゲステロンが不足し流産していることが示唆される。これらの検討より，hCG製剤で排卵誘起を行い採卵した後に新鮮胚移植を行う場合，**黄体補充は採卵当日から採卵4日目までの間に開始し，妊娠判定まで継続し判定時の血中プロゲステロン値が15 ng/mL以下と低い場合には，妊娠8週までは継続**することを推奨する。

　ホルモン補充周期による融解胚移植は，前述の通り黄体が形成されないため，妊娠率向上にとって黄体補充が非常に重要である。特に内因性プロゲステロンがないため，天然型プロゲステロン製剤の投与を推奨する。そのため，プロゲステロン腟坐剤が一般的である。

　通常プロゲステロン腟坐剤では子宮内のプロゲステロン濃度が上昇し，血中プロゲステロン値は低いため[16]，採血で確認することは不要と考えられているが，その血中濃度が妊娠率と相関していることも多数報告されている。これらのデータより，黄体期の至適なプロゲステロン値は腟坐剤で約10 ng/mL以上である[17]。

　またプロゲステロン腟坐剤も錠剤やゲル剤など剤型も異なり，製剤により投与回数も異なる。Duijkers IJMらは，プロゲステロン腟坐剤での血中濃度の違いについて比較している[18]（**図2**）。

　プロゲステロン腟坐剤では，90〜200 mgでは10 ng/mLに達しておらず，400 mg以上の投与で達する。そのため**通常推奨されているプロゲステロン腟坐剤では，ホルモン補充周期では不足している可能性**があり，プロゲステロン腟坐剤のみでは400 mg以上の投与，もしくは一般的な投与量の90〜300 mgであれば，**ジドロゲステロンなどの経口プロゲステロン製剤との組み合わせを推奨する**。投与期間は，内因性プロゲステロンの黄体-胎盤移行時期である妊娠7〜8週を超えてから中止する。

　黄体補充は不妊治療，特にARTにおいて非常に重要である。子宮内膜脱落膜化の異常は，不妊や流産のみならず，妊娠後の胎盤形成不全に伴う妊娠高血圧症候群や胎児発育遅延などとも関与する[8]。そのため，**適切な黄体補充は，妊娠率の向上や妊娠後の合併症の予防に重要**である。しかし，卵巣刺激法を含むARTは施設ごとで非常にさまざまで，現在確立された黄体補充法は存在せず，それぞれの施設が適切な黄体補充を検討する必要がある。

図2 プロゲステロン腟坐剤別の血中プロゲステロン値の変化

90-400mgのプロゲステロン腟坐剤を1日1〜2回投与した時のプロゲステロン値の時間的な変化を示す。

a：ホルモン補充周期15〜16日目にプロゲステロン腟坐剤を開始した時の変化。

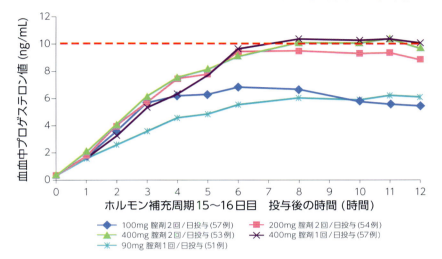

b：ホルモン補充周期24〜25日目にプロゲステロン腟坐剤を周期的に投与した時の変化。赤い点線は、至適なプロゲステロン値である10ng/mLを示す。

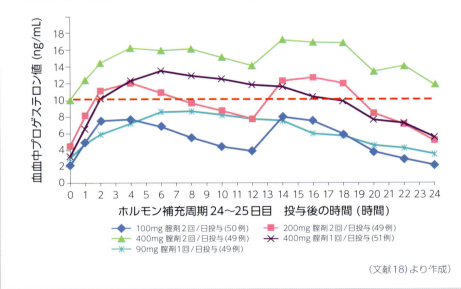

（文献18）より作成）

（黒田恵司）

参考文献

1) Jones GE. Some newer aspects of the management of infertility. J Am Med Assoc 1949;141:1123-9, illust.
2) Practice Committee of the American Society for Reproductive Medicine. Current clinical irrelevance of luteal phase deficiency: a committee opinion. Fertil Steril 2015;103:e27-32.
3) The Eshre Guideline Groupon R.P.L., Bender Atik R, Christiansen OB, Elson J, et al. ESHRE guideline: recurrent pregnancy loss. Hum Reprod Open 2018;2018:hoy004-hoy.
4) Tavaniotou A, Smitz J, Bourgain C, et al. Ovulation induction disrupts luteal phase function. Ann N Y Acad Sci 2001;943:55-63.
5) Beckers NG, Macklon NS, Eijkemans MJ, et al. Nonsupplemented luteal phase characteristics after the administration of recombinant human chorionic gonadotropin, recombinant luteinizing hormone, or gonadotropin-releasing hormone (GnRH) agonist to induce final oocyte maturation in in vitro fertilization patients after ovarian stimulation with recombinant follicle-stimulating hormone and GnRH antagonist cotreatment. J Clin Endocrinol Metab 2003;88:4186-92.
6) Bjuresten K, Landgren BM, Hovatta O, et al. Luteal phase progesterone increases live birth rate after frozen embryo transfer. Fertil Steril 2011;95:534-7.
7) Teklenburg G, Salker M, Heijnen C, et al. The molecular basis of recurrent pregnancy loss: impaired natural embryo selection. Mol Hum Reprod 2010;16:886-95.
8) Kuroda K. Impaired endometrial function and unexplained recurrent pregnancy loss. Hypertens Res Preg 2019;7:16-21.
9) Gellersen B, Brosens JJ. Cyclic Decidualization of the Human Endometrium in Reproductive Health and Failure. Endocrine Reviews 2014;35:851-905.
10) Wilcox AJ, Baird DD, Wenberg CR. Time of implantation of the conceptus and loss of pregnancy. N Engl J Med 1999;340:1796-9.
11) Wahabi HA, Fayed AA, Esmaeil SA, et al. Progestogen for treating threatened miscarriage. Cochrane Database Syst Rev. 2018;8:CD005943.
12) Kuroda K. Previous Trial Studies of Unexplained Recurrent Miscarriage. In: Kuroda K, Brosens JJ, Quenby S, Takeda S, eds. Treatment Strategy for Unexplained Infertility and Recurrent Miscarriage. Singapore: Springer Singapore, 2018:85-94.
13) Connell MT, Szatkowski JM, Terry N, et al. Timing luteal support in assisted reproductive technology: a systematic review. Fertil Steril 2015;103:939-46.e3.
14) Petersen JF, Andersen AN, Klein BM, et al. Luteal phase progesterone and oestradiol after ovarian stimulation: relation to response and prediction of pregnancy. Reprod Biomed Online 2018;36:427-34.
15) Humaidan P, Papanikolaou EG, Tarlatzis BC. GnRHa to trigger final oocyte maturation: a time to reconsider. Hum Reprod 2009;24:2389-94.
16) Miles RA, Paulson RJ, Lobo RA, et al. Pharmacokinetics and endometrial tissue levels of progesterone after administration by intramuscular and vaginal routes: a comparative study. Fertil Steril 1994;62:485-90.
17) Labarta E, Rodríguez C. Progesterone use in assisted reproductive technology. Best Pract Res Clin Obstet Gynaecol 2020;69:74-84.
18) Duijkers IJM, Klingmann I, Prinz R, et al. Effect on endometrial histology and pharmacokinetics of different dose regimens of progesterone vaginal pessaries, in comparison with progesterone vaginal gel and placebo. Hum Reprod 2018;33:2131-40.

各論 1　不妊治療の実際―どのように妊娠に導くのか？

生殖補助医療

胚移植

Point

- 胚移植時に各症例に最も適したカテーテル・移植法・培養液を選別する。
- 胚移植手技には子宮頸管の角度，屈曲度の正確な診断が必要である。カテーテルが1回目で入りにくい場合は必ずゾンデ診を行うことを勧める。移植用チューブは何種類か常時用意しておき，ゾンデ診の結果で選択する。
- 胚移植直前に子宮頸部の粘液を十分に除去する。
- 胚移植時の技術は，妊娠率に大きく影響する。
- 凍結融解・胚移植をする方法は，新鮮胚移植と比較し，通常妊娠率が高い。また，正確な胚移植の時期を決定することも重要である。
- 移植胚数は多胎妊娠を防ぐために，原則的に単一胚移植を心がける。ただし，患者の年齢および試行回数，胚の質によっては2個移植も可能である。
- 通常の胚移植で妊娠不成功を反復している場合は，二段階移植，SEET法およびヒアルロン酸含有胚移植用培養液を使用することも有用の場合がある。

　胚移植は，生殖補助医療（ART）において排卵誘発，採卵，受精と同様にとても重要な工程であり，適切に移植が施行されたか否かで妊娠率に大きく影響する。胚移植について，Pointで挙げた項目に沿って説明していく。

胚移植（ET）
embryo transfer

生殖補助医療（ART）
assisted reproductive thcnology

胚移植に用いるカテーテル・培養液

カテーテル

　胚移植に用いるカテーテルは，施設によって異なるため，筆者らの施設で使

図1　キタザトETカテーテル（KITAZATO）（内筒）

スタイレットガイド（装着後）

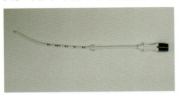

ETカテーテル

スタイレットガイド（外筒上・内筒下）

スタイレットガイド（ETカテーテルが外筒に入っているところ）

用しているカテーテルを主に示す。内径は0.5mmとほぼ一定である。外径はさまざまであり，3Fr（1.0mm）の細いカテーテルと6Fr（2.0mm）の太いカテーテルがある。

外径の太いカテーテルは外筒なしの移植も可能であるが，外径の細いカテーテルは外筒が必要である。筆者らの施設では外径2.0mmのキタザトETカテーテル（KITAZATO）を使用している。子宮内膜はとても傷つきやすく，出血しやすいため，できる限り細く軟らかいカテーテルを用いることが望ましいと考えている（図1）。ただし，症例によっては腰の強い硬めのカテーテルを用いて，確実にチュービングすることが必要である。

培養液

胚移植に用いる培養液は施設によってさまざまである。筆者らは胚培養に使用した培養液や培養液を高濃度に調整した培養液，HEPES抗酸化剤入培養液（Gx-TLTM；Vitrolife社）を移植用に使用している。また，胚移植専用の培養液もあるが，胚移植での培養液は妊娠率に影響しないといわれている[1]。

手技の実際

胚移植は，受精卵を子宮腔内に確実に適切な場所に注入する操作である。

砕石位にて腟鏡を装着する。腟内洗浄を生理食塩水綿球にて2回，HTF溶液にて1回施行する。頸管粘液が多い場合は洗浄を追加する。また，子宮腟部びらんを認める場合や子宮頸管ポリープを認める場合は出血に注意する。その後，mock transferを施行する。

図2　カテーテル内の構成

移植用カテーテルにツベルクリン用シリンジを付けメディウムを1mL吸引し，シリンジとカテーテル内のairを抜く。その後airを2μL吸引し，次に培養液を3μL吸引しその中央部分に胚がくるようにする。最後にairを1μL吸引する。

図3　胚移植時の注意事項

a：移植直前に医師，胚培養士，看護師，看護助手で患者確認を行う。

c：移植チューブを経頸管的に子宮腔内に挿入する。移植時に胚培養士と医師でダブルチェックを行う。

b：胚を移植チューブに吸引する。

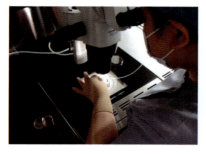

mock transfer

胚移植直前の予行演習である。移植前周期に行う場合と移植直前に行う場合がある。筆者らの施設では，直前に経腹超音波下に外径2mmのETカテーテルを外子宮口から挿入し，内子宮口をスムーズに越えるかを確認する。カテーテルが子宮腔内に挿入困難な場合は子宮ゾンデを使用し，子宮腔に挿入できたら次いでスタイレットを入れた外筒を挿入して移植用チューブを挿入する。mock transferを行ったほうが妊娠率は高くなり[2]，また行う時期（移植前周期や移植直前など）は妊娠率に影響しない[3]。

実際の胚移植（図2〜5）

胚培養士が移植用ETカテーテルにair，胚の入った培養液，airの順で吸引し，経腹超音波下（HI VISION Ascendus，日立製作所）にETワイヤーを用いて

図4　子宮内胚移植の超音波像

a：胚移植チューブの先端が内子宮口部に認められる。

b：チューブの先端はさらに子宮体部に向けて挿入されている。

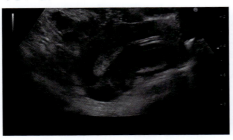
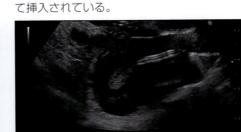

c：子宮底部より約20mmの部位で少量の培養液とともに胚を移植する。

d：移植後胚チューブは抜去される。

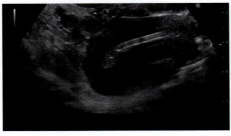
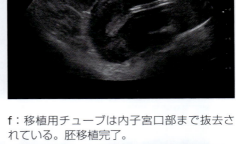

e：子宮内に移植された少量の培養液が3カ所に分かれて残存していることが認められる。

f：移植用チューブは内子宮口部まで抜去されている。胚移植完了。

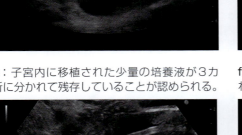

胚移植する。その際にまずmock transferを行い，内子宮口までスムーズにチューブが入ることを確認する。スムーズに入れば，フレキシブルなチューブ（ET-C6040 S-17，KITAZATO）で挿入する。

　頸管部が屈曲しフレキシブルなチューブが入らない場合は，ダブルチューブ（ET-ST6017 A，KITAZATO）を用いる。いずれの場合も，チューブの先端は子宮底部より約15〜20mm程度手前に入れる。従来よりも約5mmくらい手前に入れるようにしている。そのほうが妊娠率が高い傾向にある（unpublished data）。そして先端を固定後，少量の培養液とともに胚を子宮腔内に注入する。この際，画像上では白い滴状として描出される。約30秒そのまま静止した後，

図5　胚移植における移植位置

移植の位置は一定の子宮内腔の位置ではなく，症例ごとに子宮内腔の長さと相関的に検討し，決定する。くぼんでいる部位より，平坦になった部位で子宮底に近いところに移植するのが望ましい[5, 6]。

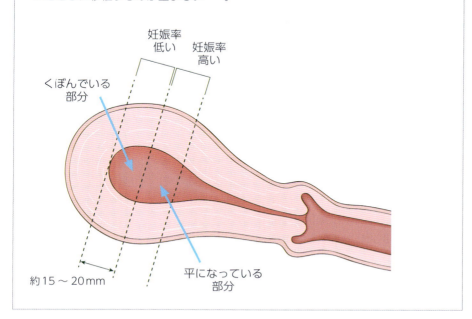

約5mm引き戻し，その時点で360°チューブを回転させた後，チューブを中指と親指の間で強く押し，胚がチューブの中に残らないようにしながらゆっくりと抜去する。

胚移植終了後

胚移植終了後は，カテーテルを10mm程度ローテションさせながら引き抜き，カテーテルに圧をかけすべて引き抜く。その後，カテーテル内に胚の残存がないことを顕微鏡下に確認する。胚の残存が確認された場合は胚を新たなカテーテルに吸引，再度胚移植を行う。胚移植終了後は安静は不要で，直ちに歩行させて帰宅とする。

新鮮胚移植と凍結融解胚移植，胚移植時期

胚移植には，採卵周期に行う新鮮胚移植と凍結胚を融解して移植する凍結融解胚移植がある。新鮮胚移植は，胚に凍結や融解の負担をかけないメリットがある。凍結融解胚移植は，排卵後に胚移植する自然周期とエストロゲン・プロゲステロン製剤を投与して胚移植を行うホルモン補充周期の移植がある。ともに卵巣刺激をしていない周期での移植であるため，排卵誘発剤の視床下部，子

宮体部内膜，および黄体への影響がなく，着床率が高くなるという利点がある。それぞれを解説する。

新鮮胚移植
　高卵巣刺激を行った周期では，高エストロゲン（E_2），高プロゲステロン（P_4）状態で胚移植をするため，非生理的なホルモン状態が着床を妨げる原因といわれている。また，卵巣過剰刺激症候群（OHSS）の場合，全胚凍結することで症状の緩和が可能である。最近では，凍結技術の向上に伴い，新鮮胚移植から凍結融解胚移植への移行が増えている。

凍結融解胚移植
自然周期
　経腟超音波検査による卵胞径と尿中あるいは血中黄体化ホルモン（LH）の測定により排卵日を特定し，凍結胚の融解日と移植日を決定する。薬剤の投与は通常不要であるが，黄体補充は行ったほうが妊娠率が向上するという報告が多い[4〜6]。排卵日を確定するのに卵胞計測の回数が増えることや，排卵が確認できずに胚移植がキャンセルとなる欠点がある。
ホルモン補充周期
　月経開始後からE_2製剤を用いて子宮内膜を増殖させ，子宮内膜が良好な厚みになった時点からP_4製剤を開始する。P_4製剤の開始日を排卵日として計算し，胚移植を行う。

移植胚数

　以前は妊娠率を上げるために，1回の胚移植につき多数胚が移植されていた。しかし，多胎妊娠率が上昇するにつれ，日本産科婦人科学会1996年2月の会告『多胎妊娠に関する見解』では「移植胚数は3個以内」とされ，2008年4月の会告『生殖補助医療における多胎妊娠防止に関する見解』では，「移植する胚は原則として単一とする。ただし，35歳以上，または2回以上続けて妊娠不成立であった場合は，2個胚移植を許容する」とした。なお，移植胚の制限による妊娠率の低下はなく，多胎率は大きく低下した[7]。

さまざまな胚移植法

　ARTにおいて反復不成功例のなかに，形態良好胚を胚移植しているにもかかわらず，妊娠に至らない症例がある。着床不全の原因検索をしていくなかで，器質的因子と機能的因子とがあるが，器質的因子には，子宮内膜ポリープや子宮粘膜下筋腫，子宮奇形，子宮内膜症，卵管留水腫などが考えられ，また，機能的因子には着床に必要な子宮内膜脱落膜化の異常や，胚に対する免疫異常による胚受容能の低下が考えられる。

二段階移植

着床不全に対する治療法として，1999年滋賀医科大学により二段階移植が考案された。着床時期に関して胚と子宮内膜はシグナル交換しており，胚は着床に向けて子宮内膜の局所環境を修飾している[8]。そこで，二段階胚移植法では初期胚を移植し，残りの胚は培養して5日目の胚盤胞を移植する。初期胚で子宮内膜の胚受容体を高め，さらに選択された胚盤胞を移植することで着床率を上げることが考えられる[9]。

SEET法

二段階移植では多胎のリスクも上昇することから，子宮内膜刺激胚移植(SEET)法という移植法が考案された[10]。胚盤胞培養に用いた培養液を凍結保存しておき，胚盤胞移植の前日に融解して子宮腔内に注入する方法である。胚培養液上清には，子宮内膜胚受容促進に関する胚由来因子が存在することが期待でき，胚移植数を胚盤胞の単一移植とすることが可能となった。

子宮内膜刺激胚移植(SEET)
stimulation of endometrium-embryo transfer

Towako法

1991年に加藤らにより報告された方法である[11]。

子宮頸管が強度に前屈・後屈，左右に屈曲している場合には，経頸管胚移植が非常に困難となり，出血や所要時間が長くなることにより臨床成績が極度に低下する。このような場合に直接PTC針を用いて子宮腔内に侵入し，その内腔に細いCOOKのチューブを用いて入れる方法である。

現在では，経頸管移植用チューブが開発されほとんどの症例で胚移植が可能となり，またTowako法よりも現在の経頸管胚移植のほうが臨床成績が高いことから，ほとんど行われていないが，円錐切除後などで頸管狭窄があり，移植困難な例に対しては有効である。

ヒアルロン酸含有胚移植用培養液（図6）

着床効果を高めることが実証されている製品である[12]。基本組成は栄養豊富な胚盤胞用培養液で，高濃度ヒアルロナンと組み換えヒトアルブミンが含まれている。

図6 ヒアルロン酸含有胚移植用培養液（エンブリオグルー®，Vitrolife社）

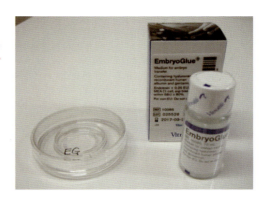

実証済み効果として，胚移植にヒアルロン酸含有胚移植用培養液を使用した場合，低濃度ヒアルロナンまたはヒアルロナンが添加されていない従来の培養液と比較して，臨床妊娠率は41％から49％へと圧倒的な上昇を示した。

　重要な点として，コクランレビューの患者3,200例以上が対象となった13文献のメタ解析で，流産やその他の有害事象の増加が認められなかったことが挙げられる。コクランでは，高濃度ヒアルロナンが添加された移植培養液のプラス効果が明らかであることが確認されたと結論付けた。

（田中　温，竹本洋一）

参考文献

1) Dietterich C, Check JH et al："Embryo Glue" does not seem to improve chances of subsequent pregnancy in refractory in vitro fertilization cases. Fertil Steril 2007; 87: S13-4.
2) Mansour R, Aboulghar M, et al：Dummy embryo transfer: a technique that minimizes the problems of embryo transfer and improves the pregnancy rate in human in vitro fertilization. Fertil Steril 1990; 54: 678-81.
3) Katariya KO, Bates GW, et al：Des the timing of mock embryo transfer affect in vitro fertilization implantation and pregnancy rates? Fertil Steril 2007; 88: 1462-4.
4) Nazari A, Askari HA, et al：Embryo transfer technique as acause of ectopic pregnancy in in vitro fertilization. Fertil Steril 1993; 60: 919-21.
5) Frankfurter D, Silva CP, Mota F, et al：The transfer point is aq novel measure of embryo placement. Fertil Steril 2003; 79(6): 1416-21.
6) Waterstone J, Curson R, Parsons J：Embryo transfer to low uterine cavity. Lancet 1991; 337(8754): 1413.
7) 日本産科婦人科学会：平成23年度倫理委員会登録・調査小委員会報告 (2010年分の体外受精・胚移植等の臨床実施成績および2012年7月における登録施設名). 日産婦誌 2012; 64: 2110-40.
8) 後藤　栄, 塩谷雅英：新しい胚移植法-子宮内膜刺激胚移植法（SEET）臨婦産2010; 64(5): 873-7.
9) Goto S, Takebayashi L, Shiotani M, et al：Effectivenessof 2-step(consecutive) embryo transfer. Comparison with cleavage-stage transfer. J Reprod Med 2003; 48: 370-4.
10) Goto S, Shiotani M, Kitagawa M, et al：Effectiveness of two-step (consecutive) embryo transfer in patients who have two embryos on day 2: comparison with cleavage-stage embryo transfer. Fertil Steril 2005; 83(3): 721-3.
11) 加藤　修：経子宮筋層的内膜内胚埋め込み法 "The Towako Method". 臨婦産1992; 46(4): 450-2.
12) Bontekoe, et al：Adherence compounds in embryo transfer media for assisted reproductive technologies. Cochrane Database Syst Rev 2014; 25: 2014(2): CD007421.

各論 1　不妊治療の実際―どのように妊娠に導くのか？

生殖補助医療

胚・配偶子・卵巣組織凍結保存

Point

- 凍結法には大きく分けて2つあり，1つはプログラムフリーザーを用いる「緩慢凍結法」，もう1つは高浸透圧の凍結保護剤を用い，急速に凍結を行う「ガラス化凍結法」である。

- 近年，簡便で解凍後の生存率が高い「ガラス化凍結法」が主流となっており，通常の体外受精における胚凍結のみならず，未受精卵子の凍結保存も十分可能となった。

- 高刺激法により，多数の卵子を採取して受精卵を獲得する場合，卵巣過剰刺激症候群を避けるため，いわゆるfreeze allとして受精卵すべてを凍結，次周期以降の胚移植を行うことができるが，これも凍結技術の発展が寄与している。

- 凍結技術により，癌などの化学療法による卵巣機能廃絶後の妊娠を目的とする，「がん生殖」"oncofertility"という分野が注目されており，リプロダクティブヘルス＆ライツの観点から，がんサバイバーのQOLの重要事項として考えられるようになってきた。

凍結保存法

　細胞の凍結保存においては，細胞内構造を破壊・変質させないよう，細胞内の水を氷晶化させず，凍結保護剤に必要十分量を置換することが必要であり，細胞内の水を脱水すること，凍結保護剤の毒性を最小限にすることが重要となる。
　1954年，凍結保存された精子での最初の出産例が報告され[1]，1972年には，グリセロールとジメチルスルホキシド（DMSO）を用いた緩慢凍結法による胚凍結の報告[2]が，1983年にはヒトでの出産例も報告された[3]。1986年には，

図1 胚凍結保存のプロトコール

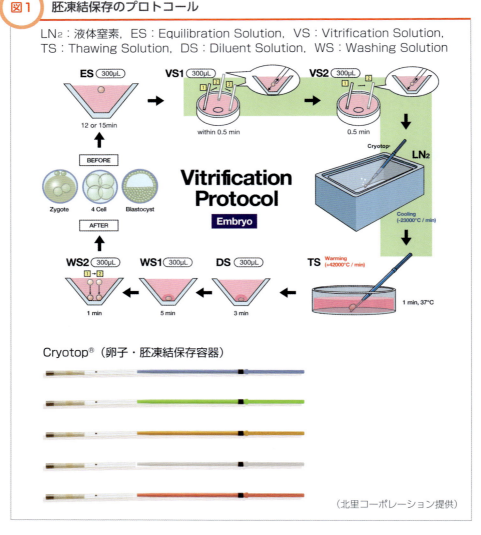

（北里コーポレーション提供）

　この「緩慢凍結法」によって凍結保存されたヒト卵子による出産も報告されたが[4]，新鮮卵子に比べ成績が不良であり，未受精卵子の凍結保存は，困難であると考えられていた。

　1985年，「ガラス化凍結法」が報告され[5]，未受精卵子の凍結にまで応用されるようになった[6〜9]。現在，ガラス化凍結法については，各社からキットが販売されており，この方法が世界的にも標準的な凍結法となっている[10〜12]。キットの一例として，実際の胚・精子・卵子凍結，卵巣組織凍結に使用する器具と，そのプロトコールについて示す（図1〜3）。決められた時間で溶液に浸漬することにより，簡便に凍結保存が可能となっている。この方法により，体外受精における余剰胚の凍結が容易となり，単一胚移植が主流となり，多胎率が激減したことは非常に重要な事項である[13]。

図2　精子の凍結保存プロトコール

（北里コーポレーション提供）

胚凍結保存

　2008年に移植する胚の個数が原則1個に制限されたため，胚の凍結保存する機会が大幅に増えた．また，高卵巣刺激を行った採卵周期は通常卵子を採取するには適しているが，子宮内膜が薄くなったり，黄体機能が低下することもあり，着床にとってはベストではなく，胚凍結が多く行われるようになった．凍結により細胞は傷害されるため，さまざまな凍結法が開発された．凍結による胚の傷害は，細胞内外の氷晶形成によるものと，凍結保護剤による細胞毒性が挙げられる．胚を未処理のまま凍結するとまず細胞外に氷晶が形成され，次いで細胞内にも氷晶が形成されて細胞膜は破綻して死滅する．氷晶形成から胚を守るためには，凍結保護剤の添加が必要である．

　凍結保護剤には，分子量が小さく細胞膜を透過するグリセロール，エチレングリコール，プロパンジオール，プロピレングリコール，ジメチルスルホキシド（DMSO）などの透過型と分子量が大きく細胞膜を透過しないショ糖，トレハロース，ポリビニールプロリドン（PVP）などの非透過型がある．細胞の凍結に際しては，これらの凍結保護剤を使用することにより，細胞内の自由水を可及的に細胞外に誘導して，細胞内の氷晶形成を抑制する．凍結保護剤の濃度を高くすると細胞内の脱水が進み氷晶形成は抑えられるが，高濃度の凍結保護剤による細胞毒性が問題となる．胚の凍結法には，緩慢凍結法とガラス化（vitrification）凍結法があり，現在は，胚生存率などの観点かガラス化凍結法がほとんどである．

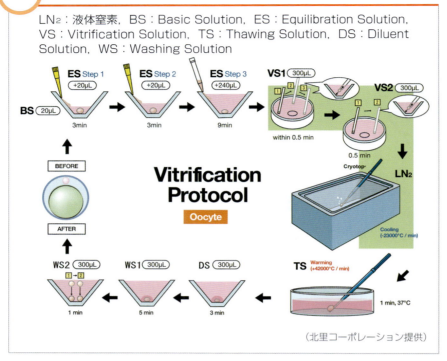

図3 卵子の凍結保存プロトコール

（北里コーポレーション提供）

ガラス化凍結法

　ガラス化凍結法は，まず低濃度の凍結保護剤に浸漬し，次いで高濃度の凍結保護剤に浸漬して細胞内の自由水を脱水する．その後，直ちに専用の凍結器材であるCryotop®，胚を付着させ，容器に収納して直接液体窒素に投入する．培養液の量が少ないため，細胞内外は氷晶を形成することなく急速に凍結する（ガラス化）．凍結速度は2,500℃／分以上である．

　融解時は液体窒素から取り出したCryotop®を，前もって37℃に加温しておいた融解液で急速に融解し，凍結したときと逆の順に高濃度から低濃度の希釈剤に戻して細胞内に水を戻す．胚盤胞の場合は，形態が正常に戻ったことを確認して胚移植する．

がん生殖医療（oncofertility）

未受精卵凍結

　米国生殖医学会（ASRM）は，卵子凍結保存について，凍結保存された卵子と新鮮卵子との比較で，受精率，出産率がほぼ同等であるとの見解により，「卵子凍結保存技術は，もはや臨床研究ではなく，治療である」とのガイドラインを発表している[14]．特に，がん治療などの副作用による妊孕能廃絶回避のために，治療前に妊孕能温存について説明すべきであるとしており，ヨーロッパ

表1 がん生殖における胚凍結，卵子凍結，卵巣組織凍結の特徴

胚凍結	卵子凍結	卵巣組織凍結
・超音波下に採卵 ・凍結前に体外受精が必要 ・卵のみを凍結するため，腫瘍細胞の混入はない ・通常の体外受精と同様の手技であり，良好胚が獲得できれば，生産率は最も高い（25歳で4割を超える）[19] ・パートナーが変わった場合（離婚など）に，妊娠が不可能となるリスクがある	・超音波下に採卵 ・解凍後の体外受精が必要 ・卵のみを凍結するため，腫瘍細胞の混入はない ・25歳で3割，35歳で2割の生産率とされる[16]	・全身麻酔下，腹腔鏡下に卵巣を摘出し，保存する ・再移植後，自然妊娠も期待できる ・月経も再開する ・研究段階の治療であり，妊娠率は不明 ・腫瘍細胞の再移植のリスクは否定できない

生殖医学会（ESHRE）においても，タスクフォースの結論として，同様の声明を発表している[15]。

ガラス化凍結保存法により，解凍された卵子の生存率は格段に向上しているものの，その後の受精・胚移植可能な胚への発育が必要となる。やはり採卵時の年齢が若年であるほど，その生産率は高く，25歳で3割ほどであるとされる[16]。

ASRM，ESHREに続き，日本生殖医学会も2013年秋に「未受精卵子および，卵巣組織の凍結・保存に関するガイドライン」を発表[17]，日本産科婦人科学会も，2014年春に「医学的適応による未受精卵子および卵巣組織の採取・凍結・保存に関する見解」を発表した[18]。さらに，2017年には日本癌治療学会より『小児，思春期・若年がん患者の妊孕性温存に関するガイドライン』が発刊された。2021年度からは，小児・AYA世代のがん患者等の妊孕性温存療法研究促進事業が厚生労働省により開始，エビデンス確立を目的とした研究と同時に国による助成制度も始まっている。

胚凍結，卵子凍結，および卵巣組織凍結について，それぞれの特徴を表1にまとめた。

卵巣組織凍結保存

卵子凍結保存のみならず，初経前や原疾患治療までの期間が極端に短く，採卵が困難な場合は腹腔鏡などで卵巣摘出を行い，卵巣組織凍結保存を行うことが試みられており[20,21]，凍結卵巣組織の移植により，2018年現在で80例の生児出産が報告されている[22]。この組織凍結保存法については，まだまだ研究段階にある治療法ではあるものの，生殖年齢にあるAYA世代（15〜20歳）のQOL向上も視野に入れた今後の発展が期待されている。

AYA
adolescent and young adult

Column

社会的卵子凍結

　日本生殖医学会のガイドラインにおいては，卵子保存の「医学的適応」に対し，「社会的適応」についても言及している．「加齢等の要因により，性腺機能（卵巣）の低下をきたす可能性を懸念する場合には，未受精卵子あるいは卵巣組織を凍結保存することができる」とされており，特に未婚の女性に限り年齢制限を設け，40歳までに凍結し，45歳までに使用することと記載されている[17]．

　米国のフェイスブック社やアップル社は，女性従業員に対し，卵子凍結保存の費用を会社として最大2万ドル支給すると発表している．

　医療制度の異なる米国の報告ではあるものの，40歳を過ぎてから子供をつくろうとする場合には，37歳までに卵子凍結をしていたほうが全体としての医療経費を抑えられる，という報告もある[23]．

　この「社会的適応」による卵子凍結保存について，日本産科婦人科学会は「推奨しない」と見解を出している．ASRMは，「妊孕能温存の可能性はあるが，データが乏しい」[14]，ESHREは「妊孕能温存の可能性がある」がやはり「データが乏しい」[15]，としている．

　しかしながら，「社会的適応」自体，その定義が曖昧であり，背景として本人の社会的背景のみならず，その家族の疾患の治療に要する時間なども密接に絡み合うと思われ，適応の線引きは難しいのではないかと考える．

（菊地　盤）

参考文献

1) Bunge RG, Keettel WC, Sherman JK：Clinical use of frozen semen. Fertil Steril 1954; 5: 520-9.
2) Whittingham DG, Leibo SP, Mazur P：Survival of mouse embryos frozen to 196 degrees and 269 degrees C. Science 1972; 178: 411-4.
3) Trounson A, Mohr L：Human pregnancy following cryopreservation, thawing and transfer of an eight-cell embryo. Nature 1983; 305: 707-9.
4) Chen C：Pregnancy after human oocyte cryopreservation. Lancet 1986; 1: 884-6.
5) Rall WF, Fahy GM：Ice-free cryopreservation of mouse embryos by vitrification. Nature 1985; 313: 573-5.
6) Cha KR, Hong SW, Chung HM, et al：Pregnancy and implantation from vitrified oocytes following in vitro fertilization (IVF) and in vitro culture (IVC). Fertil Steril 1999; 72: S2.
7) Kuleshova, L, Gianaroli L, Magli C, et al：Birth following vitrification of a small number of human oocytes: case report. Hum Reprod 1999; 14: 3077-9.
8) Chen SU, Lien YR, Chao KH, et al：Cryopreservation of mature human oocytes by vitrification with ethylene glycol in straws. Fertil Steril 2000; 74: 804-8.
9) Kuwayama M, Kato O：Successful vitrification of human oocytes. Fertil Steril 2000; 74: S49.
10) Cobo A, Diaz C：Clinical application of oocyte vitrification: a systematic review and meta-analysis of randomized controlled trials. Fertil Steril 2011; 96: 277-85.
11) Cobo A, Kuwayama M, Pérez S, et al：Comparison of concomitant outcome achieved with fresh and cryopreserved donor oocytes vitrified by the Cryotop method. Fertil Steril 2008; 89: 1657-64.
12) 香川則子，桑山正成：卵子凍結保存と卵子バンク．卵子学．森　崇英 編，2011，京都大学学術出版会，p941-7.
13) Thurin A, Hausken J, Hillensjö T, et al：Elective single-embryo transfer versus double-embryo transfer in in vitro fertilization. N Engl J Med 2004; 351: 2392-402.

14) The Practice Committees of the American Society for Reproductive Medicine : the Society for Assisted Reproductive Technology: Mature oocyte cryopreservation: a guideline. Fertil Steril 2013; 99: 37-43.
15) ESHRE Task Force on Etics and Law, Dondorp W, de Wert G, Pennings G, et al : Oocyte cryopreservation for age-related fertility loss. Hum Reprod 2012; 27: 1231-7.
16) Stoop D, Cobo A, Silber S : Fertility preservation for age-related fertility decline. Lancet 2014; 384: 1311-9.
17) 日本生殖医学会・倫理委員会(吉村泰典・理事長/石原　理・倫理委員長):未受精卵子および卵巣組織の凍結・保存に関するガイドライン. 2013年11月.
18) 日本産科婦人科学会:医学的適応による未受精卵子および卵巣組織の採取・凍結・保存に関する見解. 日産婦誌 2014; 66: 1291-3.
19) ARTデータブック 2019年版.日本産科婦人科学会登録・調査委員会報告. https://www.jsog.or.jp/activity/art/2019data_202107.pdf
20) Donnez J, Dolmans MM, Demylle D, et al : Livebirth after orthotopic transplantation of cryopreserved ovarian tissue. Lancet 2004; 364: 1405-10.
21) Kikuchi I, Kagawa N, Silber S, et al : Oophorectomy for fertility preservation via reduced-port laparoscopic surgery. Surg Innov 2013; 20: 219-24.
22) Sheshpari S, Shahnazi M, Mobarak H, et al : Ovarian function and reproductive outcome after ovarian tissue transplantation: a systematic review. J Transl Med 2019; 17(1): 396.
23) Devine K, Mumford SL, Goldman KN, et al : Baby budgeting: oocyte cryopreservation in women delaying reproduction can reduce cost per live birth. Fertil Steril 2015; 103: 1446-53.

各論 1　不妊治療の実際―どのように妊娠に導くのか？

生殖補助医療

着床前診断 (PGT-A, PGT-SR)

　着床前診断は，体外受精を行った胚の栄養外胚葉（TE）細胞を5～10細胞生検し，染色体や遺伝子の検査を行い，異常を持たないもしくは少ない胚を選択し，子宮に移植する技術である。従来の着床前診断は，PGT-A（Preimplantation genetic testing for aneuploidy），PGT-SR（Preimplantation genetic testing for structural rearrangements），PGT-M（Preimplantation genetic testing for monogenic）の3つに区分された。PGT-Aは胚の染色体の数的異常を確認する検査で，PGT-SRは胚の染色体の構造異常を確認する検査であり，カップルの染色体構造異常による不育症が対象となる。PGT-Mは単一遺伝子の異常に基づく遺伝性疾患を対象とする着床前診断である。ここでは，PGT-AおよびPGT-SRについて概説する。

栄養外胚葉（TE）
trophectoderm

PGT-A

ART施行者の高齢化と胚の染色体異常

　日本のARTの現状は他国と大きく異なり，2018年のART施行者数の年齢別推移（日本産科婦人科学会）では最も多い年齢は40歳で，40歳以上が40％以上を占め世界のなかでART施行者の年齢は最も高齢ではないかと思われる。日本のARTの妊娠成績では，30代の胚移植における臨床妊娠率40～45％，流産率15～20％に対し，40歳になると妊娠率34％，流産率27％で，45歳では妊娠率がわずか8％で，そのうち63％が流産となる（図1a）[1]。
　着床しない，もしくは流産する胚のほとんどが染色体異常のある胚である。流産後の絨毛染色体検査結果でも年齢とともに染色体数的異常が増加し，正常核型が減少している（図1b）[2]。そのため，アメリカの提供卵子を用いたARTでは年齢により妊娠率がほとんど変化しなくなる（図1）[3]。つまり，患者の高齢化が進むとPGT-Aが必要となることは容易に理解ができる。

胚の染色体異常の原因

　胚の染色体異常の最も代表的な原因としては，相同染色体の不分離と早期分離が挙げられる。減数分裂では，一対の父親・母親由来の相同染色体がそれぞれ体細胞分裂と異なり相同染色体がそれぞれ分離し，第二減数分裂ではそれぞれの2本の相同染色体が1本ずつに分かれる。染色体の分離が正しく行われな

図1　自己および提供卵子のARTデータ

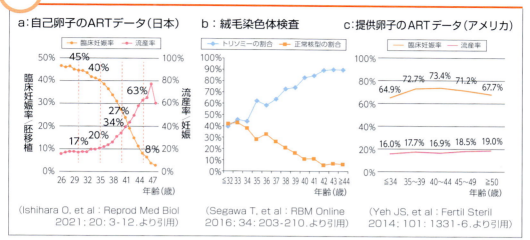

a：自己卵子のARTデータ（日本）
（Ishihara O, et al：Reprod Med Biol 2021；20：3-12.より引用）

b：絨毛染色体検査
（Segawa T, et al：RBM Online 2016；34：203-210.より引用）

c：提供卵子のARTデータ（アメリカ）
（Yeh JS, et al：Fertil Steril 2014；101：1331-6.より引用）

図2　相同染色体の不分離と早期分離

不分離は相同染色体の分離が第一減数分裂，または第二減数分裂が正常に起きず，それぞれ第二減数分裂後にディプロイドの精子が発生し，これに正常なハプロイドの卵子が受精するため染色体の一本多いトリソミーの精子が発生する。

早期分離は相同染色体の融合がうまく行われず第一減数分裂後にトリソミーとモノソミーの染色体が発生する。第二減数分裂後にはディプロイド，モノソミー，トリソミーの染色となりこれを正常な卵子が受精するとトリソミー，モノソミー，正常胚が生じることになる。

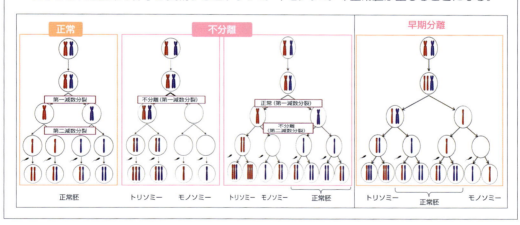

いで娘細胞にそのまま入ってしまう。

　第一減数分裂では相同染色体に，第二減数分裂では染色分体に不分離が生じると，4種類のトリソミー（XXX，XXY，YYX，YYY）が生じる。これに対し，XY染色体のない細胞に精子が受精するとモノソミーとなる（図2）。

　染色体早期分離は，相同染色体が減数分裂に入る前にそれぞれの娘染色体の結合が阻害され相同染色体となることができずに，個々の娘染色体のまま減数

図3　老化卵子のM期の染色体検査

老化卵子を一晩体外培養すると，M期の染色体を形成する。一見，正常なM期の染色体のように見えるが，染色体を分析してみるとB群，C群，E群で娘染色体が結合せず一本ずつとなった早期分離を高率に起こすことがわかる。この結果よりこの未成熟卵子を一晩培養したM期卵子を老化卵子のモデルとして細胞質の実験を行った。

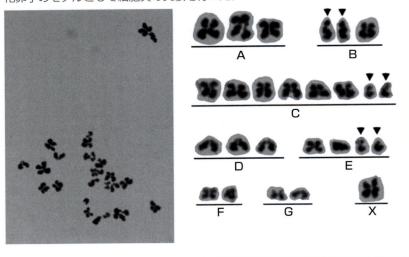

分裂に入ってしまう現象である。その結果，1本の娘染色体と相同染色体をもつ卵子と1本の娘染色体をもつ卵子とに分かれ，それぞれが第二減数分裂でダイソミックな卵子と正常な一倍体（半数体）の卵子と，染色体をもたない卵子が発生する（図2）。これに正常な精子が受精することによりトリソミー，モノソミーおよび正常な染色体が発生する。西野らは，この染色体異常の早期分離が老化卵子で高率に発生することを報告している[4]。筆者らの施設においても，この老化卵子のM期の染色体を分析してみると，高頻度で早期分離が起きていることを確認している（図3）。

PGT-Aの対象および実施施設の要件

日本産科婦人科学会は，PGT-Aの対象は以下と決められている。
①反復する体外受精・胚移植の不成功の既往を有する不妊症の夫婦。
②反復する流死産の既往を有する不育症の夫婦。

ただし，夫婦のいずれかに染色体構造異常（均衡型染色体転座など）が確認されている場合を除く，とされている。つまり，PGT-SRの対象となる不育症は，PGT-Aと分けて行うことと規定している。ART不成功は，直近2回連続の反復不成功例が必要だが，習慣（反復）流産の場合は，出産を挟んでも流産を2回以上していれば適応になる。ただし，新しい日本産科婦人科学会の見解では，2回の既往があれば適応になる可能性がある。PGT-A実施可能な症例を図4に示す。

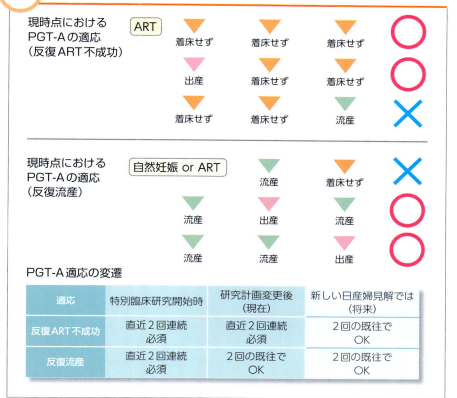

図4 PGT-Aの対象症例

　PGT-Aの実施施設は，日本産科婦人科学会による指針を遵守し承認を受けていれば，遺伝専門家としてその生殖医療専門医がいなくても認められていたが，2022年1月9日の見解改訂により生殖医療専門医の常勤が必須となった。また，遺伝専門医が常勤していなくても外部施設に勤務している遺伝専門医からの説明が随時可能な体制であれば，実施施設として認めることとした。すなわち，患者に遺伝カウンセリングを提供できる体制が十分にとれていることが要求された。

　また，2022年5月現在，PGT-Aは日本産科婦人科学会の臨床研究として行われているため，上記を遵守し施行しなければならない。

PGT-Aの実際の流れ

1. 反復妊娠不成功既往のあるPGT-Aの対象となる夫婦に十分な説明をし，インフォームドコンセントを得る。
2. 日本産科婦人科学会PGT-A小委員会に登録する。
3. 入力プログラムから反復ART不成功の場合，反復流産の場合，夫婦いずれかに染色体構造異常をもつ場合，の3つのなかから選択する。次にそれぞれの対象を選択，患者背景のなかで選択基準に関して内容を選択する。

図5　胚生検の実際

最新の胚生検法（レーザー法より早く，確実，安全。）
①まず細い穿刺ピペットを囲卵腔内に刺入し，把持ピペットとの間で擦過して切開する。
②2〜3時間放置後，開孔部分より自然に栄養芽細胞層が出てくる。
③これをピペットで吸引する。
④〜⑥ピペット内の6〜8個の細胞を目標として吸引し，この細胞塊を吸引ピペットとの間でこすって分離する。
⑦採取した7個の細胞はすべて生存している。所要時間は2〜3分である。

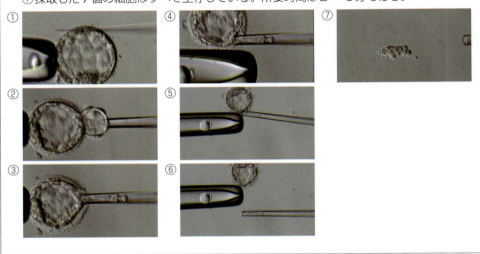

4. ARTを行い，胚盤胞まで発育した後に，拡張期胚盤胞に発育した内部細胞塊の対極の栄養芽細胞を採取する。この胚生検には一般的に胚生検にレーザーを用いているが，レーザーの熱による細胞の損傷を考え，現在では細い針で透明帯を串刺しにして穴を空け，3時間ほど放置すると自然に飛び出してくる栄養膜細胞を針で吸い，これをホールディングピペットとの間で物理的にこすって取るという方法が最も胚の損傷が少なく，短時間で済み最も優れた方法である（図5）。ただしこの技術は高度な技術が必要である。このように取り出した細胞5〜10個と胚をそれぞれ分けて凍結する。年齢に応じたサンプル数に達した時点で，このサンプルを検査会社に出す。この検査会社は日本産科婦人科学会の小委員会の認定した施設に限られ，提出後，診断された胚の結果は2〜3週間以内に，A判定：染色体数が正倍数胚，B判定：モザイク胚，C判定：異数性胚，D判定：ダメージが強く判定不能，の4つに分けられ，結果が実施医療施設に郵送されてくる（図6）。

モザイク胚とは

　モザイクとは，胚生検によって採取した細胞塊に染色体異数性をもたない細胞と染色体異数性をもつ細胞が混在している状態（図7a）で，日本産科婦人科学会の判定ではBとなる。この判定には種々のパターンがある。染色体のコ

ピー数が採取した胚の一部分（15 ～ 30%）の場合が低頻度モザイク，胚の大部分（70 ～ 90%）を認める場合は高頻度モザイクと診断する。モノソミー胚が混在する場合はモザイクモノソミー，トリソミー胚が混在している場合はモザイクトリソミー，各々の染色体異常が染色体全体の場合が一般的であるが，染色体の異常の位置が正常の20 ～ 80%の場合に部分的（セグメンタル）モザイクをモザイク部分トリソミー，モザイク部分モノソミーと診断する。複数の染色体のモザイクが混在している場合は複雑モザイク（複合型）と診断する（図7b）。

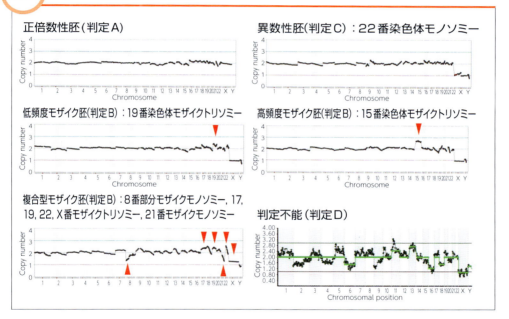

図6　PGT-Aの結果とその判定

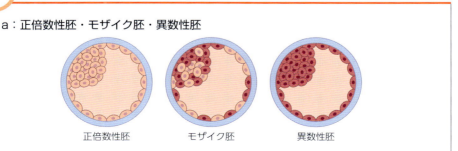

図7　モザイク胚の発生機序

a：正倍数性胚・モザイク胚・異数性胚

b：モノソミー・トリソミー・モザイク

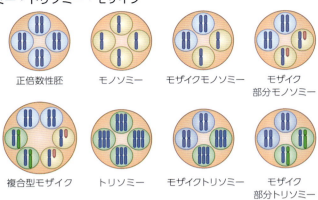

c：体細胞分裂における染色体異常

体細胞分裂では，緑色で示されている娘染色体はそれぞれの紡錘体で引っ張られ，両極へ均等に分離する（図の青色）。

不分離の場合には娘染色体が中期（metaphase）プレート上に並ぶことができず片方の紡錘体の極に残ってしまい2n＋1と2n－1のモザイクとなる。

分裂後期移動遅延は，不適切な紡錘体の形成が原因で姉妹染色分体が適切に分離できない。染色分体は後期に適切に移動できず，娘細胞は消失しモザイクとなる。この現象は減数分裂と有糸分裂の両方で発生する。

分裂後期移動遅延は，分裂後期に紡錘体の中央部に取り残された染色体のことで，一本の染色体が両極から引っ張られることで生じる。

正常分裂期の娘染色体が分裂後期に移動の遅延を起こし，その染色体は核に含まれなくなり，やがて退化・消失し2n-1の異数性配偶子が生じる。一方，紡錘体極に移動した染色体は分裂異常を起こし，細胞内に小さな核（微小核）を生じる。

その結果，娘細胞の染色体は1つ少ない2n－1と1つ多い2n＋1のモザイクとなる。

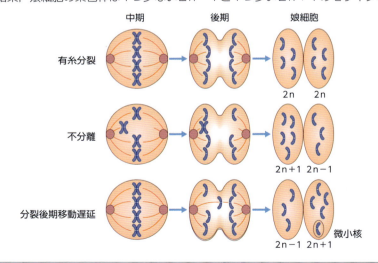

モザイクの発生機序

発生機序には，①不分離（Non-disjunction），②分裂後期移動遅延（Anaphase-lagging）がある（図7c）。不分離は，体細胞分裂時に赤道面状に並んだM期

図8 モザイク胚の移植する優先順位

(Viotti M, et al : Using outcome data from one thousand mosaic embryo transfers to formulate an embryo ranking system for clinical use. Fertil Steril 2021 ; 115 : 1212-24より作成)

の染色体が紡錘体に吸引され双極に分離する際，1本の染色体が1極に残り他極に分離しない。結果，2細胞となった際 $2n+1$ と $2n-1$ のモザイク胚が生じる。分裂後期移動遅延は，体細胞分裂は開始するが不分離で進行が止まってしまい，その結果，$2n-1$ と $2n+1$ となる[5]。

モザイク胚の優先順位

まずモザイクの染色体が増加か減少か，モザイク量が全体の何％にあたるのか，全体モザイクなのか部分的なのか，単一か複合型か，の4つの点から判定する。これらを踏まえて，5,561個の正倍数性胚と1,000個のモザイク胚を実際に胚移植した妊娠成績の報告がある[6]（図8）。この結果から，部分的モザイクは低頻度でも高頻度でもほとんど妊娠成績に差がなく良好な成績で，あとはモザイクが低頻度で，かつ異数性の染色体数が少ないほうが成績良好である。この結果から，モザイク胚の胚移植における優先順位は，①部分的モザイク，

②低頻度モザイク（1-2染色体），③低頻度モザイク（複合型），④高頻度モザイク（1-2染色体），⑤高頻度モザイク（複合型），となる。

　複合型モザイク胚は従来胚移植をしない方針であったが，最近の再度胚生検を行った報告では，正倍数性胚が61.6％（53/86）であった[7]。胚移植の優先順位は最下位ではあるが，患者の年齢，PGT-Aの判定の状態により，正倍数性胚がない場合には，十分なインフォームドコンセントの後に胚移植を検討する。

PGDIS（Preimplantation Genetic Diagnosis International Society）のモザイク胚の見解

　国際的な着床前診断の学会であるPGDISは，2016年の『ニュースレター』で以下のモザイク胚に対する見解を出している[8]。
①モザイクモノソミーを優先（45Xを除く）
②モザイクトリソミー（単一の染色体で）：モザイクのレベルと染色体種類を考慮して，以下のとおり優先順位を決める。
1）移植可能トリソミー：1, 3, 4, 5, 6, 8, 9, 10, 11, 12, 17, 19, 20, 22番染色体，X,Y染色体
2）片親性ダイソミー：（14, 15番染色体：Prader-Willi症候群，Angelman症候群）と子宮内胎児発育不全に関連するトリソミー（2, 7, 16番染色体）は優先順位を下げる
3）生存可能なトリソミー（13, 18, 21番染色体）は最も優先順位を下げる

その後，2019年に再度見解を出し，以下のように変更している[9]。
①低頻度モザイクの胚移植を優先
②単一染色体のモザイクの胚を移植する場合，特定の染色体疾患の起きる可能性のある染色体のモザイク胚は優先順位が下がる（2016年の提言に準じる）

　これらのことから，モザイクに関しては，モノソミーかトリソミーかは関係なく，低頻度モザイクを優先し，かつモノソミーの場合X染色体以外，トリソミーの場合2, 7, 13〜16, 18, 21番染色体以外のモザイク胚を優先して移植することを推奨している。

PGT-Aの臨床成績

　PGT-Aを施行したときの異数性胚の割合は年齢と比例する。米国におけるPGT-Aの結果では，異数性胚の割合は35歳未満で31.7％，35〜40歳で約44％，41〜42歳で76.3％，43歳以上で84.8％であった（図9）[10]。つまり，染色体正数性胚の割合は，35歳未満で2/3，35〜40歳で1/2，41〜42歳で1/4，43歳以上で1〜2/10となる。また，正数性胚を移植した後の臨床妊娠率は約6割で流産率は1割以下であり，年齢での差はほとんどない。
　またモザイク胚を移植した後の妊娠成績は，2015年に初めて18例で胚移植し6例が妊娠し，その全例の出産児が正常核型であったと報告している[11]。そ

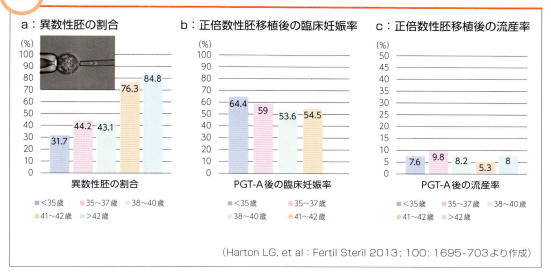

図9 PGT-A後の臨床成績

a：異数性胚の割合
b：正倍数性胚移植後の臨床妊娠率
c：正倍数性胚移植後の流産率

(Harton LG, et al：Fertil Steril 2013；100：1695-703より作成)

の後，1,000個のモザイク胚を移植したデータは先ほど前述しており[6]，出産症例についてもほぼすべての症例が正常核型と報告されている[12]。しかし，2番染色体の低頻度モザイクモノソミーの胚盤胞を移植し妊娠・出産後，児の末梢血染色体分析で2番染色に2％のモザイクモノソミー［mos 45,XX,-2（2）／46,XX（98）］を認めた症例も報告されている[13]。ただ，その児の身体能力，認知能力は正常であった。モザイクは体細胞における染色体異常であるため，トリソミーとモノソミーは表裏一体であることから，このようなことが起こり得るという点については，前もって患者に伝える必要がある。今までのモザイク胚の移植で有害事象はほとんどないが，モザイクはすべて安全と判断するのは危険である。モザイク胚を移植した際，特に高頻度や複合型モザイクの症例には，羊水検査も検討する必要がある。

PGT-Aにおけるカウンセリング

　PGT-Aを行う前に，患者へのインフォームドコンセントやカウンセリングは非常に重要である。ARTの妊娠成績は対胚移植で解析すると高くなるが，正倍数性胚を獲得するには，良好胚盤胞が41～42歳で4個，43歳以上では5～10個必要である[10]。これらを集めるために複数回の採卵が必要であること，またPGT-Aに提出した胚がすべて異数性である可能性も伝えておく必要がある。また一度のPGT-Aにかかる費用は，筆者らの施設では胚盤胞が6個の場合は約70万円，10個の場合は約90万円と高額であり，これらすべてが異数性胚の場合に患者にとって大きなショックとなりうることも説明する必要がある。

　一方で，胚盤胞が6個あってPGT-Aを行わなければ，異数性胚を6回胚移植し，PGT-Aの費用よりさらに高額になり，かつ半年以上の期間を費やし妊

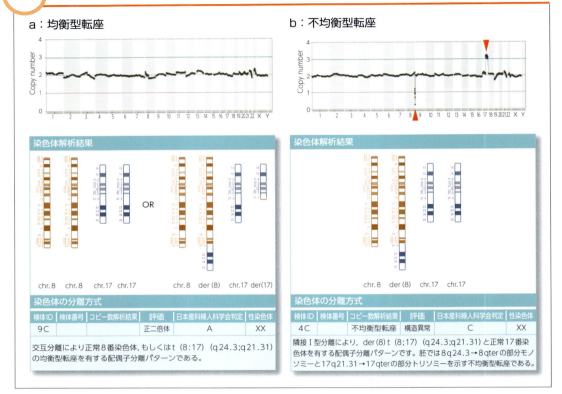

図10 均衡型および不均衡型転座のPGT-SRの結果

妊できないことになる。つまり，**年齢ごとの異数性胚の割合により費用対効果を考慮して，患者とPGT-Aを行うかよく相談すべきである。**PGT-Aは，不良な妊娠成績の**高齢患者に対し，はっきりとした目標を設定することができ，患者も納得して治療を継続することができるという利点もある。**

PGT-SR

PGT-SRは，PGT-Aの技術を用いて，**不育症の原因となる染色体の構造異常を診断する方法**である。染色体構造異常の大部分は，**均衡型相互転座やRobertson転座などの均衡型転座**で，減数分裂の過程において不均衡な配偶子が一定頻度で形成されるため，流産あるいは不均衡型染色体異常をもつ児の出生の原因となる。

➡「染色体異常」（p.337）参照

均衡型相互転座は，2本の染色体の長腕または短腕の一部分が切断し断片を交換した状態である。全体の染色体の数は正常であるため，保因者は表現型としては異常を認めない。減数分裂では，転座染色体2本と正常染色体2本の相同部位が対合して四価染色体が形成される。分離様式は，交互分離・隣接Ⅰ型分離・隣接Ⅱ型分離・3：1分離・4：0分離のいずれかとなり，交互分離のみが正常または均衡型の配偶子を形成する。

➡「流産と染色体異常」（p.108）参照

それ以外は，部分トリソミーや部分モノソミーなどの不均衡型となり，妊娠が成立した場合に多くが流産や死産の転帰となるが，まれに不均衡型転座をもった児として出生することもある。

均衡型転座と不均衡型転座のPGT-SRの結果を示す（図10）。均衡型転座は転座の有無を判断することが難しいが，不均衡型転座は結果から判断が可能である。

PGT-SRの妊娠成績

均衡型転座に起因する不育症の患者のPGT-SR後の妊娠成績は，不育症の「染色体異常」に記載しているため詳細は割愛する。筆者らが行った染色体構造異常をもつ不育症に対するPGT-SR施行群と自然妊娠群の比較では，PGT-SR群で有意に流産率が低かったが，累積生産率では有意差を認めなかった[14]。

➡「染色体異常」（p.337）参照

（田中　温，黒田恵司）

参考文献

1) Ishihara O, Jwa SC, Kuwahara A, et al：Assisted reproductive technology in Japan: A summary report for 2018 by the Ethics Committee of the Japan Society of Obstetrics and Gynecology. Reprod Med Biol 2021；20: 3-12.
2) Segawa T, Kuroda T, Kato K, et al：Cytogenetic analysis of the retained products of conception after missed abortion following blastocyst transfer: a retrospective, large-scale, single-centre study. Reprod Biomed Online 2017；34: 203-10.
3) Yeh JS, Steward RG, Dude AM, et al：Pregnancy outcomes decline in recipients over age 44: an analysis of 27,959 fresh donor oocyte in vitro fertilization cycles from the Society for Assisted Reproductive Technology. Fertil Steril 2014；101: 1331-6.
4) Nishino T, Kamiguchi Y, Tateno H, et al：A cytogenetic study of human oocytes unfertilized in in-vitro fertilization (IVF). Nihon Sanka Fujinka Gakkai Zasshi 1994；46: 95-101.
5) Fusco P, Esposito MR, Tonini GP：Chromosome instability in neuroblastoma. Oncol Lett 2018；16: 6887-94.
6) Viotti M, Victor AR, Barnes FL, et al：Using outcome data from one thousand mosaic embryo transfers to formulate an embryo ranking system for clinical use. Fertil Steril 2021；115: 1212-24.
7) Zhou S, Xie P, Zhang S, et al：Complex mosaic blastocysts after preimplantation genetic testing: prevalence and outcomes after re-biopsy and re-vitrification. Reprod Biomed Online 2021；43: 215-22.
8) PGDIS Newsletter：PGDIS position statement on chromosome mosaicism and preimplantation aneuploidy tesiting at the blastocyst stage. http://pgdisorg/docs/newsletter_071816html 2016.
9) Gleicher N, Albertini DF, Barad DH, et al：The 2019 PGDIS position statement on transfer of mosaic embryos within a context of new information on PGT-A. Reprod Biol Endocrinol 2020；18: 57.
10) Harton GL, Munné S, Surrey M, et al：Diminished effect of maternal age on implantation after preimplantation genetic diagnosis with array comparative genomic hybridization. Fertil Steril 2013；100: 1695-703.
11) Greco E, Minasi MG, Fiorentino F：Healthy Babies after Intrauterine Transfer of Mosaic Aneuploid Blastocysts. N Engl J Med 2015；373: 2089-90.
12) Ma Y, Liu LW, Liu Y, et al：Which type of chromosomal mosaicism is compatible for embryo transfer: a systematical review and meta-analysis. Arch Gynecol Obstet 2022.
13) Kahraman S, Cetinkaya M, Yuksel B, et al：The birth of a baby with mosaicism resulting from a known mosaic embryo transfer: a case report. Hum Reprod 2020；35: 727-33.
14) Ikuma S, Sato T, Sugiura-Ogasawara M, et al：Preimplantation Genetic Diagnosis and Natural Conception: A Comparison of Live Birth Rates in Patients with Recurrent Pregnancy Loss Associated with Translocation. PLoS One 2015；10: e0129958.

各論 1　不妊治療の実際—どのように妊娠に導くのか？

生殖補助医療

単一遺伝子疾患の着床前診断（PGT-M）

　着床前診断は，従来行われてきた出生前の遺伝学的検査と大きく異なる点は，生殖補助技術（ART）が必須であることである．そして，診断に用いられる遺伝学的検査も従来行われてきた手法でなく，ARTの特殊性を前提とした工夫が必要となる．

　従来の着床前診断[1]は，PGT-A（Preimplantation genetic testing for aneuploidy），PGT-SR（Preimplantation genetic testing for structural rearrangements），PGT-M（Preimplantation genetic testing for monogenic）の3つに区分された．PGT-Aは胚の染色体の数的異常を確認する検査で，あとで述べる条件の遺伝性を含まない．PGT-SRは胚の染色体の構造異常を確認する検査であり，カップルの均衡型相互転座やRobertson転座などの染色体構造異常による不育症が対象となる．

　PGT-Mは単一遺伝子の異常に基づく遺伝性疾患を対象とする着床前診断である．ここでは，PGT-Mについて概説する．

➡「着床前診断（PGT-A, PGT-SR）」（p.208）参照

➡「染色体異常」（p.337）参照

適応となる疾患の遺伝子異常の分類

適応疾患

　PGT-Mは，現時点では生児獲得されたのちの疾患を診断対象とすることで，疾患の重篤性に関しての倫理的な問題が論議となる．生児獲得に至らない，子宮内胎児死亡に至る遺伝性疾患は，致死性（タナトフォリック）骨異形成症など数えるほどしか対象となっていないが，現在，死産遺伝子は数個同定されており，今後は，こうした子宮内胎児死亡，死産に至る疾患の回避が含まれてくるものと考えられる．

　今後の実施に向けて，適応となる疾患について重篤性の定義が影響する．現時点で内定していることは，これまでの定義が「成人に達する以前に日常生活を著しく損なう状態が出現したり，生命の生存が危ぶまれる状況になる状態」から「原則，成人に達する以前に日常生活を強く損なう症状が出現したり，生存が危ぶまれる状況になる疾患で，現時点でそれを回避するために有効な治療法がないか，あるいは高度かつ侵襲度の高い治療を行う必要のある状態」となっている．

　また，審査経験のない疾患申請に関しての適応の判断は，専門学会（臨床と

表1　国内でPGT-Mが承認された主な遺伝性疾患

- Duchenne型筋ジストロフィー
- 筋強直性ジストロフィー
- 副腎白質ジストロフィー
- Leigh脳症
- オルニチン・トランスカルバミラーゼ欠損症
- ピルビン酸脱水素酵素欠損症
- 福山型筋ジストロフィー骨形成不全症
- MTHFR欠損症
- SMA遺伝子変異
- レッシュナイハン症候群
- ミトコンドリア呼吸鎖複合体Ⅲ異常　BCS1L遺伝子コンパウンドヘテロ変異

遺伝関連）に依頼することを必須とすることが但し書きとして追加されている。提出する意見書には「PGT-Mを希望するご夫婦の生活背景や置かれた立場・考えも考慮し判断を行った結果を示す。」といったクライアントの状況に配慮した項目が含まれている。

適応となる遺伝子異常

現在，国内でPGT-Mが承認された遺伝性疾患を表1に示す。PGT-Mの適応は流動的であるが，その適応を遺伝子異常から分類する。

遺伝形式異常

遺伝子の異常は，その遺伝様式が影響する。単一遺伝子の異常に基づく遺伝性疾患は，常染色体優性遺伝病，常染色体劣性遺伝病，X連鎖性劣性遺伝病に加えてインプリンティング病に分けられる。

遺伝子異常

疾患の発症の原因となる遺伝子の病的バリアント（発症に関わる遺伝子変異）が遺伝子配列の塩基の置換，欠失，挿入が通常の単一遺伝子病の診断標的であるが，これは受精卵においても成人の診断と同じ手法を用いて診断が可能である。これに対して受精卵での診断に特化した遺伝子解析技術を必要とする疾患の病的バリアントは，筋緊張性ジストロフィーのリピート回数の伸長やX連鎖性のデュシェンヌ型筋ジストロフィー，常染色体劣性の脊髄性筋萎縮症のエクソンの欠失である。

PGT-Mにおけるカウンセリング

　PGT-Mのカウンセリングを求めるクライアントは大きく二つに分けられる。一つは自分の親族に遺伝性疾患があり，自分の保因者診断，二つ目は，産まれた児に遺伝性疾患が見つかりカップルが保因者であるか，もし保因者の場合は第二児が罹患しているかの診断である。前者はDuchenne型筋ジストロフィー，筋緊張性ジストロフィー，筋強直性ジストロフィー，後者は脊髄小脳変性症が代表的である。カウンセリングの内容としては，
①クライアントの悩んでいる重篤な遺伝が果たして発端者が罹患している疾患と同一のものであるかを正しく評価する。
②詳細な家系図，家系構成員の臨床症状に関する情報を詳しく集める。
③遺伝的リスク，すなわちメンデル遺伝のどの種類にあたるのか，または非メンデル性の遺伝であるのかを診断し，その再発リスクを報告する。
④遺伝的リスクを推定する。筋緊張性ジストロフィーのように発症が高齢であり，反復数が明らかに高くない場合の診断は非常に困難である。そのような場合には出生前診断を行うということも説明する。それらの検査のメリット，デメリットについても十分説明する。

遺伝子異常（病的バリアント）の検査法

受精卵を用いた遺伝学的検査

　受精卵を用いた遺伝学的検査は各論で具体的に紹介するが，病因遺伝子の病的バリアントの直接診断に加えて，病的バリアントが存在するアリルの遺伝状況を調べることで間接的に診断の正確性を担保する，2段階で診断を行う。アリルは通常2つあり，父母より1つずつ受け継ぐ。常染色体優性遺伝では病的アリルを1つ，常染色体劣性遺伝では2つとも病的アリルで発症する。X連鎖性劣性遺伝では男子では病的アリル1つで発症，女子では保因者となる（図1）。

PGT-Mにおける遺伝子診断技術の特殊性について

　受精卵診断では，成人に行う検査と異なる遺伝子診断技術を必要とされる。羊水検査でも100個以上の細胞を対象とするのに対して，多くても10個前後の細胞を対象とする受精卵の診断では通常の遺伝子検査にはない診断の工夫が求められる。

DNA量

　血液から遺伝子診断を行う場合は，何万個のリンパ球細胞の核からDNAが抽出されるが，受精卵では細胞数が少なく極微量のDNAのため，増幅が必至となる。無作為に全部のDNAを増幅する全ゲノム増幅などの技術が進んで，1つの細胞からでも診断可能となってきているが，多量のDNAを必要とするサザンブロット法では難しく，PCR法でも検出が困難な量のDNAしか採取できない。

図1 遺伝形式異常

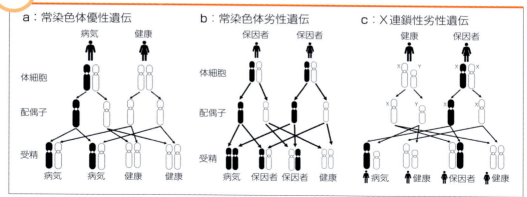

a：常染色体優性遺伝　　b：常染色体劣性遺伝　　c：X連鎖性劣性遺伝

DNA断片長

サザンブロット法に用いるDNAはできるだけ断片化させない，キロ単位の塩基の長さが求められるが，割球などからはキロ単位の長さのDNAは回収できない。PCR増幅についても鋳型となるDNA断片のサイズが少なくとも200塩基対以上のものが必要で，設定するプライマー間で切断が起きていないDNAが得られていないと増幅されなかったり，アリルドロップアウトといわれる片方のDNAしか増幅できない状況も生じる。

実際のPGT-Mを施行した症例

現在までに，筆者らの施設で日本産科婦人科学会へPGT-Mの申請を12例行っている。そのなかから例を挙げて紹介する。

症例1：Duchenne型筋ジストロフィー

Duchenne型筋ジストロフィーは，筋ジストロフィー症のなかで最も頻度が高い疾患で，幼児期から始まる筋力低下・動揺性歩行・登攀性歩行・仮性肥大を特徴とするX連鎖劣性遺伝病である。20歳前後には呼吸障害や心不全で亡くなることからPGT-Mの適応である。

筆者がPGT-Mを行った女性の家系図を示す（図2）。発端者であるクライエント女性（Ⅱ-5）の兄（Ⅱ-6）は，24歳時に死亡している。第2子（Ⅲ-1）は出生前診断にて罹患と診断された。遺伝学的診断はMLPA法（Multiplex Ligation-dependent Probe Amplification）にて診断されている。MLPA法はPCR産物の長さを重なり合わないようにプライマーを設計して，1反応で60を超える全エクソンの検出を行うことが可能となる。

MLPA法とは，DNAプローブのハイブリダイゼーションと連結（ライゲーション），PCR増幅技術を組み合わせ，数十箇所の微細な遺伝子内部領域を調べる方法である。遺伝子内部には塩基配列が集まってできた少し大きいサイズのかたまり（エクソン）が複数存在し，これらの量的変化を評価するのに有用であ

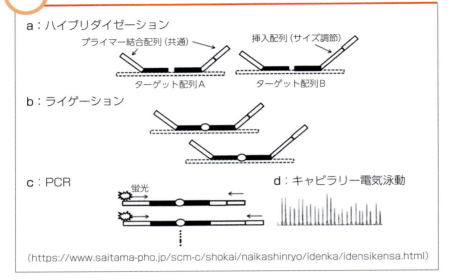

図2 MLPA法の原理

a：ハイブリダイゼーション
プライマー結合配列（共通）　挿入配列（サイズ調節）
ターゲット配列A　ターゲット配列B

b：ライゲーション

c：PCR　蛍光

d：キャピラリー電気泳動

（https://www.saitama-pho.jp/scm-c/shokai/naikashinryo/idenka/idensikensa.html）

る（図3）。この様に同法は欠失例や挿入，重複例に有用であり，また，メチル化解析にも可能である。プローブを既知の点変異，SNP上に設計することでそれらを特異的に検出することもでき，わずか一塩基の配列の違いでも識別が可能である。このMLPA法が開発されたことにより，遺伝子解析は非常に短時間に正確にできるようになった。

クライエント女性（Ⅱ-5）では，エクソン48から52にかけてピークの高さが1/2になっていることがわかる（図4）。エクソン欠失するタイプで，保因者と診断される。出生前検体はMLPAを用いるが，PGT-Mでは領域を限定してプライマー設計を行う。

この症例は，PGT-Mを施行し，6個の移植可能胚を認め，1回目の胚移植で妊娠，その後無事に健常な男児を出産している。

症例2：筋緊張性ジストロフィー

筋緊張性ジストロフィーは，筋強直および筋萎縮が特徴で，骨格筋だけではなく多臓器を侵す常染色体優性遺伝疾患である。発症年齢が比較的高いため，親の世代での発症がみられないうちに子が成人した後に妊娠し，産婦人科でも罹患に気が付かないまま，分娩を迎え新生児に重篤な症状を呈する先天性筋ジストロフィーの発症で発見されることもある。また，妊娠中の子宮収縮抑制剤の使用で横紋筋融解などを引き起こすことで妊娠管理にも留意が必要な疾患としても知られている。

その遺伝子異常は，CTGの3塩基配列のリピート回数の増幅である（トリプレットリピート病）。遺伝的特徴として特に女性を介して遺伝した場合，子に表現促進現象として，親よりもリピート回数が急激に増加して症状が重症化することが知られている。

図3　クライエント女性の家系図（Duchene型筋ジストロフィー）

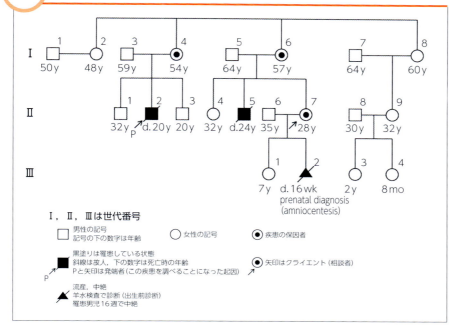

図4　クライエント女性の遺伝子解析結果

DMD（Duchenne型筋ジストロフィー）遺伝子の40番から79番のエクソンの高さ（シグナルの高さ／健常人DNAのシグナルの高さ）を調べた表で，この表よりDMD48番から52番のエクソンが1/2と減少しており欠失していることがわかる。

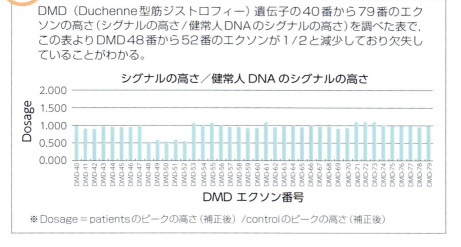

※Dosage＝patientsのピークの高さ（補正後）／controlのピークの高さ（補正後）

　以下に，家系図を図5に示す。クライエント男性（Ⅱ-3）の姉（Ⅱ-2）がすでに筋強直性ジストロフィーが発症している。
　その姉のサザンブロット法による遺伝学的検査の結果を示す（図6）。右のNが正常コントロール，左のPが患者である姉（Ⅱ-2）を表す。Pの右端のPsのレーンが制限酵素PstIで処理したDNA断片で2本あるアレルのうち，リピート回数が健常人の5～35回とされるバンドがPアレル2である。上にPアレル1

図5　クライエント女性の家系図（筋緊張性ジストロフィー）

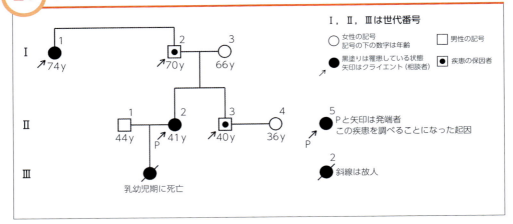

I，II，IIIは世代番号
○ 女性の記号　　□ 男性の記号
記号の下の数字は年齢
● 黒塗りは罹患している状態　　◉ 疾患の保因者
↗ 矢印はクライエント（相談者）
P Pと矢印は発端者
　この疾患を調べることになった起因
／ 斜線は故人

図6　クライエント女性の遺伝子解析結果

クライエント女性の遺伝子解析の結果で，BglⅠ制限酵素とPstⅠ制限酵素で処理後に，アレル1（Allele 1）でCTG repeatが伸張していることがはっきりと確認できる。（←）

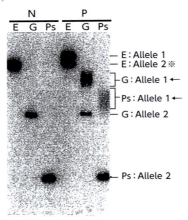

※本遺伝子領域の多型を判断するため，EcoRIレーンに約1kbの欠失多型を有するNormal Control（健常人DNA）を用いております。

E：EcoRⅠ digestion　　N：Normal control
G：BglⅠ digestion　　P：patient
Ps：PstⅠ digestion　　＊：nonspecific band

Allele 1においてCTG repeatの伸張が認められる。
繰り返し数：850～1,300回程度

があるが，少しスメア状にぼやけたバンドになっているのが，伸張したアレル を表す．アレル2に対して2.5kbから4kb程度伸長していると推定され，850～ 1,300回程度の増幅と判定される．真ん中のGのレーンのBglⅡ切断断片でも 伸長が大きいため，2つのバンドとして検出されている．やはり伸長するGア レル1のバンドはスメア状で検出されている．より大きな断片として上のほう にバンドが観察される左のEのEcoRI断片のレーンでは，アレル1は1つのバ ンドとして観察される．

　クライアントの父（Ⅰ-2）ならびにクライアント男性（Ⅱ-3）は伸長の度合い が少なく，リピート回数は父（I-2）で48～55回，クライアント男性（Ⅱ-3）で は100～150回と推定されている．また遺伝学的検査は行われていないものの， クライアントの父の姉（I-1）にクライエントの姉（I-2）と同じ症状を認め，ク ライエントの姉の娘（III-1）が乳幼児期に死亡しているため，同疾患であった 可能性が高い．

　この症例は，PGT-Mを施行し，2個の移植可能胚を認め，1回目の胚移植 で妊娠，その後無事に健常な男児を出産している．

　成人に達する以前に日常生活が失われ，亡くなられることは精神的にも肉体 的にもつらいことである．従来行われてきた，出生前診断では中絶という選別 の要素が避けられない問題であった．PGT-Mは，胚移植する受精卵を遺伝学 的に選択する手段であり，中絶を避けることができる．ただし，PGT-Mを行っ ても染色体異数性胚のため，胚移植を行っても着床しないもしくは流産する場 合もある．そのため，今後はPGT-Aも同時に行うことも考慮すべきである．

〔田中　温，黒田恵司〕

参考文献

1) Harper JC, Wilton L, Traeger-Synodinos J, et al：The ESHRE PGD Consortium: 10 years of data collection. Hum Reprod Update 2012; 18: 234-47.

各論 1 不妊治療の実際―どのように妊娠に導くのか？

生殖補助医療

不妊治療における保険診療および先進医療制度

Point

- 2022年4月に不妊治療における保険適用が大幅に拡大し，タイミング法，人工授精，生殖補助医療（ART），いずれも保険診療で行うことが可能となった。
- 経腟超音波検査やホルモン検査は，卵巣刺激をすれば原則1カ月3回までは算定可能で，抗ミュラー管ホルモン（AMH）はARTを行う場合に6カ月に1回測定可能である。
- ARTにおける卵巣刺激，早発排卵防止，排卵誘起（卵胞成熟），黄体補充，卵巣過剰刺激症候群の予防などで用いる薬剤の多くが保険が適用される。
- タイミング法，人工授精を行う場合は，一般不妊治療管理料を3カ月に1回，ARTを行う場合には生殖補助医療管理料を胚移植の実施に向けた一連の診療過程ごとに算定する。
- ARTに関して，43歳未満が保険適用の対象であり，40歳未満は6回，40～42歳は3回胚移植までが保険適用の対象となる。
- 高卵巣刺激，中卵巣刺激，自然周期での採卵から初回胚移植までの3割負担の費用は，およそ21～24万円，15～18万円，8～9万円で，高額療養費制度が利用できれば自己負担をさらにおさえることができる。
- 保険診療で行うことができない不妊治療は，先進医療制度の承認を受ければ，保険外併用療養が可能である。

　不妊治療はもともとほとんどが保険適用外の自由診療で，特に体外受精を含む生殖補助医療（ART）は，経済的負担の軽減を目的に，43歳未満の女性を対象に，厚生労働省は助成制度による支援事業を行ってきた。2022年4月に

図1 不妊治療の保険適用の概要と診療報酬点数

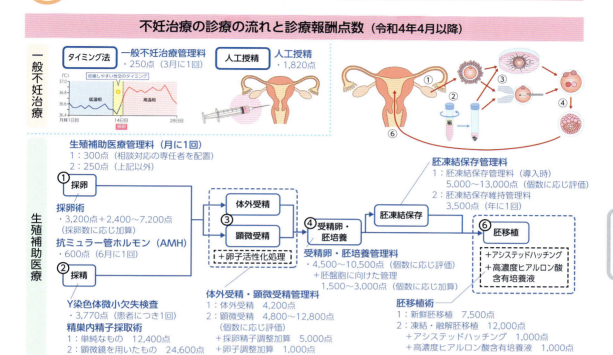

(厚生労働省 不妊治療に関する取組 不妊治療の保険適用に関する資料集より抜粋
https://www.mhlw.go.jp/stf/seisakunitsuite/bunya/kodomo/kodomo_kosodate/boshi-hoken/funin-01.html)

ARTに対する助成支援事業が原則撤廃され，不妊治療は大幅に保険適用の拡大が進んだ。

厚生労働省が提示した，保険適用の概要を図1に示す[1]。これまで保険診療が行うことのできた不妊治療は，不妊スクリーニング検査と排卵障害に対する卵巣刺激におけるタイミング法ぐらいであったが，タイミング法，人工授精，ARTのほぼすべてがカバーされた。また2022年4月に保険診療に入らなかった診療の一部は先進医療として，申請を行い承認が得られれば保険診療内で保険適用外を併用した保険外併用療養（混合診療）で行うことができる。これまで行われてきた検査や治療も含め，不妊治療における保険診療と先進医療制度について解説する。

保険診療が可能な検査

保険診療が可能な主な不妊スクリーニング検査を表1に示す。経腟超音波検査やホルモン検査は，卵巣刺激を行ったときだけでなく，不妊治療におけるタイミング法，人工授精，ART，いずれも保険診療が可能となった。

表1　保険診療が可能な不妊治療の検査内容

	説明および備考	診療報酬点数	患者負担額（3割）
経腟超音波検査	原則，卵巣刺激を行えば1カ月に3回まで，卵巣刺激を行わない場合は2回まで算定可	530点	1,590円
ホルモン検査	原則，卵巣刺激を行えば1カ月に3回まで，卵巣刺激を行わない場合は2回まで算定可　検査実施日に結果を説明した場合に5項目まで迅速検体検査加算を算定可能	尿LH：72点　血中LH：111点　血中FSH：111点　血中E2：177点　血中P4：151点　血中hCG：55点　判断料：125点　迅速検体検査加算：10点／1項目	尿LH：216円　血中LH：333円　血中FSH：333円　血中E2：531円　血中P4：453円　血中hCG：165円　判断料：375円　迅速検体検査加算：30円／1項目
精液検査	①判断料＋②精液検査で算定	104点（①34点＋②60点）	312円
ヒューナー検査	①判断料＋②子宮頸管粘液採取＋③ヒューナー検査で算定	94点（①34点＋②40点＋③20点）	282円
子宮卵管造影検査	①診断料＋②撮影料＋③フィルム料／10＋④造影剤の薬価／10＋⑤造影剤注入手技料で算定	1,000～1,500点	3,000～4,500円
抗ミュラー管ホルモン（AMH）	ARTの卵巣刺激における治療方針の決定を目的として6カ月に1回測定可（一般不妊治療では不可）	600点	1,800円

　回数制限の明らかな規定はないが，卵巣刺激を行えば原則1カ月3回まで，卵巣刺激を行わない場合は2回までは算定可能である．例えば，採卵にむけて採血でLH，E2，P4値を採血し超音波検査を行い採血結果で相談した場合，もともと自由診療で10割負担とした場合に約10,000円患者負担があったところが，保険で3割負担とすると3,000～3,500円程度になる．また今回新たに，ARTを行う患者に限り卵巣予備能を評価する抗ミュラー管ホルモン（AMH）が，6カ月に1回保険診療内で測定できるようになった．

保険診療が可能な薬剤

　2022年3月までは，排卵障害に対する卵巣刺激法ぐらいしか保険が適用できなかったが，卵巣刺激，排卵誘起（卵胞成熟），黄体補充などで用いる薬剤の多くが保険適用となった．その詳細を**表2**に示す．

　経口排卵誘発剤は，クロミフェンだけでなくレトロゾールも保険適用となり，初回投与量はそれぞれ50mg／日，2.5mg／日を5日間までと規定されている．ただし，効果不良の場合は倍量まで投与が可能である．

　ARTにおける早発排卵の防止は，GnRHアナログ製剤だけでなく，黄体ホルモン製剤で内因性LHサージを抑制するprogestin-primed ovarian stimulation

表2 保険診療が可能な不妊治療の薬剤（2022年4月現在）

一般名	商品名	効能・効果の説明および備考	用法および用量
クロミフェンクエン酸塩	クロミッド®錠	①排卵障害に基づく不妊症の排卵誘発 ②ARTにおける調節卵巣刺激	①50 mg/日で5日間（第1クールで効果不良の場合，次周期以降100 mg/日に増量可能） ②月経周期3日目から50 mg/日を5日間投与（効果不良の場合，次周期以降100 mg/日に増量可能）
レトロゾール	フェマーラ®錠	①多嚢胞性卵巣症候群および原因不明不妊の排卵誘発 ②ARTにおける調節卵巣刺激	①②ともに，月経周期3日目から2.5 mg/日を5日間投与（効果不良の場合，次周期以降5 mg/日に増量可能）
hMG製剤	HMG注射用「フェリング」 HMG筋注用「F」 HMG筋注用「あすか」	①視床下部－下垂体機能障害に伴う無排卵における排卵誘発 ②ARTにおける調節卵巣刺激	一般不妊治療において，75〜150 IUを1日/回連日筋肉内投与，ARTにおいて，150〜225 IUを月経2〜3日目から1日/回投与し卵胞が十分に発育するまで投与（患者の反応に応じて450 IU/日まで調節可能）
FSH製剤	ゴナールエフ®皮下注用・皮下注ペン レコベル®皮下注 フォリルモン®P注 uFSH注用75単位「あすか」	ARTにおける調節卵巣刺激 （ゴナールエフは，視床下部－下垂体機能障害またはPCOSの排卵誘発，および低ゴナドトロピン性男子性腺機能低下症における精子形成の誘導にも適応あり）	150〜225 IUを月経2〜3日目から1日/回投与（レコベルは，AMHや体重などにより6〜12μg/日を1日/回皮下投与）し卵胞が十分に発育するまで投与（患者の反応に応じて450 IU/日まで調節可能）
GnRHアンタゴニスト製剤	ガニレスト®皮下注 セトロタイド®注射用	調節卵巣刺激下における早発排卵の防止	hMG/FSH製剤投与6日目から開始し，0.25 mg/日を1日1回皮下に連日投与
hCG製剤	オビドレル®皮下注シリンジ 注射用HCG「F」 HCGモチダ筋注用 ゴナトロピン®注用	①排卵誘発および黄体化 ②ARTにおける卵胞成熟および黄体化	5,000〜10,000単位/回（オビドレルは250μg/回）を投与（採卵の場合は34〜36時間前に投与）
GnRHアゴニスト製剤	スプレキュア®点鼻液	①ARTにおける早発排卵の防止 ②ARTにおける卵胞成熟および黄体化	①スプレキュア：1回あたり左右の鼻腔に各々1噴霧投与（計300μg）を2〜4回連日投与 ②スプレキュア：採卵の34〜36時間前に1回あたり左右の鼻腔に各々1噴霧投与を2回投与
卵胞ホルモン製剤（内服薬）	ジュリナ®錠	①ARTにおける調節卵巣刺激の開始時期の調整 ②凍結融解胚移植におけるホルモン補充周期	凍結融解胚移植におけるホルモン補充周期0.5〜4.5 mg/日を経口投与（1回投与量は2.0 mgまで）
卵胞ホルモン製剤（貼付剤およびゲル剤）	エストラーナ®テープ・エストロジェル® ディビゲル®	①ARTにおける調節卵巣刺激の開始時期の調整 ②凍結融解胚移植におけるホルモン補充周期	凍結融解胚移植におけるホルモン補充周期エストラーナテープ：0.72〜5.76 mg/日を貼付し，2日毎に貼り替える ル・エストロジェル：2〜10プッシュ/回（1.8〜9.0 g，E2量1.08〜5.40 mg含有）1回/日塗布 ディビゲル：2〜4包/回（2.0〜4.0 g，E2量2〜4 mg含有）を2回/日塗布
黄体ホルモン製剤（内服薬）	デュファストン®錠	①黄体機能不全による不妊症，習慣流早産など ②ARTにおける黄体補充 ③ARTにおける黄体ホルモン併用調節卵巣刺激法	①黄体期に5-15 mg/日を投与 ②ARTにおいて，10 mg/回を3回/日（計30 mg/日）を新鮮胚移植もしくは自然周期・凍結融解胚移植で，妊娠4〜7週まで投与可能 ホルモン補充周期・融解胚移植では最長妊娠12週まで投与可能 ③月経周期2〜5日目より20 mg/日を投与
	ヒスロン®錠	ARTにおける黄体ホルモン併用調節卵巣刺激法	月経周期2〜5日目より10 mg/日を投与
黄体ホルモン製剤（腟坐剤）	ワンクリノン®腟用ゲル ルティナス®腟錠 ウトロゲスタン®腟用カプセル ルテウム®腟用坐剤	ARTおける黄体補充	ワンクリノン：90 mg/回を1回/日 ルティナス：100 mg/回を2〜3回/日 ウトロゲスタン：200 mg/回を3回/日 ルテウム：400 mg/回を2回/日 最長妊娠12週まで投与可能
カベルゴリン	カバサール®錠	卵巣過剰刺激症候群の発症抑制	カベルゴリン0.5 mg/日を卵胞成熟のためのhCGもしくはGnRHアゴニスト投与日または採卵日から7〜8日間経口投与
シルデナフィルクエン酸塩	バイアグラ®錠	勃起不全	25〜50 mg/回を1回/日性行為の約1時間前に経口投与
タダラフィル	シアリス®錠	勃起不全	10 mg/回を1回/日性行為の約1時間前に経口投与

各論1　生殖補助医療

(PPOS)[2)] のためのジドロゲステロン（デュファストン®）やメドロキシプロゲステロン酢酸エステル（ヒスロン®）も投与が可能である。

また，採卵前の排卵誘起（卵胞成熟）には，hCG 製剤と GnRH アゴニスト製剤（スプレキュア®点鼻薬）の両方が使用可能で，卵胞成熟が不良な症例に対する hCG 製剤と GnRH アゴニスト製剤を併用した dual trigger[3)] も可能である。

黄体補充に関しては，腟坐剤と経口製剤に保険適用があり，注射製剤には適用がない。原則，最長妊娠 12 週まで投与可能だが，経口製剤のデュファストン®は，新鮮胚移植もしくは自然周期における凍結融解胚移植においては，妊娠 7 週までと規定されている。また，新鮮胚移植もしくは自然周期における凍結融解胚移植では，hCG 製剤で黄体を賦活化することも可能である。

➡「黄体補充」
　（p.187）参照

さらに，卵巣過剰刺激症候群の予防で用いるカベルゴリン（カバサール®）も保険で投与が可能となった。hCG 製剤などで排卵誘起した当日もしくは採卵日から 7 〜 8 日間処方が可能である。

男性の勃起不全に用いるシルデナフィルクエン酸（バイアグラ®）やタダラフィル（シアリス®）も保険診療内で処方が可能となった。

保険診療が可能な不妊治療

タイミング法や人工授精の一般不妊治療を行う場合に，一般不妊治療管理料を 3 カ月に 1 回算定することとなった。保険適用の条件として，パートナーも含め患者と 6 カ月に 1 回は治療内容を説明し同意を得る必要がある（表3）。人工授精も保険診療内で行えるようになったが，その場合は，必ずその適応を診療報酬明細書の摘要欄に記載が必要である。

ART に関しては，これまでの助成支援事業の対象者同様に，43 歳未満が保険適用の対象であり，40 歳未満は 6 回，40 〜 42 歳は 3 回胚移植までが保険適用の対象となる（表4）。その年齢は，初めて胚移植に係る治療計画を作成した日における年齢と決められている。つまり胚移植した年齢ではなく，採卵に向けて卵巣刺激などで治療を開始した年齢となっており，例えば，39 歳 11 カ月で卵巣刺激を開始し，40 歳に採卵を行っても胚移植は 6 回保険診療で行うことができる。また胚移植により妊娠・出産した後に，2 人目の妊娠を希望し胚移植を実施した場合，その治療開始日の年齢で再度保険診療の胚移植の限度回数を保険適用できる。つまり，出産すると限度回数はリセットされる。この妊娠・出産には妊娠 12 週以降の死産も含まれる。

さらに，保険診療における ART による不妊治療は，「胚移植の実施に向けた一連の診療」であるため，凍結胚を保険診療でたくさん貯めるようなことは，原則難しい。ただし，Surgery-ART hybrid therapy のように子宮筋腫などで手術する予定があり，その前に胚凍結を行う場合[4)] など，凍結胚を確保する医学的理由がある場合は，診療録に理由を記載すれば保険適用で採卵・胚凍結が可能である。

➡「子宮筋腫」
　（p.245）参照

胎児超音波でここまでわかる！
食道閉鎖の診断，治療の知識がここに！

食道閉鎖のすべて
胎児スクリーニング, 精査, 治療

- 編集　川瀧 元良

定価 6,600円（税込）　ISBN978-4-7583-2137-2
B5判・172頁・オールカラー・イラスト30点, 写真250点

Web動画 配信中！

胎児超音波検査のすべてを1冊で網羅！

基礎から"その先"まで
実践! 胎児超音波検査
ーどこを見て，なにを診るのかー

- 著者　辻村 久美子
- 監修　石本 人士　和泉 俊一郎
　　　　川瀧 元良

定価 11,000円（税込）　ISBN978-4-7583-1999-7
B5判・464頁・2色刷（一部カラー）・イラスト320点, 写真760点

国内外の最新文献とデータに基づく"脳性麻痺"を扱った待望の成書がついに登場！

脳性麻痺と周産期合併症／イベントとの関連
最新の知見

- 編集　松田 義雄　佐藤 昌司
　　　　藤森 敬也

定価 8,250円（税込）　ISBN978-4-7583-2130-3
B5判・264頁・2色刷・イラスト30点, 写真20点

詳細なスクリーニング方法から豊富な画像を用いた精査, 治療法を徹底解説した川瀧元良渾身の1冊！

胎児心エコーのすべて
スクリーニング・精査・治療・そして家族支援

- 編集　川瀧 元良

定価 9,350円（税込）　ISBN978-4-7583-1737-5
B5判・456頁・オールカラー・イラスト100点, 写真1,000点

出産に携わるすべての医療従事者必携！ 新生児蘇生法テキストの改訂版

日本版救急蘇生
ガイドライン2020に基づく
新生児蘇生法テキスト
第4版

- 監修　細野 茂春

定価 4,400円（税込）　ISBN978-4-7583-1998-0
B5判・204頁・オールカラー・イラスト20点, 写真70点

Web動画 配信中！

新生児蘇生法（NCPR）講習会を開催するインストラクター必携

日本版救急蘇生
ガイドライン2020に基づく
新生児蘇生法
インストラクターマニュアル
第5版

- 監修　細野 茂春

定価 7,700円（税込）　ISBN978-4-7583-2126-6
A4判・260頁（綴込み別冊88頁含）・オールカラー・イラスト68点, 写真36点

Web動画 配信中！

2020年の診療報酬改訂に対応した待望の第6版

産婦人科医のための
社会保険ABC
第6版

- 編集　公益社団法人
　　　　日本産科婦人科学会

定価 3,850円（税込）　ISBN978-4-7583-1997-3
A5判・232頁・2色刷

"正解"はありません。だけど答えは必要です。あなたならどうしますか？

ものがたりで考える
医師のための
リベラルアーツ
感情に触れる医師が働き方改革時代に身につけたい倫理観

- 著者　湯浅 正太

定価 2,420円（税込）　ISBN978-4-7583-1308-7
A5変型判・176頁・2色刷

MEDICAL VIEW

産婦人科手術習得のための基本知識にフォーカスした新シリーズ　好評刊行中！

OGS NOW basic

● 編集委員
平松 祐司　竹田 省　万代 昌紀　小林 裕明

1	産婦人科手術のための基礎知識　開腹・腹腔鏡・ロボット
2	いきなりTLH　ビギナーとその指導者のために
3	いきなり帝王切開術　局所解剖を熟知し，コツを盗もう
4	明日からできる良性腫瘍の手術　初心者と指導者のために
5	産科手術を極める
6	不妊治療の外科的アプローチ　妊娠を目指して
7	明日からできる悪性腫瘍の手術 ー円錐切除術から準広汎子宮全摘術まで
8	明日からできる悪性腫瘍の手術 ーリンパ節郭清（開腹・腹腔鏡・ロボット）
9	アドバンス帝王切開術と関連手術
10	骨盤臓器脱 完全マスター
11	広汎子宮全摘術と広汎子宮頸部摘出術　安全に行うために（7月発売）
12	明日からできる悪性腫瘍の手術ー卵巣癌手術（10月発売予定）

- A4判・平均180頁・オールカラー　・1・4・7・10月発売
- 各巻定価11,000円（税込）
- 2022年 年間購読料（No.9〜12）：定価44,000円（税込）

イラストを中心に"手術のコツと注意点"を随所に配したオールカラービジュアル手術書

[全24巻]

● 編集委員
平松 祐司　小西 郁生　櫻木 範明　竹田 省

1	開腹・閉腹と付属器手術
2	腹式単純子宮全摘術
3	帝王切開術
4	産科手術
5	子宮頸癌・外陰癌の手術
6	子宮体癌・卵巣癌の手術
7	子宮奇形・膣欠損・外陰異常・性別適合の手術
8	骨盤臓器脱の手術
9	前置胎盤・前置癒着胎盤の手術
10	産科大出血
11	子宮筋腫　こんなときどうする？
12	子宮内膜症・子宮腺筋症　こんなときどうする？
13	機能温存の手術
14	婦人科がん手術　こんなときどうする？
15	妊娠中の手術・胎児手術　こんなときどうする？
16	合併症対策＆知っておきたい他科の手術手技
17	知っておくと役立つ腔の展開法,鉤の使い方
18	よりよい婦人科手術のための器具の使い方
19	腹腔鏡・子宮鏡手術［基本編］
20	腹腔鏡・子宮鏡手術［応用編］
21	婦人科ロボット支援手術
22	手術を要する産婦人科救急
23	覚えておきたい手術の工夫と周術期管理
24	伝えたい私の手術　ArtとScienceの融合

- 各巻定価13,200円（税込）
- A4判・平均180頁・オールカラー

表3　保険診療が可能な一般不妊治療の診療内容

	説明および備考	診療報酬点数	患者負担額（3割）
一般不妊治療管理料	3カ月に1回算定可 6カ月に1回以上，患者・パートナーに治療内容等の同意の確認が必要	250点	750円
人工授精	以下いずれかを診療報酬明細書の摘要欄に記載 ア．精子・精液の量的・質的異常　イ．射精障害・性交障害 ウ．精子－頸管粘液不適合　エ．機能性不妊	1,820点	5,460円

表4　ARTの保険適用の対象者とその限度回数

治療開始日の年齢	保険適用　胚移植回数
40歳未満	6回まで
40～42歳	3回まで
43歳以上	保険適用なし

- 保険適用の限度回数は胚移植回数で数える。
- 治療開始日の年齢とは，初めて胚移植に係る治療計画を作成した日における年齢をいう。つまり胚移植した年齢ではなく，採卵に向けて卵巣刺激などで治療を開始した年齢をいう。
- 胚移植により妊娠・出産した後に，次の児の妊娠を目的に胚移植を実施した場合，その治療開始日の年齢で再度表の限度回数の胚移植を保険適用できる。つまり，出産すると限度回数はリセットされる。またこの妊娠・出産には妊娠12週以降の死産を含む。
- 保険診療におけるARTによる不妊治療は，「胚移植の実施に向けた一連の診療」であるため，原則凍結胚があるときはさらに保険診療で採卵することは難しい。子宮筋腫などで手術する予定があり，その前に胚凍結を行う場合など，診療録に理由を記載すれば保険適用で採卵・胚凍結が可能である。

　保険診療が可能なARTの詳細を**表5**に示す。一般不妊治療同様，ARTも保険診療開始時に生殖補助医療管理料を算定することとなった。そのときに，パートナーと患者に治療内容を説明し6カ月に1回以上同意を得ること，また患者とパートナーが，法律上の重婚はなく，婚姻関係もしくは出生した子について認知を行う意向があることを確認することが保険診療を行う条件である。つまり，事実婚でもARTを保険診療で行うことが可能である。

　このARTの保険診療における治療計画は，胚移植の実施に向けた一連の診療過程ごとに作成するため，生殖補助医療管理料は卵巣刺激－採卵－胚移植－妊娠判定までで一度終了し，凍結胚を融解胚移植するときは，再度算定する。気をつけなければいけないのは，全胚凍結したときに初回胚移植し妊娠判定が出るまでは，必ず先進医療以外は保険診療で行わないと混合診療となってしま

表5　保険診療が可能なARTの診療内容

	説明および備考	診療報酬点数	患者負担額（3割）
生殖補助医療管理料	治療計画は胚移植の実施に向けた一連の診療過程ごとに作成し，6カ月に1回以上，患者・パートナーに治療内容等の同意の確認が必要 患者・パートナーが，法律上重婚はなく，婚姻関係もしくは出生した子について認知を行う意向があることを確認し診療録に記載が必要	300点 （相談対応専任者がいない場合は250点）	900円 （相談対応専任者がいない場合は750円）
採卵	採取された卵子の数で算定 以下いずれかを診療報酬明細書の摘要欄に記載 ア. 卵管性不妊　イ. 男性不妊（閉塞性無精子症等） ウ. 機能性不妊　エ. 人工授精等の一般不妊治療が無効であった場合	基本料 3,200点 　1個 2,400点 　2〜5個 3,600点 　6〜9個 5,500点 　10個以上 7,200点	基本料 9,600円 　1個 7,200円 　2〜5個 10,800円 　6〜9個 16,500円 　10個以上 31,200円
体外受精・顕微授精	体外受精50％ 顕微授精50％ずつの場合，2100点＋顕微授精個数の点数 顕微授精を行う場合は，以下いずれかを診療報酬明細書の摘要欄に記載 ア. 卵管性不妊　イ. 男性不妊（閉塞性無精子症等） ウ. 機能性不妊　エ. 人工授精等の一般不妊治療が無効であった場合 TESE後の精子使用時に5,000点加算	体外受精 4,200点 顕微授精 　1個 4,800点 　2〜5個 6,800点 　6〜9個 10,000点 　10個以上 12,800点	体外受精 12,600円 顕微授精 　1個 14,400円 　2〜5個 20,400円 　6〜9個 30,000円 　10個以上 38,400円
卵子活性化処理	顕微授精における受精障害の既往があるなど，医学的理由を診療録及び診療報酬明細書の摘要欄に記載	1,000点	3,000円
受精卵培養	培養した受精卵の数で算定	1個 4,500点 2〜5個 6,000点 6〜9個 8,400点 10個以上 10,500点	1個 13,500円 2〜5個 18,000円 6〜9個 25,200円 10個以上 31,500円
胚盤胞培養	胚盤胞の作成を目的として培養した胚の数で算定	1個 1,500点 2〜5個 2,000点 6〜9個 2,500点 10個以上 3,000点	1個 4,500円 2〜5個 6,000円 6〜9個 7,500円 10個以上 9,000円
胚凍結保存	凍結した胚の数で算定	1個 5,000点 2〜5個 7,000点 6〜9個 10,200点 10個以上 13,000点	1個 15,000円 2〜5個 21,000円 6〜9個 30,600円 10個以上 39,000円
胚凍結保存維持	凍結保存から3年を限度に，年1回算定 （患者・パートナーの希望で凍結保存延期の場合は適用不可）	3,500点	10,500円
胚移植術		新鮮胚移植 7,500点 凍結融解胚移植 12,000点	新鮮胚移植 22,500円 凍結融解胚移植 36,000円
アシステッド・ハッチング	過去の胚移植で妊娠不成功など，医学的理由を診療報酬明細書の摘要欄に記載	1,000点	3,000円
高濃度ヒアルロン酸含有培養液による前処置	過去の胚移植で妊娠不成功など，医学的理由を診療報酬明細書の摘要欄に記載	1,000点	3,000円

う。つまり，不妊治療における保険診療は一般的な保険診療と異なり，日を変えても自由診療を行うことができないことに注意が必要である。

診療費

　ARTの診療費は，採取した卵子や培養した胚の数で細かく決められている。採卵は基本料の3,200点を含んで採取卵子数によって5,600〜10,400点である。

表6 保険診療が可能な男性不妊治療の検査・診療内容

	説明および備考	診療報酬点数	患者負担額（3割）
Y染色体微小欠失検査	TESEの適応の判断を目的に実施した場合に算定可	3,770点	11,310円
精巣内精子採取術（TESE）	以下いずれかを診療報酬明細書の摘要欄に記載 ア．精子・精液の量的・質的異常　イ．射精障害・性交障害 ウ．精子－頸管粘液不適合　エ．機能性不妊	12,400点	37,200円
顕微鏡下精巣内精子採取術（micro-TESE）	以下いずれかを診療報酬明細書の摘要欄に記載 ア．非閉塞性無精子症　イ．他の方法により体外受精又は顕微授精に用いる精子が採取できないと医師が判断した患者	24,600点	73,800円

　受精方法は，体外受精は一律4,200点だが，顕微授精を行った場合は個数によって診療費が4,800～12,800点と異なる。また一部体外受精，一部顕微授精を行った場合，例えば体外受精50％ 顕微授精50％ずつの場合，体外受精4,200点の50％の2,100点＋顕微授精を行った卵子の個数の点数で算定する。

　また，精巣内精子採取術（TESE）後の精子を用いて顕微授精を行う場合は，5,000点加算ができる。採卵や顕微授精に関しては，行ったときにその適応を診療報酬明細書の摘要欄に記載することが義務付けられている。受精卵培養，胚盤胞培養，凍結保存に関しても，それぞれ行った胚の個数で費用が異なる。また，胚移植に関しても新鮮胚移植7,500点，凍結融解胚移植12,000点となり，アシステッド・ハッチングや高濃度ヒアルロン酸含有培養液の前処置の併用も保険適用となり，反復不成功でも気軽に併用できるようになった。

　男性不妊症の無精子症に対するY染色体微小欠失検査や，TESEも保険適用となった（表6）。ただし，TESEを行った後の精子凍結はTESEの診療費内に含まれているため，別途算定はできない。

➡「男性不妊症」（p.299）参照

　保険診療によるARTの診療例を表7に示す。高卵巣刺激，中卵巣刺激，自然周期での採卵から初回胚移植までの診療報酬点数は，それぞれおよそ7,000～8,000点，5,000～6,000点，3,000点で，患者の3割負担の費用は，およそ21～24万円，15～18万円，8～9万円である。保険診療は自由診療と異なり，高額療養費制度が利用できるため，所得水準と月ごとの診療合算額にもよるが中～高卵巣刺激法の場合に適応されれば，自己負担をおさえることが可能である。

➡「卵巣刺激法」（p.154）参照

　2022年4月からの不妊治療の保険適用化によって，多くの治療が保険で診療可能となった。ただ，一部のARTにおける治療や検査は，保険収載されず，そのなかの一部は先進医療となった。2022年4月現在の不妊治療における先進医療を表8に示す。それぞれの病院が厚生労働省へ申請し承認を受ければ保険診療のなかでも自由診療で併用が可能な医療である。先進医療は，将来保険給付の対象とすべきか評価され，保険診療となるもしくは保険診療との併用もできなくなるかが決定する。

表7 保険診療によるARTの診療例

診療内容	診療報酬点数	患者負担額（3割）
高卵巣刺激 　生殖補助医療管理料 　卵巣刺激＋超音波・採血 　14個卵子採取 　静脈麻酔 　7個体外受精　7個顕微授精 　10個受精卵培養 　8個胚盤胞培養 　5個胚凍結 　融解胚移植 　アシステッド・ハッチング	生殖補助医療管理料 300点 卵巣刺激＋超音波・採血 約15,000点 卵子採取：3,200点＋7,200点 静脈麻酔：600点 体外受精：4,200点　顕微授精：10,000点 受精卵培養：10,500点 胚盤胞培養：2,500点 胚凍結：7,000点 融解胚移植：12,000点 アシステッド・ハッチング：1,000点 合計：72,900点	生殖補助医療管理料 900円 卵巣刺激＋超音波・採血 約45,000円 卵子採取：9,600円＋21,600円 静脈麻酔：1,800円 体外受精：12,600円　顕微授精：30,000円 受精卵培養：31,500円 胚盤胞培養：7,500円 胚凍結：21,000円 融解胚移植：36,000円 アシステッド・ハッチング：3,000円 合計：220,500円
中卵巣刺激 　生殖補助医療管理料 　卵巣刺激＋超音波・採血 　8個卵子採取 　6個顕微授精 　5個受精卵培養 　新鮮胚移植 　3個胚盤胞培養 　2個胚凍結	生殖補助医療管理料 300点 卵巣刺激＋超音波・採血 約10,000点 卵子採取：3,200点＋5,500点 顕微授精：10,000点 受精卵培養：6,000点 新鮮胚移植：7,500点 胚盤胞培養：2,000点 胚凍結：7,000点 合計：51,500点	生殖補助医療管理料 900円 卵巣刺激＋超音波・採血 約30,000円 卵子採取：9,600円＋16,500円 顕微授精：30,000円 受精卵培養：18,000円 新鮮胚移植：22,500円 胚盤胞培養：6,000円 胚凍結：21,000円 合計：154,500円
自然周期 　生殖補助医療管理料 　超音波・採血 　1個卵子採取 　1個体外受精 　1個受精卵培養 　新鮮胚移植	生殖補助医療管理料 300点 卵巣刺激＋超音波・採血 約5,000点 卵子採取：3,200点＋2,400点 体外受精：4,200点 受精卵培養：4,500点 新鮮胚移植：7,500点 合計：27,100点	生殖補助医療管理料 900円 卵巣刺激＋超音波・採血 約15,000円 卵子採取：9,600円＋7,200円 体外受精：12,600円 受精卵培養：13,500円 新鮮胚移植：22,500円 合計：81,300円

　2022年4月から不妊治療の保険適用が大幅に拡大し，不妊治療が標準化され，不妊症に悩むカップルの金銭的負担が軽減され治療が受けやすい環境となった．これにより深刻な少子化問題が少しでも改善することに期待する．

　ただ日本のARTは患者ごとにオーダーメイドに行われ，これにより世界のなかでも高い水準の妊娠成績となってきた経緯がある．今回の保険適用の拡大は，非常に広い範囲の検査や治療がカバーされたため，今まで行ってきた自由診療の不妊治療を，比較的継続することが可能である．ただし，決められたルールがあり，よく理解したうえでこれからも高い水準の不妊治療を提供し続けていくことが重要である．不妊治療の保険適用の拡大の真価は，数年後のARTの妊娠成績や出生児数に反映され，明らかになるだろう．

表8　ARTにおける先進医療（2022年6月現在）

申請技術名	概要	先進医療A/Bの割り振り
タイムラプス	培養器に内蔵されたカメラによって，胚培養中の胚を一定間隔で自動撮影し，培養器から取り出すことなく，正確な胚の評価が可能となる技術。	先進医療A
子宮内細菌叢培養検査（EMMA/ALICE/子宮内フローラ）	子宮内の細菌叢が，正常であるのか，異常であるのか，またその菌の種類の組成を判断する検査。	先進医療A
SEET法	胚培養液を胚移植数日前に子宮に注入し，受精卵の着床に適した環境を作り出す技術。	先進医療A
子宮内膜受容能検査（ERA）	子宮内膜を採取し，次世代シークエンサーを用いて遺伝子の発現を解析し，内膜組織が着床に適した状態であるのかを評価する検査。	先進医療A
子宮内膜スクラッチ	胚移植を行う予定の前周期に子宮内膜のスクラッチ（局所内膜損傷を与える）を行い，翌周期に胚移植を行う技術。	先進医療A
二段階胚移植法	先行して初期胚を移植し，後日，継続培養を行った別の胚盤胞を移植する技術。SEET法で妊娠不成功の症例に施行可能。	先進医療A
PICSI	ヒアルロン酸を含有する培地を用いて，成熟精子の選択を行う技術。	先進医療A
IMSI	強拡大の顕微鏡を用いて，成熟精子の選択を行う技術。	先進医療A
着床前遺伝学的検査（PGT）	胚から一部の細胞を採取して染色体の量の解析を行い，染色体数が正常な胚を選択する技術。	先進医療B
反復着床不全に対するタクロリムス投与	反復着床不全に対して，免疫抑制剤（タクロリムス）の投与を行う技術。	先進医療B

（黒田恵司，杉山力一）

参考文献

1) 厚生労働省：不妊治療に関する取組　不妊治療の保険適用に関する資料集 https://www.mhlw.go.jp/stf/seisakunitsuite/bunya/kodomo/kodomo_kosodate/boshi-hoken/funin-01.html.
2) Kuang Y, Chen Q, Fu Y, et al：Medroxyprogesterone acetate is an effective oral alternative for preventing premature luteinizing hormone surges in women undergoing controlled ovarian hyperstimulation for in vitro fertilization. Fertil Steril 2015；104：62-70.e3.
3) Hu KL, Wang S, Ye X, et al：GnRH agonist and hCG (dual trigger) versus hCG trigger for follicular maturation: a systematic review and meta-analysis of randomized trials. Reprod Biol Endocrinol 2021; 19: 78.
4) Kuroda K, Ikemoto Y, Ochiai A, et al：Combination treatment of preoperative embryo cryopreservation and endoscopic surgery (surgery-ART hybrid therapy) in infertile women with diminished ovarian reserve and uterine myomas or ovarian endometriomas. J Minim Invasive Gynecol 2019; 26, 1369-75.

各論 2 疾患別の治療

不妊症

子宮内膜症

Over View

子宮内膜症（図1）とは，子宮内膜や子宮内膜に類似した組織が子宮以外で増殖する疾患であり，その病態は主に腹膜病変，卵巣子宮内膜症性嚢胞，深部浸潤性病変の3病態に分類される[1]。子宮内膜症は生殖年齢女性の6〜10％，不妊症の女性の50％近くに存在する[2,3]。

子宮内膜症は現在もenigmatic diseaseといわれ，その発生機序も不明であるが，子宮内膜移植説（retrograde transplantation theory）が最も有力である[4]。月経時に脱落子宮内膜組織が卵管を経由し腹腔内に至り，異所性に生着し増殖，血管新生をきたすと考えられている。

ほとんどの女性で生理的な月経血の腹腔内への逆流は起きている[5]。子宮内膜症の女性では，逆流した脱落子宮内膜組織が生着し増殖しやすい骨盤内環境や免疫機構が存在すると考えられている。子宮内膜症は卵巣嚢胞のみならず，この腹腔内環境が不妊原因であり，その不妊原因は一般不妊治療での解決は困難である。

 図1 両側卵巣子宮内膜症性嚢胞

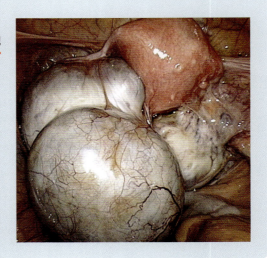

妊娠への影響（妊娠前）

　子宮内膜症の主病変である卵巣子宮内膜症性囊胞は，発症することで卵巣機能の低下をきたす。また腹腔内癒着に伴う卵管障害や，腹腔内貯留液内の子宮内膜症組織や炎症性サイトカイン，活性型マクロファージが慢性的な炎症性骨盤内環境を形成する[6,7]。これに伴い，子宮内膜症組織の血管新生や子宮内膜症病変の進行を促進し，妊娠においては配偶子や胚へ影響し精子運動障害，受精障害，胚発育障害を誘導する（図2）[7]。

　つまり，タイミング法や人工授精の一般不妊治療では子宮内膜症の不妊原因のすべてを解決することはできない。また，妊娠中の合併症のリスクとなる大きい卵巣囊胞や，癌化のリスクのある充実部分を伴う卵巣囊胞を認める場合，原則手術を優先する。しかし卵巣囊胞摘出術を行うことで卵巣予備能が低下することもわかっている[8,9]。そのため手術を行う場合には，必ず抗ミュラー管ホルモン（AMH）を測定し，現在の卵巣予備能を確認する必要がある。

図2　子宮内膜症の腹腔内貯留液の影響

子宮内膜症の女性の腹腔内では，その腹腔内貯留液内の子宮内膜症組織や炎症サイトカイン，活性型マクロファージが慢性的な炎症性骨盤内環境を形成する。これにより配偶子や胚に影響し，不妊症となる。

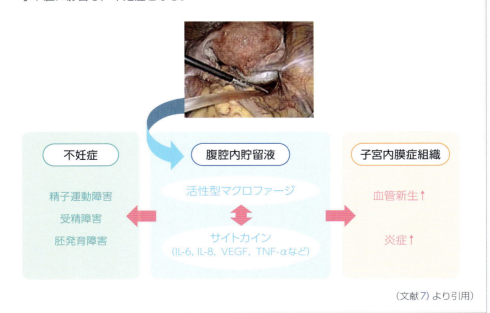

（文献7）より引用）

妊娠への影響（妊娠後）

子宮内膜症をもつ女性の妊娠中の合併症を**表1**に示す。子宮内膜症は妊娠すると改善すると考えられている[10]。妊娠後，ほとんどの卵巣子宮内膜症性囊胞は縮小するが，一部は破裂や膿瘍形成，脱落膜変化などの合併症を認め増大する[11]。そのため，卵巣囊胞が妊娠することで縮小するとは一概にはいえず，囊胞径が4〜5cm以上の卵巣囊胞は手術を考慮すべきである。

また，発症率は低いが妊娠期突発性腹腔内出血（SHiP）や腸管穿孔も子宮内膜症と関連性があり，発症した場合の母体・胎児共に死亡率が高い[12]。さらに子宮内膜症を伴う妊婦は早産率も高く，子宮腺筋症の合併が関与している。これは子宮腺筋症による胎児の圧迫も関与しているが，子宮筋層内の螺旋動脈の再構築の障害が一因と考えられている[12]。

妊娠期突発性腹腔内出血（SHiP）
spontaneous hemoperitoneum in pregnancy

➡「子宮腺筋症」（p.252）参照

診断方法

問診

問診で月経困難症，慢性骨盤痛，性交痛の有無を確認する。

卵巣子宮内膜症性囊胞をもつ女性の場合，腹痛に伴う発熱の既往，卵巣の手術既往，膿瘍形成・破裂の既往の有無を確認する。

内診・直腸診・経腟超音波断層法

内診で付属器の腫大の有無や，子宮頸部の圧痛の有無を確認する必要がある。ダグラス窩の深部子宮内膜症を疑うようであれば，内診だけでなく直腸診でも確認する。

経腟超音波検査では主に卵巣囊胞を確認する。内部は淡くびまん性の淡い斑点像（scatter像）を認める。壁肥厚や腫瘍内充実部分の有無を確認する。

また子宮腺筋症の有無も確認しておく。

  子宮内膜症と関連する妊娠中の合併症

1. 卵巣囊胞の破裂
2. 卵巣囊胞の癌化（脱落膜変化）
3. 卵巣膿瘍の形成
4. 腹腔内出血
5. 腸管穿孔
6. 早産

骨盤MRI検査

卵巣子宮内膜症性嚢胞で最も特徴的な所見は，T1強調画像でhigh intensityである。T2強調画像では腫瘍内容液の粘稠度によってlow〜high intensityと多様である。

腫瘍内に充実部分を認める場合や40歳以上の高齢女性の場合には，必ず悪性の有無を評価するために造影検査を行う。

採血検査

採血検査で必ず腫瘍マーカーとしてCA125を確認し，また手術の有無にかかわらずAMHで卵巣予備能を確認しておくことは，治療方針を決定するうえで重要である。

治療方法とその適応

前述のとおり，子宮内膜症は妊娠すると原則改善するが，その不妊原因のすべては一般不妊治療で解決できない。また低用量ピルやジエノゲストなどの子宮内膜症の治療薬は妊娠を希望する場合に通常使用できない。月経困難症や慢性骨盤痛，性交痛が著明な場合には，重症子宮内膜症の可能性も高く，手術や生殖補助医療（ART）での積極的な妊娠を検討する必要がある。

手術を行う場合は，術後自然妊娠ができるようになる可能性があり，その累積妊娠率は初期子宮内膜症であれば20〜30％で[13]，卵巣嚢腫摘出まで行うと50〜60％である[14,15]。術後1年間妊娠しない場合には，子宮内膜症の再発や加齢に伴う妊娠率の低下を考慮し，ARTへ進むべきである。もともとARTを希望する患者の場合は，手術は原則ARTによる妊娠率向上に寄与することはない[16,17]。そのため，疼痛軽減が必要な症例や採卵が困難な症例以外は，積極的な手術は行わないことが推奨されている[18]。

卵巣子宮内膜症性嚢胞を伴う女性の治療プロトコールを図3に示す。まず，不妊治療を行ううえで，卵巣嚢胞は子宮内操作である子宮卵管造影検査，子宮鏡検査などにより，腟内の常在菌が上行性に感染し卵巣膿瘍を形成するリスクがある。子宮内操作を行う場合には，患者にそのリスクを説明し，腟内消毒をしっかり行うなど，注意して行うことが必要である。

卵巣嚢胞が小さい場合

卵巣子宮内膜症性嚢胞の嚢胞径が4〜5cm未満で嚢胞内に充実部分を伴わなければ，妊娠中の合併症のリスクも低く，手術を行わず積極的な不妊治療を行う。

卵巣嚢胞が大きい場合

嚢胞径が4〜5cm以上，もしくは嚢胞内に充実部分を伴う場合，原則手術が必要であるが，AMHで卵巣予備能を確認し，治療方針を検討すべきである。

もし卵巣予備能が十分に保たれており（AMH≧2ng/mL），かつ35〜40歳未満の女性であれば，手術を行ったうえで妊娠することを勧める。ただ両側卵巣嚢胞や術後再発症例の場合は，手術により著明な卵巣予備能の低下が予想され，手術の決定は慎重に行う必要がある。

　卵巣予備能が低い，もしくは35〜40歳以上の高齢女性の場合は，術前にARTで受精卵を凍結しておくsurgery-ART hybrid therapyの検討が必要である[19]。

　また，ゴナドトロピン放出ホルモン（GnRH）アゴニストやジエノゲストなどで卵巣嚢胞を縮小させた後に，ARTを行う方法もある（図3）。

➡「子宮筋腫」
（p.245）参照

図3　卵巣子宮内膜症性嚢胞をもつ不妊女性のプロトコール

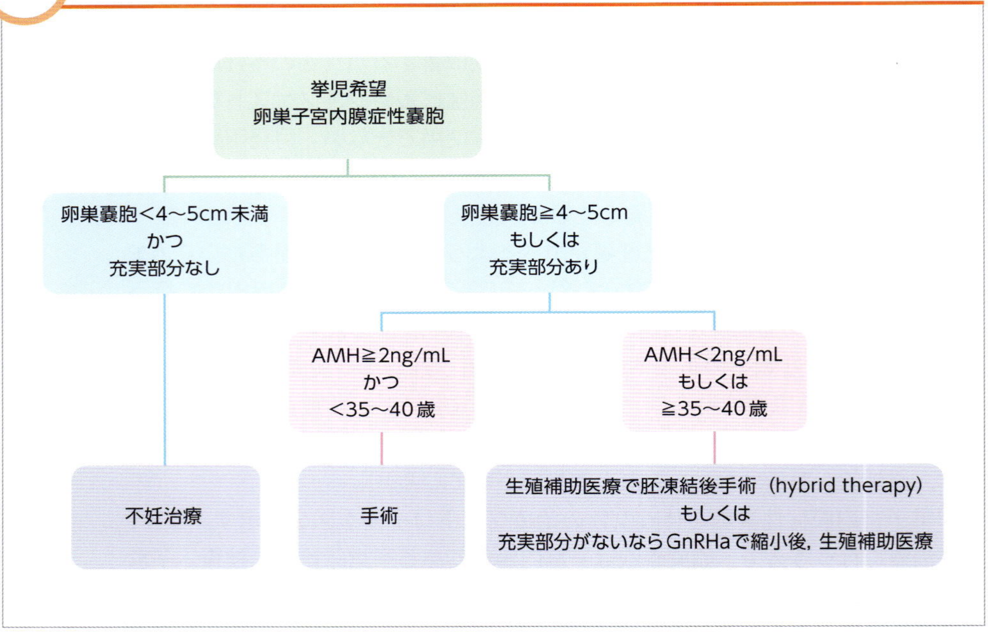

```
                    挙児希望
                卵巣子宮内膜症性嚢胞
                ┌──────┴──────┐
        卵巣嚢胞＜4〜5cm未満      卵巣嚢胞≧4〜5cm
              かつ                   もしくは
          充実部分なし             充実部分あり
                            ┌──────┴──────┐
                      AMH≧2ng/mL          AMH＜2ng/mL
                          かつ               もしくは
                       ＜35〜40歳          ≧35〜40歳
              │              │                │
           不妊治療          手術     生殖補助医療で胚凍結後手術（hybrid therapy）
                                     もしくは
                                     充実部分がないならGnRHaで縮小後，生殖補助医療
```

Column
卵巣子宮内膜症性嚢胞の発生機序と卵巣予備能への影響

　卵巣子宮内膜症性嚢胞はその存在自体が卵巣にダメージを与え，かつ手術を行うことでさらに卵巣予備能は低下する[8,9]。卵巣腫瘍のなかでも子宮内膜症とそれ以外で，原始卵胞数が子宮内膜症で明らかに低下している[9]。

　日本産科婦人科学会生殖・内分泌委員会が不妊治療における卵巣子宮内膜症性嚢胞の

影響をまとめている（図4）。AMHや採卵数をみると卵巣嚢胞の存在自体が影響していること，さらには4cm以上の大きい卵巣嚢胞や両側性の場合に特に卵巣がダメージを受けていることがわかる。

これは卵巣子宮内膜症性嚢胞の発生機序として，卵巣表面から子宮内膜症病変が陥入（invagination）し，卵巣髄質にできる他の卵巣嚢腫と異なり，原始卵胞の多い卵巣皮質が嚢腫壁と接していることが考えられている（図5）[9,20,21]。そのため，卵巣嚢胞摘出術による卵巣組織の損傷も大きいのかもしれない。

図4　卵巣子宮内膜症性嚢胞の影響

	片側40mm未満 (n=165)	片側40mm以上 (n=51)	両側40mm未満 (n=50)	両側40mm以上 (n=31)
FSH基礎値（IU/L）	7.7±3.0	7.4±2.3	7.3±2.9	11.1±9.7
AFC（個）	5.4±4.0	4.6±1.9	5.4±4.2	4.4±2.7
AMH値（ng/mL）	3.2±2.2	1.6±1.1	2.0±1.8	1.5±1.4
FSH使用量（IU）	1781±942	1602±836	1601±601	1761±924
排卵数（個）	8.1±6.7	7.1±5.2	7.3±4.8	5.2±2.6

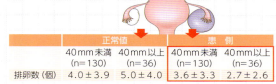

	正常側		患側	
	40mm未満 (n=130)	40mm以上 (n=36)	40mm未満 (n=130)	40mm以上 (n=36)
排卵数（個）	4.0±3.9	5.0±4.0	3.6±3.3	2.7±2.6

（日本産科婦人科学会　生殖・内分泌委員会　2013より引用）

図5　卵巣子宮内膜症性嚢胞の発生仮説

卵巣子宮内膜症性嚢胞は，正常卵巣内に子宮内膜症病変が嵌入し発生することから，原始卵胞の多い卵巣皮質が嚢腫壁と接していることが考えられている。そのため，卵巣嚢腫摘出術を行うことで卵巣予備能が低下するのかもしれない。

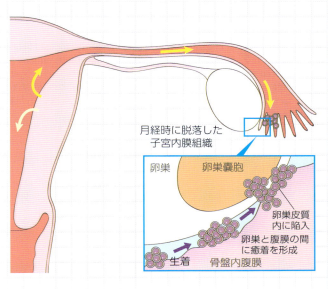

（文献9），20），21）より引用）

（黒田恵司）

参考文献

1) Nisolle M, Donnez J : Peritoneal endometriosis, ovarian endometriosis, and adenomyotic nodules of the rectovaginal septum are three different entities. Fertil Steril 1997; 68: 585-96.
2) Eskenazi B, Warner ML : Epidemiology of endometriosis. Obstet Gynecol Clin N Am 1997; 24: 235-58.
3) Meuleman C, Vandenabeele B, Fieuws S, et al : High prevalence of endometriosis in infertile women with normal ovulation and normospermic partners. Fertil Steril 2009; 92: 68-74.
4) Sampson JA : Metastatic or Embolic Endometriosis, due to the Menstrual Dissemination of Endometrial Tissue into the Venous Circulation. Am J Pathol 1927; 3: 93-110.43.
5) Halme J, Hammond MG, Hulka JF, et al : Retrograde menstruation in healthy women and in patients with endometriosis. Obstet Gynecol 1984; 64: 151-4.
6) Kuroda K, Kitade M, Kikuchi I, et al : Peritoneal Vascular Density Assessment Using Narrow-Band Imaging and Vascular Analysis Software, and Cytokine Analysis in Women with and without Endometriosis. J Minim Invasive Gynecol 2010; 17: 21-5.
7) Harada T, Iwabe T, Terakawa N : Role of cytokines in endometriosis. Fertil Steril 2001; 76: 1-10.
8) Hachisuga T, Kawarabayashi T : Histopathological analysis of laparoscopically treated ovarian endometriotic cysts with special reference to loss of follicles. Hum Reprod 2002; 17: 432-5.
9) Kuroda M, Kuroda K, Arakawa A, et al : Histological assessment of impact of ovarian endometrioma and laparoscopic cystectomy on ovarian reserve. J Obstet Gynaecol Res 2012; 38: 1187-93.
10) McArthur JW, Ulfelder H : The effect of pregnancy upon endometriosis. Obstet Gynecol Surv 1965; 20: 709-33.
11) Ueda Y, Enomoto T, Miyatake T, et al : A retrospective analysis of ovarian endometriosis during pregnancy. Fertil Steril 2010; 94: 78-84.
12) Brosens I, Brosens JJ, Fusi L, et al : Risks of adverse pregnancy outcome in endometriosis. Fertil Steril 2012; 98: 30-5.
13) Marcoux S, Maheux R, Berube S, et al : Laparoscopic surgery in infertile, women with minimal or mild endometriosis. N Engl J Med 1997; 337: 217-22.
14) Alborzi S, Momtahan M, Parsanezhad ME, et al : A prospective, randomized study comparing laparoscopic ovarian cystectomy versus fenestration and coagulation in patients with endometriomas. Fertil Steril 2004; 82: 1633-7.
15) Hart R, Hickey M, Maouris P, et al : Excisional surgery versus ablative surgery for ovarian endometriomata: a Cochrane Review. Hum Reprod 2005 ; 20: 3000-7.
16) Demirol A, Guven S, Baykal C, et al : Effect of endometrioma cystectomy on IVF outcome : a prospective randomized study. Reprod Biomed Online 2006; 12: 639-43.
17) Garcia-Velasco JA, Arici A : Surgery for the removal of endometriomas before in vitro fertilization does not increase implantation and pregnancy tests. Fertil Steril 2004; 81: 1206.
18) Benschop L, Farquhar C, van der Poel N, et al : Interventions for women with endometrioma prior to assisted reproductive technology. Cochrane Database of Syst Rev 2010; 11: CD008571.
19) Kuroda K, Ikemoto Y, Ochiai A, et al : Combination treatment of preoperative embryo cryopreservation and endoscopic surgery (Surgery-ART Hybrid Therapy) in infertile women with diminished ovarian reserve and uterine myomas or ovarian endometriomas. J Minim Invasive Gynecol 2019; 26: 1369-75.
20) Brosens IA, Puttemans PJ, Deprest J : The endoscopic localization of endometrial implants in the ovarian chocolate cyst. Fertil Steril 1994; 61: 1034-8.
21) Brosens IA, VanBallaer P, Puttemans P, et al : Reconstruction of the ovary containing large endometriomas by an extraovarian endosurgical technique. Fertil Steril 1996; 66: 517-21.

各論2 疾患別の治療

不妊症

子宮筋腫

Over View

　子宮筋腫は子宮に発生する良性腫瘍であり，不妊女性の5〜10％に存在し，また妊娠女性の3〜13％に存在すると報告されている[1,2]。その発生部位や大きさによって，症状もさまざまである。子宮の内腔に発生する粘膜下筋腫は小さくても，過多月経などの症状を呈する一方，子宮の外側に発生する漿膜下筋腫では著明に腫大しても症状が乏しいこともある。

　妊娠前に子宮筋腫を認める場合は，①着床を障害し不妊原因となるか，②妊娠中合併症を起因する可能性があるか，評価する必要がある。

　治療法として，薬物療法もあるが，妊娠を希望する患者に対しては現状では手術以外の方法はほとんどない。粘膜下筋腫であれば，子宮鏡手術が可能であり，術後避妊期間も短期間であるが，それ以外では，腹腔鏡もしくは開腹で子宮筋腫核出術を行う。この場合には，術後子宮筋層が治癒するまでのある一定の避妊期間を要する。患者それぞれの子宮筋腫によって，その治療方法を検討する必要がある。

245

妊娠への影響（妊娠前）

子宮筋腫の主な不妊原因は着床障害である。着床障害の原因となる子宮筋腫は，主に子宮内腔に突出もしくは圧迫している粘膜下筋腫や筋層内筋腫である。

粘膜下筋腫

粘膜下筋腫であれば，小さくても着床障害の原因となるため，無症状でも積極的に子宮鏡手術を要する。

筋層内筋腫

筋層内筋腫は手術を優先すべきか苦慮することも多いが，過多月経や不正性器出血などの症状を伴う場合は，子宮筋腫が着床部位にも影響している可能性が高く，手術を積極的に検討する必要がある[3]。つまり無症状の筋層内筋腫や漿膜下筋腫は不妊原因とならないことが多い（図1）。

妊娠への影響（妊娠後）

子宮筋腫は大きさや数がさまざまであり，どの子宮筋腫が妊娠中の合併症のリスクとなるか評価することは難しい[3]。特に子宮筋腫は妊娠することで増大することもあり，妊娠前にそのリスクを予想することは困難である。

妊娠中の主な合併症を表1に示す。不妊原因となりうる子宮内腔を圧迫するような子宮筋腫は，流産や早産などのリスクも高く，また，以下の子宮筋腫についても治療の必要性が検討される。

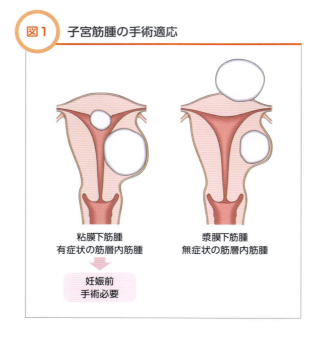

図1 子宮筋腫の手術適応

粘膜下筋腫　有症状の筋層内筋腫 → 妊娠前手術必要

漿膜下筋腫　無症状の筋層内筋腫

表1 妊娠中の合併症

1. 変性痛
2. 流・早産
3. 胎児発育遅延
4. 胎位異常
5. 分娩遷延
6. 弛緩出血
7. 血栓症

大きな子宮筋腫の場合

　漿膜下筋腫でも10cmを超えるような大きな子宮筋腫は，妊娠後に変性痛などの合併症や胎児への圧迫による流・早産，さらには分娩後の弛緩出血のリスクを考慮すると手術の適応となる[4]。

　特に大きい子宮筋腫は増大する傾向が強い。筆者らの施設では，症状の乏しい巨大子宮筋腫で治療方針に悩む症例は，必ず産科医師に手術の必要性の有無を相談し，方針を決定している。

多発性子宮筋腫の場合

　多発性子宮筋腫の場合，子宮内腔への圧迫がなく，妊娠中の合併症につながらない可能性が高いようであれば，そのまま妊娠することを勧めている。多発性子宮筋腫を核出した場合，子宮の切開創が多くなるため，子宮破裂や癒着胎盤などのリスクを伴うので，不用意な手術は避けるべきである。

診断方法

問診

　まず問診で過多月経や不正性器出血などの症状の有無を確認する。

内診・経腟超音波断層法

　内診で子宮のサイズを確認し，経腟超音波検査で子宮筋腫の位置や大きさを評価する。特に粘膜下筋腫は見逃しやすく，注意深く子宮内膜を確認することが大切である。

　また，経腟超音波検査で測定しきれない大きさの子宮であれば，内診や経腹超音波検査を併用する。

骨盤MRI検査

　手術の適応を検討する場合は，撮影する必要がある。変性を伴う子宮筋腫では子宮肉腫の鑑別にも重要である。

子宮鏡検査

　粘膜下筋腫を認めるときは，子宮鏡検査で子宮内腔の評価を行う。
　子宮筋腫の突出率や大きさによって手術の適応を検討する。

子宮卵管造影検査

　子宮内腔を圧迫する粘膜下筋腫や筋層内筋腫を認める場合は，子宮卵管造影検査で子宮内腔の評価を行うこともある。

治療方法とその適応

女性のエイジングに伴う卵巣予備能の低下は，35〜38歳から加速すると考えられている[5〜7]。子宮筋腫の好発年齢は，35〜50歳のlate reproductive ageであるが，晩婚化の進んだ現在では，挙児希望年齢に発生する疾患となっている[8]。

子宮筋腫は着床障害による不妊症の大きな要因となるが，手術に際し術前治療のゴナドトロピン放出ホルモン（GnRH）アナログ製剤の投与や，術後一定の避妊期間など，妊娠まで1年近くの待機期間を必要とする。

現在，子宮筋腫核出術後の避妊期間に関するガイドラインは存在しないが，術後の妊娠中の子宮破裂例が相次いで報告され[9〜11]，子宮筋層の創傷治癒期間を設け，分娩時には選択的帝王切開術を行うことが一般的となっている。

一方で，提供卵子による生殖補助医療（ART）の報告は，子宮疾患のない女性の着床には卵巣機能と異なり，年齢がほとんど影響しない[12]。子宮筋腫を有する高齢不妊症例に対し，卵子のエイジングを考慮して不妊治療を優先するか，子宮筋腫の除去を優先するか，選択に苦慮する問題である。

surgery-ART hybrid therapy

この問題を解決するために術前に採卵・体外受精した胚を凍結するARTと，その後子宮筋腫に対する手術を融合させる選択肢を，"surgery-ART hybrid therapy"として報告した[13]。

子宮筋腫を有する挙児希望のある患者に対する，hybrid therapyを含めた治療方法のフローチャートを図2に示す。

卵巣予備能を抗ミュラー管ホルモン（AMH）を用いて必ず評価し，厳密な適応はないが，年齢に伴う卵巣予備能の低下を考慮し，35〜40歳未満かつ AMH≧1.0〜1.5 ng/mLであれば，hybrid therapyを行わずに早急に手術を行い，その後積極的な不妊治療を行えば，妊娠に至る可能性も高いと考える。

ただし，40歳以上もしくはAMH＜1.0〜1.5 ng/mLであれば，hybrid therapyを勧めている。

➡Column
「surgery-ART hybrid therapyの実際の方法」
（p.195）参照

図2　子宮筋腫に対する治療方法のフローチャート

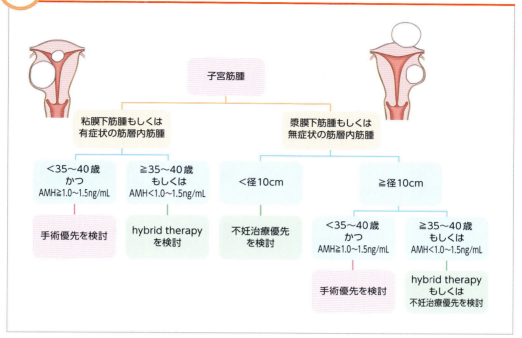

Column

surgery-ART hybrid therapyの実際の方法（図3）

　手術を要する子宮疾患をもつ高齢不妊女性に対し，卵子のエイジングを考慮し術前に採卵・体外受精した胚を凍結するARTと，その後子宮疾患に対するreproductive surgeryを融合した"surgery-ART hybrid therapy"の順天堂大学の実際の方法を紹介する。

治療前準備
一般的な不妊症スクリーニング検査
　不妊症の原因は多因子が関与することもあるため，精子検査やAMHなどの血中ホルモン値検査を含め，一般的な不妊症スクリーニング検査で，他の不妊因子の検索も行う。
骨盤MRI検査
　手術の必要性を評価するうえで必要な検査である。子宮筋腫の位置によっては，経腟超音波断層法で卵巣の位置が確認できない症例は採卵が難しく，手術を優先しなければならないことがある。そのため，骨盤MRI検査で卵巣の位置の検討も重要である。

胚凍結

月経3日目に経腟超音波断層法で診察し，血中黄体化ホルモン（LH），卵胞刺激ホルモン（FSH），エストラジオール（E₂）値を測定し，卵巣機能の評価を行う。

月経周期ごとの卵巣機能の評価とAMH値より，調節卵巣刺激法を決定している[14]。hybrid therapyでは凍結胚を増やすため，筆者らの施設では，主にGnRHアンタゴニスト周期などの高卵巣刺激法を行っている。

術前治療

十分な数の胚を凍結した後に，術前治療のGnRHアンタゴニスト製剤：レルゴリクス錠（レルミナ錠®，あすか製薬）もしくはGnRHアゴニスト製剤：酢酸リュープロレリン（リュープリン®）1.88 mgを数カ月間使用し，腹腔鏡下子宮筋腫核出術を行う。

腹腔鏡下子宮筋腫核出術

筆者らの施設での子宮筋腫核出術は，気腹法でアプローチはクローズド法を採用し，トロカーの配置は4孔式で行っている[15,16]。子宮筋腫核出後には創部に死腔をつくらないように筋層を2～5層に縫合し，子宮筋腫を回収し，癒着防止材を子宮創部に貼付し，手術終了とする。

術後，胚移植

術後は子宮筋層の創傷治癒を考慮し，避妊期間を約6カ月間としている。しかし，月経が再開すれば，再度，ARTによる胚凍結は許可し，術後6カ月後より適時，手術前に凍結した胚を，排卵周期もしくはホルモン補充周期で融解胚移植を行っている。

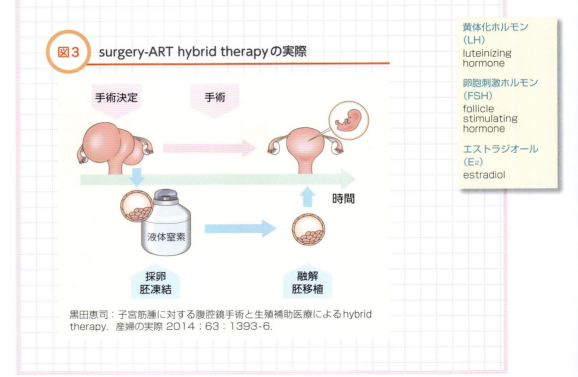

図3 surgery-ART hybrid therapyの実際

黒田恵司：子宮筋腫に対する腹腔鏡手術と生殖補助医療によるhybrid therapy. 産婦の実際 2014；63：1393-6.

黄体化ホルモン（LH）
luteinizing hormone

卵胞刺激ホルモン（FSH）
follicle stimulating hormone

エストラジオール（E₂）
estradiol

（黒田恵司）

参考文献

1) Klatsky PC, Tran ND, Caughey AB, et al：Fibroids and reproductive outcomes: a systematic literature review from conception to delivery. Am J Obstet Gynecol 2008; 198: 357 – 66.
2) Verkauf BS：Myomectomy for fertility enhancement and preservation. Fertil Steril 1992; 58: 1 – 15.
3) Marret H, Fritel X, Ouldamer L, et al：Therapeutic management of uterine fibroid tumors: updated French guidelines. Eur J Obstet Gynecol Reprod Biol 2012; 165: 156 – 64.
4) Exacoustòs C, Rosati P：Ultrasound diagnosis of uterine myomas and complications in pregnancy. Obstet Gynecol 1993; 82: 97 – 101.
5) Broekmans FJ, Soules MR, Fauser BC：Ovarian aging: mechanisms and clinical consequences. Endocr Rev 2009; 30: 465 – 93.
6) van Noord-Zaadstra BM, Looman CW, Alsbach H, et al：Delaying childbearing: effect of age on fecundity and outcome of pregnancy. BMJ 1991; 302: 1361 – 5.
7) Faddy MJ, Gosden RG, Gougeon A, et al：Accelerated disappearance of ovarian follicles in mid-life: implications for forecasting menopause. Hum Reprod 1992; 7: 1342 – 6.
8) Payson M, Leppert P, Segars J：Epidemiology of myomas. Obstet Gynecol Clin North Am 2006; 33: 1 – 11.
9) Lieng M, Istre O, Langebrekke A：Uterine rupture after laparoscopic myomectomy. J Am Assoc Gynecol Laparosc 2004; 11: 92 – 3.
10) Pistofidis G, Makrakis E, Balinakos P, et al：Report of 7 uterine rupture cases after laparoscopic myomectomy: update of the literature. J Minim Invasive Gynecol 2012; 19: 762 – 7.
11) Nkemayim DC, Hammadeh ME, Hippach M, et al：Uterine rupture in pregnancy subsequent to previous laparoscopic electromyolysis. Case report and review of the literature. Arch Gynecol Obstet 2000; 264: 154 – 6.
12) Toner JP, Grainger DA, Frazier LM, et al：Clinical outcomes among recipients of donated eggs: an analysis of the U.S. national experience, 1996 – 1998. Fertil Steril 2002; 78: 1038 – 45.
13) Kuroda K, Ikemoto Y, Ochiai A, et al：Combination Treatment of Preoperative Embryo Cryopreservation and Endoscopic Surgery (Surgery-ART Hybrid Therapy) in Infertile Women with Diminished Ovarian Reserve and Uterine Myomas or Ovarian Endometriomas. J Minim Invasive Gynecol 2019; 26: 1369 – 75.
14) Kuroda K, Kitade M, Kikuchi I, et al：The impact of endometriosis, endometrioma and ovarian cystectomy on assisted reproductive technology. Reprod Med Biol 2009; 8: 113 – 8.
15) Takeuchi H, Kuwatsuru R：The indications, surgical techniques, and limitations of laparoscopic myomectomy. JSLS 2003; 7: 89 – 95.
16) 武内裕之：腹腔鏡手術の基本手技．順天堂大学産婦人科内視鏡チームによる腹腔鏡手術マニュアル，中外医学社，2008.

各論 2 疾患別の治療

不妊症

子宮腺筋症

Over View

　子宮腺筋症は，子宮内膜あるいは子宮内膜様組織を子宮筋層内に認める良性腫瘍であり，子宮筋層が肥大し，過多月経，月経困難症，慢性骨盤痛などの症状を呈する。女性の約1％に存在するが，不妊女性では8〜24％が子宮腺筋症をもっていると報告されている[1]。子宮腺筋症を認める場合は，不妊症だけでなく，流産・早産などの妊娠後の合併症も懸念される。治療として，生殖補助医療などで早くに妊娠・出産できるようにすることが重要である。また，子宮腺筋症摘出術もあるが，妊娠後に穿通胎盤や子宮破裂の発症リスクが上がる。患者それぞれの子宮腺筋症によって，その治療方法を検討する必要がある。

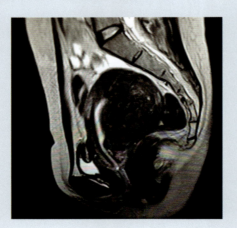

妊娠への影響（妊娠前）

　子宮腺筋症は，妊娠における着床や妊娠後の胎盤形成に重要な役割をもつ筋層内の junctional zone（子宮内膜直下でMRI T_2 強調画像で低信号を呈する

表1　子宮腺筋症よる不妊・不育症の発症メカニズム

1. 子宮内腔圧上昇による着床障害
2. 子宮筋の蠕動運動の乱れによる精子輸送障害
3. 酸化ストレスによる胚や着床への影響
4. 骨盤内炎症による胚や着床への影響
5. 子宮筋層の血流障害
6. TGFβシグナル伝達経路の異常

表2　子宮腺筋症と関連する妊娠中の合併症

1. 流産
2. 早産
3. 妊娠高血圧症候群
4. 前期破水
5. 胎位異常
6. 産後弛緩大量出血
7. 胎盤の位置異常（前置胎盤，低置胎盤）
8. 帝王切開
9. 低出生体重児

部位）に子宮内膜が侵入し，junctional zoneが不明瞭になる。これにより，子宮筋層が過形成となり子宮内腔圧の上昇が起こり着床不全[2]や子宮筋の蠕動運動の乱れにより精子の輸送障害の原因となる[3]。また，子宮内膜症を基盤とした子宮腺筋症は骨盤内に炎症と酸化ストレスを惹起し，着床だけでなく，直接的な胚への影響により不妊症の原因となる[3]（表1）。

子宮腺筋症をもつ女性の自然妊娠率は，非常に低い[4]。着床への影響はARTによる胚移植後の妊娠率で評価が必要である。メタ解析によると子宮腺筋症をもつ女性ともたない女性の胚移植後の臨床妊娠率は，それぞれ40.5%（123/304例）と49.8%（628/1,262例）で，リスク比は0.72（95%信頼区間0.55–0.95）で，28%妊娠率が低下する[5]。

妊娠への影響（妊娠後）

子宮腺筋症は，junctional zoneの変化により，脱落膜化や胎盤形成に重要ならせん動脈の再構築が不十分となり，流産を含む妊娠後の合併症の発症リスクを高くすることがわかっている[4~6]（表2）。

メタ解析において，子宮腺筋症をもつ女性ともたない女性のART妊娠後の流産率は，それぞれ31.9％（77/241例）と14.1％（97/687例）で，リスク比は2.12（95％信頼区間1.20～3.75）で，流産率は約2倍高くなる[5]。また，自然妊娠後とART妊娠後をあわせた流産率のメタ解析では，子宮腺筋症により流産のオッズ比が約3倍高くなる（オッズ比3.4, 95％信頼区間1.41～8.65, オッズ比2.81, 95％信頼区間1.44～5.47）[7,8]。一方で，他のメタ解析の流産のオッズ比が2.5（95％信頼区間1.26～4.95）であったが，子宮内膜症で調整した場合にオッズ比1.82（95％信頼区間1.26～4.95）と有意差を認めず，子宮腺筋症より子宮内膜症が流産のリスク因子として強いことが示唆された[9]。また，卵子提供による胚移植の報告でも，子宮腺筋症を伴う女性の流産率は約15％で，対照群の流産率よりは高いが，これまでの報告よりも低く，子宮腺筋症の高い流産率は子宮内膜症による卵子への影響が大きいと考えられる[10]。

➡「子宮内膜症」（p.238）参照

　また，早産（オッズ比2.83; 95％信頼区間2.18～3.69），妊娠高血圧症候群（オッズ比4.32; 95％信頼区間1.68～11.09），胎位異常（オッズ比3.05; 95％信頼区間1.60～5.81），産後弛緩大量出血（オッズ比2.90; 95％信頼区間1.39～6.05），胎盤の位置異常（前置胎盤・低置胎盤）（オッズ比4.94; 95％信頼区間1.70～14.34），帝王切開（オッズ比2.48; 95％信頼区間1.44～4.26），低出生体重児（オッズ比7.69; 95％信頼区間2.56～23.10）の発症リスクが上がる[6]。

　また，子宮腺筋症の病変はさまざまで，腫瘤を形成し結節性の場合と子宮全体にびまん性に認める場合があり，その病変の大きさによっても妊娠後合併症の発症リスクは異なる。日本産科婦人科学会の調査研究では，病変が6cm以上と大きい場合に，妊娠12週以降の流産・死産率が有意に高く，子宮頸管無力症が高率であった[11]。また結節性な病変と比較してびまん性は，妊娠高血圧症候群や子宮内感染のリスクが高いと報告されている[11]。

診断方法

問診

　まず，問診で過多月経や不正出血，月経困難症などの症状の有無を確認する。

内診・経腟超音波断層法

　内診で子宮のサイズを確認し，経腟超音波検査で子宮腺筋症の位置や大きさを評価する（図1）。また，経腟超音波検査で測定しきれない大きさの子宮であれば，内診や経腹超音波検査を併用する。

骨盤MRI検査

　子宮のjunctional zoneの有無や子宮筋腫との鑑別に有用である。また，子宮内膜症と併発することも多いため，卵巣子宮内膜症性嚢胞の有無や子宮後壁の子宮腺筋症の場合に，腸管との癒着の有無も検討が必要である。

図1 経腟超音波断層法画像

子宮後壁が肥厚している（白矢印）。

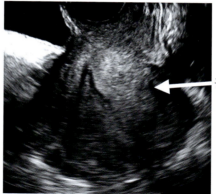

子宮後壁が肥厚している。

図2 polypoid adenomyoma

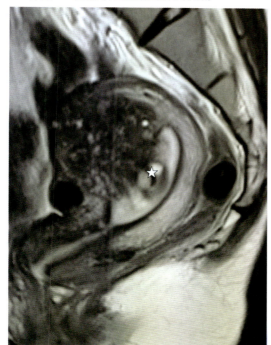

a：骨盤MRI画像（T2強調画像 矢状断）

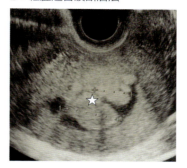

b：経腟超音波断層法

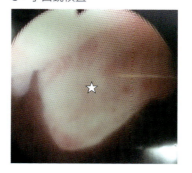

c：子宮鏡検査

★：polypoid adenomyoma

子宮鏡検査

慢性子宮内膜炎を併発する可能性もあり，また非常にまれな疾患だが，子宮内腔に突出する子宮腺筋症病変（polypoid adenomyoma）もあるため（図2）[12]，必要に応じて子宮鏡検査で子宮内腔の評価を行う。

➡「慢性子宮内膜炎」（p.312）参照

採血検査

採血検査で必要に応じて腫瘍マーカーのCA 125を確認する。

治療方法とその適応

挙児希望の子宮腺筋症をもつ女性の推奨する治療プロトコールを図3に示す。

子宮腺筋症は子宮内膜症と併発することも多いためかもしれないが，自然妊娠率は非常に低い[4]。しかし，子宮腺筋症に対する内科的・外科的治療についてのガイドラインは国内外に存在しないため，その治療方針で悩まされることがある[13]。ただし，子宮腺筋症をもつ不妊女性は，月経困難症や過多月経などもあるため，少しでも早くで妊娠・出産できるようにARTによる不妊治療が基本である。子宮腺筋症は，胚移植における着床率を低下させるが，その低下率も軽度のためARTまで進めば子宮腺筋症に対する治療は不要といわれている[4, 5, 14]。

ただ，子宮腺筋症が非常に大きい場合では，着床率が低下し[15]，かつ妊娠後の合併症の発症リスクが高い[11]。そのため，2～3カ月間GnRHアゴニスト製剤を投与し，子宮腺筋症を縮小させてからゴナドトロピン製剤で卵巣刺激を行い，採卵・体外受精・胚移植を行う，ウルトラロング法を行う方法もある。特に融解胚移植前に，GnRHアゴニスト製剤で前処置を行うと着床率が上がることが報告されている[16]。

子宮腺筋症が原因で，月経困難症もあり不妊治療ができない，もしくは採卵が困難な症例や着床不全や流産を繰り返す場合には，子宮腺筋症摘出術を検討する必要がある。実際に手術による介入後に不妊治療（ARTを含む）を再開した場合に，手術単独では妊娠率は49.1％と高く，術後にGnRHアゴニスト製剤を併用すると妊娠率は67.1％とさらに高くなり，妊娠成績の向上が期待できる[17]。しかし，保険適用はなく，かつ術後妊娠中の早産や子宮破裂や穿通胎盤などが問題となる[17, 18]。特に，システマティックレビューでは子宮破裂の発症率は3.6％（13/397例）と非常に高く[19]，特にびまん性子宮腺筋症の術後は6.8％と非常に高い[17]。そのため，長田らは子宮腺筋症摘出術を行うときに余剰の漿膜を重ね合わせて，子宮筋層を強化するトリプルフラップ法を報告した[19]（図4）。また手術は腹腔鏡と開腹手術が報告されており，どちらが良いかはいまだはっきりしていない。腹腔鏡手術は侵襲性も少ないが，子宮腺筋症の大きさなどにより限界がある。また腹腔鏡手術は，正常筋層との境界が不明瞭な子宮腺筋症の病変をすべて摘出することは難しく，また縫合時に死腔をつくらずに筋層を縫合する上では，開腹手術がまさる。手術が必要な場合には，術後妊娠時の合併症のリスクについてインフォームドコンセントを行い，腹腔鏡手術と開腹手術どちらで行うか検討し，トリプルフラップ法を行うことを推奨する。

図3　エビデンスから考える子宮腺筋症合併不妊症・不育症の治療プロトコール

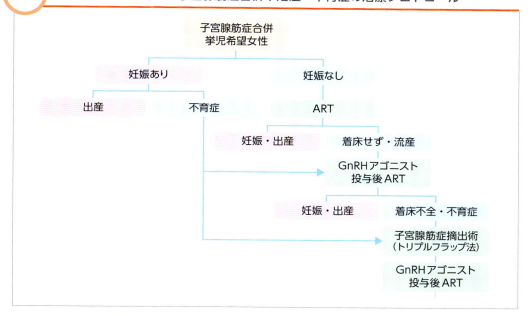

図4　子宮腺筋症摘出術（トリプルフラップ法）

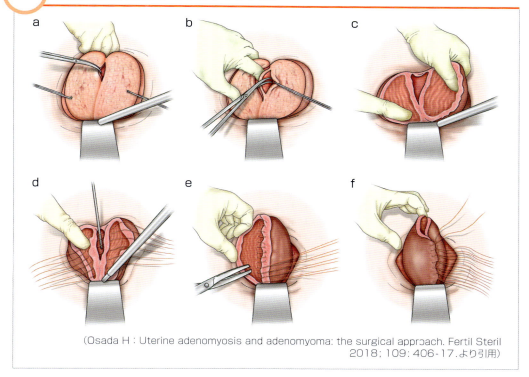

(Osada H : Uterine adenomyosis and adenomyoma: the surgical approach. Fertil Steril 2018; 109: 406-17.より引用)

（黒田恵司，太田邦明）

参考文献

1) Upson K, Missmer SA：Epidemiology of Adenomyosis. Semin Reprod Med 2020; 38(2-03): 89-107.
2) Mehasseb MK, Bell SC, Pringle JH, et al：Uterine adenomyosis is associated with ultrastructural features of altered contractility in the inner myometrium. Fertil Steril 2010; 93(7): 2130-6.
3) Dueholm M, Lundorf E：Transvaginal ultrasound or MRI for diagnosis of adenomyosis. Curr Opin Obstet Gynecol 2007; 19(6): 505-12.
4) Barbanti C, Centini G, Lazzeri L, et al：Adenomyosis and infertility: the role of the junctional zone. Gynecol Endocrinol 2021; 37(7): 577-83.
5) Vercellini P, Consonni D, Dridi D, et al：Uterine adenomyosis and in vitro fertilization outcome: a systematic review and meta-analysis. Human Reprod 2014; 29(5): 964-77.
6) Nirgianakis K, Kalaitzopoulos DR, Schwartz ASK, et al：Fertility, pregnancy and neonatal outcomes of patients with adenomyosis: a systematic review and meta-analysis. Reprod Biomed Online 2021; 42(1): 185-206.
7) Horton J, Sterrenburg M, Lane S, et al：Reproductive, obstetric, and perinatal outcomes of women with adenomyosis and endometriosis: a systematic review and meta-analysis. Human Reprod Update 2019; 25(5): 593-633.
8) Huang Y, Zhao X, Chen Y, et al：Miscarriage on endometriosis and adenomyosis in women by assisted reproductive technology or with spontaneous conception: A systematic review and meta-analysis. BioMed Research International 2020; 2020.
9) Nirgianakis K, Kalaitzopoulos DR, Schwartz ASK, et al：Fertility, pregnancy and neonatal outcomes of patients with adenomyosis: A systematic review and meta-analysis. Reprod Biomed Online 2021; 42(1): 185-206.
10) Martinez-Conejero JA, Morgan M, Montesinos M, et al：Adenomyosis does not affect implantation, but is associated with miscarriage in patients undergoing oocyte donation. Fertil Steril 2011; 96(4): 943-U401.
11) Tamura H, Kishi H, Kitade M, et al：Complications and outcomes of pregnant women with adenomyosis in Japan. Reprod Med Biol 2017; 16(4): 330-6.
12) Ma B, Zhu Y, Liu Y：Management of atypical polypoid adenomyoma of the uterus: A single center's experience. Medicine (Baltimore) 2018; 97(12): e0135.
13) Vannuccini S, Luisi S, Tosti C, et al：Role of medical therapy in the management of uterine adenomyosis. Fertil steril 2018; 109(3): 398-405.
14) Maheshwari A, Gurunath S, Fatima F, et al：Adenomyosis and subfertility: a systematic review of prevalence, diagnosis, treatment and fertility outcomes. Hum Reprod Update 2012; 18(4): 374-92.
15) Li X, Pan N, Zhang W, et al：Association between uterine volume and pregnancy outcomes in adenomyosis patients undergoing frozen-thawed embryo transfer. Reprod Biomed Online 2021; 42(2): 384-9.
16) Wu Y, Huang J, Zhong G, et al：Long-term GnRH agonist pretreatment before frozen embryo transfer improves pregnancy outcomes in women with adenomyosis. Reprod Biomed Online 2022; 44(2): 380-8.
17) Tan J, Moriarty S, Taskin O, et al：Reproductive Outcomes after Fertility-Sparing Surgery for Focal and Diffuse Adenomyosis: A Systematic Review. J Minim Invasive Gynecol 2018; 25(4): 608-21.
18) Grimbizis GF, Mikos T, Tarlatzis B：Uterus-sparing operative treatment for adenomyosis. Fertil Steril 2014; 101(2): 472-87.
19) Osada H：Uterine adenomyosis and adenomyoma: the surgical approach. Fertil Steril 2018; 109(3): 406-17.

各論 2 疾患別の治療

不妊症

子宮腔内病変

Point

- 子宮腔内病変の代表的な疾患である子宮粘膜下筋腫と子宮内膜ポリープは，月経症状と妊孕性に関与する。
- 子宮粘膜下筋腫は子宮腔内へ発育する子宮筋腫である。過多月経，過長月経，不正子宮出血，月経痛などの月経症状が主症状で，重症鉄欠乏性貧血も多く不妊症や不育症の原因にもなる。
- 子宮内膜ポリープは子宮内膜の一部が隆起性，結節性に突出する病変で多くは無症状である。過多月経，不正子宮出血，ときに月経痛や軽度の鉄欠乏性貧血を伴う。不妊症の原因ともなる。エストロゲン作用依存性に発生して黄体機能不全との関連も考えられている[1]。
- 最近では，慢性子宮内膜炎が，妊孕性に影響を及ぼすことがわかってきた。

妊娠への影響（妊娠前）

　子宮腔内病変の存在は，受精卵の着床とその後の経過に影響を与える。子宮腔内病変を表1に示す。サイズ，存在部位，病変数などが影響を及ぼす。子宮内膜ポリープでは未治療でも妊娠・出産する症例がある。

　子宮内容除去術，反復流産，産褥期子宮内掻把の既往がある場合や，まれに性器結核の既往があると，子宮内腔の一部あるいは全体や子宮頸部の癒着が生じる子宮腔内癒着症（Asherman症候群）が不妊治療患者に比較的多くみられる。子宮内膜間質に形質細胞が浸潤する局所炎症性疾患である慢性子宮内膜炎も，不妊症・不育症との関連性に注目が集まっている。

表1　子宮腔内病変

1. 子宮粘膜下筋腫
2. 子宮内膜ポリープ
3. 子宮形態異常
4. 子宮腔内癒着症（Asherman's syndrome）
5. 子宮内膜増殖症
6. 子宮体癌
7. 慢性子宮内膜炎
8. 流産あるいは奇胎娩出後の遺残
9. 胎盤遺残，胎盤ポリープ
10. 子宮内異物（避妊器具）

子宮粘膜下筋腫

➡「子宮筋腫」
（p.245）参照

　最近の晩婚化，晩産化による挙児希望年齢と子宮筋腫好発年齢の一致が不妊症や不育症に大きく影響している。子宮粘膜下筋腫は月経症状のみならず不妊症や不育症を招き[2]，子宮筋腫による子宮腔内圧迫[3～5]と血流障害によって，精子の輸送障害や受精卵の着床障害を引き起こすことが不妊や流産の原因とされる。
　子宮筋腫のない不妊症症例と比較すると妊娠率，着床率が低下する[6]。
　他の不妊原因がない挙児希望例では，切除後に妊娠率が改善する[4,5]。

子宮内膜ポリープ

　症状はポリープのサイズ存在部位，病変数によってさまざまである。1cm未満のものが多く，2cm以上は16％とされている[7]。子宮底部に多く[8]，単発が80％で多発もある。
　不妊症症例のうち子宮内膜ポリープを24％に認め[9]，月経異常のない不妊症症例でも15.6％に認めると報告されている[10]。
　人工授精を予定した215例の不妊症症例の無作為研究で，平均9mmの子宮鏡下子宮内膜ポリープ切除群は術後64例が妊娠，未切除群の29例に比べて有意に妊娠率が高かった。また，切除群では65％が人工授精前に自然妊娠した[11]。
　子宮内膜ポリープ以外に不妊原因のない症例では，サイズや病変数にかかわらず子宮鏡下切除術後の妊娠率の向上を認め[12,13]，子宮卵管口付近に発生した症例の子宮鏡下切除術後の妊娠率は，他の部位に発生する切除術後の症例に比べて有意に高かった[14]。これは，子宮鏡手術が不正子宮出血，子宮内膜の炎症性変化，子宮腔内への精子輸送障害，着床障害が改善するためと考えられる。

妊娠への影響（妊娠後）

子宮粘膜下筋腫

自然流産は，子宮粘膜下筋腫のない症例に比べ1.68〜3.35倍と有意に高い[6,15]。子宮粘膜下筋腫合併妊娠のうち70％が妊娠継続困難となる[16]。子宮粘膜下筋腫は，妊娠において切迫早産，常位胎盤早期剥離[12]，分娩直後の多量出血，分娩後には持続する不正子宮出血，子宮内反症や子宮内感染の原因となることがある。

検査と診断方法

子宮腔内病変の検査は，性成熟期では月経周期による子宮内膜の変化があるため，月経終了直後の内膜の菲薄な内膜増殖期の実施が最適である。子宮鏡検査やソノヒステログラフィーの実施前には，子宮頸管擦過によるクラミジア検査や腟分泌物培養検査を行っておくことが推奨される。

経腟超音波検査

リアルタイムな観察が可能でありオリエンテーションが容易なため，スクリーニング検査として行う。子宮内膜と病変の位置関係を描出しやすいが，病変が小さい症例や複数ある症例，月経周期によって検出しにくい症例では複数回の超音波検査が必要なこともある。

子宮粘膜下筋腫は，子宮筋層と同輝度の隆起性病変として描出される。子宮腔内への突出の程度は判断しにくい。

子宮内膜ポリープは，子宮内膜増殖期には子宮腔内に突出する高輝度エコーの腫瘤像の隆起性病変として描出される。ポリープ形状が紡錘や内腔に扁平に広がる場合，月経時や子宮内膜が肥厚した分泌期には描出されないこともある。

ソノヒステログラフィー

生理食塩水を子宮腔内に注入して，経腟超音波下に子宮腔内病変を観察する。病変のサイズ，存在部位，病変数，子宮腔内への突出度，輝度による子宮筋腫（図1a，2a）と子宮内膜ポリープの鑑別を診断できる。

子宮鏡検査

子宮粘膜下筋腫（図1b，2b），子宮内膜ポリープの鑑別，病変の存在部位，病変数，形状，性状の把握と子宮鏡手術の適応を診断する。経腟超音波検査や骨盤MRI検査のみでは筋層内筋腫や漿膜下筋腫との鑑別が困難な症例があるため，術前の子宮鏡検査が必須である。

慢性子宮内膜炎では，間質の浮腫，限局性のうっ血，出血点，マイクロポリープなどの所見を認める。

著明な性器出血，発熱，感染症を認める場合は検査を延期する。

図1 子宮粘膜下筋腫　術前　（同一症例）

a：ソノヒステログラフィー
子宮腔内に突出する筋腫（→）を認める。

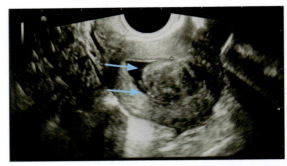

b：子宮鏡検査
子宮底部に突出する筋腫（↑）を認める。

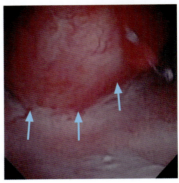

図2 子宮粘膜下筋腫　術後　（同一症例）

a：ソノヒステログラフィー
子宮腔内に凝血塊（→）を認める。

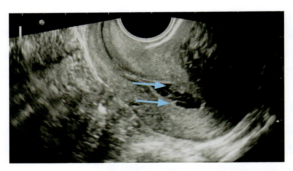

b：子宮鏡検査
子宮腔内に凝血塊を認める（→）。
子宮内膜は再生している。

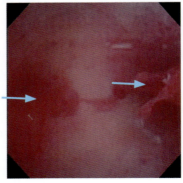

子宮内膜細胞診

症例によっては，あらかじめ子宮内膜増殖症や子宮体癌などを除外する必要がある。

骨盤MRI検査

子宮粘膜下筋腫であっても，子宮全体像を把握して多発筋腫などを見逃さないために実施が望ましい。

子宮卵管造影

子宮腔内の変形，造影剤の欠損は子宮腔内病変を疑う。

治療方法とその適応

子宮腔内病変の治療は，子宮鏡手術を行うことがほとんどである。子宮鏡手術は子宮口から子宮鏡を子宮内腔に挿入して，病変の切除，焼灼を行う。硬性鏡のため，術前に子宮頸管拡張をラミセル®などで行う。

子宮内腔は，糖水あるいは生理食塩水によって灌流しながら視野を得る。

切除には，高周波電流（電気メス）を使用する場合が多いが，鉗子やモルセレーターによる切除も行われている。

出血，感染，水中毒・低Na血症，子宮腔癒着症，子宮穿孔などの手術合併症に留意が必要である[17]。

子宮粘膜下筋腫

積極的に子宮鏡手術を勧める。筋腫径が5～6cm以上の症例や，筋腫径にかかわらず子宮腔内への突出度が低い症例などは，子宮鏡手術が困難である。術者の技量に適した症例の選択が必要で，腹腔鏡下子宮筋腫切除手術なども考慮する。

子宮内膜ポリープ

子宮内膜ポリープは未治療での妊娠症例があるので，経過観察を選択することもあるが，不妊症例の子宮内膜ポリープ術後の自然妊娠率は61.4%[12]と高値を示している。

手術療法

外科的切除は自然妊娠・生殖補助医療のいずれの妊娠率も高めるため[17]，早めの手術を勧める。盲目的な操作の子宮内容除去術によるポリープ除去も行われるが，子宮鏡手術に比べ除去率が約50%以下[19,20]であるため，最近では，安全，確実で，残存，再発，症状の再発を防ぐため[21]，子宮鏡手術が推奨されている。

薬物療法

低用量もしくは中用量ピルを数周期使用することで，ポリープが消失する症

例もある。有茎性ポリープに比べて無茎性ポリープでより消失する[22]。

治療後の妊娠・分娩への対応

　治療後2回目の月経周期に行う子宮鏡検査で，両疾患ともほぼ全例で手術によって生じた子宮内膜欠損部位の再生が確認できるため，この周期から妊娠が可能である。ただし，両疾患とも術後早期も含めて再発に留意する。

　子宮粘膜下筋腫切除術後の妊娠は，重大な妊娠合併症を生じることは少ないと考えられているが，93例の子宮粘膜下筋腫切除術後に生産となった10例のうち，2例に癒着胎盤を生じたとの報告もある[23]。

　分娩方法は，子宮鏡下子宮粘膜下筋腫切除術が子宮内膜面から筋腫切除を行うため，子宮漿膜面を切開する腹腔鏡下子宮筋腫切除術などと異なり，積極的に帝王切開術とする必要はないと考える。ただし，子宮鏡手術時に子宮穿孔が生じた症例などでは帝王切開術を考慮する。子宮内膜ポリープ治療後の分娩方法に制限はない。

（齊藤寿一郎，坂本愛子）

参考文献

1) Fox H, Buckley H：The endometrium. Fox H, Buckley H eds, Gynecological and Obstetric Pathology for the MRCOG and Beyond, RCOG Press, London 1998, 55-7.
2) Casini ML, Rossi F, Agostini R, et al：Effects of the position of fibroid on fertility. Gynecol Endo 2006; 22: 106-9.
3) Farhi J, Ashkenazi J, Feldberg D, et al：Effect of uterine leiomyomata on the results of in vitro fertilization treatment. Hum Reprod 1995; 10: 2576-8.
4) Giatras K, Noyes N, Licciardi F, et al：Fertility after hysteroscopic resection of submucous myomas. J Am Assoc Gynecol Laparosc 1999; 6: 155-8.
5) Lefebvre G, Vilos G, Allaire C, et al：Clinical Practice Gynaecology Committee, Society for Obstetricians and Gynaecologists of Canada. The management of uterine leiomyomas. J Obstet Gynaecol Can 2003; 25: 396-418.
6) Pitts EA, Parker WH, Olive DL：Fibroids and infertility: an update systematic review of the evidence. Fertil Steril 2009; 91: 1215-23.
7) Spiewankiewicz B, Stelmachów J, Sawicki W, et al：The effectiveness of hysteroscopic polypectomy in cases of female infertility. Clin Exp Obstet Gynecol 2003; 30: 23-5.
8) Adelson MG, Adelson K：Miscellaneous benign disorders of the upper genital tract. LJ Copeland, JF Jarrell eds. Textbook of Gynecology, WB Saunders, Philadelphia 2000, 725-6．
9) Varasteh NN, Neuwirth RS, Levin B, et al：Pregnancy rates after hysteroscopic polypectomy and myomectomy in infertile women. Obstet Gynecol 1999; 94: 168-71.
10) Shokeir TA, Shalan HM, El-Shafei MM：Significance of endometrial polyps detected hysteroscopically in eumenorrheic infertile women. J Obstet Gynaecol Res 2004; 30: 84-9.
11) Pérez-Medina T, Bajo-Arenas J, Salazar F, et al：Endometrial polyps and their implication in the pregnancy rates of patients undergoing intrauterine insemination: a prospective, randomized study. Hum Reprod 2005; 20: 1632-5.
12) Stamatellos I, Apostolides A, Stamatopoulos P, et al：Pregnancy rates after hysteroscopic polypectomy depending on the size or number of the polyps. Arch Gynecol Obstet 2008; 277: 395-9.
13) Valle RF：Therapeutic hysteroscopy in infertility. Int J Fertil 1984; 29: 143-8.
14) Yanaihara A, Yorimitsu T, Motoyama H, et al：Location of endometrial polyp and pregnancy rate in infertility patients. Fertil Steril 2008; 90: 180-2.

15) Klatsky PC, Tran ND, Caughey AB, et al：Fibroids and reproductive outcomes;a systematic review from conception to delivery. Am J Obstet Gynecol 2008; 198: 357-66.
16) Ezzati M, Norian J, Segars JH：Management of uterine fibroids in the patient pursuing assisted reproductive technologies. Womens Health (Lond Engl) 2009; 5: 413-21.
17) 齊藤寿一郎, 坂本愛子, 手島　薫：［不妊女性に対する手術療法 適応・タイミングと手技のコツ］子宮腔内病変に対する子宮鏡検査・治療 子宮粘膜下筋腫と子宮内膜ポリープを中心に. 臨婦産 2016; 70: 166-71.
18) Pereira N, Petrini AC, Lekovich JP：Surgical Management of Endometrial Polyps in Infertile Women: A Comprehensive Review. Surg Res Pract 2015; 2015: 914390.
19) Bettocchi S, Ceci O, Vicino M, et al：Diagnostic inadequacy of dilatation and curettage. Fertil Steril 2001; 75: 803-5.
20) Loffer FD：Hysteroscopy with selective endometrial sampling compared with D&C for abnormal uterine bleeding: the value of a negative hysteroscopic view. Obstet Gynecol 1989; 73: 16-20.
21) Preutthipan S, Herabutya Y：Hysteroscopic polypectomy in 240 premenopausal and postmenopausal women. Fertil Steril 2005; 83: 705-9.
22) Wada-Hiraike O, Osuga Y, Hiroi H, et al：Sessile polyps and pedunculated polyps respond differently to oral contraceptives. Gynecol Endocrinol 2011; 27: 351-5.
23) 三沢昭彦, 林　博, 加藤淳子ほか：当院における子宮鏡下粘膜下筋腫核出術後の不妊治療成績および妊娠・分娩予後. 産婦の実際 2009; 58: 257-61.

各論 2　疾患別の治療

不妊症

多嚢胞性卵巣症候群（PCOS）

Over View

多嚢胞性卵巣症候群（PCOS）は生殖年齢女性の5～10％に存在し，排卵障害による月経異常や不妊症を呈する[1,2]。排卵障害による不妊症患者の約90％は，PCOSが原因とする報告もある[3]。PCOSの診断基準は無月経などの月経異常，多嚢胞性卵巣，高黄体化ホルモン（LH）血症または男性ホルモン高値の3項目が必須である。

治療方針は**肥満の患者は減量が第一選択であり，耐糖能異常を伴う場合はインスリン抵抗性改善薬を併用する。**

肥満のない場合は，排卵誘発剤であるクエン酸クロミフェンを第一選択として使用する。クロミフェン抵抗性の排卵障害を認める場合は，アロマターゼ阻害薬，卵胞刺激ホルモン（FSH）漸増法による卵巣刺激，また腹腔鏡下卵巣多孔術なども検討し，妊娠に至らない場合は生殖補助医療を考慮する。

PCOSの患者に対する卵巣刺激では，常に多胎のリスクと卵巣過剰刺激症候群（OHSS）の発症に注意が必要である（図1）

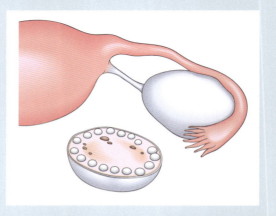

図1　多嚢胞性卵巣

発育途上の卵胞が多数存在する。さらに卵巣周囲の白膜の肥厚がみられる。

多嚢胞性卵巣症候群（PCOS）
polycystic ovary syndrome

妊娠への影響

妊娠前

　PCOSは，下垂体からのLH分泌亢進と卵巣の莢膜細胞からのアンドロゲン産生の亢進が，卵胞発育と排卵を抑制する[4]。また，インヒビンや抗ミュラー管ホルモン（AMH）が過剰に分泌され，FSHの分泌や作用を阻害し卵胞発育が抑制される[5,6]。

　肥満や耐糖能異常を有する患者は高インスリン血症を認め，副腎からのアンドロゲン産生がさらに亢進するなど，全身の内分泌異常の悪循環をもたらす[7]。さらに長期間無月経の場合，子宮内膜の持続的エストロゲン曝露により子宮内膜ポリープが生じやすく，着床障害となることがあり，また排卵障害に起因する黄体機能不全を合併することも多い。

　そのため不妊治療開始前に，排卵障害以外の不妊原因の検索が必要である。

妊娠後

　PCOSの女性は妊娠後の流産率は20〜40％と高く，内分泌異常に起因すると考えられている[8]。妊娠中の合併症として，妊娠糖尿病，妊娠高血圧症候群，早産による帝王切開率の増加などが報告されている[9]。

　PCOSの患者でこれらの合併症が上昇する原因は明らかではないが，子宮内膜の胚受容能の低下，プロスタグランジンやサイトカインの分泌異常，肥満やインスリン抵抗性が関与していると考えられる。

診断方法

　2007年日本産科婦人科学会生殖・内分泌委員会より発表された診断基準を基に診断を行う[10]（表1）。欧米のRotterdamの診断基準は，男性化徴候や肥満などの臨床所見が重視されている[11]が，わが国では高アンドロゲン血症を有しても男性化徴候や肥満を伴うことが少ないため，その臨床症状の有無は診断基準に含まれない。

問診

　問診や基礎体温より月経周期や排卵の有無を評価する。さらに多毛，ざ瘡，などの男性化徴候と，body mass index（BMI）より肥満の有無を評価する（BMI≧25を肥満と定義）。体重減少性無月経の回復期もPCOS類似の症状をきたすことより，体重の増減についても確認する。

内診・経腟超音波断層法

　経腟超音波検査で2〜9mmの小卵胞が一方の卵巣で少なくとも10個以上存在することを確認する。また子宮内膜ポリープや子宮内膜増殖症の発症のすることも多いため，子宮内膜肥厚の有無を評価する。

表1	多嚢胞性卵巣症候群（PCOS）の診断基準

診断基準（日本産科婦人科学会 2007）

以下の3項目のすべてを満たす場合を多嚢胞性卵巣症候群とする。

1. 月経異常 注1）
2. 多嚢胞性卵巣 注2）
3. 血中男性ホルモン高値またはLH基礎値高値かつFSH基礎値正常 注3～6）

注1） 月経異常は，無月経，稀発月経，無排卵周期症のいずれかとする。

注2） 多嚢胞卵巣は，超音波断層検査で両側卵巣に多数の小卵胞がみられ，少なくとも一方の卵巣で2～9mmの小卵胞が10個以上存在するものとする。

注3） 内分泌検査では，排卵誘発薬や女性ホルモン薬を投与していない時期に，1cm以上の卵胞が存在しないことを確認のうえで行う。また，月経または消退出血から10日目までの時期は高LHの検出率が低いことに留意する。

注4） 男性ホルモン高値は，テストステロン，遊離テストステロンまたはアンドロステンジオンのいずれかを用い，各測定系の正常範囲上限を超えるものとする。

注5） LH高値の判定は，スパック-Sによる測定ではLH≧7mIU/mL（正常女性の平均値＋1×標準偏差）かつLH≧FSHとし，肥満例（BMI≧25）ではLH≧FSHのみでも可とする。他の測定系による測定値はスパック-Sとの相違を考慮して判定する。

注6） クッシング症候群，副腎酵素異常，体重減少性無月経の回復期など，本症候群と類似の病態を示すものを除外する。

診断基準（Rotterdam 2003）

以下の3項目のうち，少なくとも2項目満たす場合を多嚢胞性卵巣症候群とする。

1. 排卵障害
2. 多嚢胞性卵巣（＊）
3. 高アンドロゲン血症（臨床症状または検査値より）

＊ 2～9mm大の卵胞が12個以上，または卵巣の体積が10cm^{3}より大きいときに多嚢胞性卵巣とする。

子宮鏡検査

子宮内膜の肥厚を伴う場合には，積極的に子宮鏡検査で子宮内環境を確認する。

内分泌検査

主にLH，男性ホルモン，プロラクチンの高値の有無を確認する。

LH

高LH血症は基礎値でLH高値かつLH≧FSHで診断し，肥満症例ではLH≧FSHのみで診断する。

高LH血症
LH≧7m IU/mL

男性ホルモン

男性ホルモンの評価としてはテストステロン，遊離テストステロンまたはアンドロステンジオンのいずれかを用い確認する。

プロラクチン

PCOSではドパミン活性が低下しプロラクチンが上昇することがあるので，必ず確認する。さらに必要に応じて各種負荷試験を用い，クッシング症候群や副腎酵素異常などの類似疾患の鑑別を行う。

インスリン抵抗性

診断基準には含まれないが，PCOSの治療法を決定するために，空腹時血糖値（FBS）と空腹時インスリン値（IRI）を測定し，HOMA（homeostatic model assessment）指数を測定する。

> HOMA指数＝FBS×IRI÷405，HOMA指数＜1.6：正常，HOMA指数≧2.5：インスリン抵抗性あり

空腹時血糖値（FBS）
fasting blood sugar

空腹時インスリン値（IRI）
immunoreactive insulin

治療方法とその適応

日本産科婦人科学会生殖・内分泌委員会により作成されたアルゴリズムを基に，筆者らの挙児希望のあるPCOSの女性に対する治療方針を図2に示す。

減量

肥満（BMI≧25）の場合は，栄養指導・運動療法などによる減量を指導する。4～8週間で5～10％の減量を目標とし，3～6カ月間継続する。減量により高アンドロゲン血症や排卵障害の改善を認めることがある[12]。

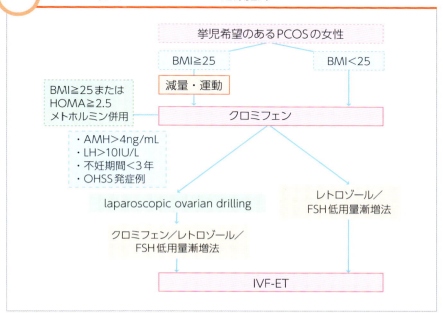

図2　筆者らの施設におけるPCOSの治療指針

クエン酸クロミフェン

クロミフェン（クロミッド®もしくはセロフェン®）は排卵誘発の第一選択薬として用いる。内因性エストロゲンに競合して、視床下部のエストロゲン受容体に結合することで抗エストロゲン作用を示し、視床下部からゴナドトロピン放出ホルモン（GnRH）の分泌が増加し、下垂体からのFSH分泌を亢進し卵胞の発育を促す（図3）。通常、月経3〜5日目より50 mg/日×5日間投与する。卵胞発育を認めないときは、次周期に100 mg/日へ増量を検討する。

→「排卵誘発剤」（p.130）参照

クロミフェンは自然周期の排卵と異なり、卵胞径20〜25 mmまで発育しても、しばしばLHサージが起こらない。そのためヒト絨毛性ゴナドトロピン（hCG）もしくはGnRHアゴニスト点鼻薬などで排卵誘起をしないと、排卵時期を調整することは難しい。月経周期ごとの排卵率は60〜85％、妊娠率は36％、その累積妊娠率は4周期で46％、6周期で65％と報告されている[13]。

一方で、クロミフェンは血中半減期が5〜7日間と比較的長く、子宮に対する抗エストロゲン作用を有するため、排卵期の頸管粘液の減少や子宮内膜の菲薄化をきたすことがある。クロミフェンで排卵を認めても4〜6周期以降の妊娠率は非常に低く、妊娠に至らない場合は、他の治療法を考慮する。

アロマターゼ阻害薬

アロマターゼ阻害薬（レトロゾール®もしくはフェマーラ®）は、抗エストロゲン作用による閉経後乳がんの治療薬である。アロマターゼを阻害し末梢・脂肪細胞でのエストロゲン産生が抑制され、ネガティブフィードバックによりFSH分泌が促進され卵胞が発育する[14]。通常、月経3〜5日目より2.5〜5 mg/日を5日間内服する。排卵率は90％で単一卵胞発育の割合が高い[15]。

→「排卵誘発剤」（p.130）参照

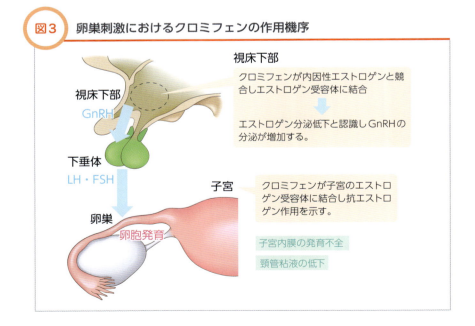

図3 卵巣刺激におけるクロミフェンの作用機序

子宮への抗エストロゲン作用を有さず，血中半減期が短いため，クロミフェンと異なり頸管粘液の減少や子宮内膜の菲薄化はほとんどない。また抗エストロゲン効果が血中にも反映されるため，卵胞が発育してもE_2値が低いのも特徴である。

インスリン抵抗性改善薬（メトホルミン）

肥満（BMI≧25）やインスリン抵抗性（HOMA指数≧2.5）を認める症例ではクロミフェンとメトホルミンの併用を検討する。通常メトホルミン500〜750mg/日の連日投与から開始し，適宜評価し増量を検討する。低血糖や乳酸アシドーシスの合併症に注意を要するため，内科と連携することが望ましい。また，妊娠後は原則投与を中止する。

FSH低用量漸増法

ゴナドトロピン療法は多胎と卵巣過剰刺激症候群（OHSS）のリスクがあるが，そのリスクを最小限に抑えた方法がFSH低用量漸増法である。FSH製剤を低用量37.5〜50単位/日で開始し，原則約1週間ごとに診察し，卵胞径が12mm以上の主席卵胞が認められるまで投与量を12.5〜25単位ずつ増量する。主席卵胞が18mm以上であることを確認し，排卵誘起でhCG製剤もしくはGnRHアゴニスト点鼻薬を投与する。卵胞発育に時間がかかり，また連日注射することによる肉体的な負担があるが高い排卵率，妊娠率を認める。ただし，16mm以上の卵胞が4個以上の場合は，OHSSや多胎のリスクが高いためキャンセルを検討する必要がある[16]。

> 卵巣過剰刺激症候群（OHSS）
> ovarian hyperstimulation syndrome

卵巣多孔術（図4）

腹腔鏡下卵巣多孔術（LOD）は通常腹腔鏡下に卵巣表面の小卵胞に小孔をあける術式で，高アンドロゲン血症の改善やAMHの低下から自然排卵やクロミフェン反応性が改善する。卵巣多孔術は術後，排卵率30〜90％，1年で累積妊娠率50〜80％と報告されている[17]。さらに，卵巣多孔術の術後は多胎妊

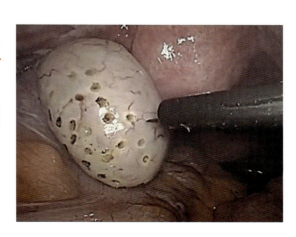

図4　腹腔鏡下卵巣多孔術

電気メスで卵巣皮質に3〜5mmの深さで穴をあける（片側40〜50カ所）。さらに腹腔内を洗浄し，そのほか卵管の形態や癒着の有無を評価することが大切である。

> 腹腔鏡下卵巣多孔術（LOD）
> laparoscopic ovarian drilling

娠やOHSSの発症のリスクの軽減が期待でき，また手術時に腹腔内の病変の診断や治療を同時に行えることも利点として挙げられる。

　LODの効果予測因子としては肥満ではない症例や不妊期間の短い症例（3年未満），術前のLHが高い症例（LH＞10IU/L）や術前AMH値が高すぎない症例（AMH＜7.7mg/mL）で，LOD後に排卵率が高いと報告されている[18]。術前のAMH値の評価は重要であり，LOD後にAMH値は平均2～3ng/mL低下し，術後自然排卵した症例のAMHが平均4.6ng/mLとの報告がある[19]。そのため術前のAMH値が8ng/mL以上と高い症例では，術中に小孔をあける数を増やすなどの工夫が必要と考える。

Column

高AMH血症がFSHを抑制する

　AMHは卵巣予備能の評価として用いられ，不妊治療で調節卵巣刺激後の採卵数と相関するため治療法の選択に有用である。主に2～9mmの小・前胞状卵胞の顆粒膜細胞から分泌され，PCOSの患者では異常高値を示すことが多い。

　その高AMH血症が，卵胞発育そのものを阻害する機序が報告された[21]。小胞状卵胞では，FSHが顆粒膜細胞の転写遺伝子Cyp19a1を刺激しテストステロンがエストラジオールに転換される。AMHはこのFSHの作用を阻害する働きをもつ。また合成されたエストラジオールはERβを介してAMHの産生を抑制する。一方，AMHはFSHにて合成が促進される。PCOSの女性の卵巣では排卵できない前胞状卵胞が増加しAMHが上昇する。このAMHが直接FSHの作用を阻害し，エストラジオールの分泌が低下する。さらにエストラジオール低値のためAMHの抑制が効かず，さらにAMHの値が上昇するという，悪循環が生じる。

　このように高AMH血症が卵胞発育を阻害する。そのためAMHが高いほうがクロミフェンなどの卵巣刺激に抵抗性がある。

図5　卵巣におけるAMHの働き

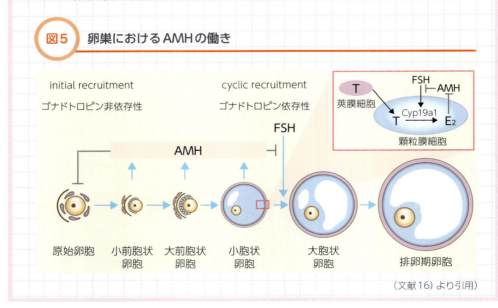

（文献16）より引用）

また，そのようなAMHが高い症例で，術後自然排卵にまで至らなかった症例であっても，ゴナドトロピン製剤を使用した際のOHSS予防の観点でもLODは有効である．一方で，術前のAMH値が4ng/mL未満に低い症例では卵巣予備能の低下のリスクがある[20]ため，生殖補助医療を含めたLOD以外の治療法を検討する．

生殖補助医療

上記の各治療を行っても妊娠に至らない症例は，生殖補助医療を検討する．卵巣刺激にはPCOSの患者はLH高値のためヒト閉経期尿性ゴナドトロピン（hMG）製剤よりもFSH製剤を選択する，また採卵後にOHSSのリスクが高い場合は排卵誘起にhCGを用いずGnRHアゴニスト点鼻薬を使用し，全胚凍結後にホルモン補充周期で1個胚移植を行う，などの注意が必要である．

（尾﨑理恵，黒田恵司）

参考文献

1) March WA, Moore VM, Willson KJ, et al：The prevalence of polycystic ovary syndrome in a community sample assessed under contrasting diagnostic criteria. Hum Reprod 2010; 25: 544.
2) ESHRE Capri Workshop Group：Health and fertility in World Health Organization group anovulatory women. Hum Reprod Update 2012; 18: 586-99.
3) Balen AH, Rutherford AJ：Managing anovulatory infertility and polycystic ovary syndrome. BMJ 2007; 335: 663-6.
4) Lebbe M, Woodruff TK：Involvement of androgens in ovarian health and disease. Mol Hum Reprod 2013; 19: 828-37.
5) Agarwal SK, Judd HL, Magoffin DA：A mechanism for the suppression of estrogen production in polycystic ovary syndrome. J Clin Endocrinol Metab 1996; 81: 686-91.
6) Dumont A, Robin G, Catteau-Jonard S, et al：Role of Anti-Mullerian Hormone in pathophysiology, diagnosis and treatment of polycystic ovary syndrome: a review. Reprod Bio Endocrinol 2015; 13: 137.
7) Nestler JE, Jakubowicz DJ, de Vargas AF, et al：Insulin stimulates testosterone biosynthesis by human thecal cells from women with polycystic ovary syndrome by activating its own receptor and using inositolglycan mediators as the signal transduction system. J Clin Endocrinol Metab 1998; 83: 2001-5.
8) Rai R, Backos M, Rushworth F, et al：Polycystic ovaries and recurrent miscarriage-a reappraisal. Hum Reprod 2000; 15: 612-5.
9) Qin JZ, Pang LH, Li MJ, et al：Obstetric complications in women with polycystic ovary syndrome: a systematic review and meta-analysis. Reprod Biol Endocrinol 2013; 11: 56.
10) 生殖内分泌委員会　本邦における多嚢胞性卵巣症候群の新しい診断基準の設定に関する小委員会：平成17年度〜平成18年度検討結果報告．日産婦誌 2007; 59: 868-86.
11) Rotterdam ESHRE/ASRM-Sponsored PCOS Consensus Workshop Group：Revised 2003 consensus on diagnostic criteria and long-term health risks related to polycystic ovary syndrome. Fertil Steril 2004; 81: 19-25.
12) Thessaloniki ESHRE/ASRM-Sponsored PCOS Consensus Workshop Group：Consensus on infertility treatment related to polycystic ovary symdrome. Fertil Steril 2008; 89: 505-22.
13) Kathrine Birch Petersen, Nina Gros Pedersen, Antte Tonnes Pedersen, et al：Mono-ovulation in women with polycystic ovary syndrome: a clinical review on ovulation induction. Reprod biomed Online 2016; 32: 563-83.
14) Palomba S：Aromatase inhinitors for ovulation induction. J Clin Endocrinol Metab 2015; 100: 1742-7.
15) Ramezanzadeh F, Nasiri R, Sarafraz yazdi M, et al：A randomized trial of ovulation induction with two different doses of letrozole in women with PCOS. Arch Gynecol Obset 2011; 284: 29-34.

16) Homburg R, Howles CM : Low-dose FSH therapy for anovulatory infertility associated with polycystic ovary syndrome: rationale, results, reflections and refinements. Hum Reprod Update 1999; 5: 493-9.
17) Abu Hashim H, Al-Inany H, De Vos M, et al : Three decades after Gjönnaess's laparoscopic ovarian drilling for treatment of PCOS; what do we know? An evidence-based approach. Arch Gynecol Obstet 2013; 288: 409-22.
18) Abu Hashim H : Predictors of success of laparoscopic ovarian drilling in women with polycystic ovary syndrome: an evidence-based approach. Arch Gynecol Obstet 2015; 291: 11-8.
19) Ashraf I Elmashad : Impact of laparoscopic ovarian drilling on anti-Müllerian hormone levels and ovarian stromal blood flow using three-dimensional power Doppler in women with anovulatory polycystic ovary syndrome. Fertil Steril 2011; 95(7): 2342-6.
20) Saad A Amer, Tarek T El Shamy, Cathryn James, et al : The impact of laparoscopic ovarian drilling on AMH and ovarian reserve: a meta-analysis. Reproduction 2017; 154(1): 13-21.
21) Dumont A, Robin G, Ctteau-Jonard S, et al : Role of Anti-Mullerian Hormone in pathophysiology, diagnosis and treatment of polycystic ovary syndrome: a review. Repro Bio Endocrinol 2015; 13: 137.

各論 2 疾患別の治療

不妊症

低ゴナドトロピン性性腺機能低下症もしくは不全症

Over View

　低ゴナドトロピン性性腺機能低下症もしくは不全症は，視床下部または下垂体の機能障害に起因するゴナドトロピン分泌不全によって生殖機能障害を生じる疾患である。
　その不妊原因は主に排卵障害であり，卵巣刺激に対する反応が不良でしばしば治療に苦慮する。また妊娠成立後も流産率が高く，妊娠前後の管理を要する。

妊娠への影響（妊娠前）

　低ゴナドトロピン性性腺機能低下症もしくは不全症（HH）での主な不妊原因は，排卵障害である。排卵障害のうち月経異常の70％は中枢組織（視床下部-下垂体系）の障害が関与しているといわれている。そのため治療を適切に行うために病因・病態を正確に把握する必要がある[1]。HHの原因を**表1**に示す。
　HHに伴う原発性無月経は，主に
① ゴナドトロピン放出ホルモン（GnRH）ニューロンの形成や遊走異常にかかわる遺伝子の異常
② GnRH分泌調整にかかわる遺伝子の異常
の2つに大別される。

　前者は嗅覚異常，難聴，不随意運動，片腎欠損などといった随伴症状を伴うことが多く，嗅覚異常が認められるKallmann症候群が代表的な疾患である。
　後者は随伴症状を伴わないことが多い。続発性無月経で多い原因として視床下部性無月経を引き起こす，体重減少性無月経がある。この場合，ホルモン療法などを施行する前にエネルギー不足やストレスの弊害を取り除き，標準体重の70％以上の体重にする必要がある[2]。また，まれではあるが，頭蓋内腫瘍も原因となるため症状によっては頭部MRI検査も考慮する必要がある。

低ゴナドトロピン性性腺機能低下症もしくは不全症（HH）
hypogonadotropic hypogonadism

そのほか，HHのなかで汎下垂体機能低下症は，甲状腺刺激ホルモン（TSH）の分泌機能も低下し，甲状腺機能低下症となる。甲状腺機能低下症は不妊症や不育症の発症リスクを上昇させるため，甲状腺ホルモンの補充を卵巣刺激試行前から行っておくことも大切である[3]。

甲状腺刺激ホルモン（TSH）
thyroid stimulating hormone

➡「甲状腺機能異常」（p.323）参照

汎下垂体機能低下症
下垂体ホルモンの分泌低下が生じ，さまざまな下垂体ホルモンの欠落症状を生じる疾患。

表1　低ゴナドトロピン性性腺機能低下症もしくは不全症の原因

原発性	視床下部性	Kallmann症候群
		Laurence-Moon-Biedl症候群
		Fröhlich症候群
		特発性低ゴナドトロピン性性腺機能低下症
	下垂体性	骨盤位による下垂体柄切断
		GnRH受容体遺伝子変異による
続発性	視床下部性	機能性視床下部性月経異常（体重減少性，ストレス性，神経性食欲不振症，神経性過食症など）
		頭蓋内腫瘍
		Hand-Schüller-Christian disease（histiocytosis X）
		頭部外傷
		放射線照射
	下垂体性	Sheehan症候群
		下垂体卒中
		Empty sella症候群
		リンパ球性下垂体炎
		プロラクチン産生腫瘍を含む下垂体腫瘍

問診で視床下部性もしくは下垂体性，原発性もしくは続発性の検討ができる。また脳腫瘍などを疑う場合は頭部MRI検査が必要である。

妊娠への影響（妊娠後）

　中枢組織（視床下部-下垂体系）の障害が関与しているため，卵巣刺激による妊娠成立後も流産率が高い[4,5]。これは下垂体からのLH分泌が不足し黄体形成が不十分となる可能性や，甲状腺機能低下症などの内分泌異常による影響が考えられる。妊娠が成立した場合には黄体機能不全を考慮し，黄体ホルモン製剤の投与を行い，適宜hCG製剤の補充などを考慮する。

　また，体外受精後の妊娠でBMI 18以下では流産が増えるという報告[6,7]や，低BMIの妊婦では早産リスクが増えるという報告[6,8,9]もあるため，体重減少性無月経が原因の排卵障害患者では，妊娠前後も体重の推移に注意する必要がある。

汎下垂体機能低下症

　汎下垂体機能低下症の患者の場合は，ゴナドトロピンの分泌が低下しているだけではなく，TSH，副腎皮質刺激ホルモン（ACTH），成長ホルモン（GH），プロラクチンといった下垂体前葉のホルモン分泌も低下することがある。また，下垂体後葉の機能低下も認める症例では，抗利尿ホルモン（ADH），オキシトシンの分泌低下も認める。

　これらのホルモンの分泌が不足する場合には，妊娠成立後に貧血，妊娠高血圧症候群，常位胎盤早期剥離，胎位異常，早産，分娩後出血，弛緩出血のリスクが上昇する[5,10]。そのため妊娠前から内分泌機能の精査と適宜補充を行っておくことが重要である。

副腎皮質刺激ホルモン（ACTH）
adrenocorticotropic hormone

成長ホルモン（GH）
growth hormone

抗利尿ホルモン（ADH）
antidiuretic hormone

診断方法

問診

　無月経の場合，原発性か続発性か，また月経異常の期間を確認する。また摂食状況，体重の増減，極端な運動の有無などについても確認する。

内診・経腟超音波断層法

　長期間無月経が続いた場合，子宮・卵巣は萎縮していることも多いため，診察で不妊治療を開始する前に確認する必要がある。

ホルモン検査

　月経があれば月経初期に，無月経であれば来院時にホルモン検査を行う。下垂体ホルモンの黄体化ホルモン（LH），卵胞刺激ホルモン（FSH），TSH，プロラクチンとともに卵巣ホルモンであるエストラジオール，プロゲステロンや甲状腺ホルモンであるfreeT$_3$，freeT$_4$の測定も行う。さらにACTH，GHなども内科で一度は精査をしておく必要がある。

　また治療方針を検討するうえで，卵巣予備能を確認することは重要であるた

め，抗ミュラー管ホルモン（AMH）も測定したほうがよい。

LH-RH負荷試験

LH-RH負荷により，LH，FSHが正常に上昇を認めた場合は視床下部性機能障害，反応が乏しい場合は下垂体性機能障害が疑われる。

染色体検査

同じ性腺機能低下症をきたす病態として，原発性（卵巣病変による）性腺機能低下が起こるTurner症候群（45 X）や性分化異常症（46 XY）がある。原発性性腺機能低下症ではゴナドトロピン値が高値もしくは正常となるため鑑別が可能だが，染色体検査でこれらの疾患を確実に除外することができる。

Kallmann症候群に代表されるような遺伝性の原発性低ゴナドトロピン性性腺機能低下症では，多くの原因遺伝子が解明されている。遺伝子検査を行うことにより，原因疾患の診断の一助となりうる。随伴症状を伴う遺伝性低ゴナドトロピン性性腺機能低下症では，小児期より診断されていることも多い。

治療方法

治療前の準備

HHを伴う女性では通常，排卵障害を認める。長期間無月経の場合，子宮が萎縮していることもあるため，不妊治療開始前にカウフマン療法でホルモン補充を行い，子宮を妊娠可能な大きさにしておくことも重要である。

また汎下垂体機能不全症の場合，ACTH，TSH，GH，プロラクチンといったホルモンの分泌も抑制されているため，妊娠前に内科医師に精査をしてもらい，適切な基準値に補充し，整えることは必須である。汎下垂体機能低下症の患者ではGHホルモンの補充により卵巣刺激による排卵率が高くなるという報告もある[11,12]。

> **カウフマン療法**
> 月経初期よりエストロゲン製剤を継続的に投与し，月経周期の後半からプロゲスチン製剤を併用し，通常の排卵周期と同様にホルモンを補充する方法。

卵巣刺激法

排卵障害に対する卵巣刺激法は，下垂体や視床下部機能低下症で少しでもゴナドトロピンの分泌を認めるのであれば，簡便なクエン酸クロミフェンの投与が推奨されている[13]。しかし機能低下症でも多くの症例で，下垂体を介するクロミフェンによる卵巣刺激は反応性が乏しく，その場合はゴナドトロピン製剤に切り替える必要がある。

卵胞発育

卵胞発育過程にはFSHだけでなくLHも重要である。しかしHHを伴う女性ではLHの分泌も障害されているため，FSH製剤ではなく原則LHとFSHともに含有するヒト閉経期尿性ゴナドトロピン（hMG）製剤を用いる[14]。HHの女性が一般不妊治療のタイミング法や人工授精により妊娠成立を目指す場

合，原則，ゴナドトロピン製剤の連日注射が必要である。ゴナドトロピン製剤による排卵誘発は，多胎妊娠や卵巣過剰刺激症候群（OHSS）のリスクがあるため，低用量漸増法が推奨される[15]。

低用量漸増法
low-dose step-up protocol

視床下部性無月経

体重減少性無月経の既往による視床下部性無月経の症例は，しばしばゴナドトロピン療法の排卵誘発に抵抗性があり，投与量が多くないと反応しないことがある。投与量が多くなることにより多胎やOHSSのリスクが上がってしまうため[16,17]，その場合は消退出血後に，GnRHを自然周期と似たタイミングで律動的に投与するGnRHパルス療法が効果的とされている。

具体的には，パルスジェネレーターを用いてGnRH製剤を90〜120分おきに10〜20μg/回を皮下に投与するか，60〜90分ごとに2.5〜5μg/回を静脈内に投与する[6,17,18]。この治療は副作用が少ないが，注入ポンプを常に装着する必要があり，患者の負担が大きく，一般的には行われていない。

生殖補助医療

一般不妊治療で妊娠に至らない，もしくは排卵誘発による多胎やOHSSのリスクが懸念される場合，生殖補助医療を行う。hMG製剤による排卵誘発後，hCG製剤で排卵誘起を行い，採卵，体外受精を行う。

筆者らは妊娠後の流産も考慮し，新鮮胚移植を行う場合は黄体ホルモン製剤やhCG製剤による厳密な黄体補充を行うか，多くの症例は胚移植せずに一度全胚凍結を行い，次周期にホルモン補充周期で融解胚移植を行っている[16]（図1）。

図1　HHに対する体外受精プロトコール

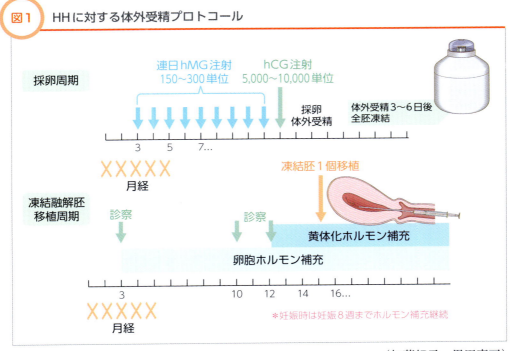

（加藤紀子，黒田恵司）

参考文献

1) 岩佐　武, 松崎利也, 苛原　稔：中枢性月経異常. 臨婦産 2016; 70: 481-5.
2) 能瀬さやか：思春期・アスリートの月経異常と健康管理. 今日の治療指針 2021年版, 20210101.
3) Yoshioka W, Amino N, Ide A, et al：Thyroxine treatment may be useful for subclinical hypothyroidism in patients with female infertility. Endocr J 2015; 62: 87-92.
4) 中川浩次, 岩崎稚子, 河内谷敏ほか：hMG製剤を用いたlow-dose step up法による排卵誘発により妊娠に至った下垂体性性腺機能不全の1例. 産と婦　2005; 72: 119-22.
5) Du X, Yuan Q, Yao Y, et al：Hypopituitarism and successful pregnancy. Int J Clin Exp Med 2014; 7: 4660-5.
6) Shufelt CL, Torbati T, Dutra E：Hypothalamic Amenorrhea and the Long-Term Health Consequences. Semin Reprod Med 2017; 35: 256-62.
7) Veleva Z, Tiitinen A, Vilska S, et al：High and low BMI increase the risk of miscarriage after IVF/ICSI and FET. Hum Reprod 2008; 23: 878-84.
8) Schleußner E：The prevention, diagnosis and treatment of premature labor. Dtsch Arztebl Int 2013; 110: 227-35.
9) Aladashvili-Chikvaidze N, Kristesashvili J, Gegechkori M：Types of reproductive disorders in underweight and overweight young females and correlations of respective hormonal changes with BMI. Iran J Reprod Med 2015; 13: 135-40.
10) Kuübler K, Klingmuüller D, Gembruch U, et al：High-risk pregnancy management in women with hypopituitarism. J Perinatol 2009; 29: 89-95.
11) de Ziegler D, Streuli I, Meldrum DR, et al：The value of growth hormone supplements in ART for poor ovarian responders. Fertil Steril 2011; 96: 1069-76.
12) Daniel A, Ezzat S, Greenblatt E：Adjuvant growth hormone for ovulation induction with gonadotropins in the treatment of a woman with hypopituitarism. Case Rep Endocrinol 2012: 356429.
13) 千石一雄, 宮本敏伸, 大石由利子：内分泌疾患に強くなる　専門医に学ぶ内分泌疾患の診断・治療［性腺疾患］女性性腺機能低下症. Medicina 2013; 50: 1832-5.
14) Papaleo E, Alviggi C, Colombo GL, et al：Cost-effectiveness analysis on the use of rFSH + rLH for the treatment of anovulation in hypogonadotropic hypogonadal woman. Ther Clin Risk Manag 2014; 10: 479-84.
15) 都築朋子, 吉村智雄, 岡田英孝：一般不妊治療：薬物療法　ゴナドトロピン療法の投与法の種類と特徴. 臨婦産 2016; 70: 134-7.
16) Kuroda K, Ezoe K, Kato K, et al：Infertility treatment strategy involving combined freeze-all embryos and single vitrified-warmed embryo transfer during hormonal replacement cycle for in vitro fertilization of women with hypogonadotropic hypogonadism. J Obstet Gynaecol Res 2018; 44: 922-8.
17) Sophie Gibson ME, Fleming N, Zuijdwijk, et al：Where Have the Periods Gone? The Evaluation and Management of Functional Hypothalamic Amenorrhea. J Clin Res Pediatr Endocrinol 2020; 12: 18-27.
18) 都築朋子, 吉村智雄, 岡田英孝：一般不妊治療：薬物療法　Q4体重減少性無月経患者のゴナドトロピン療法がうまくいきません. 有効な卵巣刺激法について教えてください. 臨婦産 2016; 70: 148-9.

各論 2　疾患別の治療

不妊症

早発卵巣不全
（premature ovarian insufficiency；POI）

Over View

卵巣予備能は年齢とともに低下し，37〜38歳頃から加速的に卵胞数が減少する[1]。しかし年齢だけではなく，先天的もしくは後天的に卵巣予備能が低下する場合がある。特に40歳未満で低エストロゲン状態となり，希少月経もしくは無月経となり，そのうち閉経となることを早発卵巣不全（POI）という。POIは，20代女性で1,000人に1人，30代で100人に1人が発症すると言われているが，2019年のメタ解析では40歳未満の全女性の3.7%と報告されており，もう少し高い頻度が予想される[2]。低下した卵巣予備能は原則戻ることはないため，POIの女性の不妊治療では，低い卵巣予備能でいかに妊娠に導くかが重要である。POIの検査や治療方法を概説する。

早発卵巣不全
（POI）
premature ovarian insufficiency

妊娠への影響（妊娠前）

POIは卵巣内の残存卵胞が少なく，高ゴナドトロピン性性腺機能低下症となるため，高頻度に不妊症となる。

POIの診断

POIの明確な診断基準はないが，ESHREのガイドラインでは，40歳未満で，希少月経もしくは無月経で，卵胞刺激ホルモン（FSH）が25mIU/mL以上と高値で，かつ低エストロゲン値が持続的に続く状態をPOIとしている[3]。卵巣予備能の検査である抗ミュラー管ホルモン（AMH）値は，測定感度以下を示すことが多い。

卵胞刺激ホルモン
（FSH）
follicle stimulating hormone

抗ミュラー管ホルモン
（AMH）
anti-Müllerian hormone

POIのリスク因子

卵巣予備能を低下させるリスク因子を表1に示す。先天的な卵巣予備能の低

➡「卵巣予備能に影響するリスク因子」（p.23）参照

表1 卵巣予備能を低下させるリスク因子

先天的要因	染色体異常	Turner症候群（45X monosomy），Fragile X syndrome，真性半陰陽など
	自己免疫疾患	自己免疫性多内分泌腺症候群 I〜III型，甲状腺機能異常，全身性エリテマトーデス，アジソン病，シェーグレン症候群など
後天的要因	喫煙	
	感染症	HIV，ムンプス，結核など
	卵巣腫瘍	卵巣子宮内膜症性嚢胞
	医原性	卵巣に対する手術，子宮動脈塞栓術，化学療法，放射線療法など
原因不明（特発性）		

下は，早期にPOIを呈することが多いが，後天的な場合は卵巣予備能を低下させる要因の種類や曝露した期間および曝露時の年齢が大きく影響する。また，医原性と原因不明が多くを占めている[4]。

妊娠への影響（妊娠後）

POIは不妊症を呈するが，妊娠すればその後の妊娠への影響については明確な報告はない。ただ，不育症，特に原因不明不育症では，卵巣予備能低下のリスクが高いことが知られている[5]。メタ解析では，不育症既往のある女性では，コントロール群と比較して，卵巣予備能低下（AMH <1ng/mL）のオッズ比が2.81（95％信頼区間: 1.43-5.51）であった[5]。低下した卵巣機能が妊娠を維持できないのか，自己免疫性疾患が影響するのか，詳細は不明だがPOIの女性は流産の発症リスクが高くなる可能性がある。

診断方法

①問診

まず問診で月経の有無，周期日数やホットフラッシュなどの更年期症状の有無を確認する。また以前に，卵巣の手術や癌の治療など医原的に卵巣予備能を低下させる因子がないか確認する。喫煙習慣があるなら，禁煙を推奨する。

②内診・経腟超音波断層法

内診や経腟超音波検査で子宮や卵巣の大きさを評価する。無月経が続いている場合は，子宮や卵巣が萎縮していないか確認する。また卵巣の胞状卵胞数（AFC）や発育卵胞の有無，さらに卵巣子宮内膜症性嚢胞などの病変がないか確認する。

③採血検査

多嚢胞性卵巣症候群や高プロラクチン血症などの排卵障害による無月経と鑑

卵胞刺激ホルモン（FSH）
follicle stimulating hormone

表2　POIに推奨する採血検査

1. LH, FSH, E2, プロラクチン
2. AMH
3. 抗核抗体や甲状腺検査 (free T3, free T4, TSH, 甲状腺ペルオキシダーゼ抗体など)
4. 染色体検査 (Gバンド法)
5. 貯蔵型ビタミンD (25OHビタミンD)

別するため，月経初期のホルモン検査LH, FSH, エストラジオール (E2), プロラクチンの採血を行う。すでに無月経の場合は，月経周期に関係なく採血が可能である。LH, FSHの上昇を認め，E2低値であれば，POIの可能性が非常に高い。また卵巣予備能を詳細に評価するにはAMH値の測定が必要である。自己免疫性疾患と合併することも多いため，抗核抗体や甲状腺検査 (free T3, free T4, TSH, 甲状腺ペルオキシダーゼ抗体など) を行うことを推奨する。またX染色の欠損やモザイクがPOIと関与するため，染色体検査 (Gバンド法) も確認する。

さらに後述するが，ビタミンD欠乏はAMHや卵胞発育の低下と関与し，かつサプリメントでAMHが上昇することが報告されている[6]。一度，貯蔵型ビタミンDである25OHビタミンDを測定してもよい。

治療方法とその適応

POIは無月経の期間が長いほど，治療の反応性が低下する。POIを呈する女性の妊娠率は低く，国際的にも唯一の有効な治療法は卵子提供である。しかし，症例の中には卵胞発育を認め妊娠に至る症例も少なからず存在するため，POIが見つかったら少しでも早くに不妊治療，生殖補助医療 (ART) を開始することが重要である。

①エストロゲン療法およびART

エストロゲンを補充すると，上昇しているLHやFSHを抑制し，顆粒膜細胞のFSH受容体の発現を活性化し，卵巣の反応性が改善することがわかっている[7]。POIで高ゴナドトロピン性性腺機能不全の場合，エストロゲン製剤を投与し適度にFSHが低下した場合に，卵胞が発育することがある。そこでタイミング法で妊娠した報告もあるが[8〜10]，その累積妊娠率は4.4％である[11]。そのため，原則生殖補助医療 (ART) が必要となる。発育した卵胞を逃さず採卵し，卵子採取ができれば体外受精・胚移植で妊娠できる可能性がある。

カウフマン療法

エストロゲン製剤とプロゲスチン製剤を周期的に投与することで，子宮内膜や卵巣において通常の月経周期と同様なホルモン環境をつくり，子宮や卵巣の

機能改善を図る方法である。エストロゲン製剤は月経3～5日目より開始し，プロゲスチン製剤は月経14日目頃より7～10日間使用する。無月経で子宮が萎縮している場合でも，数周期カウフマン療法を繰り返すことで徐々に大きさが正常に戻ってくる。

➡「卵巣刺激法」(p.154)参照

POIの場合に，エストロゲン製剤だけでは卵胞発育が見られない場合やLHが高値（premature LH surge）で小さい卵胞のまま排卵してしまい採卵ができない場合がある。その時に，GnRHアナログ製剤で高くなったLH，FSHを抑制しながら高容量ゴナドトロピン製剤を投与する方法もある。ただ注射製剤を複数回投与する必要があり，身体的，金銭的負担も大きいにもかかわらず，発育卵胞数は非常に少ない[12,13]。

そのため，クロミフェン連続投与をエストロゲン製剤に併用する方法もある[14]（クロミフェン-エストロゲン連続投与法）。エストロゲン製剤によって，高LH・FSHレベルを適度に抑制し，卵巣のFSH受容体の感受性を高め，かつクロミフェンによる卵胞発育および排卵抑制効果で排卵せずに卵胞を発育させる方法である。この卵巣刺激法は，非常に安価でかつ採卵率も高い方法である。

② POIに対する補助的治療

DHEA

デヒドロエピアンドロステロン（DHEA）は，テストステロンとE2の合成における重要な前駆体ホルモンである。DHEAは卵胞のインスリン様成長因子（IGF）-1の発現を増加させ，顆粒膜細胞の増加やFSH受容体の活性化を誘導し，ゴナドトロピンの反応性を増強し，卵胞発育を促すことがわかっている[15]。

デヒドロエピアンドロステロン（DHEA）
dehydroepiandrosterone

DHEAの投与量は，50～75mg/日を2～6カ月継続的に投与し，妊娠に至った場合は中止する。メタ解析でも，DHEA補充後のARTの臨床妊娠率は，コントロール群と比較して，有意に向上することがわかっている（オッズ比 2.46，95％信頼区間 1.16-5.23）[16]。

成長ホルモン

成長ホルモン（GH）は，卵巣においてステロイド生成，卵胞発育，卵子成熟する効果があり，GH投与によりゴナドトロピンに対する顆粒膜細胞の反応性が向上することがわかっている[17]。

成長ホルモン（GH）
Growth hormone

無作為化対照試験も行われ，成熟卵子獲得率，受精卵獲得率が向上することが報告されているが，メタ解析において臨床妊娠率では有意差は出ていない（オッズ比 1.36，95％信頼区間 0.93-2.00）[16]。

コエンザイムQ10

コエンザイムQ10は脂溶性の補酵素で，ミトコンドリア内膜の必須構成成分である。コエンザイムQ10は，主にミトコンドリアのATP産生などと関与し，細胞内における抗酸化作用がある[18]。

低卵巣機能もしくは低卵巣反応の女性に対し，コエンザイムQ10を用いた

ARTにおける無作為化対照試験が報告されている[19]。コントロール群と比較して，卵子獲得率，良好胚獲得率などが向上していたが，胚移植ごとの臨床妊娠率では有意差は認めなかった。今後さらなる臨床研究が期待される。

レスベラトロール

レスベラトロール（3,5,4'-トリヒドロキシスチルベン）は，抗酸化作用，抗炎症作用，抗老化作用などがある天然ポリフェノールの一種で[20]，細胞内のサーチュイン遺伝子を活性化しミトコンドリアの合成を促進し，老化現象を抑制する。そのため，卵子の質の改善や卵巣機能低下を予防する効果がある[21]。卵巣機能を改善する効果も多数の研究で報告されているが，脱落膜化を抑制し着床を阻害する[22]ことから，明らかな臨床成績がでていなかった。

2021年にPOIではないが不妊症の女性を対象に，レスベラトロール（150mg/日）をベースとしたマルチビタミンサプリメントを用いたARTによる無作為化対照試験が報告された[23]。レスベラトロール投与群はコントロール群と比較して，採卵後の成熟卵子獲得率，受精卵獲得率などが向上していたが，胚移植ごとの臨床妊娠率では有意差は認めなかった。ただ採卵ごとでの累積妊娠率では高くなることが予想される。今後のさらなる臨床研究が待たれる。

→「Column：抗老化作用のあるレスベラトロールは，妊娠成績を向上させる？低下させる？」（p.414）参照

ビタミンD

ビタミンDは，卵巣予備能や卵胞発育と関与することがわかっている[24]。成人女性において，ビタミンDとAMH値が相関していることも報告されている[6, 24]。またほとんどのPOIの女性がビタミンD不足であることもわかっている[25]。さらに，ビタミンD不足の女性がビタミンDサプリメントを摂取すると，AMH値が上昇することが報告されている[6]。ビタミンDは卵巣予備能だけではなく，着床や流産とも関与しているため，不足していればサプリメントをしても良いかもしれない。

③POIに対する介入的治療

卵巣内多血小板血漿（Plate-rich plasma: PRP）注入

卵巣内多血小板血漿（PRP）注入は，再生医療の一つで，高密度に血小板を濃縮し標的臓器に局所投与する治療で，POIに対しても，PRPを卵巣に注入することで，血小板が放出する成長因子などにより，卵巣内の血管新生を促進させ卵巣機能を改善させる可能性がある。

Cakiroglu Yらは，311名のPOIの診断の女性に対し，PRPの卵巣内注入を行ったARTの臨床成績を報告している。PRP注入後にAFCやAMHの有意な増加を認め，23名（7.4％）が自然妊娠している。ARTに進んだ201名のうち82名（全体の26.4％）が受精卵を獲得し，57名が胚移植を行い13名（4.2％）が妊娠し，合計36名（11.6％）が妊娠している[26]。

他にもPOIの不妊女性における卵巣PRP注入後の妊娠・出産の報告が増えているため，今後期待できる治療法である[26, 27]。しかし，まだ基礎研究が不足しており，エビデンスは不足となっている[28]。

卵巣内多血小板血漿（PRP）
Plate-rich plasma

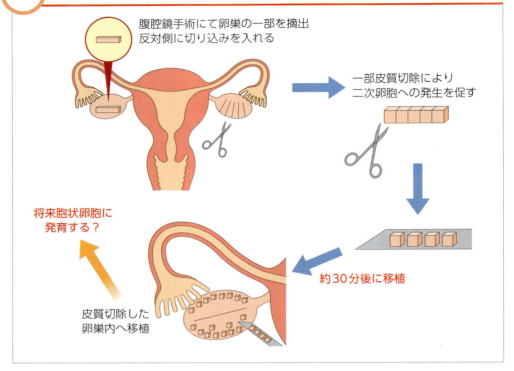

図1 老化卵巣機能回復法

老化卵巣機能回復法[29]

卵巣は再生能力の高い臓器で，低下し線維化した卵巣皮質を一部切除・断片化し，卵巣内に移植することで，高齢マウスで卵巣予備能が改善されることがわかっている[30]。筆者らは同法に改良を加え，2019年より臨床応用を開始した。腹腔鏡手術で卵巣予備能が低下した女性の卵巣皮質を2cm×1cmほど切除し，これを0.5mm区画に断片化し，これを卵巣内に移植する方法で老化卵巣機能回復法と名付けた（図1）。2022年現在，11名の卵巣予備能が低下した女性が出産に至っている。今度さらなる臨床研究を行い報告していく予定である。

④ 卵子提供

第三者の提供された卵子と夫の精子を体外受精し，妻に胚移植を行うARTである。卵子提供は日本でまだ正式に認められていないが，国内に2つの組織，JISART（日本生殖補助医療標準化機関）とOD-NET（卵子提供登録支援団体）によって行われている。

2020年12月4日ARTで出生した子の親子関係を明確にする民法の特例法「生殖補助医療の提供等及びこれにより出生した子の親子関係に関する民法の特例に関する法律」が国会で成立した。これを受け，日本産科婦人科学会では「精子・卵子・胚の提供等による生殖補助医療制度の整備に関する提案書」を取りまとめた。提案書には提供配偶子を使用したARTを認めていく意向や出自を知る

➡「第三者配偶子を用いた生殖医療」(p.484)参照

権利，治療を受ける条件などについて記載されており，今後解決すべき問題点は多いとはいえ，提供配偶子を使用したARTの制度の適正化をはかるべく動き出している[31]。しかし，まだ法整備は不十分であり，提供配偶子を使用したARTに関しては実際の施行における許認可および，情報管理，児の予後調査などは国が行う必要があり，今後はさらなる法整備が待たれる。

（田中　温）

参考文献

1) Faddy MJ, Gosden RG, Gougeon A et al. Accelerated disappearance of ovarian follicles in mid-life: implications for forecasting menopause. Hum Reprod 1992;7:1342-6.
2) Golezar S, Ramezani Tehrani F et al. The global prevalence of primary ovarian insufficiency and early menopause: a meta-analysis. Climacteric 2019;22:403-11.
3) Webber L, Davies M, Anderson R et al. ESHRE Guideline: management of women with premature ovarian insufficiency. Hum Reprod 2016;31:926-37.
4) Fenton AJ. Premature ovarian insufficiency: Pathogenesis and management. J Midlife Health 2015;6:147-53.
5) Bunnewell SJ, Honess ER, Karia AM et al. Diminished ovarian reserve in recurrent pregnancy loss: a systematic review and meta-analysis. Fertil Steril 2020;113:818-27.e3.
6) Moridi I, Chen A, Tal O et al. The Association between Vitamin D and Anti-Müllerian Hormone: A Systematic Review and Meta-Analysis. Nutrients 2020;12:1567.
7) Surrey ES, Cedars MI. The effect of gonadotropin suppression on the induction of ovulation in premature ovarian failure patients. Fertil Steril 1989;52:36-41.
8) Dragojevic-Dikic S, Rakic S, Nikolic B et al. Hormone replacement therapy and successful pregnancy in a patient with premature ovarian failure. Gynecol Endocrinol 2009;25:769-72.
9) Vandborg M, Lauszus FF. Premature ovarian failure and pregnancy. Arch Gynecol Obstet 2006;273:387-8.
10) Laml T, Huber JC, Albrecht AE et al. Unexpected pregnancy during hormone-replacement therapy in a woman with elevated follicle-stimulating hormone levels and amenorrhea. Gynecol Endocrinol 1999;13:89-92.
11) Bidet M, Bachelot A, Bissauge E et al. Resumption of ovarian function and pregnancies in 358 patients with premature ovarian failure. J Clin Endocrinol Metab 2011;96:3864-72.
12) Polyzos NP, Devroey P. A systematic review of randomized trials for the treatment of poor ovarian responders: is there any light at the end of the tunnel? Fertil Steril 2011;96:1058-U253.
13) Galey-Fontaine J. Age and ovarian reserve are distinct predictive factors of cycle outcome in low responders. Reprod Biomed Online 2005;10:94-9.
14) Kuroda K, Kitade M, Kumakiri J et al. Minimum ovarian stimulation involving combined clomiphene citrate and estradiol treatment for in vitro fertilization of Bologna-criteria poor ovarian responders. J Obstetrics Gynaecol Research 2016;42:178-83.
15) Monteiro CS, Scheffer BB, Carvalho RF et al. The impact of dehydroepiandrosterone in poor ovarian responders on assisted reproduction technology treatment. JBRA 2019;23:414-7.
16) Zhang Y, Zhang C, Shu J et al. Adjuvant treatment strategies in ovarian stimulation for poor responders undergoing IVF: a systematic review and network meta-analysis. Hum Reprod Update 2020;26:247-63.
17) Bayoumi YA, Dakhly DM, Bassiouny YA et al. Addition of growth hormone to the microflare stimulation protocol among women with poor ovarian response. Int J Gynaecol Obstet 2015;131:305-8.
18) Bentinger M, Brismar K, Dallner G. The antioxidant role of coenzyme Q. Mitochondrion 2007;7 Suppl:S41-50.
19) Xu Y, Nisenblat V, Lu C et al. Pretreatment with coenzyme Q10 improves ovarian response and embryo quality in low-prognosis young women with decreased ovarian reserve: a randomized controlled trial. Reprod Biol Endocrinol 2018;16:29.

20) Neves AR, Lucio M, Lima JL et al. Resveratrol in medicinal chemistry: a critical review of its pharmacokinetics, drug-delivery, and membrane interactions. Curr Med Chem 2012;19:1663-81.
21) Tatone C, Di Emidio G, Barbonetti A et al. Sirtuins in gamete biology and reproductive physiology: emerging roles and therapeutic potential in female and male infertility. Hum Reprod Update 2018;24:267-89.
22) Kuroda K, Ochiai A, Brosens JJ. The actions of resveratrol in decidualizing endometrium: acceleration or inhibition? †. Biol Reprod 2020;103:1152-6.
23) Gerli S, Della Morte C, Ceccobelli M et al. Biological and clinical effects of a resveratrol-based multivitamin supplement on intracytoplasmic sperm injection cycles: a single-center, randomized controlled trial. J Matern Fetal Neonatal Med 2021:1-9.
24) Dennis NA, Houghton LA, Jones GT et al. The level of serum anti-Müllerian hormone correlates with vitamin D status in men and women but not in boys. J Clin Endocrinol Metab 2012;97:2450-5.
25) Kebapcilar AG, Kulaksizoglu M, Kebapcilar L et al. Is there a link between premature ovarian failure and serum concentrations of vitamin D, zinc, and copper? Menopause 2013;20:94-9.
26) Cakiroglu Y, Saltik A, Yuceturk A et al. Effects of intraovarian injection of autologous platelet rich plasma on ovarian reserve and IVF outcome parameters in women with primary ovarian insufficiency. Aging 2020;12:10211-22.
27) Hajipour H, Farzadi L, Latifi Z et al. An update on platelet-rich plasma (PRP) therapy in endometrium and ovary related infertilities: clinical and molecular aspects. Syst Biol Reprod Med 2021;67:177-88.
28) Atkinson L, Martin F, Sturmey RG. Intraovarian injection of platelet-rich plasma in assisted reproduction: too much too soon? Hum Reprod 2021;36:1737-50.
29) セントマザー産婦人科医院：新しい卵巣機能低下の回復法　2022年.　https://www.stmother.com/treatment/ransou/
30) Umehara T, Urabe N, Obata T et al. Cutting the ovarian surface improves the responsiveness to exogenous hormonal treatment in aged mice. Reprod Med Biol 2020;19:415-24.
31) 日本産科婦人科学会 提供配偶子を用いる生殖医療に関する検討委員会
「精子・卵子・胚の提供等による生殖補助医療制度の整備に関する提案書」2021年 https://www.jsog.or.jp/news/pdf/20210608_shuuchiirai.pdf

各論 2 疾患別の治療

不妊症

原因不明不妊症

Point

- 不妊症のうち15〜30%は原因不明である。
- 原因不明不妊症は，偶発的に妊娠ができていない場合と検査不可能な不妊原因が存在する場合がある。
- 主に，①卵管疎通性のある卵管機能障害，②受精障害，③器質的疾患のない着床障害がある。
- 不妊期間が2年以上であれば，一般不妊治療での妊娠は難しく，生殖補助医療が必要である。

不妊スクリーニングで検索不可能な不妊原因の存在

　妊孕能の正常なカップルは，3カ月で約50%，6カ月で70〜80%，1年で約90%妊娠に至る。そのため1年以上避妊せず性交渉を行っているにもかかわらず，妊娠に至らない場合を不妊症と定義され，挙児を希望するカップルの10〜15%といわれている。

　不妊症の原因は，男性因子，卵巣因子，卵管因子，子宮因子などさまざまであるが，原因が明らかではない原因不明不妊症は15〜30%を占めている[1, 2]。加齢とともに妊孕能も低下するため，40歳以上の高齢女性では加齢のために偶発的に妊娠ができないのかもしれないが，一般的には不妊スクリーニングで検査不可能な不妊原因の存在が考えられる[3]。

原因不明不妊症で考えられる不妊原因

　一般的な不妊検査で調べることのできない不妊原因は主に3つある。①卵管疎通性のある卵管機能障害，②受精障害，③器質的疾患のない着床障害が挙

げられる（図1）。さらに詳細に考えられる不妊原因を挙げると図2のとおりとなる。いずれも精子と卵子が受精できていない，もしくは受精後着床できていないため，一般不妊治療では妊娠は難しい。

図1　不妊症の原因とその検査法

妊娠における不妊原因（原因に対する検査方法）
卵管疎通性のある卵管機能障害，受精障害，器質的疾患のない着床障害は原因不明不妊症で考えられる原因である。

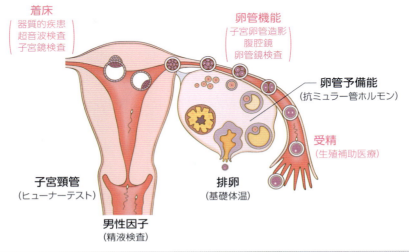

図2　原因不明不妊症で考えられる不妊原因

原因不明不妊症では主に精査のできない過程に不妊原因がある。考えられる不妊原因は卵管における①卵管口への精子進入障害，②精子・卵子や胚の運搬障害，③卵管ピックアップ障害がある。さらには，④受精障害，⑤胚発育障害，⑥着床不全が挙げられる。

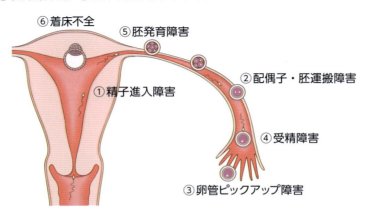

原因不明不妊症に対する治療方針

National Institute for Health and Clinical Excellence（NICE）のガイドラインでは，若年女性で避妊せず不妊期間が2年未満であれば，一般不妊治療を勧め，2年以上であれば年齢にかかわらず生殖補助医療（ART）に進むことを勧めている[1]。

つまり，医師は不妊原因がないから，一般不妊治療を続けるのではなく，患者に現状を説明したうえで積極的にARTまで含めた不妊治療を検討すべきである。原因不明不妊症で考えられる不妊原因について後述する。

卵管疎通性のある卵管機能障害

➡「卵管機能障害」（p.304）参照

子宮卵管造影検査が正常で卵管疎通性を認めても，卵管機能が正常とはいえない。排卵後の卵子を卵管采で取り込んでいるか，卵管の線毛上皮は配偶子を輸送できているか確認することは不可能である。

また，射精後の精子が子宮内から卵管口に進入できているか見ることも通常難しい。いずれも精子と卵子が受精まで到達できていない。子宮内膜症の女性は腹腔内の慢性的な炎症環境が，妊娠において精子運動障害，受精障害，胚発育障害を引き起こすことがわかっている[4]。

➡「子宮内膜症」（p.238）参照

治療法

原因不明不妊症の患者の腹腔鏡手術において，初期の子宮内膜症や他の原因で卵管采などの癒着を認める場合は，子宮内膜症病巣除去や癒着剥離などを行うことで，妊娠に至ることもある。しかし，初期子宮内膜症が術中にみつかり治療した場合，その後のART以外での累積妊娠率は20～30％程度であり，1カ月での妊娠率は約6％で高くはない[5,6]。

腹腔鏡手術で腹腔内を確認しても異常を認めない場合は，ARTが必要となる。

受精障害

受精のメカニズム（図3）

射精された精子は受精能獲得後，卵子の卵丘細胞を通過し先体反応を起こす。その後活性化した精子は，透明帯に接着・貫通し，受精する。受精直後から卵細胞質内にカルシウムイオンの一過性増加が反復して発生する（カルシウムオシレーション）。これを卵活性化といい，停止していた卵子の第二減数分裂が再開し，多精拒否が起きる[7]。

ARTで採卵後の成熟卵子と，回収し調整した精子を媒精し，約60～80％が受精する。しかし，受精障害のカップルは約10％存在することがわかっている[8]。

受精障害は原則ART以外で診断することは難しい。受精障害のほとんどは

顕微授精で受精可能だが，一部は受精しない，受精するも分割が停止する，もしくは多精子受精となるような卵活性化障害も存在する．主には女性の加齢に伴う卵子に由来するが，最近は**男性の精子由来の卵活性化障害もみつかっている**[9]．

治療法

治療法としてカルシウムイオノフォア，ストロンチウム，電気刺激などがあり，いずれも**卵細胞質内のカルシウムイオン濃度を増加させ，卵活性化を期待する**が，自然な受精時のカルシウムオシレーションとは明らかにその波形は異なる．卵活性化因子の最有力候補である精子由来の遺伝子**PLCζ（ホスフォリパーゼCゼータ）**があり，臨床に応用されると卵活性化障害も解決するかもしれない[7, 9]．

図3　受精と卵活性化のメカニズム

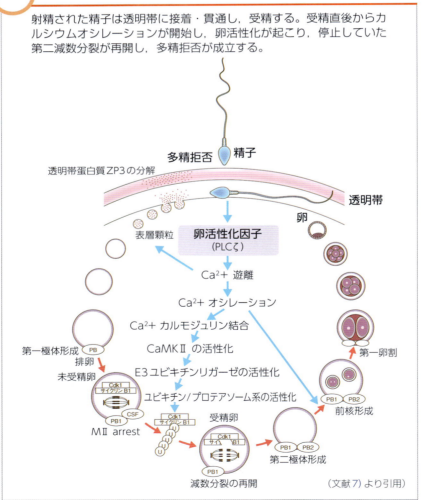

射精された精子は透明帯に接着・貫通し，受精する．受精直後からカルシウムオシレーションが開始し，卵活性化が起こり，停止していた第二減数分裂が再開し，多精拒否が成立する．

（文献7）より引用）

着床障害

着床のメカニズム

卵管膨大部で受精した受精卵は分割し，胚盤胞となり子宮内に到達する。一方で子宮内膜は排卵後のプロゲステロンの影響を受け，脱落膜化過程を経て形態的かつ機能的に変化し，着床時期（implantation window）となる。となる。透明帯から孵化した胚盤胞と子宮内膜脱落膜細胞は互いにクロストークし，接着・浸潤し胚全体が内膜に被包され着床が完了する。

着床時期
implantation window

反復着床不全の原因と診断

粘膜下筋腫や子宮内膜ポリープ，中隔子宮などがあれば，スクリーニングで着床障害の診断がつき治療が可能だが，器質的疾患のない着床障害が存在する。その原因として，①胚側の問題，②免疫異常を含む子宮側の問題，③胚と子宮のクロストークの問題が考えられる。

➡「反復着床不全症例」
（p.428）参照

クロストークの問題については現在研究段階であり，検査することは難しい。胚や子宮の問題については，一般不妊治療では治療が困難で，ARTまで進むことで治療が可能である。ただし子宮内に複数回良好胚を移植して初めて反復着床不全（RIF）と診断されるため，早期にRIFを診断することは難しい。その診断基準に関してはさまざまな報告があり，いまだ確定していないが，40歳未満で着床前スクリーニングを行っていなければ4個以上の良好胚を3回以上胚移植することが診断基準とされることが多い[10]。

反復着床不全（RIF）
repeated implantation failure

反復着床不全の治療法（表1）

胚の治療

ARTにおけるRIFの治療法として，胚側の問題に対しては，体外受精後に胚盤胞まで培養し，透明帯を切開するアシステッド・ハッチングや，着床に重要なヒアルロン酸を多く含有する培養液で培養後に胚移植し，着床をサポートする方法が挙げられる。さらに高齢女性の場合，着床障害の多くが胚の染色体異常が原因となる。そのため着床前スクリーニングも考慮する必要がある。

着床部位の制御

母体や子宮側の問題として，着床部位局所の子宮内環境や受精卵に対する免疫機構の異常，着床時期の不一致が考えられる。子宮内の至適な脱落膜化を制御するには，プロゲステロン製剤の投与，また着床における局所の炎症反応や幹細胞の活性化の目的で子宮内膜スクラッチやG-CSFの子宮内投与を行う方法がある。また，菲薄化した子宮内膜を伴うRIF症例には，子宮内に多血小板血漿（PRP）を投与する方法もある[11]。

G-CSF
granulocyte-colony stimulating factor

多血小板血（PRP）
Platelet rich plasma

さらにはRIFの患者の約30〜60％に認める慢性子宮内膜炎を診断することも重要で，子宮鏡検査や子宮内膜生検で慢性子宮内膜炎の診断となった場合は，抗菌薬などで治療する。

➡「慢性子宮内膜炎」
（p.312）参照

また，子宮内細菌叢を子宮内膜組織のマイクロバイオーム解析で確認し，プ

表1 反復着床不全に対する治療法

胚の治療
・アシステッド・ハッチング
・ヒアルロン酸含有培養液
・着床前スクリーニング
着床部位局所の子宮内環境の制御
・子宮内膜スクラッチ
・子宮内G-CSF投与
・子宮内多血小板血漿（PRP）投与
・プロゲステロン製剤
・慢性子宮内膜炎の治療
・帝王切開瘢痕症候群の手術
胚に対する免疫寛容の制御
・プロゲステロン製剤
・ビタミンDサプリメント
・免疫抑制薬：タクロリムス
・免疫ガンマグロブリン療法（IVIg）
着床時期の制御
・凍結融解胚移植
・胚移植時期の変更
その他
・甲状腺機能異常の治療

図4 帝王切開瘢痕症候群の骨盤MRI所見

骨盤MRI矢状断T2強調画像
帝王切開創部に陥凹を認める（矢印）。

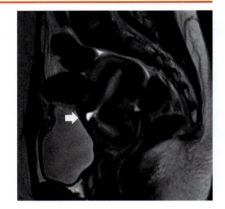

ロバイオティクスで治療する方法も報告されている[12,13]。ただしマイクロバイオーム検査は高額であり，RIF既往のある女性に対する有用性もいまだはっきりしていない。

　さらに，まれに続発性不妊症のなかに，前回分娩時に帝王切開を行っていると，帝王切開瘢痕部に貯留する貯留液が着床障害の原因となることがある（**帝王切開瘢痕症候群**）。疑う場合には必ず経腟超音波検査や骨盤MRI検査，子宮鏡検査で子宮体下部の帝王切開創部の確認が必要である（図4）。治療は基本が**子宮鏡手術**で治療可能である[14]。

免疫寛容の制御

着床と関わる免疫機構として，ヘルパーT(Th)細胞や血中Natural killer (NK)細胞が挙げられる。プロゲステロン製剤は免疫寛容と関わるTh2細胞産生を促進し，異常高値となった血中NK細胞活性を制御する働きがある。

また，ビタミンDは免疫拒絶と関わるTh1細胞やNK細胞を抑制する働きがある[15]。そのため，ビタミンD不足はTh1/Th2細胞比やNK細胞の異常高値による免疫異常を誘導し，着床障害と関与することがわかっている[15,16]。日本人の不妊女性のうち80％以上が，貯蔵型ビタミンDである25OHビタミンDが30ng/mL未満であることがわかっており，RIFの患者に限らず着床率の上昇にはサプリメントを行うことも重要である[15]。

一部のTh1/Th2細胞比のバランスの異常があるRIFの患者には，高用量ヒト免疫グロブリン静注療法(IVIg)や免疫抑制剤であるタクロリムスの効果が報告されている[17,18]。しかし，これらは適応外使用であるため使用する場合に同意書などが必要である。またIVIgは非常に高額な治療であり，継続的な投与は難しいため，使用するならタクロリムスを推奨する。

NK細胞
natural killer

ヒト免疫グロブリン静注療法(IVIg)
intravenous immunoglobulin

着床時期の制御

至適な着床時期を調整する場合は，高卵巣刺激後の新鮮胚移植を避け，全胚凍結を行い，改めた月経周期で融解胚移植を行うことも重要である。

さらに詳細な着床時期を調整する場合には，脱落膜化した子宮内膜を網羅的に遺伝子解析するERA®(endometrial receptivity analysis)検査を行い，その結果をもとに胚盤胞移植を行う方法もある[19]。ERA検査は高額な検査であり，妊娠率の向上に寄与することが報告されているが，RIF既往のある女性に対する有用性はいまだはっきりしていない[20,21]。またERA検査を行う場合には，慢性子宮内膜炎を認めるとERA検査結果に影響する可能性があるため，必ず慢性子宮内膜炎の検査と治療を行った後に検査することを推奨する[22]。

➡「慢性子宮内膜炎」(p.312)参照

その他

甲状腺機能異常，特に甲状腺機能低下症は不妊症と関係する。潜在性甲状腺機能低下症に対するレボチロキシン補充に関する無作為化比較試験では，主に受精率と着床率が有意に改善し，妊娠率が上昇している[23]。これは治療による卵子の質の向上などと関係しているのかもしれないが，甲状腺機能を正常化することも着床率向上にとって重要である。

➡「甲状腺疾患」(p.323)参照

Column
反復着床不全に対するOPTIMUM treatment strategy

着床障害に対する検査や治療はさまざまで，どの治療を選択するか悩むことも多い。筆者はRIFに対して**甲状腺機能，免疫機構，子宮内環境の精査・加療を，OPTIMUM (OPtimization of Thyroid function, IMmunity, and Uterine Milieu) treatment strategy**（以下；OPTIMUM）と名づけ，その治療法と妊娠成績を報告した[24]。

過去に平均5回（3〜19回）胚移植を行い着床しなかった既往のあるRIFの女性に対し，子宮鏡検査，子宮内膜組織のCD138免疫染色および子宮内細菌培養検査，血清Th1（IFN-γ産生細胞）およびTh2細胞値（IL-4産生細胞），血清25OHビタミンD値，甲状腺検査を行った。またRIFの女性は，不育症のリスク因子である血栓性素因をもつ女性が多いため，血栓性素因の検査も同時に行った。高額な検査であるERA検査，子宮内マイクロバイオーム解析および着床前スクリーニング検査は施行しなかった。

治療として子宮内病変に子宮鏡手術，慢性子宮内膜炎に抗菌薬治療，Th1/Th2細胞比の異常高値にビタミンD補充およびタクロリムスの投与，甲状腺機能低下症にレボチロキシン投与，血栓性素因に対し着床時期を超えてから低用量アスピリンを投与した（**図5a**）。ARTは原則すべて胚盤胞培養し全胚凍結を行い，その後にアシステッド・ハッチングを併用し単一胚移植を行った。

OPTIMUM後に2例自然妊娠し，そのうち1例は流産し，1例妊娠継続した。また初回胚移植の妊娠継続率（流産を除く）は，40歳未満でOPTIMUM群57.4%，コントロール群21.4%，40歳以上でOPTIMUM群30.3%，コントロール群0%（ともにp＜0.01）で，OPTIMUM群で有意に妊娠継続率が高かった（**図5b**）。また，OPTIMUMを行い**2回胚移植後の累積妊娠継続率は40歳未満，40歳以上それぞれ72.7%，45.5%**であった（**図5b**）。

OPTIMUMは明らかにRIF既往の女性の妊娠率向上に寄与していたが，40歳以上の高齢女性では，2回胚移植後も約半分の女性しか妊娠継続していなかった。高齢女性の場合，胚の染色体異常の発生率が高いため，RIFの治療法として着床前スクリーニングの併用も検討する必要がある。

図5　OPTIMUM treatment strategyの治療法と妊娠成績

反復着床不全既往のある女性に対し，甲状腺機能，免疫機構，子宮内環境の精査・加療を，OPTIMUM (OPtimization of Thyroid function, IMmunity, and Uterine Milieu) treatment strategyと名付け，治療を行った。40歳未満の女性では，OPTIMUM後に初回の胚移植で58.2%，2回で72.7%の累積妊娠率であった。

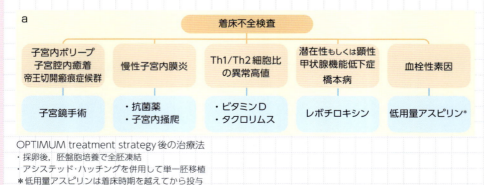

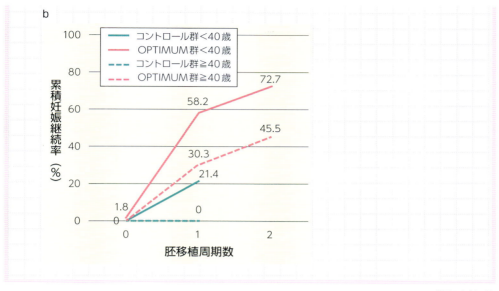

(黒田恵司)

参考文献

1) NICE：National Institute for Health and Clinical Excellence. National Collaborating Centre for Women's and Children's Health. Fertility: Assessment and Treatment for People with Fertility Problems 2013; 156: 63.
2) Practice Comm Amer Soc Reprod M：Effectiveness and treatment for unexplained infertility. Fertil Steril 2006; 86: S111-4.
3) Somigliana E PA, Busnelli A, Filippi F, et al：Age-related infertility and unexplained infertility: an intricate clinical dilemma. Human Reprod 2016; 31: 1390-6.
4) Harada T, Iwabe T, Terakawa N：Role of cytokines in endometriosis. Fertil Steril 2001; 76: 1-10.
5) Marcoux S, Maheux R, Berube S, et al：Laparoscopic surgery in infertile, women with minimal or mild endometriosis. N Engl J Med 1997; 337: 217-22.
6) Tanahatoe SJ, Hompes PGA, Lambalk CB：Investigation of the infertile couple-Should diagnostic laparoscopy be performed in the infertility work up programme in patients undergoing intrauterine insemination? Human Reprod 2003; 18: 8-11.
7) Kuroda K：Sperm Factor, PLC, and Egg Activation. J Mammalian Ova Research 2010; 27: 198-203.
8) 柳田 薫, 高田 智：顕微授精での受精障害. 医学のあゆみ 2007; 223: 85-9.
9) Kashir J, Heindryckx B, Jones C, et al：Oocyte activation, phospholipase C zeta and human infertility. Hum Reprod Update 2010; 16: 690-703.
10) Coughlan C, Ledger W, Wang Q, et al：Recurrent implantation failure: definition and management. Reprod Biomed Online 2014; 28: 14-38.
11) Maleki-Hajiagha A, Razavi M, Rouholamin S, et al：Intrauterine infusion of autologous platelet-rich plasma in women undergoing assisted reproduction: A systematic review and meta-analysis. J Reprod Immunol 2020; 137: 103078.
12) Moreno I, Codoñer FM, Vilella F, et al：Evidence that the endometrial microbiota has an effect on implantation success or failure. Am J Obstet Gynecol 2016; 215: 684-703.
13) Kadogami D, Nakaoka Y, Morimoto Y：Use of a vaginal probiotic suppository and antibiotics to influence the composition of the endometrial microbiota. Reprod Biol 2020; 20: 307-14.
14) Tanimura S, Funamoto H, Hosono T, et al：New diagnostic criteria and operative strategy for cesarean scar syndrome: Endoscopic repair for secondary infertility caused by cesarean scar defect. J Obstet Gynaecol Res 2015; 41: 1363-9.

15) Ikemoto Y, Kuroda K, Nakagawa K, et al : Vitamin D Regulates Maternal T-Helper Cytokine Production in Infertile Women. Nutrients 2018; 10: 902.

16) Fabris A, Pacheco A, Cruz M, et al : Impact of circulating levels of total and bioavailable serum vitamin D on pregnancy rate in egg donation recipients. Fertil Steril 2014; 102: 1608-12.

17) Nakagawa K, Kwak-Kim J, Ota K, et al : Immunosuppression with tacrolimus improved reproductive outcome of women with repeated implantation failure and elevated peripheral blood TH1/TH2 cell ratios. Am J Reprod Immunol 2015; 73: 353-61.

18) Winger EE, Reed JL, Ashoush S, et al : Degree of TNF-α/IL-10 cytokine elevation correlates with IVF success rates in women undergoing treatment with Adalimumab (Humira) and IVIG. Am J Reprod Immunol 2011; 65: 610-8.

19) Garrido-Gómez T, Ruiz-Alonso M, Blesa D, et al : Profiling the gene signature of endometrial receptivity: clinical results. Fertil Steril 2013; 99: 1078-85.

20) Tan J, Kan A, Hitkari J, et al : The role of the endometrial receptivity array (ERA) in patients who have failed euploid embryo transfers. J Assist Reprod Genet 2018; 35: 683-92.

21) Neves AR, Devesa M, Martínez F, et al : What is the clinical impact of the endometrial receptivity array in PGT-A and oocyte donation cycles? J Assist Reprod Genet 2019; 36: 1901-8.

22) Kuroda K, Horikawa T, Moriyama A, et al : Impact of chronic endometritis on endometrial receptivity analysis results and pregnancy outcomes. Immun Inflamm Dis 2020; 8: 650-8.

23) Velkeniers B, Van Meerhaeghe A, Poppe K, et al : Levothyroxine treatment and pregnancy outcome in women with subclinical hypothyroidism undergoing assisted reproduction technologies: systematic review and meta-analysis of RCTs. Hum Reprod Update 2013; 19: 251-8.

24) Kuroda K, Matsumura Y, Ikemoto Y, et al : Analysis of the risk factors and treatment for repeated implantation failure : OPtimization of Thyroid function, IMmunity, and Uterine Milieu (OPTIMUM) treatment strategy. Am J Reprod Immunol 2021; 85: e13376.

各論2 疾患別の治療

不妊症

男性不妊症

Over View

　造精機能障害に対する薬物治療に特効薬はなく，経験的に内分泌療法と非内分泌療法が施行されてきた。前者ではゴナドトロピン療法が一般的とされる。テストステロンの長期投与は造精機能を悪化させるので注意が必要である。また，クロミフェンが用いられることも多い。後者ではビタミン剤（B12，C，E）や亜鉛などの抗酸化剤，および漢方製剤などが頻用されている。最近では抗酸化サプリメント（亜鉛，コエンザイムQ10，L-カルニチンなど）の有用性も報告されている。外科的治療としては，精索静脈瘤に対する内精静脈結紮術，閉塞性無精子症に対する精路再建術，無精子症に対する精子採取術が挙げられる。精路再建術は症例に応じて精管精管吻合術，もしくは精管精巣上体吻合術が施行される。無精子症については非閉塞性であっても顕微鏡下精巣内精子採取術（microdissection TESE）が施行され，すでに標準治療となっている。

造精機能障害に対する薬物治療

大きく内分泌療法と非内分泌療法に分けられる。

非内分泌療法
　ビタミン剤，漢方薬，カリクレイン製剤，サプリメントなどが頻用されている。

ビタミン剤
　ビタミンB12，C，Eなどが用いられることが多い。B12は精細胞のDNA合成，精巣組織への代謝賦活作用，CやEは酸化的ストレスに弱いとされる精子に対する抗酸化作用が期待できる。

漢方薬

補中益気湯が最も頻用されている。その他，牛車腎気丸，桂枝茯苓丸，柴胡加竜骨牡蛎湯などの漢方製剤も用いられている。

カリクレイン製剤

キニン-カリクレイン系の蛋白分解酵素として作用し，精巣への血流増加，セルトリ細胞機能亢進などの機序が推測されている。

抗酸化サプリメント

最近，プラセボと比較してコエンザイムQ10[1]，L-カルニチン[2]の有用性が報告されている。抗酸化作用を有する亜鉛も頻用されている。精漿中の亜鉛濃度は血中の100倍以上とされることから，亜鉛は精子機能に重要な役割を担っているとされてきた。これまでに亜鉛と葉酸の併用療法の有用性が報告されている[3]。筆者は，血中亜鉛濃度の低下が精液不良となる独立した因子であることを報告している[4]。また，筆者はビタミンB12，C，E，コエンザイムQ10，L-カルニチン，亜鉛などを含んだ複合サプリメントにより，精液所見が改善した経験を報告した[5]。

内分泌療法

内分泌療法については，内分泌学的刺激を受けることで精巣内テストステロンを上昇させ，造精機能を増強させることが目的である。従って，原則として低（および正）ゴナドトロピン性の男性不妊患者が対象となる。

一般に，ゴナドトロピン療法が最も標準的な治療法である。ヒト絨毛性性腺刺激ホルモン（hCG）と遺伝子組換え卵胞刺激ホルモンであるリコンビナント follicle stimulating hormone（rFSH）の併用療法が代表的である。

また，クロミフェンも用いられる。クロミフェンは選択的エストロゲン受容体調節薬（SERM）であり，視床下部のエストロゲン受容体を阻害することから性腺刺激ホルモンのネガティブ・フィードバックを介して，下垂体からのゴナドトロピン分泌を促進させ，造精機能の改善を促す[6]。

ヒト絨毛性性腺刺激ホルモン（hCG）
human chorionic gonadotropin

精索静脈瘤に対する外科的治療

逆流を生じている内精静脈を結紮・切断，もしくは閉塞することが外科的治療の原則である。

術式

高位結紮術

内鼠径輪より頭側で内精静脈の処理を行うもの。高位では動脈を同時に結紮しても通常精巣は萎縮しないものの，最近ではそれでも精巣動脈や多数のリンパ管を顕微鏡下に同定し，温存することを目指す低位結紮術が主流である（図1）。メタ解析の結果で顕微鏡下低位結紮術の優位性，すなわち自然妊娠率が最も高く，再発率や合併症（陰囊水腫）発生率が最も低いと結論付けられている（表1）[7]。

図1　顕微鏡下精索静脈低位結紮術

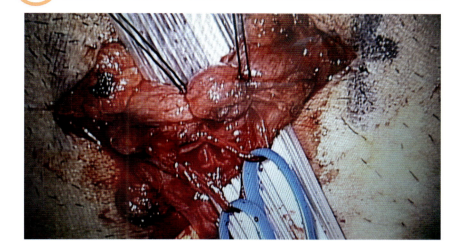

表1　精索静脈瘤に対する妊娠率，再発率，陰嚢水腫発生率

(%)	Palomo法 (肉眼的高位結紮術)	Ivanissevich法 (肉眼的低位結紮術)	顕微鏡下手術	腹腔鏡手術	塞栓術
自然妊娠率	37.69	36.00	41.97	30.07	33.2
静脈瘤再発率	14.97	2.63	1.05	4.30	12.7
陰嚢水腫発生率	8.24	7.30	0.44	2.84	-

治療効果

　治療効果については治療対象や評価期間が一定ではなく，いまだ議論が絶えない。1年以上の不妊歴を有し，精液所見になんらかの異常を認める精索静脈瘤患者に対して，顕微鏡下低位結紮術を施行した群と無治療であった群が前向きに検討された。それによれば治療前と1年後の精液所見で，治療した群のみ精子濃度，運動率の有意な改善を認めている[8]。顕微鏡下低位結紮術の有用性を示す報告と考えられる。

閉塞性無精子症に対する精路再建術

　閉塞性無精子症に対して行う精路再建術は，自然妊娠を期待させる点で重要な術式と考えられる。

図2　顕微鏡下精管精管吻合術

顕微鏡下に精管を吻合している。（小児期鼠径ヘルニア手術後の症例）

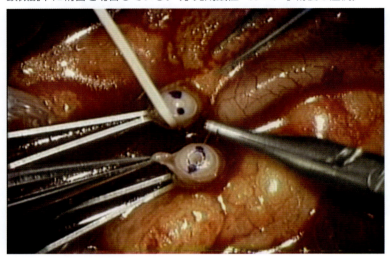

術式

精管精管吻合術

精管切断術後や小児期鼠径ヘルニア手術後の精管閉塞が対象となる。

いずれも手術用顕微鏡下に，粘膜と筋層を二層吻合するのが一般的である（図2）[9]。

精管精巣上体吻合術

先天性精巣上体閉塞，精巣上体炎後，長期間の精管閉塞による二次的精巣上体閉塞などが適応となる。また，射精管囊胞などの射精管閉塞による閉塞性無精子症と診断された場合には，射精管開放術が適応になることがある。

無精子症に対する精子採取術

閉塞性無精子症

精巣上体を露出し，顕微鏡下に精巣上体管内溶液を吸引する方法や，経皮的に穿刺吸引する方法がある。通常の精巣生検による**精巣内精子採取術（TESE）**も施行されている。

精巣内精子採取術（TESE）
testicular sperm extraction

非閉塞性無精子症

顕微鏡下に精細管の状態を確認しつつ，精子の存在が期待される太い，白濁，蛇行した精細管のみ（図3）を採取する**顕微鏡下精巣内精子採取術（microdissection TESE）**が行われるようになった。この術式により精子採取率は著しく向上し，以前は絶対不妊と考えられていたクラインフェルター症候群でも約半数の症例で精子採取が可能と報告されている[10]。

図3　顕微鏡下精巣内精子採取術

顕微鏡下に，白濁，蛇行した精細管を認める。

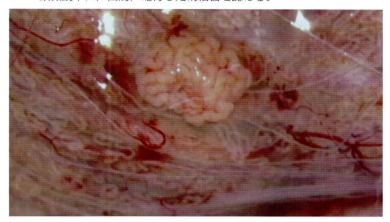

（辻村　晃）

参考文献

1) Balercia G, Buldreghini E, Vignini A, et al：Coenzyme Q10 treatment in infertile men with idiopathic asthenozoospermia: a placebo-controlled, double-blind randomized trial. Fertil Steril 2009；91：1785-92.
2) Lenzi A, Lombardo F, Sgrò P, et al：Use of carnitine therapy in selected cases of male factor infertility: a double-blind crossover trial. Fertil Steril 2003；79：292-300.
3) Ebisch IMW, Pierik FH, Jong FHD, et al：Does folic acid and zinc sulphate intervention affect endocrine parameters and sperm characteristics in men？ Int J Androl 2006；29：339-45.
4) Tsujimura A, Hiramatsu I, Miyoshi M, et al：Relationship between serum zinc concentration and semen quality in newly-wed men. Int J Urol 2021；28：289-93.
5) Terai K, Horie S, Fukuhara S, et al：Combination therapy with antioxidants improves total motile sperm counts: A Preliminary Study. Reprod Med Biol 2019；19：89-94.
6) ElSheikh MG, Hosny MB, Elshenoufy A, et al：Combination of vitamin E and clomiphene citrate in treating patients with idiopathic oligoasthenozoospermia: A prospective, randomized trial. Andrology 2015；3：864-7.
7) Cayan S, Shavakhabov S, Kadioglu A：Treatment of palpable varicocele in infertile men: a meta-analysis to define the best technique. J Androl 2009；30：33-40.
8) Abdel-Meguid TA, Al-Sayyad A, Tayib A, et al：Does varicocele repair improve male infertility？ An evidence-based perspective from a randomized, controlled trial. Eur Urol 2011；59：455-61.
9) Taniguchi H, Iwamoto T, Ichikawa T, et al：Male Infertility Surgical Forum in Japan: Contemporary outcomes of seminal tract re-anastomoses for obstructive azoospermia: a nationwideJapanese survey. Int J Urol 2015；22：213-8.
10) Aksglaede L, Juul A：Testicular function and fertility in men with Klinefelter syndrome: a review Eur J Endocrinol 2013；168：R67-76.

各論 2 疾患別の治療

不妊症

卵管機能障害

Over View

卵管閉塞，特に卵管留水症は不妊症だけでなく，妊娠後の流産や異所性妊娠の発生率を上昇させる。

子宮卵管造影検査は，腹腔鏡検査と比較し診断精度が低いため，卵管の異常，特に卵管角部閉塞を疑う場合に腹腔鏡手術を検討する。

卵管鏡下卵管形成術の術後妊娠率は1～1.5年で30～45％である。

卵管形成術が難しい場合や高齢女性は，生殖補助医療を検討する。

生殖補助医療を行う場合でも，卵管留水症は無治療だと妊娠成績が不良なため卵管切断術などを検討する。

卵管は配偶子や胚の輸送だけでなく，受精やその後の胚発育を行ううえで重要な生殖器官である。卵管機能障害は，その多くがクラミジアなどの感染症による卵管炎や子宮内膜症や腹腔内の手術既往などによる卵管周囲癒着が原因である。卵管機能障害の妊孕能への影響とその治療法について概説する。

妊娠への影響（妊娠前）

卵管狭窄および閉塞

卵管の狭窄や閉塞は，著明に妊孕能を低下させ，両側卵管閉塞の場合はタイミング法や人工授精などの一般不妊治療では妊娠することはできない。手術を希望しなければ原則生殖補助医療（ART）の適応となる。ただ卵管留水症を認める場合には，ARTでも着床率が低下することがわかっている[1]。ARTにおける着床率を解析したメタ解析において，卵管留水症がある女性は，卵管性不妊症を認めない女性と比較して0.32倍（95％信頼区間0.23～0.45），卵管留水症のない卵管性不妊症の女性と比較して0.42倍（95％信頼区間0.32～0.56）着床率が低下することがわかっている[1]。卵管内の貯留液が子宮内の慢性子宮内膜炎を起こしている可能性が報告されている[2]。

➡「慢性子宮内膜炎」（p.312）参照

304

卵管疎通性のある卵管機能障害

　卵管疎通性を認めても，卵管機能が正常とはいえない。排卵後の卵子を卵管采で取り込んでいるか，また卵管の線毛上皮が配偶子を輸送できているか確認することは不可能である。

　いずれも精子と卵子が受精まで到達できていない。その原因として，クラミジアなどによる卵管炎の既往や子宮内膜症が挙げられる。子宮内膜症では，腹腔内の慢性的な炎症環境が，精子運動障害，受精障害，胚発育障害を引き起こすことがわかっている[3]。

➡「原因不明不妊症」
（p.289）参照

➡「子宮内膜症」
（p.238）参照

妊娠への影響（妊娠後）

　卵管機能障害は主に不妊症となるため，妊娠後の胎児への影響に関する報告は非常に少ない。ただARTの技術が向上したため，ARTによって妊娠した症例における卵管機能障害の妊娠への影響の報告がある。

　卵管留水症を認めたまま妊娠した場合に，妊娠後の流産率が1.60倍（95%信頼区間1.11〜2.30）上がることがわかっている[1]。また異所性妊娠の発症率も3.48倍（95%信頼区間1.60〜7.60）高くなり[1]，かつ卵管形成術を行った場合でも卵管妊娠の発症率が高い[4]。さらに，卵管妊娠を起こしたときに卵管留水症や重度な卵管周囲癒着を認めていると，卵管妊娠を再度発症する確率も高くなることもわかっている[5]。

　明らかな卵管留水症を認め，かつ手術を施行しないでARTを行う場合や，手術を行う場合でも卵管温存を行う場合は，術前に妊娠後の流産や異所性妊娠のリスクを十分に患者に説明する必要がある。

診断方法

子宮卵管造影検査（HSG）

　HSGは子宮および卵管に造影剤を注入し卵管疎通性を確認する検査である。検査前には，必ずクラミジア感染症の有無を確認しておく必要がある。

　造影剤は油性のリピオドール®と水性のイソビスト®がある。油性造影剤のリピオドール®は，造影される画像が明瞭なため診断精度が高いが，拡散に時間がかかり，かつヨードが甲状腺機能へ影響する可能性があるため，甲状腺機能異常を認める症例には油性造影剤は推奨しない[6]。一方，水性造影剤のイソビスト®は，診断精度は下がるが，拡散時間が短く，かつ軽度の甲状腺機能異常でも甲状腺機能のコントロールがついていれば，使用が可能である。

　卵管疎通性を簡易に客観的に確認するにはHSGが一般的だが，腹腔鏡検査と比較したメタ解析では感度0.65，特異度0.83とあまり高くはない[7]。特に両側卵管角部で閉塞を疑う場合は，子宮卵管口の攣縮による機能的閉塞の場合がある[8]。そのため，両側卵管角部閉塞を認めた場合は，HSGの再検査や腹腔鏡検査を検討する必要がある。

子宮卵管造影検査（HSG）
Hysterosalpingography

➡「甲状腺機能異常」
Column
（p.323）参照

HSGは卵管疎通性を確認するだけでなく，検査後の妊娠率の向上に寄与することもわかっている。特に油性造影剤を用いたときに妊娠率が向上することがわかっている[9]。

超音波造影剤による卵管通過性検査（HyCoSy）

HyCoSyは，超音波検査下に超音波造影剤を用いて卵管通過性を評価する検査である。HSGと違って，X線造影装置などの設備を必要としないため，簡易に行うことができる。HSGと比較し主観的な検査であり，その診断精度は下がる。ただ検査手技が慣れれば，HSGと同じくらいの診断率となり，HSGと比較した臨床研究において一致率は9割近く，卵管疎通性のみを検査する場合にHyCoSyはひとつの選択肢となる[10]。

卵管通過性検査
(HyCoSy)
hysterosalpingo contrast sonography

腹腔鏡および卵管鏡検査（salpingoscopy）

腹腔鏡で腹腔内を確認しながら子宮内にインジゴカルミン注射液を注入し，卵管疎通性を確認する卵管通色素検査が，卵管を評価するうえで最も診断精度が高い。卵管閉塞だけでなく，腹腔鏡で卵管を確認すると傍卵巣嚢腫や卵管周囲癒着などさまざまな解剖学的な異常を認めることがある（図1）[11]。このような卵管の解剖学的異常を除去するだけでも自然妊娠率の向上に寄与する。

図1　卵管の解剖学的異常

腹腔鏡検査で卵管，特に卵管采を確認すると傍卵巣嚢腫や卵管采のループ，癒着などを認めることがある。これらを除去することで自然妊娠率の向上に寄与する可能性がある。

正常卵管

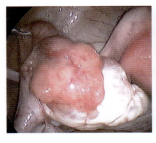

傍卵巣嚢腫

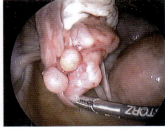

卵管采のループ

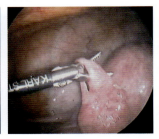

付属の卵管口
(Accessory fallopian tube ostium)

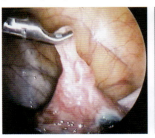

卵管周囲癒着

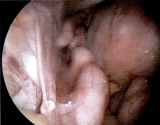

卵管憩室

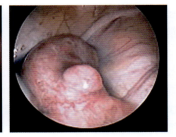

（文献11）より引用

図2　卵管鏡

卵管鏡には，経腟的に卵管口を通して卵管内腔を観察するfalloposcopyと，腹腔鏡併用で卵管内腔を観察するsalpingoscopyがある。

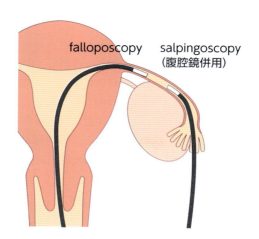

また，卵管鏡検査を用いるとさらに詳細な卵管内腔の異常を確認することができる。卵管鏡は，腹腔鏡下に卵管采から卵管内を確認する"salpingoscopy"と経腟的に卵管口を通して卵管内を確認する"falloposcopy"があり，卵管内を確認するにはsalpingoscopyがよい（図2）。salpingoscopyで確認した卵管内腔の異常を図3に示す。卵管の疎通性を認めても，このような異常があると配偶子の輸送や卵管内での受精ができていない可能性がある。

図3　卵管内腔の異常（salpingoscopy）

腹腔鏡併用でsalpingoscopyで卵管内腔を確認すると卵管粘膜ひだの消失や鈍化，卵管内腔癒着や卵管内の異物を認めることがある。卵管の疎通性を認めても，このような異常があることで不妊症となる可能性がある。

正常卵管粘膜

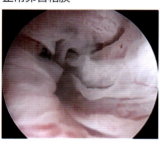

卵管粘膜ひだの消失

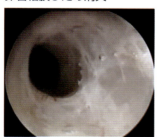

異常血管新生

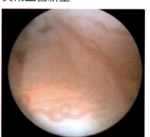

卵管内腔癒着

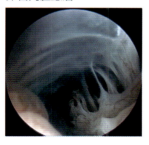

卵管粘膜の鈍化

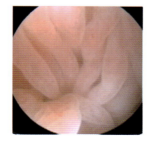

卵管内異物

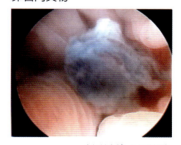

（文献11）より引用）

治療方法とその適応

　ARTの技術の向上により，卵管機能障害に対する手術が行われることは少なくなってきた。ただARTを希望しない場合には，手術を検討する必要がある。手術の方法は，狭窄・閉塞は部位により治療方針が異なる。

　まず，卵管角部閉鎖を疑う場合は機能性閉鎖の場合があるため，腹腔鏡検査などで閉塞の有無を確認する必要がある。また，卵管留水症や卵管周囲癒着を疑う場合には，腹腔鏡手術で治療する。それ以外の部位では卵管鏡手術（Falloposcopy）が必要となる。

卵管鏡下卵管形成術（FT）

卵管鏡下卵管形成術（FT）
Falloposcopic tuboplasty

　FTは，主に卵管近位側の卵管閉塞や狭窄に対し行われる手術である。ARTの技術が向上し一般的となってきたため，行われることも少なくなっているが，卵管因子以外の不妊原因がなく自然妊娠を希望する場合には有用な手術方法である。

　経腟的にFTカテーテルを子宮内に挿入し，卵管口を同定した後に，卵管内に挿入する。FTカテーテルの先端にはバルーンがあり，バルーンを加圧・減圧しながら卵管鏡を進め，卵管内を拡張する。FTは高額なFTシステムが必要で，かつ非常に細い卵管鏡を用いて行うため高度な技術を要する。

　FT後のART以外による不妊治療後の妊娠率を図4に示す。2つの報告からFT後の累積妊娠率は1〜1.5年で約30〜45％である[12,13]。この結果をもとにFTの適応について患者とよく相談する必要がある。

卵管留水症に対する手術

　卵管采が閉塞し，卵管内に月経血などが貯留し卵管が腫大し卵管留水症となっている場合，手術で卵管開口術を行うと，ART以外により術後3年で約40％妊娠する（図5）[4]。しかし，その多くが卵管妊娠であり，子宮内妊娠は術後3年で22％しかない[4]。また手術を行わないでARTを行うと，卵管内の貯留液が着床に影響するため着床率が低い[1]。また，妊娠後も異所性妊娠と流産の発生率が高い[1,14]。そのため，卵管留水症は胚移植前に治療を検討すべきである。

　治療法として，卵管切除術，卵管切断術，卵管内穿刺吸引術が挙げられる。メタ解析では無治療と比較し，卵管切除術で2.24倍（95％信頼区間1.27〜3.95），卵管切断術で3.22倍（95％信頼区間1.27〜8.14）と有意に着床率が上昇し，卵管内穿刺吸引術は1.84倍（95％信頼区間0.83〜4.07）と上昇はするが有意差は認めない[15]。ただし卵管切除術を行うと，卵巣周囲の血流も低下するため卵巣予備能が低下することがわかっている[16]。AMH値が低い症例では，卵管は切除せず切断することを推奨する。また，海外では避妊具として開発された子宮鏡下に卵管口を閉塞させるEssure®も卵管留水症の治療に使われている。しかし，Essure®は卵管切除や切断と比較し術後の着床率が低く，流産率が高いことが報告されている[17]。

図4 卵管狭窄・閉塞に対する卵管鏡下卵管形成術（Falloposcopic tuboplasty）の累積妊娠率

卵管狭窄もしくは閉塞に対する卵管鏡下卵管形成術（Falloposcopic tuboplasty; FT）の累積妊娠率を示す。術後1〜1.5年で妊娠率は約30〜45％である。

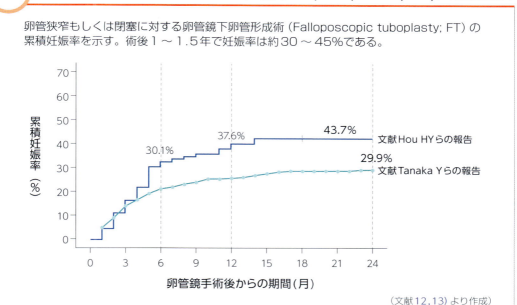

（文献12, 13）より作成）

図5 卵管留水症に対する卵管開口術

卵管開口術後のART以外の妊娠率
卵管留水症に対する卵管開口術を行うと，術後3年でART以外で約40％が妊娠する。しかしその多くが異所性妊娠で，子宮内妊娠はわずか22％しかない。

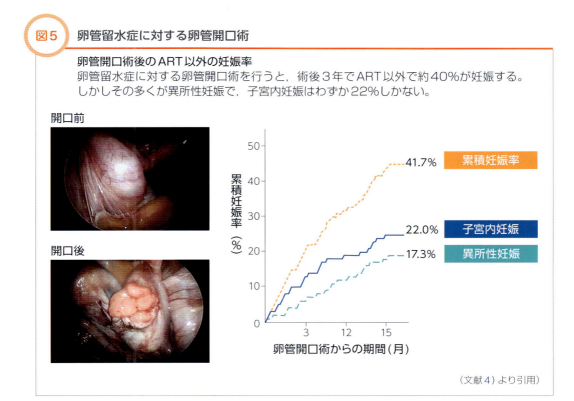

（文献4）より引用）

卵管疎通性のある卵管機能障害に対する手術

原因不明不妊症の患者の腹腔鏡手術において，初期の子宮内膜症や卵管采の癒着や病変を認める場合は，子宮内膜症病巣除去や癒着剥離などを行うことで，妊娠に至ることもある。

Franjoineらは，原因不明不妊症と診断された女性に腹腔鏡下に卵管采を丁寧に開口し卵管采形成術を行った後の妊娠率を報告している（図6）[18]。卵管采形成術を行った35歳以下の女性における，約1年間でのART以外での累積妊娠率は51.5％で，診断的腹腔鏡検査を行った対照群の28.6％と比較し有意に高かった（$p = 0.02$）。一方で，35歳を超えた女性では有意差を認めなかった（$p = 0.45$）。

若年女性で腹腔鏡手術を行うときに卵管采を観察し卵管采形成術を行うことで，ART以外で妊娠できる可能性があるが，高齢女性はARTの検討が必要である。

➡「原因不明不妊症」（p.289）参照

生殖補助医療（ART）

卵管性不妊で卵管形成術が難しい場合，もしくは高齢女性の場合にはARTが適応となる。前述のとおりで，卵管留水症を認める場合には，胚移植を行う前に治療を行うか患者とよく相談する必要がある。

また，卵管性不妊症の場合に，胚移植を行うときに初期分割胚移植を行ったほうが胚盤胞移植と比較し異所性妊娠の発生率が高いという報告もあったが，

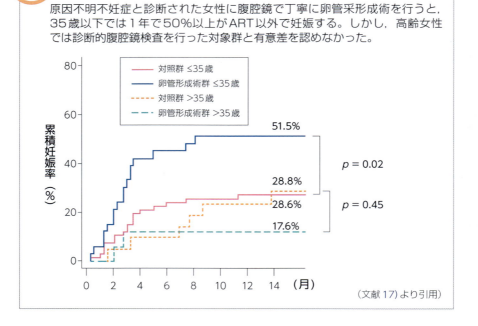

図6 原因不明不妊症に対する腹腔鏡下卵管采形成術後の累積妊娠率

原因不明不妊症と診断された女性に腹腔鏡で丁寧に卵管采形成術を行うと，35歳以下では1年で50％以上がART以外で妊娠する。しかし，高齢女性では診断的腹腔鏡検査を行った対象群と有意差を認めなかった。

（文献17）より引用）

メタ解析では有意差はないことがわかっている（相対危険度0.99，95％信頼区間0.76〜1.30）[19]。むしろ新鮮胚移植を行ったときに凍結融解胚移植と比較し，1.56倍（95％信頼区間1.25〜1.95）異所性妊娠の発生率が高いことがわかっているため，卵管性不妊症でARTを行う場合には凍結融解胚移植を検討する必要がある[19]。

（黒田恵司）

参考文献

1) Capmas P, Suarthana E, Tulandi T：Management of Hydrosalpinx in the Era of Assisted Reproductive Technology: A Systematic Review and Meta-analysis. J Minim Invasive Gynecol 2021；28: 418－41．
2) Holzer I, Ott J, Kurz C, et al：Is Chronic Endometritis Associated with Tubal Infertility? A Prospective Cohort Study. J Minim Invasive Gynecol 2021；28(11): 1876-81．
3) Harada T, Iwabe T, Terakawa N：Role of cytokines in endometriosis. Fertil Steril 2001；76: 1－10．
4) Taylor RC, Berkowitz J, McComb PF：Role of laparoscopic salpingostomy in the treatment of hydrosalpinx. Fertil Steril 2001；75: 594－600．
5) Kuroda K, Takeuchi H, Kitade M, et al：Assessment of tubal disorder as a risk factor for repeat ectopic pregnancy after laparoscopic surgery for tubal pregnancy. J Obstet Gynaecol Res 2009；35: 520－4．
6) Mekaru K, Kamiyama S, Masamoto H, et al：Thyroid function after hysterosalpingography using an oil-soluble iodinated contrast medium. Gynecol Endocrinol 2008；24: 498－501．
7) Swart P, Mol BW, van der Veen F, et al：The accuracy of hysterosalpingography in the diagnosis of tubal pathology: a meta-analysis. Fertil Steril 1995；64: 486－91．
8) Dessole S, Meloni GB, Capobianco G, et al：A second hysterosalpingography reduces the use of selective technique for treatment of a proximal tubal obstruction. Fertil Steril 2000；73: 1037－9．
9) Dreyer K, van Rijswijk J, Mijatovic V, et al：Oil-Based or Water-Based Contrast for Hysterosalpingography in Infertile Women. N Engl J Med 2017；376: 2043－52．
10) Exacoustos C, Zupi E, Carusotti C, et al：Hysterosalpingo-contrast sonography compared with hysterosalpingography and laparoscopic dye pertubation to evaluate tubal patency. J Am Assoc Gynecol Laparosc 2003；10: 367－72．
11) Ikemoto Y, Kuroda K, Kuribayashi Y, et al：Tubal Function Abnormalities with Tubal Patency in Unexplained Infertility. In: Kuroda K, Brosens JJ, Quenby S, Takeda S, eds: Treatment Strategy for Unexplained Infertility and Recurrent Miscarriage, Singapore: Springer Singapore, 2018, p 19－31．
12) Tanaka Y, Tajima H, Sakuraba S, et al：Renaissance of surgical recanalization for proximal fallopian tubal occlusion: falloposcopic tuboplasty as a promising therapeutic option in tubal infertility. J Minim Invasive Gynecol 2011；18: 651－9．
13) Hou HY, Chen YQ, Li TC, et al：Outcome of laparoscopy-guided hysteroscopic tubal catheterization for infertility due to proximal tubal obstruction. J Minim Invasive Gynecol 2014；21: 272－8．
14) Harb H, Al-Rshoud F, Karunakaran B, et al：Hydrosalpinx and pregnancy loss: a systematic review and meta-analysis. Reprod Biomed Online 2019；38: 427－41．
15) Tsiami A, Chaimani A, Mavridis D, et al：Surgical treatment for hydrosalpinx prior to in-vitro fertilization embryo transfer: a network meta-analysis. Ultrasound Obstet Gynecol 2016；48: 434－45．
16) Wu S, Zhang Q, Li Y：Effect comparison of salpingectomy versus proximal tubal occlusion on ovarian reserve: A meta-analysis. Medicine (Baltimore) 2020；99: e20601．
17) Xu B, Zhang Q, Zhao J, et al：Pregnancy outcome of in vitro fertilization after Essure and laparoscopic management of hydrosalpinx: a systematic review and meta-analysis. Fertil Steril 2017；108: 84－95．e5．
18) Franjoine SE, Bedaiwy MA, AbdelHafez FF, et al：Clinical Effectiveness of Modified Laparoscopic Fimbrioplasty for the Treatment of Minimal Endometriosis and Unexplained Infertility. Minim Invasive Surg 2015；2015: 730513．
19) Muller V, Makhmadalieva M, Kogan I, et al：Ectopic pregnancy following in vitro fertilization: meta-analysis and single-center experience during 6 years. Gynecol Endocrinol 2016；32(sup 2): 69－74．

疾患別の治療

不妊症

慢性子宮内膜炎

Over View

慢性子宮内膜炎は局所子宮内膜の持続的な炎症疾患である。着床不全や不育症の女性に高率に認める。

慢性子宮内膜炎は基本的に無症状で，かつ一般的な不妊症のスクリーニング検査でみつけることができない。基本的な診断は，子宮内膜組織生検を行い，免疫染色でCD138陽性の形質細胞を確認する。慢性子宮内膜炎の典型的な子宮鏡所見は，子宮内膜の発赤，間質浮腫，マイクロポリープである。

治療は原則，ドキシサイクリンなどの抗菌薬であるが，子宮内膜ポリープを認める場合には，抗菌薬を用いずに子宮鏡手術を優先する必要がある。

妊娠への影響（妊娠前）

慢性子宮内膜炎（CE）は子宮内膜局所の持続的な炎症を認める疾患で，反復着床不全の女性の30～60％に認める[1～3]。CEは主に子宮内膜脱落膜化に影響し，着床時期（implantation window）を変化させ胚の着床率を低下させることがわかっている[4,5]。

一般的な不妊症患者では，CEは多くなくかつほとんど妊孕能に寄与しないという報告もあるが[6]，着床不全症例ではメタ解析でCEの治療を行うと着床率（オッズ比3.24，95％信頼区間1.33～7.88），臨床妊娠率（オッズ比4.02，95％信頼区間1.35～11.94），妊娠継続率（オッズ比6.81，95％信頼区間2.08～22.24）すべてで改善することがわかっている[7]。

慢性子宮内膜炎（CE）
chronic endometritis

➡「原因不明不妊症」
（p.289）参照

妊娠への影響（妊娠後）

　CEは着床障害になるだけではなく，不育症女性でも20～60％に認める[8～10]。原因不明不育症は，子宮内局所の異常な炎症反応と血管新生と関与することが報告されており[11～13]，CEも不育症のリスク因子の可能性がある。

→「原因不明不育症」（p.345）参照

　臨床データでは，MorimuneらはCE不妊女性のCEを認めた32名と認めなかった38名の妊娠成績を比較している（図1）[14]。CEを認めなかった女性とCE無治療の女性の妊娠後の流産率は，それぞれ12.8％と40.0％（$p<0.03$）で，早産率は2.6％と14.3％（$p=0.095$）であり，CEを認めた女性の生産率が有意に低かった（それぞれ84.6％，57.1％，$p<0.001$）。**CEによる流産のオッズ比4.8（95％信頼区間1.4～16.3）で，妊娠継続症例で検討すると早産率のオッズ比は16.3（95％信頼区間1.3～204）で，CEは明らかに妊娠予後に影響する。**

　現在，CEと診断されても無治療のまま妊娠したデータが非常に少なく，CEが妊娠予後に影響するかいまだエビデンス不足となっているが，不妊症・不育症の女性でCEを認める場合には治療をすべきである。

診断方法

　CEは基本的に無症状で，かつ一般的な不妊症・不育症のスクリーニング検査でみつけることができない。その**検査方法は，生検した子宮内膜をCD138で免疫染色し，形質細胞を確認し診断する**（図2）[8]。しかし，その診断基準も400倍視野の顕微鏡下10～20視野で1～5個と確立はしていない。

　子宮鏡検査はCEの診断はできないが，子宮内の発赤やマイクロポリープ，内膜間質の浮腫状変化で疑うことができる（図3）[10,15,16]。CD138による免疫染色検査が一般化していないため，検査ができない場合は子宮鏡検査でCEの有無を検討するしかない。

図1　慢性子宮内膜炎の妊娠への影響

慢性子宮内膜炎（CE）を認める症例では流産率が高く，早産率が高いため，生産率が低下する。

（文献14）より引用）

図2 子宮内膜組織のCD138陽性形質細胞

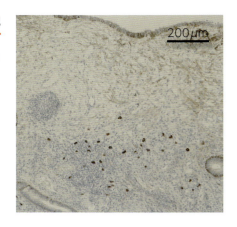

CD138免疫染色により形質細胞が茶色に染まっている（顕微鏡400倍視野）。

図3 慢性子宮内膜炎の子宮内腔所見

発赤　　　　　　　　間質浮腫　　　　　　　マイクロポリープ

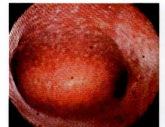
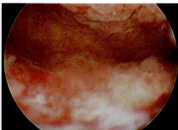
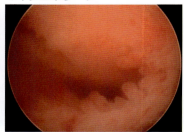

（文献16）より引用）

治療方法とその適応

　CEの原因の多くは子宮内感染で，その原因となる微生物叢はさまざまなため，推奨される治療法は広域スペクトラムの抗菌薬である．第一選択はドキシサイクリン（100mg）2錠分2/日×14日間で，第二選択はシプロフロキサシン（200mg）＋メトロニダゾール（250mg）2錠分2×2週間である[1,17]．このプロトコールはCEの高い治癒率を認め，治癒後の体外受精での妊娠率が向上することは，多数報告されている[7]．

　しかし，すべてのCEが子宮内感染ではなく，CEを認めた症例の子宮内細菌叢を網羅的に解析するマイクロバイオーム解析では，一部は*Lactobacillus*群が有意である[18]．

　また，子宮内膜ポリープはCEと強く関与し，そのほとんどのCEが抗菌薬を用いず子宮鏡手術のみで改善する[19]．子宮内膜ポリープに伴うCEに対し，むしろ抗菌薬を投与したほうがCEの改善率が低く，かつ，その後の妊娠成績も低くなるため，むやみな抗菌薬は投与しないことを推奨する．

図4 慢性子宮内膜炎の治療プロトコール

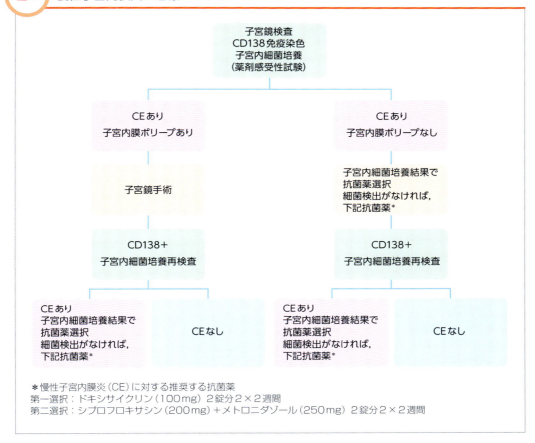

＊慢性子宮内膜炎（CE）に対する推奨する抗菌薬
第一選択：ドキシサイクリン（100mg）2錠分2×2週間
第二選択：シプロフロキサシン（200mg）＋メトロニダゾール（250mg）2錠分2×2週間

　筆者らのCEの治療プロトコールの例を図4に示す。CEのなかには薬剤耐性をもつ細菌感染を伴うものもあり，筆者らは子宮内膜生検を行うときに，必ず薬剤感受性試験を付けた子宮内細菌培養検査を同時に行っている。

　まず，子宮鏡検査およびCD138免疫染色と子宮内細菌培養検査のための子宮内膜生検を行う。子宮内膜生検は，卵胞期に施行すると採取内膜が少なく偽陰性となることがあるため，避妊してもらい黄体期に行っている。

　CEを認め，子宮内膜ポリープを認めない場合は，子宮内細菌培養結果で感受性のある抗菌薬を選択し，細菌が検出できない場合はドキシサイクリンを投与する。いずれも2週間処方し，内服後1週間以上あけてから再検査を行う。

　一方，CEを認めても，子宮内膜ポリープを認めていれば，抗菌薬を投与せず子宮鏡下子宮内膜ポリープ切除術を行う。手術のみで9割近くのCEは改善するが，術後には，CD138免疫染色と子宮内細菌培養検査を再検査する。ただ，この治療プロトコールも今後さらなる検討が必要である。

Column

子宮内細菌叢と妊孕能

　女性の腟や子宮などの生殖器官の微生物叢は，妊孕性とその妊娠予後に影響する[20]。近年，次世代シークエンサーの技術の進歩により，16SリボソームRNAを用いた細菌叢の網羅解析，マイクロバイオーム解析が可能となった。

　Morenoらは，体外受精を行う不妊女性の子宮内のマイクロバイオーム解析を行い，その後の胚移植の妊娠成績を解析した。子宮内細菌叢の*Lactobacillus*群が90％以上の女性の妊娠率が，90％未満の女性と比較し有意に高く，また胚移植後に着床しない，もしくは流産した女性では，*Lactobacillus*群以外の細菌叢を多く含み，主に*Gardnerella*や*Streptococcus*を多く認めていた[21]。

　一方で，Franasiakらは着床前スクリーニング後の正倍数性胚盤胞を単一胚移植したときの移植カテーテルのマイクロバイオーム解析を行い，妊娠群と非妊娠群の*Lactobacillus*群を含めた細菌叢を比較したが，有意差を認めなかった[22]。

　同様に，子宮内*Lactobacillus*群の少ないdysbiosis（細菌叢のバランスの異常）は，体外受精の妊娠成績に有意に影響しないことが報告されている[23]。

　さらにIchiyamaらは，複数回体外受精を行った着床不全既往のある女性と健常女性の子宮内*Lactobacillus*群の割合がともに，55〜60％と以前の報告より低く，かつ2群に有意差がないことを報告している[24]。

　腟内の細菌叢は*Lactobacillus*群が優位であるが，子宮内は腟内と比較し細菌量が1/100〜1/10,000と非常に少なくかつ多様性に富んでいる[25]。マイクロバイオーム解析の欠点は，細菌叢の割合を確認することができても，細菌量を確認することは難しく，子宮内感染と感染のないdysbiosisを区別することができない。また子宮内は多様性があり，子宮内細菌叢の正常なバランス（eubiosis）が確立していないため，dysbiosisを診断することは難しい。つまり子宮内細菌叢の妊孕能への影響はいまだにエビデンスが不足している。

（黒田恵司）

参考文献

1) Johnston-MacAnanny EB, Hartnett J, Engmann LL, et al：Chronic endometritis is a frequent finding in women with recurrent implantation failure after in vitro fertilization. Fertil Steril 2010; 93: 437-41.
2) Kushnir VA, Solouki S, Sarig-Meth T, et al：Systemic Inflammation and Autoimmunity in Women with Chronic Endometritis. Am J Reprod Immunol 2016; 75: 672-7.
3) Kuroda K, Matsumura Y, Ikemoto Y, et al：Analysis of the risk factors and treatment for repeated implantation failure: OPtimization of Thyroid function, IMmunity and Uterine Milieu (OPTIMUM) treatment strategy. Am J Reprod Immunol 2021; 85: e13376.
4) Wu D, Kimura F, Zheng L, et al：Chronic endometritis modifies decidualization in human endometrial stromal cells. Reprod Biol Endocrinol 2017; 15: 16.
5) Kuroda K, Horikawa T, Moriyama A, et al：Impact of chronic endometritis on endometrial receptivity analysis results and pregnancy outcomes. Immun Inflamm Dis 2020; 8: 650-8.
6) Kasius JC, Fatemi HM, Bourgain C, et al：The impact of chronic endometritis on reproductive outcome. Fertil Steril 2011; 96: 1451-6.

7) Vitagliano A, Saccardi C, Noventa M, et al : Effects of chronic endometritis therapy on in vitro fertilization outcome in women with repeated implantation failure: a systematic review and meta-analysis. Fertil Steril 2018; 110: 103-12.e1.
8) McQueen DB, Perfetto CO, Hazard FK, et al : Pregnancy outcomes in women with chronic endometritis and recurrent pregnancy loss. Fertil Steril 2015; 104: 927-31.
9) Zolghadri J, Momtahan M, Aminian K, et al : The value of hysteroscopy in diagnosis of chronic endometritis in patients with unexplained recurrent spontaneous abortion. Eur J Obstet Gynecol Reprod Biol 2011; 155: 217-20.
10) Bouet PE, El Hachem H, Monceau E, et al : Chronic endometritis in women with recurrent pregnancy loss and recurrent implantation failure: prevalence and role of office hysteroscopy and immunohistochemistry in diagnosis. Fertil Steril 2016; 105: 106-10.
11) Quenby S, Kalumbi C, Bates M, et al : Prednisolone reduces preconceptual endometrial natural killer cells in women with recurrent miscarriage. Fertil Steril 2005; 84: 980-4.
12) Quenby S, Nik H, Innes B, et al : Uterine natural killer cells and angiogenesis in recurrent reproductive failure. Hum Reprod 2009; 24: 45-54.
13) Clifford K, Flanagan AM, Regan L : Endometrial CD56+ natural killer cells in women with recurrent miscarriage: a histomorphometric study. Hum Reprod 1999; 14: 2727-30.
14) Morimune A, Kimura F, Nakamura A, et al : The effects of chronic endometritis on the pregnancy outcomes. Am J Reprod Immunol 2021; 85: e13357.
15) Cicinelli E, Resta L, Nicoletti R, et al : Detection of chronic endometritis at fluid hysteroscopy. J Minim Invasive Gynecol 2005; 12: 514-8.
16) Kuroda K, Yamashita S : Implantation Failure 1: Intrauterine Circumstances and Embryo-Endometrium Synchrony at Implantation. In: Kuroda K, Brosens JJ, Quenby S, Takeda S, eds: Treatment Strategy for Unexplained Infertility and Recurrent Miscarriage, Singapore: Springer Singapore, 2018, p33-43.
17) Kitaya K, Matsubayashi H, Takaya Y, et al : Live birth rate following oral antibiotic treatment for chronic endometritis in infertile women with repeated implantation failure. Am J Reprod Immunol 2017; 78: e12719.
18) Liu Y, Ko EY, Wong KK, et al : Endometrial microbiota in infertile women with and without chronic endometritis as diagnosed using a quantitative and reference range-based method. Fertil Steril 2019; 112: 707-17.e1.
19) Kuroda K, Takamizawa S, Motoyama H, et al : Analysis of the therapeutic effects of hysteroscopic polypectomy with and without doxycycline treatment on chronic endometritis with endometrial polyps. Am J Reprod Immunol 2021; 85: e13392.
20) Salim R, Ben-Shlomo I, Colodner R, et al : Bacterial colonization of the uterine cervix and success rate in assisted reproduction: results of a prospective survey. Hum Reprod 2002; 17: 337-40.
21) Moreno I, Codoner FM, Vilella F, et al : Evidence that the endometrial microbiota has an effect on implantation success or failure. Am J Obstet Gynecol 2016; 215: 684-703.
22) Franasiak JM, Werner MD, Juneau CR, et al : Endometrial microbiome at the time of embryo transfer: next-generation sequencing of the 16S ribosomal subunit. J Assist Reprod Genet 2016; 33: 129-36.
23) Hashimoto T, Kyono K : Does dysbiotic endometrium affect blastocyst implantation in IVF patients? J Assist Reprod Genet 2019; 36: 2471-9.
24) Ichiyama T, Kuroda K, Nagai Y, et al : Analysis of vaginal and endometrial microbiota communities in infertile women with a history of repeated implantation failure. Reprod Med Biol 2021; 20: 334-44.
25) Chen C, Song X, Wei W, et al : The microbiota continuum along the female reproductive tract and its relation to uterine-related diseases. Nat Commun 2017; 8: 875.

各論 2 疾患別の治療

不育症

子宮形態異常

Over View

子宮形態異常は，胎生初期における子宮発生異常の総称とされる。その発生にはミュラー管の発生・癒合が関与していることから，その過程によりさまざまな種類の子宮形態異常が存在する。子宮形態異常の分類はアメリカ生殖医学会の提唱するASRM分類が多く使用されるが，子宮および腟の発生における分類上の区別がないことと，腎奇形を伴うことから発生学的観点からの新しい分類も提唱されている。

多くの子宮形態異常は無症状であり，他疾患のための診察，外科的手術や帝王切開術時に確認されることが多いが，重度の月経困難症や不妊・不育症のリスク因子となる子宮形態異常も存在する。また子宮内膜症を合併することも多いことから，同疾患を原因とした不妊症の発生の可能性も考慮しなければならない。不妊症・不育症を発症リスクの高い子宮形態異常は中隔子宮であり，その治療は侵襲の少ない子宮鏡手術が主流である。

子宮形態異常の分類

子宮形態異常の分類は，一般的に米国生殖医学会によるASRM分類が広く使用されている（図1）[1]。子宮の発達・分離異常により7つに分類され，さらに補足として腟，子宮頸部，卵管，腎の異常を記載して総合的に評価できる分類となっている。分類の具体的な内容は，I無形成・低形成，II単角子宮，III重複子宮，IV双角子宮，V中隔子宮，VI弓状子宮，VII DES製剤由来の形態異常，に大別される。診断は臨床症状や画像診断が有用である。

Mayer-Rokitansky-Küster-Hauser（MRKH）syndromeを代表とするI型子宮形態異常は，原発性無月経を主訴として診断されることが多い。またII型は閉塞性子宮角を合併した場合は，閉塞子宮角における月経血貯留による重

ASRM
American Society for Reproductive Medicine

ジエチルスチルベストロール（DES）
diethylstilbestrol

図1　子宮形態異常に対するASRM分類

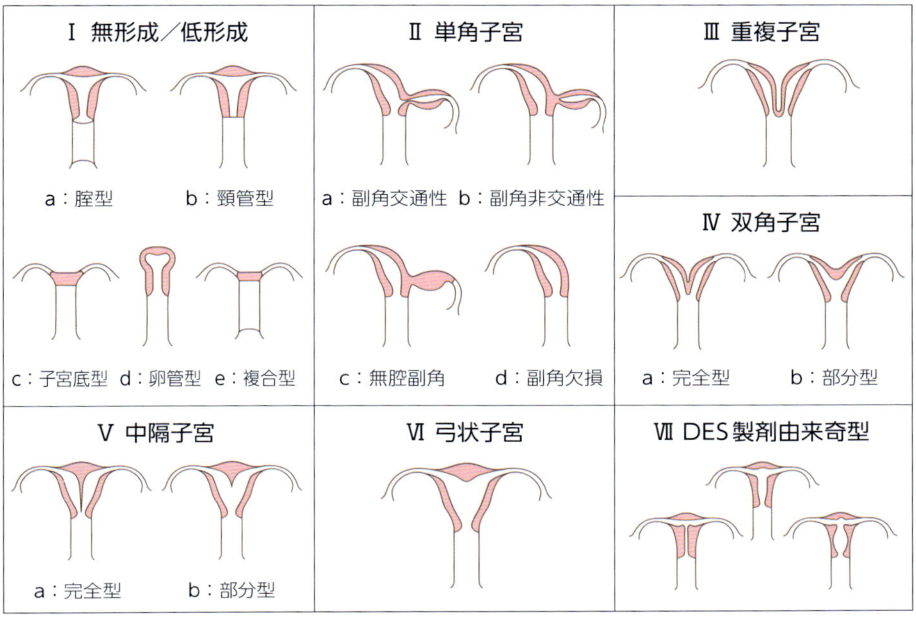

```
Ⅰ 無形成／低形成     Ⅱ 単角子宮        Ⅲ 重複子宮
a：腟型  b：頸管型   a：副角交通性 b：副角非交通性
                                      Ⅳ 双角子宮
c：子宮底型 d：卵管型 e：複合型
                    c：無腔副角 d：副角欠損   a：完全型  b：部分型
Ⅴ 中隔子宮          Ⅵ 弓状子宮        Ⅶ DES製剤由来奇型
a：完全型  b：部分型
```

(文献1) より引用

度の月経困難症を引き起こす。Ⅲ～Ⅳ型は多くの場合は無症状であり，不妊症や他疾患の診断のための画像診断で偶然診断されることが多い。腟斜中隔などの腟形態異常を伴う場合は，月経血排出不全による月経困難症の要因となる。また重複子宮，腟斜中隔とその同側の腎欠損を伴うHerlyn-Werner-Wunderlich Syndromeを代表として，単角子宮における欠損側や腟形態異常と同側の腎欠損の関連性が高い。画像診断は子宮卵管造影が有用であり，また黄体期における超音波断層法は子宮内腔の描出に優れている。骨盤MRI検査においても診断は可能であり，撮像条件として冠状断が観察できることが望ましい。

　Ⅳ型双角子宮，Ⅴ型中隔子宮，Ⅵ型弓状子宮の診断法は，子宮内腔の底部の突出を認めた場合，子宮外側の底部の陥凹が＞1cmだと双角子宮，子宮内腔の底部の筋層の中間から子宮内の突出まで＞1.5cm，突出の角度が＜90度だと中隔子宮，子宮内の突出が＜1.0cm，突出の角度が＞90度だと弓状子宮の診断となる（図2）[2]。

子宮形態異常における妊孕性への影響

　子宮形態異常の妊孕性への影響を表1に示す。Chanらが子宮形態異常別に，不妊症の発生率，妊娠後の流産率・早産率についてレビューしている。これらの結果をまとめると，中隔子宮の女性では不妊症の発生率が有意に高いが，他の子宮形態異常では有意な妊娠率の低下を認めていない。また中隔子宮，双角

図2　弓状子宮，中隔子宮，双角子宮の診断基準

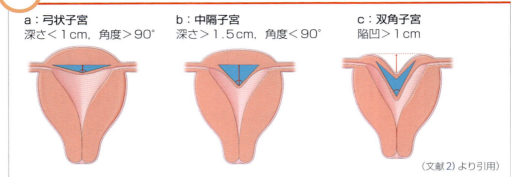

a：弓状子宮　深さ＜1cm，角度＞90°
b：中隔子宮　深さ＞1.5cm，角度＜90°
c：双角子宮　陥凹＞1cm

（文献2）より引用）

表1　子宮形態異常における妊孕性への影響

子宮奇形	不妊症発生率	初期流産	中期流産	早産
弓状子宮	7.3%(8/110) RR:1.03(0.94〜1.12)	20.5%(61/298) RR:1.35(0.81〜2.26)	6.5%(17/262) RR:2.39(1.33〜4.27)	6.5%(33/504) RR:1.53(0.70〜3.34)
中隔子宮	21.1%(19/90) RR:0.86(0.94〜1.12)	33.6%(91/271) RR:2.89(2.02〜4.14)	8.9%(24/271) RR:2.22(0.74〜6.65)	14.6%(46/314) RR:2.14(1.48〜3.11)
双角子宮	15.2%(15/99) RR:0.86(0.61〜1.21)	38.0%(124/326) RR:3.40(1.18〜9.76)	7.1%(23/326) RR:2.32(1.05〜5.15)	17.8%(60/338) RR:2.55(1.57〜4.17)
重複子宮	14.3%(7/49) RR:0.9(0.79〜1.04)	10.7%(11/103) RR:1.10(0.21〜5.66)	3.9%(4/103) RR:1.39(0.44〜4.41)	22.1%(29/131) RR:3.58(2.00〜6.40)
単角子宮	26.2%(11/42) RR:0.74(0.39〜1.41)	19.5%(16/82) RR:2.15(1.03〜4.47)	4.9%(4/82) RR:2.22(0.53〜9.19)	18.4%(18/98) RR:3.47(1.94〜6.22)

発症率（症例数）と相対リスク：Relative risk（95％信頼区間）を示す。
赤字は対照群と比較しp＜0.05で有意差を認める項目。
（文献3）より引用改変）

子宮，単角子宮では初期流産率が高く，弓状子宮は中期流産と関係している。また，弓状子宮以外の子宮形態異常は早産率を上昇させる[3]。

子宮形態異常と不育症

　子宮形態異常と不育症の関係は過去より多く報告されている。近年のメタ解析では，9,856例の不妊症例において子宮形態異常が占める割合は8.1％であり，また3回以上の流産症例1,937例において子宮形態異常の占める割合は18.2％であったことが報告されている[4]。

　ASRM分類において不育症のリスク因子となる子宮形態異常は弓状子宮，中隔子宮であり，いずれも子宮内腔の変形が要因と考えられている。またそれぞれの子宮形態異常における流産は発生時期に違いがあり，弓状子宮ではsecond trimester，中隔子宮ではfirst trimesterにおいて，流産の発生頻度が高いことが報告されている[5]。

図3　中隔子宮に対する子宮鏡下子宮中隔切除術

a：術前T2強調像水平断

b：術後T2強調像水平断

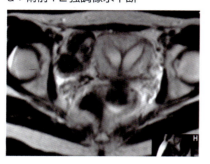 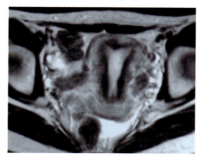

a：術前T2強調像冠状断

b：術後T2強調像冠状断

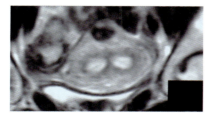 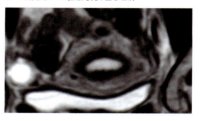

a：術前子宮内腔

a：中隔切除後

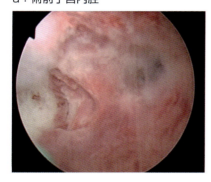 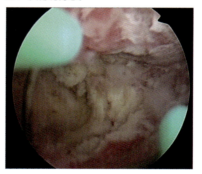

不妊症・不育症を有する子宮形態異常の治療

　弓状子宮と中隔子宮いずれも不妊症もしくは不育症であれば，子宮内腔の正常化のため外科的な子宮形成もしくは中隔切除術が必要である。過去における子宮形成術として，子宮底部正中を横切開するStrassmann手術の変法，縦切開するTompkins手術，子宮に対してV字切開を置き中隔を切除して子宮縫合を行うJones手術が代表的であるが[6]，開腹術のため侵襲が高いことと，子宮切開における術後妊娠時における子宮破裂のリスクが問題とされ，近年では低侵襲な子宮鏡下子宮中隔切除術が一般的である（図3）。

メタ解析において，中隔子宮の女性の無治療で妊娠した場合の流産率は44.3％（221/499妊娠）であり，子宮鏡下子宮中隔切除術を行った場合，流産率16.4％（60/366妊娠）であり，妊娠成績が改善することが報告されている[7]。しかし2021年に不妊症，流産，早産いずれかの既往のある中隔子宮をもつ女性を対象に，世界で初めて子宮鏡下子宮中隔切除術の有用性を検討した多施設合同無作為化対照試験が行われた[8]。結果は，中隔切除術群と無治療群の流産率がそれぞれ28％（10/36妊娠），15％（5/33妊娠），生産率33％（12/36妊娠），36％（12/33妊娠）であり，その有効性は証明されなかった。ただ今回の臨床研究では，不妊症や不育症の症例だけではないため，既知の報告の無治療群と比較し，明らかに流産率が低い。不育症などの反復妊娠不成功の既往のある症例は，従来どおり子宮鏡手術を検討する必要がある。

（熊切　順）

参考文献

1) The American Fertility Society：The American Fertility Society classifications of adnexal adhesions, distal tubal occlusion, tubal occlusion secondary to tubal ligation, tubal pregnancies, Müllerian anomalies and intrauterine adhesions. Fertil Steril 1988; 49: 944-55.
2) Practice Committee of the American Society for Reproductive Medicine：Uterine septum: a guideline. Fertil Steril 2016; 106: 530-40.
3) Chan YY, Jayaprakasan K, Tan A, et al：Reproductive outcomes in women with congenital uterine anomalies: a systematic review. Ultrasound Obstet Gynecol 2011; 38: 371-82.
4) Saravelos SH, Cocksedge KA, Li TC：Prevalence and diagnosis of congenital uterine anomalies in women with reproductive failure: a critical appraisal. Hum Reprod Update 2008; 14: 415-29.
5) Woelfer B, Salim R, Banerjee S, et al：Reproductive outcomes in women with congenital uterine anomalies detected by three-dimensional ultrasound screening. Obstet Gynecol 2001; 98: 1099-103.
6) 西田正人：子宮形成術の適応と実際．産婦治療 2004; 88: 495-503.
7) Grimbizis GF, Camus M, Tarlatzis BC, et al：Clinical implications of uterine malformations and hysteroscopic treatment results. Hum Reprod Update 2001; 7: 161-74.
8) Rikken JFW, Kowalik CR, Emanuel MH, et al：Septum resection versus expectant management in women with a septate uterus: an international multicentre open-label randomized controlled trial. Hum Reprod 2021; 36: 1260-7.

各論 2 疾患別の治療

不育症

甲状腺機能異常

Over View

　甲状腺機能異常は，生殖年齢女性に頻度の高い疾患である．無月経，希発月経または頻発月経などの月経異常を認め，生殖年齢女性のホルモン周期と密接にかかわっている．

　また妊娠において，甲状腺機能異常や甲状腺に対する自己抗体は，不妊症や妊娠中の流産，早産，妊娠高血圧症候群，さらには周産期死亡などの発生率を上げる[1]．

　近年，顕性甲状腺機能低下症のみならず，甲状腺ホルモンが正常で甲状腺刺激ホルモン（TSH）が高値の潜在性甲状腺機能低下症でも不妊症や流産・早産が関与し，かつ甲状腺ホルモン製剤であるレボチロキシンを補充することで，生児獲得率が向上することが明らかになってきた[2]．妊娠にとって重要な甲状腺機能とその異常について概説する．

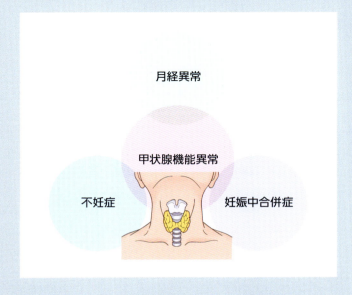

妊娠への影響（妊娠前）

顕性甲状腺機能異常は，不妊症と関連することが以前から報告されている[3]。妊娠前に問題となるのは，主に**甲状腺機能低下症**であり，顕性のみならず潜在性甲状腺機能低下症でも不妊症や流・早産と関与している[3]。

甲状腺におけるホルモン動態は卵巣に類似しており，下垂体から**甲状腺刺激ホルモン（TSH）**の分泌が亢進した潜在性甲状腺機能低下症は，**卵胞刺激ホルモン（FSH）**の分泌が上昇した閉経前の卵巣と同様に，甲状腺機能は低下しホルモン補充を必要としている。

米国内分泌学会のガイドラインにおける甲状腺機能異常の定義を**図1**に示す。ガイドラインでは近い**将来に妊娠を考える女性で，TSH値が2.5μU/mL以上でかつ甲状腺ペルオキシダーゼ抗体（TPO-Ab）が陽性であれば，レボチロキシンの補充を検討することを推奨している**[4]。

甲状腺刺激ホルモン（TSH）
thyroid stimulating hormone

卵胞刺激ホルモン（FSH）
follicle stimulating hormone

甲状腺機能低下症は不妊原因か？

甲状腺機能低下症が不妊症の原因となるかは，いまださまざまな議論がある。生殖補助医療における潜在性甲状腺機能低下症に対するレボチロキシン補充に関する無作為化比較試験では，主に受精率と着床率が有意に改善し，妊娠率が上昇している[2,5]。

また，甲状腺機能低下症や甲状腺自己抗体と卵巣予備能低下の関連性の報告もある[6,7]。基礎研究の報告をみると，**甲状腺ホルモンは卵巣における卵胞発育，受精，胚発育や子宮内膜の着床に働いており，甲状腺機能低下症はこれらに影響し女性の妊孕能を低下させる可能性がある**（**表1**）[8,9]。

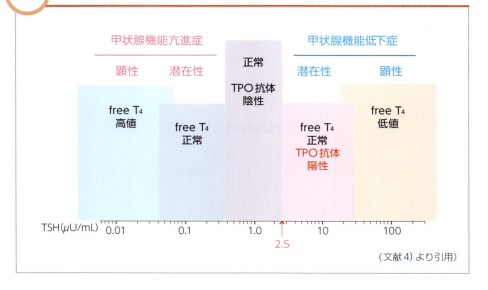

図1 甲状腺機能異常の定義

（文献4）より引用）

妊娠への影響（妊娠後）

胎児甲状腺が働き始めるのは妊娠3～4カ月ごろからであり，それまでは母体から移行する甲状腺ホルモンに依存している。

女性は妊娠すると，胎盤から分泌されるヒト絨毛性ゴナドトロピン（hCG）の影響で，甲状腺から遊離サイロキシン（FT₄）の分泌が軽度増加し，ネガティブフィードバックでTSHは抑制される。その後，TSHが正常基準値に戻り，FT₄が低下する（図2）[10]。

妊娠後の特徴的な甲状腺ホルモン動態をコントロールし，胎児へ十分な甲状腺ホルモンを供給することで，流産率やその後の妊娠中の合併症が改善し生児獲得率が上昇する。

ヒト絨毛性ゴナドトロピン（hCG）
human chorionic gonadotropin

遊離サイロキシン（FT₄）
free thyroxine

表1　（潜在性）甲状腺機能低下症の妊娠への影響

妊娠前	妊娠中	新生児
1．卵胞発育不良 2．受精障害 3．胚発育不良 4．着床障害	5．流産 6．早産 7．妊娠高血圧症候群 8．子宮内胎児発育遅延 9．胎盤早期剥離	10．胎児の知能低下 11．周産期死亡

図2　妊娠中の母体と胎児の甲状腺ホルモンの推移

妊娠するとhCGの影響で甲状腺からFT₄の分泌が軽度増加し，ネガティブフィードバックでTSHは抑制される。その後，TSHが正常化し，FT₄が低下する。

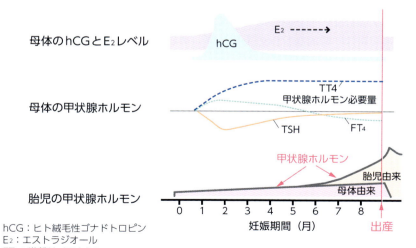

hCG：ヒト絨毛性ゴナドトロピン
E₂：エストラジオール
FT₄：遊離サイロキシン
TSH：甲状腺刺激ホルモン

（文献10）より引用）

甲状腺機能低下症

妊娠時の甲状腺機能低下症の多くが，自己免疫性疾患の橋本病（慢性甲状腺炎）である。

母体の甲状腺機能低下症は，妊娠後の生理的なFT_4分泌の減少に伴い，胎児への甲状腺ホルモンの移行も不足する。甲状腺ホルモンは胎児の脳や神経発達や胎盤形成と密接にかかわっており，胎児への甲状腺ホルモンの供給が不足すると妊娠後の合併症へ直結する[11]。

母体の顕性もしくは潜在性甲状腺機能低下症は，妊娠中の流・早産，妊娠高血圧症候群，子宮内胎児発育遅延，胎盤早期剥離などの合併症，さらには周産期死亡の発症率が上昇する（表1）[12]。胎児への甲状腺ホルモンの移行が不足すると，出生した児の知能に影響し，IQが低下する可能性があると報告されている[4,13]。

レボチロキシン補充

顕性もしくは潜在性甲状腺機能低下症に対するレボチロキシン補充は妊娠率も向上するが，著明に流産率を低下させ，さらに妊娠中の合併症の発症率を低下させることで生児獲得率が上昇するため，妊娠前から甲状腺ホルモンの補充を開始することが重要である。

甲状腺機能が正常であっても，甲状腺自己抗体である甲状腺ペルオキシダーゼ抗体（TPO-Ab）やサイログロブリン抗体（Tg-Ab）が陽性の橋本病でも，流・早産などの発症率が高くなる[12]。米国内分泌学会でも，甲状腺自己抗体陽性者には妊娠前にレボチロキシン補充を推奨している[4]。

橋本病は自己免疫性疾患のため，妊娠中は一時的に寛解するが，分娩後増悪し甲状腺炎を起こすことがあるため，産後も注意を要する。

甲状腺機能亢進症

妊娠時の甲状腺機能亢進症のほとんどが自己免疫性疾患のバセドウ病である。そのため，甲状腺機能亢進を認めた場合は，抗TSH受容体抗体の測定が必要である。妊娠初期は一時的なFT_4の上昇に伴い増悪するため，妊娠前からコントロールしておくことが重要である。

未治療の場合は，妊娠中に流・早産，妊娠高血圧症候群，胎児発育遅延，周産期死亡の発症する可能性がある。

治療薬

治療薬としては，チアマゾールは妊娠初期の催奇形性のリスクがあるため，妊娠希望者には催奇形性の心配のないプロピルチオウラシルが第一選択となる。

バセドウ病は橋本病と同様，妊娠初期を超えれば寛解するが，分娩後増悪することがあるため注意が必要である。また，出生した胎児も胎盤を通過した抗TSH受容体抗体の影響で，甲状腺機能亢進症が発症することがある。

甲状腺ペルオキシダーゼ抗体（TPO-Ab）
thyroid peroxidase autoantibody

サイログロブリン抗体（Tg-Ab）
thyroglobulin autoantibody

診断方法

問診

　顕性甲状腺機能異常であれば，甲状腺機能が亢進することで頻脈，体重減少，易疲労感，情緒不安定が現れ，機能が低下することで無気力，体重増加，浮腫，便秘などが出現することがある。

　潜在性甲状腺機能低下症であれば，無症状であるため問診では判断ができない。甲状腺疾患を疑うときには，触診で甲状腺腫大の有無を確認する。

　また，必ず甲状腺疾患の既往を問診で確認することも重要である。

血液検査

　甲状腺ホルモンのFT₄，TSHは必ずスクリーニングで必要であり，また甲状腺自己抗体TPO-Ab（およびTg-Ab）も保険適用が難しいが，測定しておくことが望ましい。

治療方法とその適応

　妊娠前の甲状腺ホルモン異常に対する治療法のフローチャートを図3に示す[4]。原則，甲状腺機能異常を認めた場合は，産婦人科医師が治療するのではなく，甲状腺を専門とした医師に紹介することが必要である。

　紹介する医師によっては，現在もTSH値2.5〜4.5μU/mLの潜在性甲状腺機能低下症の場合，精査や治療を検討してもらえないことがある。妊娠前の甲状腺機能のコントロールの重要性を理解してもらえるよう，事前に紹介する医師と相談しておくことも重要である。

　FT₄高値でTSHが低値であれば，甲状腺機能亢進症でバセドウ病の診断のため抗TSH受容体抗体の測定とプロピルオウラシルの投与が必要である。

　また，甲状腺ホルモンレベルにかかわらず，TSH値2.5μU/mL以上でかつTPO-Abが陽性であれば治療が推奨される。ただし，TSH値が2.5〜4.5μU/mLでもTPO-Abが陰性であれば治療は不要である。またTPO-Abのみ陽性の場合は，妊娠後にhCGの影響で甲状腺機能が低下する可能性があるため，再検査することを推奨する。TSH値が4.5μU/mL以上の場合は，レボチロキシンによる治療が必要になる。

　レボチロキシンの補充を開始した場合でも，治療直後に妊娠した場合は，適正に甲状腺ホルモンがコントロールされておらず，妊娠後の合併症や胎児の脳・神経発達障害につながる可能性が否定できない。そのため，著明な甲状腺機能異常を認めた場合，不妊治療を開始する時期は，紹介した医師や患者と相談する必要である。

図3 妊娠前の甲状腺ホルモン異常に対するフローチャート

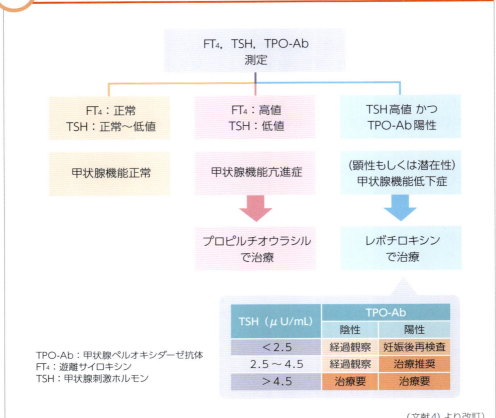

(文献4) より改訂

Column
子宮卵管造影検査による甲状腺機能への影響

不妊治療において，卵管疎通性や子宮内腔の形態を確認するうえで，子宮卵管造影検査（HSG）は必須であるが，油性造影剤により血中ヨウ素濃度が上昇する。ヨウ素が直接妊娠に影響することはないが，ヨウ素が過剰であるとTSH値が上昇し，甲状腺機能が低下することが懸念される。HSG施行後の血中ヨウ素濃度のピークは4週間後で，24週間後も影響が残っている。これに伴いTSH値は4〜12週でピークとなる[14]（図4）。

MekaruらがHSG前後で甲状腺機能を測定し，その変化をまとめている。180名の甲状腺機能正常の女性がHSGを施行した場合，HSG後に15.6％が潜在性，2.2％が顕性甲状腺機能低下症を認めていた。また，28名の潜在性甲状腺機能低下症の女性では35.7％が顕性甲状腺機能低下症を発症していた[15]。

つまり，潜在性甲状腺機能低下症は，HSGの影響で顕性甲状腺機能低下症へ移行する可能性が高い。妊娠前に甲状腺ホルモンを測定し，異常を認めれば治療したうえでHSGを行うべきである。

子宮卵管造影検査（HSG）
hysterosalpingography

図4 子宮卵管造影検査後の血中ヨウ素・甲状腺ホルモン濃度の推移

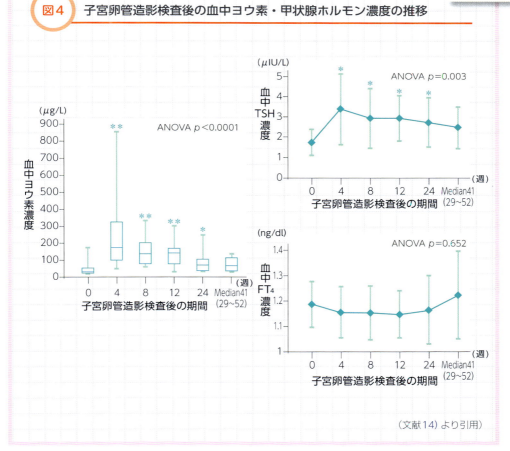

（文献14）より引用）

（黒田雅子，黒田恵司）

参考文献

1) Krassas GE, Poppe K, Glinoer D：Thyroid function and human reproductive health. Endocr Rev 2010; 31: 702 – 55.
2) Velkeniers B, Van Meerhaeghe A, Poppe K, et al：Levothyroxine treatment and pregnancy outcome in women with subclinical hypothyroidism undergoing assisted reproduction technologies: systematic review and meta-analysis of RCTs. Hum Reprod Update 2013; 19: 251 – 8.
3) Poppe K, Glinoer D：Thyroid autoimmunity and hypothyroidism before and during pregnancy. Hum Reprod Update 2003; 9: 149 – 61.
4) Alexander EK, Pearce EN, Brent GA, et al：2017 Guidelines of the American Thyroid Association for the Diagnosis and Management of Thyroid Disease During Pregnancy and the Postpartum. Thyroid 201; 27: 315 – 89.
5) Cramer DW, Sluss PM, Powers RD, et al：Serum prolactin and TSH in an in vitro fertilization population: is there a link between fertilization and thyroid function? J Assist Reprod Genet 2003; 20: 210 – 5.
6) Kuroda K, Uchida T, Nagai S, et al：Elevated serum thyroid-stimulating hormone is associated with decreased anti-Müllerian hormone in infertile women of reproductive age. J Assist Reprod Genet 2015; 32: 243 – 7.
7) Michalakis KG, Mesen TB, Brayboy LM, et al：Subclinical elevations of thyroid-stimulating hormone and assisted reproductive technology outcomes. Fertil Steril 2011; 95: 2634 – 7.
8) Colicchia M, Campagnolo L, Baldini E, et al：Molecular basis of thyrotropin and thyroid hormone action during implantation and early development. Hum Reprod Update 2014; 20: 884 – 904.
9) Fedail JS, Zheng K, Wei Q, et al：Roles of thyroid hormones in follicular development in the ovary of neonatal and immature rats. Endocrine 2014; 46: 594 – 604.
10) Panesar NS, Li CY, Rogers MS：Reference intervals for thyroid hormones in pregnant Chinese women. Ann Clin Biochem 2001; 38: 329 – 32.
11) de Escobar GM, Obregón MJ, del Rey FE：Is neuropsychological development related to maternal hypothyroidism or to maternal hypothyroxinemia? J Clin Endocrinol Metab 2000; 85: 3975 – 87.
12) van den Boogaard E, Vissenberg R, Land JA, et al：Significance of (sub)clinical thyroid dysfunction and thyroid autoimmunity before conception and in early pregnancy: a systematic review. Hum Reprod Update 2011; 17: 605 – 19.
13) Haddow JE, Palomaki GE, Allan WC, et al：Maternal thyroid deficiency during pregnancy and subsequent neuropsychological development of the child. N Engl J Med 1999; 341: 549 – 55.
14) Kaneshige T, Arata N, Harada S, et al：Changes in serum iodine concentration, urinary iodine excretion and thyroid function after hysterosalpingography using an oil-soluble iodinated contrast medium (lipiodol). J Clin Endocrinol Metab 2015; 100: E469 – 72.
15) Mekaru K, Kamiyama S, Masamoto H, et al：Thyroid function after hysterosalpingography using an oil-soluble iodinated contrast medium. Gynecol Endocrinol 2008; 24: 498 – 501.

各論 2　疾患別の治療

不育症

血栓性疾患

Point

- 不育症とは，狭義では妊娠22週未満の反復・習慣流産であり，広義では妊娠22週以降の早産・死産を繰り返し，生児を得られない状態を指す。
- 血栓性疾患とは，血栓性素因により引き起こされた動静脈の血栓塞栓症である。
- 血栓性素因を背景とする妊娠例では，既往家族歴等により深部静脈血栓肺血栓塞栓症（VTE）の予防と流産予防目的に抗凝固療法の必要性が検討される。

不育症における血栓性疾患の占める割合

『不育症管理に関する提言2021』では[1]，日本における不育症のリスク因子の検索を行った1,340例において，子宮形態異常，甲状腺機能異常，夫婦染色体構造異常，抗リン脂質抗体スクリーニング，第XII因子活性欠乏症，プロテインS活性欠乏症について検討が行われている。リスク因子全体からみると，血栓性疾患に関連したリスク因子である抗リン脂質抗体陽性8.7％，第XII因子活性欠乏症7.6％，プロテインS活性欠乏症4.3％であった。諸外国の報告と比較すると，第XII因子欠乏症，プロテインS欠乏症について，わが国の頻度は諸外国と同程度もしくは低値であったが，抗リン脂質抗体陽性はわが国では諸外国よりも頻度が低いという結果であった。

ところが，深部静脈血栓肺血栓塞栓症（VTE）の先天性血栓症リスク因子の一つであるアンチトロンビン欠乏症では，不育症との関連性は明確にされておらず，VTEの観点からみた血栓性疾患がそのまま不育症の病態と一致しているわけではない[2]。

一方，ESHRE（ヨーロッパ生殖医学学会）ガイドラインにおいては不育症の原因検索として，後天性血栓性素因の一つである抗リン脂質抗体陽性のみを反復・習慣流産の原因となりうる不育症スクリーニング対象としている。プロテインS，第XII因子を含む先天性血栓性素因の検索は推奨されていないが[3]，臨床経過によってはVTE予防の観点から妊娠中の血栓性素因スクリーニングの対象とはなりうるとしている。

　ただ，プロテインS欠乏に関しては日本人では欧米人と比較して10倍頻度が高く，その多くがプロテインS徳島型変異欠乏であり，不育症との関連については十分な検討がなされていない[1]。

卵胞刺激ホルモン（FSH）
follicle stimulating hormone

血栓性疾患を背景とした不育症発症の臨床症状

　血栓性疾患を背景とした不育症の臨床症状としては，血栓性素因の型別に妊娠合併症のリスクについて検討をした欧米人を調査対象とする報告がある。早期流産，繰り返す初期流産，繰り返しのない妊娠中期での胎内死亡，妊娠後期での胎内死亡，妊娠高血圧腎症，常位胎盤早期剥離，胎児発育不全を不育症の臨床症状として記している。

　統計学的に有意である素因の型と臨床症状としては，プロテインS欠乏症と妊娠後期胎内死亡，抗カルジオリピン抗体陽性と早期流産，繰り返す初期流産，後期胎内死亡，妊娠高血圧腎症，胎児発育不全が挙げられている。ループスアンチコアグラント陽性では早期流産と繰り返しのない中期胎内死亡がある。わが国では十分なデータがないが，プロトロンビン遺伝子変異（heterozygous）や高ホモシステイン血症も挙げられている[4]。

　興味深い点は，同報告では一部の項目で十分なデータがないものもあるが，アンチトロンビン欠乏症と不育症のリスク上昇の検討は統計的には有意となっていない。なお，第V因子Leiden mutationは過去日本人で報告がなく表1から割愛した。

血栓性疾患を背景とした不育症発症の病態生理

　早期流産，胎児発育不全（FGR），妊娠高血圧腎症（妊娠高血圧症候群）の発症は不育症の多様な臨床型を示したもので，病態生理を考えるうえで重要である。抗リン脂質抗体症候群合併妊娠での胎盤病理学的検討は一つの例だが[5]，過凝固状態を背景とした胎盤絨毛間腔の低酸素，血流低下が機序の一つと推測されている（図1）。

胎児発育不全（FGR）
fetal growth restriction

血液凝固学的検討

　動物モデルを用いた血液凝固学的検討は，FGRに関しては胎盤内フィブリン形成が引き起こしうることを示唆している。抗リン脂質抗体の一つである抗カルジオリピン抗体や抗フォスファチジルセリン抗体を妊娠マウスに投与し子

表1 妊娠合併症と血栓性素因との関連性

血栓性素因の型	早期流産	繰り返す初期流産	繰り返しのない中期胎内死亡	後期胎内死亡	妊娠高血圧腎症	常位胎盤早期剥離	胎児発育不全
プロトロンビン遺伝子変異 (heterozygous)	2.49 (1.24-5.00)	2.70 (1.37-5.34)	8.60 (2.18-33.95)	2.66 (1.28-5.53)	2.54 (1.52-4.23)	7.71 (3.01-19.76)	2.92 (0.62-13.70)
MTHFR遺伝子変異 C677T (homozygous)	1.40 (0.77-2.55)	0.86 (0.44-1.69)	NA	1.31 (0.89-1.91)	1.37 (1.07-1.76)	1.47 (0.40-5.35)	1.24 (0.84-1.82)
アンチトロンビン欠乏症	0.88 (0.17-4.48)	NA	NA	7.63 (0.30-196.36)	3.89 (0.16-97.19)	1.08 (0.06-18.12)	NA
プロテインC欠乏症	2.29 (0.20-26.43)	NA	NA	3.05 (0.24-38.51)	5.15 (0.26-102.22)	5.93 (0.23-151.58)	NA
プロテインS欠乏症	3.55 (0.35-35.72)	NA	NA	20.09 (3.70-109.15)	2.83 (0.76-10.57)	2.11 (0.47-9.34)	NA
抗カルジオリピン抗体陽性	3.40 (1.33-8.68)	5.05 (1.82-14.01)	NA	3.30 (1.62-6.70)	2.73 (1.65-4.51)	1.42 (0.42-4.77)	6.91 (2.70-17.68)
ループスアンチコアグラント陽性	2.97 (1.03-9.76)	NA	14.28 (4.72-43.20)	2.38 (0.81-6.98)	1.45 (0.70-4.61)	NA	NA
高ホモシステイン血症	6.25 (1.37-28.42)	4.21 (1.28-13.87)	NA	0.98 (0.17-5.55)	3.49 (1.21-10.11)	2.40 (0.36-15.89)	NA

データはOR（95％ CI）で表示　MTHFR：methylene tetrahydrofolate reductase variant；
NA　データなし．

(American College of Chest Physicians Evidence-Based Clnical Practice Guidelines（9th Edition）Venous thromboembolism, thrombophilia, antithrombotic therapy, and pregnancy: 2012; 141: e691S-e736S FV Leidenn変異を除いて改変)

図1 血栓性素因におけるトロンビン形成更新とFGR，流産・死産の病態

トロンビンは絨毛外絨毛細胞移動の調節，絨毛細胞からのsFLT1産生放出促進，炎症性サイトカイン産生促進，絨毛間腔での血栓形成促進などの生理活性により，病態形成に関与している。

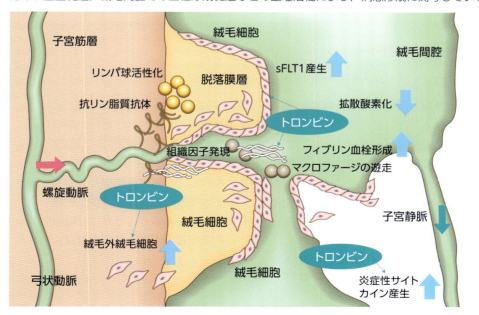

宮内胎仔発育不全を引き起こした検討は，<u>抗体による絨毛細胞障害や血栓形成が原因の一つであることを示唆する</u>[6]。また，活性化血小板膜由来の<u>人エリン脂質膜（PS）</u>微小胞を作成し，妊娠マウスに投与，子宮内胎仔発育不全を引き起こした検討も過凝固状態がFGRの原因となりうることを示唆している[7]。また，妊娠高血圧腎症での胎盤組織像はフィブリン形成とともにアネキシンV発現が減弱していることも，その傍証と考えられる[8]。

人エリン脂質膜 (PS)
phosphatidylserine

血栓性疾患の診断

『産婦人科診療ガイドライン2020—産科編』中の「CQ 204 反復・習慣流産患者の診断と取扱いは？」で推奨する血栓性素因としては，抗リン脂質抗体の測定のみ挙げている[9]。

抗リン脂質抗体症候群

不育症のリスクを有意に増加させる代表的血栓性疾患が<u>抗リン脂質抗体症候群（APS）</u>である。1983年HarrisらによりSLEに合併する疾患として報告され，診断基準が改定されてきている。現在，国際血栓止血学会による診断基準が用いられている[10]。それ以前の診断基準と比較して妊娠合併症としての病型がより詳細に定義されている点と，検査所見としての定義がより標準化されている点が特徴である（**表2**）。検査所見として測定が求められるのは，凝固活性に基づく<u>ループスアンチコアグラント（LA）</u>とELISA法による<u>免疫グロブリン（IgGまたはIgM form）</u>抗体価に基づく<u>抗カルジオリピン（CL）</u>もしくは<u>抗体抗CL・β2 GPI複合体抗体測定法</u>による。

現在，前者は<u>希釈ラッセル蛇毒時間（dRVVT）法</u>と<u>活性化部分トロンボプラスチン時間（aPTT）法</u>を基本とし，<u>交差混合（クロスミキシング）試験</u>により確認する。

抗リン脂質抗体症候群 (APS)
antiphospholipid antibody syndrome

抗リン脂質抗体症候群 (APS)
血栓症や不育症のリスクを増加させる血栓性疾患〔「血栓性疾患の診断」の項 (p.260) 参照〕。

希釈ラッセル蛇毒時間 (dRVVT)
dilute Russell's viper venom time

活性化部分トロンボプラスチン時間 (aPTT)
activated partial thromboplastin time

プロテインS異常症

先天性凝固因子欠乏症の病型には凝固因子の<u>量的異常</u>と<u>活性異常</u>があり，その診断として，前者は抗原量測定を行い，後者は活性測定を行う。ただ，<u>凝固因子欠乏症スクリーニングとしては活性測定が行われる。活性測定には凝固時間法もしくは合成基質法</u>が用いられる。

プロテインSは血液内ではキャリア蛋白質と結合し，一部が遊離型として機能しているが，<u>妊娠中はキャリア蛋白質との結合が増加し，プロテインS活性の低下状態となっている</u>。そのため，先天性の低下症であるかどうかは妊娠中の診断は困難である。非妊娠時で検討するか，両親が保因者であるかを検討し間接的に知る以外簡便な方法はない。

表2　抗リン脂質抗体症候群（APS）の改定分類基準

少なくとも1つの臨床所見と少なくとも1つの検査所見を確認した場合抗リン脂質抗体症候群と診断。

[臨床所見]

1. 血栓症

1回以上の動脈，静脈あるいは小血管血栓症
（血栓症は画像検査や病理検査で確認され，血管炎による閉塞を除く）

2. 妊娠合併症

a. 1回以上の妊娠10週以降の原因不明子宮内胎児死亡
（胎児形態異常なし）

b. 1回以上の子癇，重症妊娠高血圧腎症や胎盤機能不全による妊娠34週未満の早産
（新生児形態異常なし）

c. 3回以上の連続した妊娠10週未満の原因不明習慣流産
（子宮形態異常，内分泌異常，夫婦染色体異常を除く）

注：複数の妊娠合併症を認める場合にはa～cのいずれに当てはまるか分類
注：胎盤機能不全としてはNST異常，ドプラ血流異常，羊水過少，出生児体重10パーセンタイル未満を含む。

[検査所見]

1. ループスアンチコアグラント（LA）陽性
（国際血栓止血学会ガイドラインに準拠した測定法により検出）

2. 抗カルジオリピン（CL）抗体IgG　またはIgMが中高力価で陽性
（標準化された方法で＞40GPL/40MPLまたは＞99パーセンタイル）

3. 抗CL・β2GPI複合体抗体IgG　またはIgMが陽性
（標準化された方法で＞99パーセンタイル）

注：1～3までの検査項目の1個以上が陽性かつ12週間の間隔で2回以上検出される。

(Miyakis S et al. International consensus statement on an update of the classification criteria for definite antiphospholipid syndrome (APS) J Throb Haemost 2006;4:295-306より改変)

血栓性疾患を背景とした不育症予防のための薬物治療

　血栓性疾患を背景とした不育症予防のための薬物治療としては，未分画ヘパリン（UFH），低分子量ヘパリン（LMWH），低用量アスピリン等が用いられた各種研究がある。ただ，原因不明不育症においては先天性の血栓性素因の有無を問わずアスピリン単独もしくはアスピリン／ヘパリン併用療法の使用を支持しないとする意見が主である[11]。

　一方，抗リン脂質抗体陽性妊婦における繰り返す流産死産や胎児発育不全，妊娠高血圧腎症では未分画ヘパリン＋アスピリン併用療法またはアスピリン単独療法の有用性が示されてきている（表3）。

　また，最近では持続性抗体陽性を示すAPSにおいては，低用量アスピリン単独療法と比較して低用量アスピリン／ヘパリン療法は不育症のリスクを低減化する可能性を示しているとしている（RR 0.48，95% CI 0.32～0.71）[12]。

> 未分画ヘパリン（UFH）
> unfractionated heparin
>
> 低分子量ヘパリン（LMWH）
> low molecular weight heparin
>
> ➡「原因不明不育症」（p.345）参照

表3 抗リン脂質抗体陽性妊婦における繰り返す流産・死産での未分画ヘパリン＋アスピリン併用療法またはアスピリン単独療法の有用性

結果	対象患者（研究），Follow-up	エビデンスクオリティー（GRADE）	相対効果（95％信頼区間）[a]
流産・死産	212（3 RCTs）なし	中　バイアスリスク[b]	RR 0.44（0.33〜0.66）
胎児発育不全[c]	134（3 RCTs）なし	低　バイアスリスク[b] 不正確さ[d]	RR 1.71（0.48〜6.17）
妊娠高血圧腎症（定義は明確でない）	134（3 RCTs）なし	低　バイアスリスク[b] 不正確さ[d]	RR 0.43（0.09〜2.08）

データは3個のトライアルに基づく未発表のメタ解析による

a：アスピリングループに対する相対効果
b：無作為性や盲検性に基づくリスク
c：推定時体重が妊娠週数あたりで10パーセンタイル以下のもの
d：信頼区間に基づくリスク

(American College of Chest Physicians Evidence-Based Clnical Practice Guidelines (9th Edition) Venous thromboembolism, thrombophilia, antithrombotic therapy, and pregnancy: 2012; 141: e691S-e736Sより改変)

（杉村　基）

参考文献

1) 「不育症管理に関する提言」改訂委員会：不育症管理に関する提言2021. 成育疾患克服等次世代育成基盤研究事業 令和2年度厚生労働科学研究.
2) Robertson L, Wu O, Langhorne P, et al：Thrombophilia in pregnancy: A systematic review. Br J Haematol 2006; 132: 171-96.
3) The ESHRE Guideline Group on RPL：ESHRE guideline: recurrent pregnancy loss Human Reproduction Open. 2018, p1-12. Doi：10.1093/hropen/hoy004.
4) American College of Chest Physicians Evidence-Based Clnical Practice Guidelines (9th Edition)：Venous thromboembolism, thrombophilia, antithrombotic therapy, and pregnancy. Practice Guideline 2012; 141: e691S-e736S.
5) Sebire NJ, Backos M, Goldin RD, et al：Placental massive perivillous fibrin deposition associated with antiphospholipid antibody syndrome. Br J Obstet Gynaecol 2002; 109: 570-3.
6) Vogt E, Ng AK, Rote NS：A model for the antiphospholipid antibody syndrome: monoclonal antiphosphatidylserine antibody induces intrauterine growth restriction in mice. Am J Obstet Gynecol 1996; 174: 700-7.
7) Sugimura M, Kobayashi T, Shu F, et al：Annexin V inhibits phosphatidylserine- induced intrauterine growth restriction in mice. Placenta 1999; 20: 555-60.
8) Shu F, Sugimura M, Kanayama N, et al：Imunohistochemical study of annexin V expression in placentae of preeclampsia. Gynecol Obstet Invest 2000; 49: 17-23.
9) 日本産科婦人科学会／日本産婦人科医会編：CQ204 反復・習慣流産患者の診断と取扱いは？ 産婦人科診療ガイドライン―産科編2020, 日本産婦人科学会, 2020, p119-25.
10) Miyakis S, Lockshin MD, Atsumi T, et al：International consensus statement on an update of the classification criteria for definite antiphospholipid syndrome(APS). J Thromb Haemost 2006; 4: 295-306.
11) de Jong PG, Kaandorp S, Di Nisio M, et al：Aspirin and/or heparin for women with unexplained recurrent miscarriage with or without inherited thrombophilia. Cochrane Database Syst Rev 2014;(7): CD004734.
12) Hamulyák EN, Scheres LJJ, Marijnen MC, et al：Aspirin or heparin or both for improving pregnancy outcomes in women with persistent antiphospholipid antibodies and recurrent pregnancy loss. Cochrane Database Syst Rev 2020; (5)：CD012852. DOI：10.1002/14651858. CD012852.pub2.

各論 2　疾患別の治療

不育症
染色体異常

Over View

　不育症のリスク因子として，まれにカップルの均衡型相互転座やRobertson転座などの染色体構造異常が検出される。その際，流産予防のため着床前診断を実施し，異常のない胚を子宮内へ移植することが選択肢の一つとなるが，自然妊娠に比べて流産率は低下するが最終的な生児獲得率が改善したというデータは報告されていない。
　また，女性の高齢化により，胎児染色体異常による流産が増加する傾向にある。この問題に対し，着床前スクリーニングは，海外において高齢女性の流産率低下に寄与すると報告されている。

カップルの染色体構造異常

　不育症のリスク因子として，まれにカップルのどちらかに染色体構造異常が検出される。染色体構造異常として検出される大部分は，均衡型相互転座やRobertson転座などの均衡型転座で，減数分裂の過程で不均衡な配偶子が一定頻度で形成されるため，流産あるいは不均衡型染色体異常をもつ児の出生の原因となる[1]。
　1998年，Munnéらは均衡型転座に起因する反復流産患者に対し，流産予防を目的に着床前診断（PGT-SR）を実施したことを世界で初めて報告した[2]。わが国では，2006年より均衡型転座に起因する不育症に対し，日本産科婦人科学会の臨床研究としてPGT-SRの実施が認められた。

自然妊娠の妊娠成績

　均衡型転座に起因する不育症の患者の自然妊娠における妊娠成績を表1に示した。平均年齢29.7〜31.8歳，流産回数2.7〜3.4回の患者に対し無治療で

着床前診断
（PGT-SR）
preimplantation genetic Test for structural rearrangements
➡「着床前診断（PGT-A, PGT-SR）」
（p.208）参照

表1　諸家の自然妊娠による臨床成績

	自然妊娠					
	Sugiura 2004	Srephenson 2006	Franssen 2006	Sugiura 2008（多施設）	Ozawa 2008	Kochhar 2013
患者数 (n)	58	40	195	51	51	54
均衡型：Robertson	47:11	28:12	157:38	46:5	36:15	48:6
年齢 (歳)	29.7		31.8	31.0	31.5	30.0
流産回数 (回)	2.9		3.0	3.1	2.7	3.4
妊娠数 (回)	58	30	195	51	51	49
分娩数 (回)	22	20	162	32	27	34
初回生児獲得率 (%)	37.9	66.7	83.1	62.7	52.9	67.3
累積生児獲得率 (%)	68.1	86.7	83.1			
流産率 (%)	62.1	33.3	16.9	37.3	47.1	29.6

妊娠した場合，初回の生児獲得率37.9～83.1%，累積生児獲得率68.1～86.7%，流産率16.9～62.1%と報告された[3～8]。

PGT-SRの妊娠成績

均衡型転座に起因する不育症の患者のPGT-SRにおける妊娠成績を表2に示した。平均年齢29.2～40.0歳，流産回数2.9～3.5回の患者に対しPGT-SRを施行し，採卵周期数あたりの生児獲得率10.5～42.9%，胚移植周期数あたりの生児獲得率27.8～73.7%であり，患者数あたりの生児獲得率は26.0～76.9%で，報告ごとにばらつきがみられた[9～15]。一方，流産率は0～37.0%と比較的低く，PGT-SRの有効性が期待できると考えられる。

均衡型転座に起因する反復流産における，自然妊娠と着床前診断の妊娠成績の比較

筆者らは日本で初めて均衡型転座をもつ反復流産既往の患者に対するPGT-SR施行群と自然妊娠群の妊娠成績を比較したコホート研究を報告した[16]。

反復流産の原因が均衡型転座であることが判明した夫婦を対象に，遺伝カウンセリングを実施した。PGT-SRは，症例ごとに日本産科婦人科学会倫理委員会の承認を得た後に実施した。年齢，既往流産回数等がマッチングしたPGT-SR群（37組）と，自然妊娠群（52組）の患者を，初回生児獲得率，累積生児獲得率，流産回数について比較した（表3,4）。

その結果，PGT-SR群と自然妊娠群の初回生産率は37.8%（14/37）と53.8%（28/52），累積生児獲得率は67.6%（25/37）と65.4%（34/52）であり，両群に統計学的有意差は認めなかった。一方，流産回数はPGT-SR群が0.24回，自然妊娠群が0.58回で，PGT-SR群において有意に減少した（$p=0.02$）。

表2　諸家のPGT-SRによる臨床成績

	PGT-SR							
	Fiorentino 2011	Idowu 2015	Sato 2015 (多施設)	Kato 2016	Cai 2019	Huang 2019	Bartels 2020	Cheng 2021
分析方法	aCGH	SNP array	FISH等	FISH	NGS	aCGH	NGS	aCGH	NGS
患者数 (n)	24		174	52	100	194	21	16	762
均衡型：Robertson	16:8		154:20	46:6	100:0	194:0			531:208（23例逆位）
年齢（歳）	37.4	33.8	40.0	36.5	29.2		33.7	33.8	
流産回数（回）				3.4					
採卵周期数（回）	28	74	572	239	134	265	36	24	917
妊娠数（回）	12	31	77	43	34	114	14	13	505
分娩数（回）	12	28	60	40	26	101	14	10	318
生児獲得率（%，/患者数）	50.0		34.5	76.9	26.0	52.1	66.7	62.5	41.7
生児獲得率（%，/採卵周期数）	42.9	37.8	10.5	16.7	19.4	38.1	38.9	41.2	34.7
生児獲得率（%，/胚移植周期数）	70.6	51.9	27.8	60.6	50.0	56.4	73.7	50.0	43.0
流産率（%，/妊娠数）	0	9.7	22.1	7.0	2.9	11.4	0	23.1	37.0

表3　着床前診断と自然妊娠群の症例背景の比較

	着床前診断群	自然妊娠群	P値
患者数 (n)	37	52	
平均年齢（歳）	30.6±3.0	30.9±3.8	NS
均衡型：Robertson	33：4	38：14	NS
既往流産回数（回±SD）	3.37±1.26	3.10±1.07	NS
既往死産回数（回±SD）	0.08±0.28	0.10±0.30	NS
既往出産回数（回±SD）	0.14±0.35	0.15±0.36	NS
体外受精経験者数 [n(%)]	6（16.2）	6（11.5）	NS

NS：有意差なし　　　　　　　　　　　　　　　（Ikuma, et al：PLoS One 2015より引用）

　以上のことから，PGT-SRはその後の流産回数を減少させたが，生児獲得率は同等であったと結論付けられた．
　その後，胚生検の技術が生産率と関与することがわかってきたため，初期胚の割球生検から胚盤胞の栄養外胚葉生検となり成績が向上した[17]．また解析方法は，検査対象となる染色体が限定されるFISH（Fluorescence *in situ*

表4 34歳以下のPGD群と自然妊娠群の臨床成績の比較

	着床前診断群 (n＝37)	自然妊娠群 (n＝52)	オッズ比（95% CI） P値
初回生児獲得率 [n（%）]	14（37.8）	28（53.8）	0.52（0.22～1.23） 0.10
累積生児獲得率 [n（%）]	25（67.6）	34（65.4）	1.10（0.45～2.70） 0.83
平均流産回数（回±SD）	0.24±0.40	0.58±0.78	0.02
平均採卵周期数（周期±SD）	2.46±2.30	—	
平均胚移植周期数（周期±SD）	2.16±1.85	—	
患者当たりの平均費用（円）	961,667	—	

（Ikuma, et al：PLoS One 2015より引用）

hybridization）法からarray CGH（comparative genomic hybridization）や次世代シークエンサー（NGS：next generation sequencing）による24種類の染色体による網羅的解析が主流となり，異数性および不均衡転座に対する解析精度が向上した。

均衡型転座に起因する不育症患者への遺伝カウンセリングの際は，PGT-SRと自然妊娠のメリット・デメリットを十分に説明し，夫婦にとって最適な治療が選択できるようにすることがポイントであると考えられる。

着床前スクリーニング

➡「着床前診断（PGT-A，PGT-SR）」（p.208）参照

女性の高齢化に伴い，流産率が増加するが，その多くは減数分裂の過程で発生する染色体不分離による数的異常胚の発生に起因する。この問題に対し，PGTの技術を用いて，数的異常胚を網羅的にスクリーニングする着床前スクリーニング（PGT-A）が実施されている。

着床前スクリーニング（PGT-A）
preimplantation genetic Testing for aneuploidy

PGT-Aにおける妊娠成績を表5に示した。平均年齢31.2～38.6歳の患者に対しPGT-Aを施行し，胚移植周期数あたりの生児獲得率45.4～64.5%，妊娠数あたりの流産率は4.4～16.4%と良好であり，PGT-Aの有効性が期待できると考えられる[18～21]。

わが国における初めての不育症に対するPGT-Aの報告では，PGT-Aは流産率の低下に寄与しないと報告している（PGT-A施行群：14.3% 2/14妊娠，PGT-A非施行群：20.0% 2/10妊娠，p＝0.68）[19]が，症例数が非常に少なく，現在行われている臨床研究の結果でさらなる検討が必要である。一方，海外ではPGT-A施行群はPGT-A非施行群と比較し，臨床妊娠率および生児獲得率が有意に高く，流産率が低い結果であった（PGT-A施行群：10.8% 463/4,288胚移植周期，PGT-A非施行群：12.6% 517/4,116胚移植周期，p＝0.02）[22]。そのため，原因不明の不育症患者に対するPGT-Aがその後の流産防止に寄与する可能性がある。

表5 諸家のPGT-Aによる臨床成績

	PGT-A			
	Simon 2018	Sato 2019	Munne 2019	Zhou 2021
分析方法	SNP array	array CGH	NGS	NGS
患者数 (n)	866	42	330	93
年齢 (歳)		38.6	33.7	31.2
検査胚数 (n)	3117	199	2178	
正数性胚数 (n)	1319	42	939	
胚移植周期数 (回)	665	24	274	119
臨床的妊娠率 (%, /胚移植周期数)	71.0	70.8	60.2	67.2
生児獲得率 (%, /胚移植周期数)	64.5	62.5		45.4
流産率 (%, /妊娠数)	4.4	11.8	16.4	16.3

図1 胚盤胞生検

①②透明帯をガラス針で切開する。
③ガラスピペットで栄養芽細胞を吸引する。
④⑤栄養外胚葉をレーザー照射で切断する。

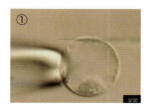 
 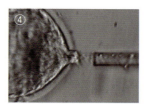 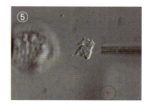

使用する胚	胚盤胞
採取方法	透明帯をガラス針で切開した後，ガラスピペットで細胞を吸引しながらレーザー照射して切り取る
長所	・より多くの細胞を採取することができる ・モザイクの有無の診断が正確となる
短所	・栄養外胚葉採取にレーザー装置を用いるため，技術の差に左右される ・細胞が重なり，シグナルの識別が困難となりやすい

表6　array CGH・NGSの長所と短所

	array CGH	NGS
長所	・すべての種類の染色体の異数性や不均衡領域を網羅的に診断できる ・数100Kb～1Mbレベルの細かな遺伝子異常の検出が可能である	・同時並列で大量のDNA断片の配列決定ができるため，数百～数千億塩基の配列情報を得ることができる ・array CGH法と比べ，シグナル／ノイズ比が高く，より正確な解析結果が得られる
短所	・微細な不均衡型異常が検出不能となる可能性がある ・診断に時間がかかる ・検査胚を一度凍結しなければいけない ・設備投資の費用が高額である	・一度に伸長反応を行えるDNA分子の長さに制限があり，200～400塩基を超える欠失変異を同定することが苦手である ・試薬コストやバイオインフォマティクスの手間がかかる

胚生検

体外受精5日目の胚盤胞の栄養外胚葉から，5～10個程度の細胞を採取する（図1）[23]。

染色体分析方法

染色体分析方法は，array CGHと次世代シークエンサーがある。それぞれの長所・短所については表6に示す。

array CGH

array CGH (comparative genomic hybridization) は，検体細胞から抽出した全ゲノムDNAを，PCR法により数100Kb～1Mbに複製し，DNAコピー数の変化（過剰，減少）を正常DNAと異なる蛍光色素で標識し，コンピュータ解析する方法で，全染色体を網羅的に解析することが可能である。この技術を用いた染色体分析が，数的異常胚を正確に検知するために有力な方法と報告されている[24]。

一方でarray CGHは，微細な不均衡型異常が検出不能となる可能性があること，診断に時間を要すること，設備投資が高額であることなど課題もある。

次世代シークエンサー

同時並列で大量のDNA断片の配列決定が可能な次世代シークエンサー (NGS) を用いた染色体解析が診断の精度向上につながると考えられ，主流になってきている。array CGHと比較しシグナル／ノイズ比が良く，一部のモザイクも診断可能である[25]。一方，試薬コストやバイオインフォマティクスの手間がかかることが課題である[26]。

次世代シークエンサー (NGS)
next generation sequencing

（伊熊慎一郎，黒田恵司）

参考文献

1) 伊熊慎一郎, 田中威づみ, 山口貴史ほか：染色体異常. 産と婦 2016; 83: 485-90.
2) Munné S, Scott R, Sable D, et al：First pregnancies after preconception diagnosis of translocations of maternal origin. Fertil Steril 1998; 69: 675-81.
3) Sugiura-Ogasawara M, Ozaki Y, Sato T, et al：Poor prognosis of recurrent aborters with either maternal or paternal reciprocal translocation. Fertil Steril 2004; 81: 367-73.
4) Stephenson MD, Sierra S：Reproductive outcomes in recurrent pregnancy loss associated with a parental carrier of a structural chromosome rearrangement. Hum Reprod 2006; 21: 1076-82.
5) Franssen MT, Korevaar JC, van der Veen F, et al：Reproductive outcome after chromosome analysis in couples with two or more miscarriages: index [corrected]-control study. BMJ 2006; 332: 759-63.
6) Sugiura-Ogasawara M, Aoki K, Fujii T, et al：Subsequent pregnancy outcomes in recurrent miscarriage patients with a paternal or maternal carrier of structural chromosome rearrangement. J Hum Genet 2008; 53: 622-8.
7) Ozawa N, Maruyama T, Nagashima T, et al：Pregnancy outcomes of reciprocal translocation carriers who have a history of repeated pregnancy loss. Fertil Steril 2008; 90: 1301-4.
8) Kochhar PK, Pranay G：Reprodutctive outcome of couples with recurrent miscarriage and balanced chromosomal abnormalities. J Obstet Gynecol Res 2013; 39: 113-20.
9) Fiorentino F, Spizzichino L, Bono S, et al：PGD for reciprocal and Robertsonian translocations using array comparative genomic hybridization. Hum Reprod 2011; 26: 1925-35.
10) Idown D, Merrion K, Wemmer N, et al：Pregnancy outcomes following 24-chromose preimplantation genetic diagnosis in couples with balanced reciprocal or Robertsonian translocations. Fertil Steril 2015; 103: 1037-42.
11) Sato K, Sueoka K, Iino K, et al：Current status of preimplantation genetic diagnosis in Japan. Bioinformation 2015; 11: 254-60.
12) Cai Y, Ding M, Diao Z, et al：Evaluation of preimplantation genetic testing based on next-generation sequencing for balanced reciprocal translocation carriers. Reprod Biomed Online 2019; 38: 669-75.
13) Huang C, Jiang W, Zhu Y, et al：Pregnancy outcomes of reciprocal translocation carriers with two or more unfavorable pregnancy histories: before and after preimplantation genetic testing. J Assisted Reprod Genet 2019; 36: 2325-31.
14) Bartels CB, Makhijani R, Godiwala P, et al：In vitro fertilization outcomes after preimplantation genetic testing for chromosomal structural rearrengements comparing fluorescence comparing fluorescence in-situ hybridization, microarray comparative genomic hybridization, and next-generation sequencing. F S Rep 2020; 1 (3): 249-56.
15) Cheng D, Hu L, Gong F, et al：Clinical outcomes following preimplantation genetic testing and microdissecting junction region in couples with balanced chromosome rearrangement. 2021; 38: 735-42.
16) Ikuma S, Sato T, Sugiura-Ogasawara M, et al：Preimplantation genetic diagnosis and natural conception: a comparison of live birth rates in patients with recurrent pregnancy loss associated with translocation. PLoS One 2015; 10: e0129958.
17) Papas RS and Kutteh：Genetic testing for aneuploidy in patients who have had multiple miscarriages: A review of current literature. Appl Clin Genet 2021; 14: 321-9.
18) Simon AL, Kiehl M, Fischer E, et al：Pregnancy outcomes from more than 1,800 in vitro fertilization cycles with the use of 24-chromosome single-nucleotide polymorphism-based preimplantation genetic testing for aneuploidy. Fertil Steril 2018; 110: 113-21.
19) Sato T, Sugiura-Ogasawara M, Ozawa F, et al：Preimplantation genetic testing for aneuploidy: a comparison of live birth rates in patients with recurrent pregnancy loss due to embryonic aneuploidy or recurrent implantation failure. Hum Reprod 2019; 34: 2340-8.
20) Munné S, Kaplan B, Frattarelli JL, et al：Preimplantation genetic testing for aneuploidy versus morphology as selection criteria for single frozen-thawed embryo transfer in good-prognosis patients: a multicenter randomized clinical trial. Fertil Steril 2019; 112: 1071-9.
21) Zouh T, Zhu Y, Zhang J, et al：Effects of PGT-A on pregnancy outcomes for young women having one previous miscarriage with genetically abnormal products of conception. Reprod Sci 2021; 28: 3265-71.

22) Bhatt SJ, Marchetto NM, Roy J, et al：Pregnancy outcomes following in vitro fertilization frozen embryo transfer (IVF-FET) with or without preimplantation genetic testing for aneuploidy (PGT-A) in women with recurrent pregnancy loss (RPL): a SART-CORS study. Hum Reprod 2021；36：2339-44.
23) 伊熊慎一郎, 田中　温：着床前スクリーニング(preimplantation genetic screening: PGS)について. 生殖医療ポケットマニュアル, 医学書院, 2014：267-71.
24) Fragouli E, Alfarawati S, Daphnis DD, et al：Cytogenetic analysis of human blast cysts with the use of FISH, CGH and aCGH: scientific data and technical evaluation. Hum Reprod 2011；26：480-90.
25) 中岡義晴：着床前診断. 産婦の実際 2015；64：385-90.
26) 右田王介, 秦　健一郎：新しい遺伝学的検査―大量遺伝子解析技術(DNAマイクロアレイ解析, 次世代シークエンサー)とその展望―. 産婦の実際 2015；64：315-21.

各論2 疾患別の治療

不育症

原因不明不育症

Over View

　原因不明不育症は，不育症のリスク因子の約半分を占め，原因がわからないまま流産を繰り返すため，肉体的にも精神的にも負担が大きい。原因不明不育症は偶発的に繰り返す流産も含まれるが，精査できないところに流産の原因がある可能性も高い。その一部は子宮内膜脱落膜化の異常など子宮内環境が関与している。3〜4回流産を繰り返す不育症症例は，無治療でも約60〜70％は流産せず妊娠継続するが，5回以上流産をしている症例は，母体側にリスク因子がある可能性が高い。精神的なサポートなど積極的な治療を行うことで80％以上の不育症患者が生児獲得できる。しかし治療後も流産となった場合は，絨毛染色体検査を行い，治療方針を再検討する必要がある。

原因不明不育症で考えられる流産のリスク因子

　流産を繰り返す不育症・習慣流産のなかで，リスク因子を精査しても異常を認めない場合は，全体の約半数を占める[1,2]。原因不明不育症というのは原因のない偶発的な流産も含まれるが，精査できないところに原因がある可能性も高い。特に着床後，妊娠継続するための母体の免疫寛容，着床部位局所の子宮内環境や着床後の胎芽の異常などについては，そのほとんどは検査が困難である。
　図1のとおり，流産回数が増えると，絨毛染色体検査での正常率が上がり，かつ次回の流産の頻度が上昇する[3]。この結果から3〜4回流産している症例では，無治療でも約60〜70％は妊娠継続するが，5回以上流産している不育症症例では流産率が50％を超え，絨毛染色体検査の60％以上が正常であることから，胎児側より母体側に流産のリスク因子が存在することが示唆される。
　母体の年齢とともに妊孕能は低下し，かつ流産率は増加するため，まず総論

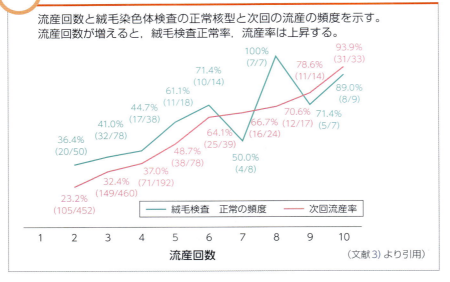

図1 流産回数と正常核型・次回流産の頻度

流産回数と絨毛染色体検査の正常核型と次回の流産の頻度を示す。流産回数が増えると，絨毛検査正常率，流産率は上昇する。

（文献3）より引用）

2. を参照のうえスクリーニングを行い，リスク因子がみつからない場合には，原因不明として積極的に治療を進めることが重要である。

また，一般的なスクリーニング検査でみつからず，その後も流産を繰り返す場合には，免疫検査として血中のナチュラルキラー（NK）細胞活性，Th1/Th2細胞，25OHビタミンD（貯蔵型ビタミンD）の測定，子宮内膜の子宮NK細胞（CD56 bright）密度の測定を行い検討する方法もある。さらには，メチレンテトラヒドロ葉酸還元酵素（MTHFR）の遺伝子多型を伴う葉酸不足や高ホモシステイン血症や慢性子宮内膜炎も流産と関与しているため，確認することも検討する。

→「慢性子宮内膜炎」(p.312)参照

原因不明不育症のこれまでの試験的な治療法

原因不明不育症に対し，さまざまな治療方法が施行されてきた（**表1**）。流産に対し，抗血栓療法として低用量アスピリン療法，ヘパリン療法もしくはそのコンビネーションでの治療や，免疫療法として大量ヒト免疫グロブリン療法，夫リンパ球療法などが行われてきた。いずれも無作為化対照試験が行われ，その流産に対する治療効果は否定的となっている[4〜6]。

また，原因不明不育症は子宮内膜における子宮NK細胞と，そこから放出されるサイトカインに伴う着床部位局所の新生血管の異常増殖が報告されている[7]。この異常増殖した子宮NK細胞を抑制する効果のあるステロイド（プレドニゾロン）に対する無作為化対照試験も行われた。しかし3回以上の流産を繰り返す習慣流産で，かつ子宮NK細胞が高値の症例を対象としたが，この結果も否定的であった（生児獲得率：プレドニゾロン製剤投与群60.0% vs プラセボ投与群40.0%，リスク比1.5，95%信頼区間0.79-2.86）[8]。

表1 原因不明不育症に対して行われてきた試験的な治療

抗血栓療法
低用量アスピリン ヘパリン療法
免疫療法
大量ヒト免疫グロブリン療法 夫リンパ球療法
ホルモン療法
ステロイド（プレドニゾロン）療法 プロゲステロン療法

　プロゲステロンは着床とその後の妊娠維持を行う子宮内膜脱落膜化過程を制御し，かつステロイドと同様に異常増加した子宮NK細胞を抑制し，かつ免疫寛容におけるヘルパーT細胞を妊娠にとって重要なTh2細胞優位にすることから，妊娠維持に有用と考えられている。

　2015年に大規模なプロゲステロンに対する無作為化対照試験も行われ，天然型プロゲステロン腟錠を妊娠12週まで使用し流産予防効果の有無を検討した[9]。しかし残念ながら，プラセボ群と有意差は認めなかった（生児獲得率プロゲステロン製剤投与群65.8％ vs プラセボ投与群63.3％）。ただ，さらに追加の無作為化対照試験と解析が行われ，3回以上の流産既往があり，出血を認める症例は，プロゲステロン腟錠の投与が有意に妊娠継続率を上昇することがわかった[10]。そのため，明らかな不育症のリスク因子がなく，かつ妊娠後に出血を認める場合にはプロゲステロン療法を開始することを勧める。

原因不明不育症に対する精神的サポート（tender loving care）

　繰り返す流産に伴う精神的な負担は計り知れない。精神的なストレスと流産の関与は明らかであり，精神的なサポート（tender loving care）が流産率を低下させることがわかっている。厚生労働省不育症研究班の報告でも，精神的なサポートが有用であることが報告されている[2]。

　また注目すべき点は，前述の今までの試験的な治療法において，プラセボ群の生児獲得率が高いことである。不育症患者はプラセボ薬でも治療を受けていることで，精神的なストレスが軽減されているのかもしれない。

　不育症の患者は精査しても流産のリスク因子がみつからないことが多い。治療法がないと次の妊娠が不安になり，かつ治療方針に悩む医師をみて，患者はさらに不安を感じる。このような悪循環が流産を繰り返しているのかもしれない。そのため患者には，不育症に対する治療を行うことで80％以上の患者が生児獲得まで辿り着けることを必ず伝え，精神的な負担を軽減することは医師の大きな役目である。

また，何度も流産を繰り返した場合，年齢に伴い妊孕能は低下し流産率も上昇する。そのため，40歳を超える患者，不妊症を伴う患者には適宜，不妊治療でサポートする必要がある。

子宮内膜脱落膜化の異常と流産

女性の子宮内膜は生殖年齢期間において約400回もの増殖，分化，脱落といった変化を繰り返す，非常に再生能の高い組織である。月経開始とともに卵巣では卵胞が発育し，一方で子宮では子宮内膜が増殖，排卵後には黄体から分泌されるプロゲステロンの影響を受けて脱落膜変化を起こし，約5日間の短い着床時期（implantation window：LHサージ後6〜10日目）が形成される。

至適な子宮内膜脱落膜化過程は，子宮内膜細胞から機能的，形態的にまったく異なる脱落膜細胞へ再構築することで，トロホブラストの侵入の調節，胚を受容する特有の子宮内膜免疫細胞の動員，着床部位局所の血管新生の制御が起こる[11]。この子宮内膜の再生過程が妊娠成立に重要であり，この過程の異常が妊娠不成立につながることが明らかになっている。

また，排卵後の着床時期が遅延すると，流産率が著明に上昇することがわかっている（図2）[12]。一部の原因不明不育症の患者は，子宮内膜脱落膜化の異常が関与し，着床時期の遅延が起きている可能性が考えられる。

プロゲステロン製剤は，子宮内膜脱落膜化に必須のホルモンであり，着床や妊娠維持に重要である。前述のとおり，精神的なサポートとしてプラセボを用いるのであれば，抗炎症作用があり着床を阻害する可能性のある，低用量アスピリンやステロイド製剤よりも，至適な子宮内膜脱落膜化を誘導してくれるプロゲステロン製剤がよいのかもしれない。

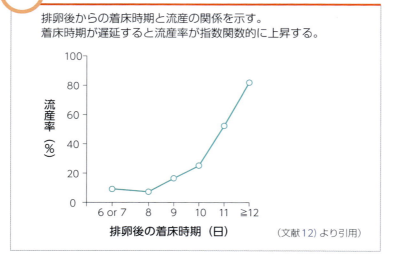

図2 着床時期と流産

排卵後からの着床時期と流産の関係を示す。
着床時期が遅延すると流産率が指数関数的に上昇する。

（文献12）より引用）

流産後，絨毛染色体検査の必要性

原因不明不育症に対し治療を進めたにもかかわらず，流産となってしまった場合には，その流産が母体側の問題なのか，胎児側の問題なのかを明らかにすべきである．

絨毛染色体検査を行い，染色体検査で数的異常を認めるようであれば，回避できない流産であるため，現在の治療を継続すべきである．数的異常に伴う流産は，着床前スクリーニングで避けることが可能である．適応があり体外受精も行う場合であれば，着床前スクリーニングを行うことも検討する必要がある．染色体検査で正常であった場合は，その治療法を再検討する必要がある．

➡「着床前診断（PGT-A, PGT-SR）」(p.208)参照

（黒田恵司）

参考文献

1) Morita K, Ono Y, Takeshita T, et al：Risk factors and outcomes of recurrent pregnancy loss in Japan. J Obstet Gynaecol Res 2019; 45: 1997-2006.
2) 齋藤　滋：本邦における不育症のリスク因子とその予後に関する研究．厚生労働省 不育症班研究, 2010.
3) Ogasawara M, Aoki K, Okada S, et al：Embryonic karyotype of abortuses in relation to the number of previous miscarriages. Fertil Steril 2000; 73: 300-4.
4) Schleussner E, Kamin G, Seliger G, et al：Low-molecular-weight heparin for women with unexplained recurrent pregnancy loss: a multicenter trial with a minimization randomization scheme. Ann Inter Med 2015; 162: 601-U193.
5) Schisterman EF, Silver RM, Lesher LL, et al：Preconception low-dose aspirin and pregnancy outcomes: results from the EAGeR randomised trial. Lancet 2014; 384: 29-36.
6) Wong LF, Porter TF, Scott JR：Immunotherapy for recurrent miscarriage. Cochrane Database Syst Rev 2014.
7) Quenby S, Nik H, Innes B, et al：Uterine natural killer cells and angiogenesis in recurrent reproductive failure. Hum Reprod 2009; 24: 45-54.
8) Tang A-W, Alfirevic Z, Turner MA, et al：A feasibility trial of screening women with idiopathic recurrent miscarriage for high uterine natural killer cell density and randomizing to prednisolone or placebo when pregnant. Hum Reprod 2013; 28: 1743-52.
9) Coomarasamy A, Williams H, Truchanowicz E, et al：A Randomized trial of progesterone in women with recurrent miscarriages. N Engl J Med 2015; 373: 2141-8.
10) Coomarasamy A, Devall AJ, Brosens JJ, et al：Micronized vaginal progesterone to prevent miscarriage: a critical evaluation of randomized evidence. Am J Obstet Gynecol 2020; 223: 167-76.
11) Gellersen B, Brosens JJ：Cyclic decidualization of the human endometrium in reproductive health and failure. Endocr Rev 2014; 35: 851-905.
12) Wilcox AJ, Baird DD, Wenberg CR：Time of implantation of the conceptus and loss of pregnancy. N Engl J Med 1999; 340: 1796-9.
13) Teklenburg G, Salker M, Molokhia M, et al：Natural selection of human embryos: decidualizing endometrial stromal cells serve as sensors of embryo quality upon implantation. PLoS One 2010; 5.
14) Weimar CHE, Kavelaars A, Brosens JJ, et al：Endometrial stromal cells of women with recurrent miscarriage fail to discriminate between high-and low-quality human embryos. PLoS One 2012; 7: e41424.
15) Brosens JJ, Salker MS, Teklenburg G, et al: Uterine selection of human embryos at implantation. Sci Rep 2014; 4: 3894.
16) Teklenburg G, Salker M, Heijnen C, et al：The molecular basis of recurrent pregnancy loss: impaired natural embryo selection. Mol Hum Reprod 2010; 16: 886-95.
17) Salker M, Teklenburg G, Molokhia M, et al：Natural selection of human embryos: impaired decidualization of endometrium disables embryo-maternal interactions and causes recurrent pregnancy loss. PLoS One 2010; 5: e10287.

Column

Natural embryo selection（自然胚淘汰）仮説

　ヒトの妊娠において，子宮内膜が脱落膜細胞に変化した後に，胚が着床し妊娠が成立する。受容性をもつ子宮内膜と胚の密接な相互作用が妊娠にとって重要である。

　至適な子宮内膜脱落膜細胞は着床前胚のシグナルに反応し，良好胚を選択するバイオセンサーの存在が明らかになってきている（Natural embryo selection仮説）[13〜15]。流産の原因のひとつとして，着床前に淘汰されるべき不良胚が着床する，つまり子宮内膜脱落膜細胞が不良胚を選別する能力が欠如していることが示唆される。一部の原因不明と考えられてきた不育症患者は，妊孕能が非常に高いsuper-fertilityであり，その子宮内膜局所は異常増殖した子宮NK細胞により血管新生が増殖し，高い胚受容性があることが報告されている[13,14,16,17]。

➡super-fertility(p.71)参照

　原因不明不育症の多くに絨毛染色体検査で異常を認めるが，胎児の異常ではなく異常のある胚を選択できない母体の子宮内環境が問題なのかもしれない。一方で，胚受容性が低下し胚選択性が高くなると，良好胚も受容できない着床不全になることが考えられる（図3）[11]。

図3　Natural embryo selection（自然胚淘汰）仮説

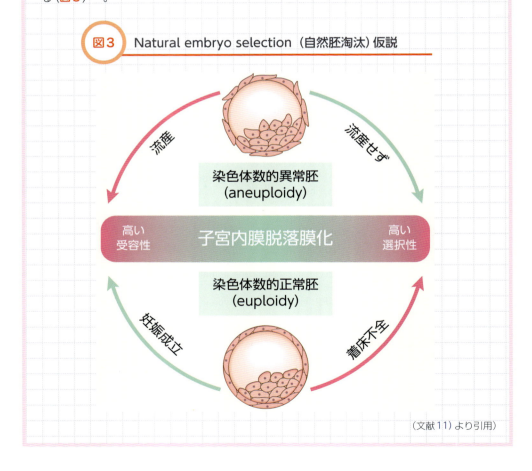

（文献11）より引用

Q&A

タイミング法・配偶者間人工授精による一般不妊治療	352
子宮筋腫や子宮内膜症に対する手術とその後の妊娠率	360
子宮粘膜下筋腫や子宮内膜ポリープに対する子宮鏡手術とその後の妊娠率	367
子宮筋腫・子宮腺筋症合併女性の妊娠後合併症	373
子宮内膜症合併妊娠女性の妊娠後合併症	378
子宮筋腫核出術後の患者の妊娠後合併症と発生率	385
手術を要する子宮筋腫をもつ高齢女性	390
卵巣子宮内膜症性嚢胞・子宮腺筋症をもつ不妊症に対する不妊治療	396
多嚢胞性卵巣症候群（PCOS）	403
早発卵巣不全 (primary ovarian insufficiency；POI) を含む卵巣機能低下症例	410
卵管機能障害	417
原因不明不妊症	423
反復着床不全症例	428
男性不妊症	437
無精子症症例	444
潜在性甲状腺機能低下症	455
血栓性疾患由来の不育症	461
原因不明不育症	466
胚（受精卵）・卵子・精子・卵巣組織凍結保存	472
着床前診断と出生前診断	477
第三者配偶子を用いた生殖医療	484

タイミング法・配偶者間人工授精による一般不妊治療

Q&A

Q1

生理開始から13日目に排卵検査で陽性になりました。
いつから性交渉をもったらよいですか？

A1 排卵検査が陽性になった当日から，少なくとも2日間は性交をもってください。

Q2

現在40歳です。これまでに人工授精を4回行いましたが，妊娠しませんでした。今後も人工授精を続けようと思っていますが，いかがでしょうか？

A2 人工授精は自然に近い不妊治療のため，40歳では複数回行っても約10～15％の方しか妊娠に至りません。5回以上続けた場合，1回の人工授精で1～3％しか妊娠することができませんので，体外受精を検討してください。

Q3

42歳で今までに妊娠したことはありません．抗ミュラー管ホルモンが3.8ng/mLで30歳台の卵巣予備能がある結果でした．自然妊娠も可能ということですよね？

A3 抗ミュラー管ホルモンが高くても，年齢とともに卵子の質は低下します．42歳のタイミング法での累積妊娠率は，正常妊孕能女性でも妊娠既往がなければ，自然妊娠できる方は5％以下です．積極的な不妊治療を検討してください．

Q4

不妊検査を行い，多嚢胞性卵巣症候群による排卵障害と，主人に軽い乏精子症がみつかりました．今後の治療はどんなものがありますか？

A4 不妊原因がみつかり，その原因を治療すれば，妊娠が期待できます．排卵障害に対して，クロミフェンなどによる排卵誘発や腹腔鏡手術による卵巣多孔術があります．また乏精子症に対しては，人工授精や泌尿器科で精査と治療を行うこともできます．

Exposition

若年女性で不妊原因が明らかで，かつその原因が治療できれば，タイミング法や人工授精の一般不妊治療で妊娠が期待できる。しかし高齢女性の場合，加齢に伴う妊孕能の低下を考慮し，一般不妊治療から適時積極的な妊娠方法を患者に提示することが，妊娠に誘導するうえでとても重要である。実際の臨床における質問例に沿って，一般不妊治療の治療指針について解説する。

Q1：生理開始から13日目に排卵検査で陽性になりました。いつから性交渉をもったらよいですか？

排卵している女性であれば，通常排卵検査薬により排卵を予知することができる。排卵予測で検査する黄体化ホルモン（LH）値により，LHサージは約48時間持続し，LHサージの開始から36〜40時間後，LHサージのピークから10〜12時間後に排卵が起こる。

血中LHサージが起きてから尿中LHサージが起きるまでは数時間とされ，血中または尿中LH値が20 mIU/mLを超えたところからLHサージの開始と推定できる。種類によってさまざまであるが，わが国で販売されている排卵検査薬は一般的に尿中LH値が20〜50 mIU/mLを超えると陽性になるように設定されており，排卵約2日前から検出できる。尿中LH＞30 mIU/mLで陽性となる排卵検査薬で，陽性1日後までに91.1％，2日後までに97.0％が排卵している（図1）[1]。

妊娠成立が最も高い性交のタイミングは，排卵日の1〜2日前であり，排卵後は妊娠率が顕著に低下する（図2）[2]。そのため，排卵検査薬が陽性になった日から少なくとも2日間の性交をもつように指示することが大切である。

➡「排卵予測」（p.122）参照

Q2：現在40歳です。これまでに人工授精を4回行いましたが，妊娠しませんでした。今後も人工授精を続けようと思っていますが，いかがでしょうか？

40歳以上の不妊女性で配偶者間人工授精（AIH）を4周期施行した累積妊娠率は約10％であり，5周期以上行っても10〜15％程度に留まる（図3）[3]。

一般的に，AIHで妊娠する症例は88.0％が4周期以内に妊娠する[4]。ある一定の治療回数を行って妊娠しない場合は，受精障害や胚分割障害，着床障害など検査できない不妊原因があると考え，生殖補助医療（ART）などの積極的な不妊治療へ進むべきである。

➡「妊娠方法別の妊娠率」（p.148）参照

またARTへ進んでも，40歳以上では胚移植あたりの妊娠率は7〜21％，加齢とともに流産率も30代後半より急増し，生産率が低下する（図4）[5]。そのため，**40歳以上の高齢女性は一般不妊治療にこだわらず，適時ARTへ移行することも妊娠を誘導するうえで重要である**。これらのデータを提示し，患者と今後の方針を検討すべきである。

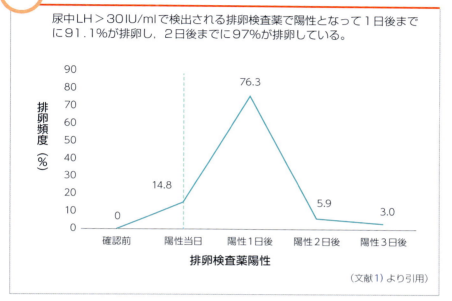

図1　排卵検査薬陽性と排卵の頻度

尿中LH＞30IU/mlで検出される排卵検査薬で陽性となって1日後までに91.1％が排卵し，2日後までに97％が排卵している。

（文献1）より引用）

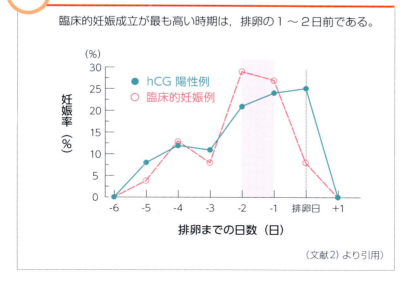

図2　排卵までの日数と妊娠率

臨床的妊娠成立が最も高い時期は，排卵の1〜2日前である。

（文献2）より引用）

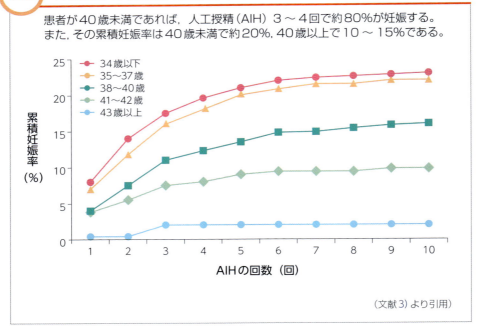

図3 40歳以上の人工授精の施行回数と累積妊娠率

患者が40歳未満であれば、人工授精（AIH）3〜4回で約80％が妊娠する。また、その累積妊娠率は40歳未満で約20％、40歳以上で10〜15％である。

（文献3）より引用）

Q3：42歳で今までに妊娠したことはありません。抗ミュラー管ホルモンが3.8ng/mLで30歳台の卵巣予備能がある結果でした。自然妊娠も可能ということですよね？

　40歳以上の高齢女性でも、妊娠既往があり妊孕能が正常で、不妊原因がなければ自然妊娠も期待できる。しかし、妊娠既往がない女性では、妊孕能が正常でも妊娠率は非常に低い[6]。

➡「妊娠方法別の妊娠率」（p.148）参照

　また、今まで避妊しないで夫婦生活をもっていた40歳以上の不妊女性では、タイミング法、AIHでの累積妊娠率はそれぞれ0〜5％、10〜15％と低く、ARTを施行しても移植あたりの生児獲得率はわずか11％である（**図4**）[5]。提供卵子のデータでは、受容患者の年齢が上昇しても胚移植あたりの生産率は大きく変わらないが、患者自身の卵子では年齢が上昇するにつれて生産率は低下する（**図5**）[7]。

　つまり40歳以上の高齢女性は、抗ミュラー管ホルモンが高く、卵子の数が十分でも、卵子の質が年齢相応に低下しており、積極的な不妊治療を検討する必要がある。

　治療方法別の治療1回当たり妊娠率の目安を**表1**に示す。これらのデータをもとに高齢女性は不妊治療を検討する必要がある。

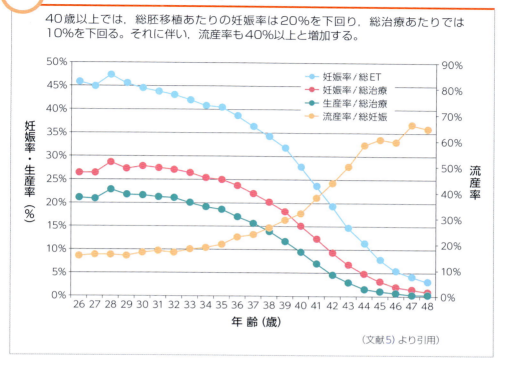

図4 ART妊娠率・生産率・流産率（2018）

40歳以上では，総胚移植あたりの妊娠率は20%を下回り，総治療あたりでは10%を下回る。それに伴い，流産率も40%以上と増加する。

（文献5）より引用）

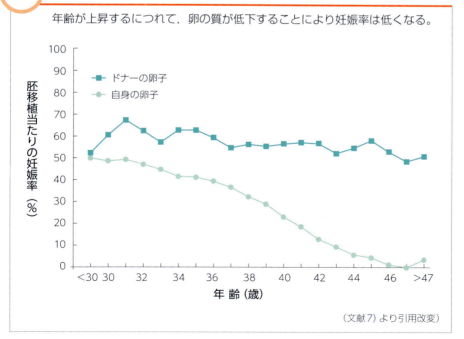

図5 提供（ドナー）卵子と自身の卵子を用いた生殖補助医療による治療成績

年齢が上昇するにつれて，卵の質が低下することにより妊娠率は低くなる。

（文献7）より引用改変）

表1　治療方法別の妊娠率の目安

タイミング法
正常妊孕能：20%
不妊症（排卵障害以外）：0〜5%

AIH
40歳未満：5〜10%
40歳以上：3〜5%

ART（/ET）
30歳未満：46%　　（流産率16%）
30〜34歳：43%　　（流産率18%）
35〜39歳：36%　　（流産率25%）
40〜44歳：21%　　（流産率40%）
45歳以上：7%　　　（流産率61%）

Q4：不妊検査を行い，多囊胞性卵巣症候群による排卵障害と主人に軽い乏精子症がみつかりました。今後の治療はどんなものがありますか？

　不妊治療の原則は，不妊原因の治療である。排卵障害や乏精子症などの明らかな不妊原因があるときには，一般不妊治療で治療効果が期待できる。多囊胞性卵巣症候群は排卵障害が主な病態のため，治療には積極的な排卵誘発薬の使用で排卵を誘起する。排卵誘発薬はクエン酸クロミフェンが第一選択であり，これらの薬剤に抵抗性の場合にはレトロゾールやヒト閉経期尿性ゴナドトロピン（hMG）／卵胞刺激ホルモン（FSH）製剤が第二選択となる。

　また，抗ミュラー管ホルモンが高値の場合は，腹腔鏡下卵巣多孔術を選択してもよい。クロミフェン抵抗性の多囊胞性卵巣症候群に対する卵巣多孔術は，異常高値のLHや抗ミュラー管ホルモンが低下し，術後30〜90%に自然排卵を認め，かつ流産率を低下させることが報告されている[8]。

➡「多囊胞性卵巣症候群」（p.266）参照

　本例の場合，パートナーは軽度の乏精子症を認めているため，排卵と合わせてAIHを検討する。AIHが有効な総運動精子数は10×10^6個以上とされ，これより少ない場合は，顕微授精による不妊治療を検討する必要がある。また一度，男性は泌尿器科で乏精子症の原因精査と治療を検討してもよい。精索静脈瘤や造精機能障害など原因がみつかることもある。原因がわからない場合でも，漢方薬の補中益気湯，カリクレイン製剤やビタミン剤・亜鉛のサプリメントなどにより精子所見が改善することもある。

➡「男性不妊症」（p.299）参照

（池本裕子，黒田恵司）

参考文献

1) Behre HM, Kuhlage J, Gassner C, et al：Prediction of ovulation by urinary hormone measurements with the home use ClearPlan® Fertility Monitor : comparison with transvaginal ultrasound scans and serum hormone measurements. Hum Reprod 2000; 15: 2478-82.
2) Wilcox AJ, et al：Post-ovulatory ageing of the human oocyte and embryo failure. Hum Reprod 1998; 13: 394-7.
3) Honda T, Tsutsumi M, Komoda F, et al：Acceptable pregnancy rate of unstimulated intrauterine insemination: a retrospective analysis of 17,830 cycles. Reprod Med Biol 2015; 14(1): 27-32.
4) 大野原良晶ほか：当院不妊外来における治療成績と年齢との関連．鳥取医誌 2012; 40: 130-5.
5) 日本産科婦人科学会：ARTデータブック2018.
6) Steiner AZ, Jukic AM：Impact of female age and null gravidity on fecundity in an older reproductive age cohort. Fertil Steril 2016; 105: 1584-8.
7) Did percentages of ART transfers that resulted in live births differ between fresh donor and fresh nondonor eggs？ Assisted Reproductive Technology National Summary Report 2013. Centers for Disease Control and Prevention 2015: 46.
8) Seow KM, Juan CC, Hwang JL, et al：Laparoscopic Surgery in Polycystic Ovary Syndrome: Reproductive and Metabolic Effects. Semin Reprod Med 2008; 26: 101-10.

子宮筋腫や子宮内膜症に対する手術とその後の妊娠率

Q1
子宮筋腫を核出するとき，妊娠を希望する場合に開腹術と腹腔鏡手術のどちらが有利ですか？

A1 低侵襲のため術後癒着が少なく腹腔鏡手術が有利です。ただし，腹腔鏡手術は子宮筋腫核の大きさや数に限界があります。また，腹腔鏡下子宮筋腫核出術の施行は高い技術を必要とするため，熟練した医師のもとで行われるべきです。これらの条件を満たさない場合は，開腹術を選択する必要があります。

Q2
腹腔鏡下子宮筋腫核出術の術後の妊娠率は，どのぐらいですか？

A2 術後1年までの累積自然妊娠率は約30％，2年では60％です。特に大きい筋層内筋腫などで子宮内腔を圧迫している場合は，術後に高い自然妊娠率が期待できます。多発性子宮筋腫に対する手術などで，術後高度癒着が想定された場合は，早めに体外受精を推奨します。

Q3

子宮内膜症に対する腹腔鏡手術は，術後自然妊娠が期待できますか？

A3

片側卵巣子宮内膜症性嚢胞を有し卵巣予備能が十分に保たれている不妊症症例では，腹腔鏡下卵巣嚢胞摘出術により50〜60％の術後自然妊娠が期待できます。しかし，卵巣嚢胞のない初期子宮内膜症に対する腹腔鏡手術では20〜30％とあまり高くはありません。また，高齢や卵巣予備能が低い症例や両側卵巣嚢胞を有する症例は，手術により卵巣予備能が低下する可能性があるため，術前に採卵・胚凍結を行うことを推奨します。

Exposition

Q1：子宮筋腫を核出するとき，妊娠を希望する場合に開腹術と腹腔鏡手術のどちらが有利ですか？

　妊娠を希望する女性の子宮筋腫核出術の選択には，妊孕性を損なわずかつ術後自然妊娠を期待できる術式を選択することが望ましい。筆者らのグループでは良性疾患を有する不妊症例に対して手術を行う場合に，不妊治療を行わずに自然妊娠ができることを目指して，reproductive surgeryを内視鏡手術で行っている。

腹腔鏡下子宮筋腫核出術の適応

　筆者らの施設における腹腔鏡下子宮筋腫核出術の適応は，施術直前の最大筋腫径が12 cm以下で筋層内筋腫10個以下の場合（筋腫核の深さや位置は問わない）を腹腔鏡手術の適応としている[1]。この適応で，術前にGnRHアゴニストを使用すれば，多くの症例で腹腔鏡下子宮筋腫核出術が可能であるが，その適応は術者の技量によるため，施設間で検討する必要がある。
　技術的に熟練した医師による施術が期待できない場合は，術中術後の合併症を回避するためにも，開腹術を選択することが望ましい。

術後癒着

　適応によらず，開腹術と比較して腹腔鏡手術の術後癒着の発生率は低率であり，腹腔鏡手術は術後自然妊娠に有利となる。開腹による子宮筋腫核出術の術後癒着は90％以上で発生するのに対し，筆者らが行ったsecond-look laparoscopy（SLL）により確認した腹腔鏡手術後の癒着発生率は，核出した創部に約39％，卵管周囲に約9％癒着を認め低率であった[2,3]。このため腹腔鏡下子宮筋腫核出術は，開腹手術と比較して術後に高い自然妊娠が期待できる。
　さらに，これらの低率な癒着発生率は，妊娠後の帝王切開時における癒着に伴う臓器損傷などの合併症を回避できる。

Q2：腹腔鏡下子宮筋腫核出術の術後の妊娠率は，どのぐらいですか？

　子宮筋腫を有する不妊症例に対し腹腔鏡下子宮筋腫核出術を施行すると，多くの症例で術後妊娠率が向上する。このため筆者らのグループでは，妊娠へ影響する可能性のある子宮筋腫は，積極的に手術療法を選択している。

術後の累積自然妊娠率

　過去の筆者らの検討では，術後12カ月における累積自然妊娠率は約30％，24カ月で60％であり，特に大きい筋層内筋腫などにより子宮内腔を圧迫していた症例で術後妊娠率が高かった[4]。つまり，着床障害の原因となる子宮内腔

に突出もしくは圧迫している粘膜下筋腫や筋層内筋腫を認める場合には，積極的に手術を検討する必要がある[5]．

➡「子宮筋腫」(p.245)参照

高齢および卵巣予備能が低下した不妊女性への対応

　子宮筋腫を有する高齢および卵巣予備能が低下した不妊女性に対し，卵子のエイジングを考慮して不妊治療を優先するか，子宮筋腫の除去を優先するか，選択に苦慮することがある．この問題を解決するために，高齢および卵巣予備能が低下した症例では，術前にARTにより採卵・胚凍結を行い，その後に手術を行うSurgery-ART hybrid therapyも検討する必要がある[6]．

➡「子宮筋腫」(p.245)参照

多発性子宮筋腫を有する不妊女性への対応

　多発性子宮筋腫を核出した症例では，術後癒着により手術後に妊孕性が低下することもある．そのため，多発筋腫核出後に自然妊娠に至らない場合は，早めの生殖補助医療（ART）を推奨する．

　また，術後にSLLを行うことで術後癒着の評価を行うことも有用である．筆者らの検討では，創部癒着の程度が術後の自然妊娠率に影響していたことから（図1）[7]，多発性子宮筋腫を手術した場合に，SLLを行い不妊治療の方針を検討してもよい．

Q3：子宮内膜症に対する腹腔鏡手術は，術後自然妊娠が期待できますか？

　子宮内膜症に対する腹腔鏡手術の選択には，個々の不妊症例で手術が妊孕性改善に有益かを熟慮しなければならない．

卵巣子宮内膜症性嚢胞の卵巣予備能への影響

　卵巣子宮内膜症性嚢胞に対する腹腔鏡の術式は，嚢胞壁摘出術がその根治性の高さから標準的であるが，その問題として，嚢胞壁の摘出と同時に起こる正常卵巣組織の剥脱による卵巣予備能の低下がある[8,9]．

　筆者らが行った腹腔鏡下嚢胞摘出術による術後卵巣予備能の検討では，術後抗ミュラー管ホルモン（AMH）値により評価した卵巣予備能の低下は不可避であり，特に術前AMH値低値症例や両側卵巣子宮内膜症性嚢胞摘出術症例では，その減少が高度であった[10]．

子宮内膜症の術後自然妊娠率

　卵巣嚢胞摘出術後の累積自然妊娠率は，術後6カ月のAMH値が比較的保持された症例では59.2％と高率であったが，AMH値が高度に減少した症例では術後24カ月でも14.3％と非常に低かった（図2）[10]．

　以前の報告でも，卵巣嚢胞摘出を行うと術後の累積自然妊娠率は50～60％

各論 Q&A 子宮筋腫や子宮内膜症に対する手術とその後の妊娠率

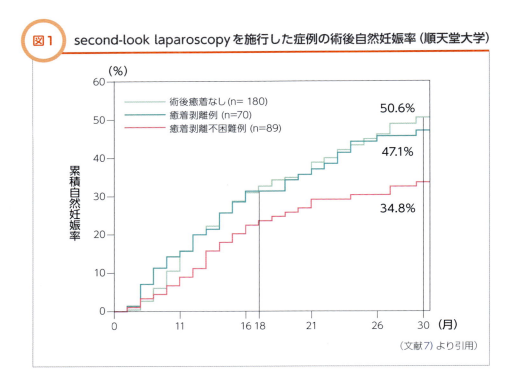

図1 second-look laparoscopyを施行した症例の術後自然妊娠率（順天堂大学）

（文献7）より引用）

と高いが[11,12]，一方で，宮内膜症性囊胞のない初期子宮内膜症に対する腹腔鏡手術では20〜30%とあまり高くはない[13]。

子宮内膜症を有する不妊女性の手術適応

子宮内膜症を有する不妊女性に対し，卵巣子宮内膜症性囊胞がありAMH値が比較的高い症例や卵巣囊胞が片側の症例において，腹腔鏡下囊胞摘出術を行うと，その後の自然妊娠が期待できる。

➡「子宮内膜症」(p.238)参照

それ以外の症例に対しては，ARTによる不妊治療やSurgery-ART hybrid therapyによる採卵—胚凍結[6]を検討する必要がある。また手術を行う場合でも，卵巣予備能が低下した症例では，囊胞壁摘出術と比較して卵巣のダメージが少ない囊胞壁焼灼術などを検討する必要がある。

また術後1年間妊娠しない場合には，子宮内膜症の再発や加齢に伴う妊娠率の低下を考慮し，ARTへ進む必要がある。

ただし，もともとARTを希望する症例の場合は，手術は原則ARTによる妊娠率向上に寄与することはないため，疼痛軽減が必要な症例や採卵が困難な症例以外は，積極的な手術は行わないことが推奨されている[14]。

ダグラス窩深部子宮内膜症に対する腹腔鏡手術

ダグラス窩深部子宮内膜症に対する腹腔鏡手術により，術後妊孕性が改善するかは明確ではない。しかし，本病態による月経困難症，排便痛，性交痛など

図2 腹腔鏡下卵巣嚢胞摘出術後の血清AMH値別の術後自然妊娠率

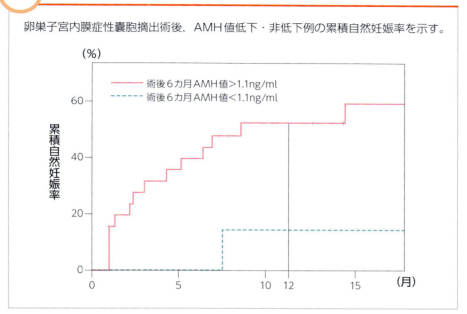

卵巣子宮内膜症性嚢胞摘出術後，AMH値低下・非低下例の累積自然妊娠率を示す。

の症状は患者のquality of lifeを著しく低下させ，不妊治療にも影響する可能性がある。一方で，同手術によりこれらの症状は確実に緩和されることから[15]，手術を行うことで，不妊治療に有利に影響する可能性がある。

（熊切　順）

参考文献

1) Kumakiri J, Takeuchi H, Itoh S, et al：Prospective evaluation for the feasibility and safety of vaginal birth after laparoscopic myomectomy. J Minim Invasive Gynecol 2008; 15: 420-4.
2) Takeuchi H, Kitade M, Kikuchi I, et al：Influencing factors of adhesion development and the efficacy of adhesion-preventing agents in patients undergoing laparoscopic myomectomy as evaluated by a second-look laparoscopy. Fertil Steril 2008; 89: 1247-53.
3) Kumakiri J, Kikuchi I, Kitade M, et al：Association between uterine repair at laparoscopic myomectomy and postoperative adhesions. Acta Obstet Gynecol Scand 2012; 91: 331-7.
4) Kumakiri J, Takeuchi H, Kitade M, et al：Pregnancy and delivery after laparoscopic myomectomy. J Minim Invasive Gynecol 2005; 12: 241-6.
5) Marret H, Fritel X, Ouldamer L, et al：Therapeutic management of uterine fibroid tumors: updated French guidelines. Eur J Obstet Gynecol Reprod Biol 2012; 165: 156-64.
6) Kuroda K, Ikemoto Y, Ochiai A, et al：Combination treatment of preoperative embryo cryopreservation and endoscopic surgery (Surgery-ART Hybrid Therapy) in infertile women with diminished ovarian reserve and uterine myomas or ovarian endometriomas. J Minim Invasive Gynecol 2019; 26: 1369-75.
7) 熊切　順，北出真理，菊地　盤ほか：腹腔鏡下子宮筋腫核出術後に対するsecond-look laparoscopyの意義：癒着剥離術が術後自然妊娠に及ぼす影響．日本産科婦人科内視鏡学会誌．2013; 29: 95.
8) Hachisuga T, Kawarabayashi T：Histopathological analysis of laparoscopically treated ovarian endometriotic cysts with special reference to loss of follicles. Hum Reprod 2002; 17: 432-5.
9) Kuroda M, Kuroda K, Arakawa A, et al：Histological assessment of impact of ovarian

endometrioma and laparoscopic cystectomy on ovarian reserve. J Obstet Gynaecol Res 2012; 38: 1187-93.
10) Ozaki R, Kumakiri J, Tinelli A, et al：Evaluation of factors predicting diminished ovarian reserve before and after laparoscopic cystectomy for ovarian endometriomas: a prospective cohort study. J Ovarian Res 2016; 9: 37.
11) Alborzi S, Momtahan M, Parsanezhad ME, et al：A prospective, randomized study comparing laparoscopic ovarian cystectomy versus fenestration and coagulation in patients with endometriomas. Fertil Steril 2004; 82: 1633-7.
12) Hart R, Hickey M, Maouris P, et al：Excisional surgery versus ablative surgery for ovarian endometriomata: a Cochrane Review. Hum Reprod 2005; 20: 3000-7.
13) Marcoux S, Maheux R, Berube S, et al：Laparoscopic surgery in infertile, women with minimal or mild endometriosis. N Engl J Med 1997; 337: 217-22.
14) Benschop L, Farquhar C, van der Poel N, et al：Interventions for women with endometrioma prior to assisted reproductive technology. Cochrane Database Syst Rev 2010;(11):CD008571.
15) Lukic A, Di Properzio M, De Carlo S, et al：Quality of sex life in endometriosis patients with deep dyspareunia before and after laparoscopic treatment. Arch Gynecol Obstet 2016; 293: 583-90.

子宮粘膜下筋腫や子宮内膜ポリープに対する子宮鏡手術とその後の妊娠率

Q1
子宮粘膜下筋腫や子宮内膜ポリープは，妊娠に影響しますか？

A1
いずれの疾患とも病変のサイズ，存在部位，病変数などによりますが，子宮内膜と子宮腔内環境に影響を及ぼして，受精卵の着床やその後の経過に関与します。

Q2
子宮腔内病変の検査と診断は，どのようなものがありますか？

A2
子宮腔内病変の検査には，経腟超音波検査，ソノヒステログラフィー，子宮鏡検査，子宮内膜細胞診，骨盤MRI検査があり，これらから子宮粘膜下筋腫や子宮内膜ポリープ，中隔子宮などの診断がつきます。子宮腔癒着症（Asherman症候群）や慢性子宮内膜炎は，子宮鏡検査が診断に役立ちます。

Q3

子宮粘膜下筋腫や子宮内膜ポリープを治療すると，どのような変化が起こりますか？ 妊娠率などは改善しますか？

A3 いずれの疾患とも，切除によって過多月経などの月経症状の改善と妊娠率の向上が期待できます。子宮鏡下子宮粘膜下筋腫切除後の妊娠率は，未切除群と比べ有意に高く，子宮鏡下子宮内膜ポリープ切除術後も高い妊娠率が期待できます。

Q4

子宮粘膜下筋腫や子宮内膜ポリープ治療後は，いつから妊娠してもよいでしょうか？ 治療後は経腟分娩はできますか？

A4 子宮鏡検査によって，子宮内膜の再生と子宮腔癒着がないことが確認できれば妊娠が可能ですので，通常，術後約2カ月後から妊娠しても大丈夫です。子宮鏡下に子宮粘膜下筋腫を切除したあとは，積極的に帝王切開術にする必要はありません。また，子宮内膜ポリープ治療後も分娩方法に制限はありません。

子宮粘膜下筋腫は子宮筋腫が子宮腔内へ発育した病変であり，子宮内膜ポリープは子宮内膜の一部が子宮内膜表面から限局的に突出した隆起性，結節性の病変である．過多月経，過長月経，不正子宮出血，月経困難症などの月経症状や過多月経による貧血，さらに不妊症・不育症の原因となる．

　子宮内膜ポリープは低用量もしくは中用量ピルによる薬物治療で消失する症例もあるが，挙児希望症例では子宮鏡手術による手術療法が勧められる．そのため，早めの検査と適切な診断が必要である．

Q1：子宮粘膜下筋腫や子宮内膜ポリープは，妊娠に影響しますか？

　子宮粘膜下筋腫は子宮筋組織から子宮腔内へ発育した，エストロゲン依存性の良性腫瘍である（図1）。一方で，子宮内膜ポリープは子宮内膜の一部が子宮内膜表面から限局的に突出した隆起性，結節性の病変で，子宮内膜腺と間質からなる（図2）。

　両疾患とも症状は類似しており，**過多月経，過長月経，不正子宮出血，月経困難症**などの月経症状と**過多月経による貧血**である．子宮腔内病変は子宮内膜，子宮腔内環境に影響を及ぼすため，不妊症や不育症の原因となる．

子宮粘膜下筋腫

　最近の晩婚化・晩産化による挙児希望年齢と子宮筋腫好発年齢の一致が，不妊症・不育症に大きく影響している．**子宮筋腫による子宮腔内圧迫と血流障害によって精子の輸送障害や受精卵の着床障害を引き起こす**ことが不妊や流産の原因とされる[1]．子宮筋腫のない不妊症症例と比較して妊娠率，着床率が低下する[2,3]．子宮粘膜下筋腫のほかに不妊原因がない症例では，切除術後に体外受精の妊娠率が改善する[2,3]．

子宮内膜ポリープ

　子宮内膜ポリープは未治療でも妊娠する症例もある．不妊症症例での発現率は24％と高い[4]．切除のみで術後早期に妊娠する症例が存在するため，子宮内膜ポリープは精子輸送障害や着床障害，子宮内腔の炎症などに影響を及ぼしていると考えられるが，妊孕性に対するメカニズムは明確になっていない．子宮内膜ポリープ未治療の妊娠は，臨床的には切迫流産や流産などを生じるが集積されたデータはない．

　子宮鏡下子宮内膜ポリープ切除手術は，子宮内膜ポリープを目視下に切除する内視鏡手術である．そのため，従来から行われている子宮内膜掻爬術に比べて，残存，再発を防ぎ，正常子宮内膜への損傷，出血，感染を軽減して子宮穿

図1 子宮粘膜下筋腫（←）	図2 子宮内膜ポリープ（←）
子宮底に2cm大の子宮粘膜下筋腫を認める。	子宮前壁に子宮内膜ポリープを認める。

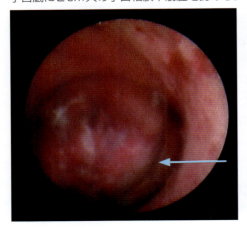 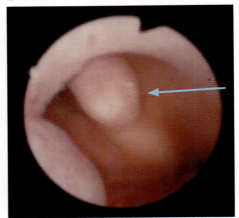

孔などを予防できる安全，確実な治療方法である。術後は自然妊娠・生殖補助医療のいずれの妊娠率も増加する。子宮内環境の改善によると考えられているので早めの実施を勧める[5]。

Q2：子宮腔内病変の検査と診断は，どのようなものがありますか？

　子宮腔内病変の検索には経腟超音波検査，ソノヒステログラフィー（SHG），子宮鏡検査，子宮内膜細胞診，骨盤MRI検査によって診断を行い治療方針を立てる。検査時期は子宮内膜が薄い月経終了直後が最適で，少なくとも月経周期の低温期に行うのがよい。

経腟超音波検査

　スクリーニング検査として行う。月経周期によって，あるいは多発子宮筋腫症例では1回の検査で診断できないことも多い。子宮粘膜下筋腫は子宮筋層と同輝度の隆起性病変として描出され，子宮内膜ポリープは，月経周期の低温期に子宮内腔に突出する高輝度エコーの隆起性病変として描出される。

ソノヒステログラフィー

　経腟超音波下に子宮腔内に液体を貯留させることで，子宮腔内病変が鮮明に描出される検査である。子宮腔内病変のサイズの計測，存在部位の診断，病変数，子宮腔内への突出度，輝度による子宮筋腫と子宮内膜ポリープの鑑別診断ができる。

子宮鏡検査

　子宮粘膜下筋腫，子宮内膜ポリープの鑑別診断と，病変の存在部位，病変数，形状，性状の診断ができる。ソノヒステログラフィーと組み合わせることによって子宮鏡手術の可否を判断する。子宮粘膜下筋腫のサイズが大きい場合や，子宮内腔への突出度が低い場合などは腹腔鏡下子宮筋腫切除術の選択も考慮する。この検査は，子宮腔癒着症（Asherman症候群）や慢性子宮内膜炎の診断にも役立つ。

子宮内膜細胞診

　特に子宮内膜ポリープ症例では，子宮内膜増殖症や子宮体癌などを否定することが必要である。

骨盤MRI検査

　子宮筋腫は多発症例も多く，超音波検査のみでは子宮全体を把握できないことがたびたびある。子宮筋層内や漿膜下筋腫を含めた子宮全体像を把握するために骨盤MRI検査が必要である。大きな筋腫や複数の子宮筋腫が存在する場合には子宮粘膜下筋腫が存在しても，腹腔鏡手術や開腹手術を選択することがある。

子宮卵管造影

　不妊症の原因検索の一次検査である。子宮内腔への造影剤の注入によって，子宮内腔の形態評価に有用である。子宮内腔の変形や造影剤の欠損像から子宮腔内病変を疑う。

Q3：子宮腔内病変を治療すると，どのような変化が起こりますか？ 妊娠率などは改善しますか？

　子宮粘膜下筋腫も子宮内膜ポリープも，治療は子宮鏡手術による手術療法が勧められる。子宮内膜ポリープに対して子宮内容除去術は避けるべきである[6]。これらの切除によって子宮内腔の歪んだ形状の改善によって妊娠率が上昇し，流産リスクを減少するが，再発することもある[7]。

　子宮内膜ポリープは慢性子宮内膜炎と有意に関連しており，切除によって多くの慢性子宮内膜炎が治癒する[8]。

➡「慢性子宮内膜炎」(p.312)参照

　子宮粘膜下筋腫切除後の妊娠率は，未切除群と比べ有意に高く（43.4% vs 27.2% $p<0.05$）[9]，子宮鏡下子宮内膜ポリープ切除術後18カ月までの自然妊娠率は61.4%であり，高い妊娠率が期待できる[10]。

Q4：子宮粘膜下筋腫や子宮内膜ポリープ治療後は，いつから妊娠してよいでしょうか？ 治療後は経腟分娩はできますか？

　両疾患とも切除部位の子宮内膜の再生が確認できれば妊娠が可能である。治療後2回目の月経周期の子宮鏡検査では，ほぼ全例に再生を認める。筆者らの施設では，この月経周期から妊娠を許可している。

　分娩方法は，子宮粘膜下筋腫切除術では子宮内膜面から筋腫の切除を行うため，通常の子宮漿膜面を切開する子宮筋腫切除術とは異なり，分娩方法は帝王切開術にする必要はないと考えられる。子宮粘膜下筋腫切除後に妊娠した34人の34回の妊娠で，10回流産があり24回出産があった。そのなかで癒着胎盤と子宮破裂はなかった[11]。ただし，子宮鏡手術時に子宮穿孔が生じた症例などは，帝王切開術を考慮する必要がある。子宮内膜ポリープ治療後の分娩方法に制限はない。

（齊藤寿一郎，手島　薫）

参考文献

1) Zepiridis LI, Grimbizis GF, Tarlatzis BC：Infertility and uterine fibroids. Best Pract Res Clin Obstet Gynaecol 2016；34：66-73.
2) Giatras K, Noyes N, Licciardi F, et al：Fertility after hysteroscopic resection of submucous myomas. J Am Assoc Gynecol Laparosc 1999；6：155-8.
3) Lefebvre G, Vilos G, Allaire C, et al：Clinical Practice Gynaecology Committee, Society for Obstetricians and Gynaecologists of Canada. The management of uterine leiomyomas. J Obstet Gynaecol Can 2003；25：396-418.
4) Varasteh NN, Neuwirth RS, Levin B, et al：Pregnancy rates after hysteroscopic polypectomy and myomectomy in infertile women. Obstet Gynecol 1999；94：168-71.
5) Preutthipan S, Herabutya Y：Hysteroscopic polypectomy in 240 premenopausal and postmenopausal women. Fertil Steril 2005；83：705-9.
6) Vitale SG, Haimovich S, Laganà AS, et al：From the Global Community of Hysteroscopy Guidelines Committee. Endometrial polyps. An evidence-based diagnosis and management guide. Eur J Obstet Gynecol Reprod Biol 2021；260：70-7.
7) Practice Committee of the American Society for Reproductive Medicine：Removal of myomas in asymptomatic patients to improve fertility and/or reduce miscarriage rate: a guideline. Fertil Steril 2017；3：416-25.
8) Kuroda K, Takamizawa S, Motoyama H, et al：Analysis of the therapeutic effects of hysteroscopic polypectomy with and without doxycycline treatment on chronic endometritis with endometrial polyps. Am J Reprod Immunol 2021：6.
9) Casini ML, Rossi F, Agostini R, et al：Effects of the position of fibroids on fertility. Gynecol Endocrinol 2006；22：106-9.
10) Stamatellos I, Apostolides A, Stamatopoulos P, et al：Pregnancy rates after hysteroscopic polypectomy depending on the size or number of the polyps. Arch Gynecol Obstet 2008；277：395-9.
11) Kasuga Y, Lin BL, Kim SH, et al：The Association between Placenta Implantation at Prior Myomectomy Locations and Perinatal Outcomes in Pregnant Women Who Previously Underwent One-Step Hysteroscopic Myomectomy. Gynecol Minim Invasive Ther 2020；9：54-8.

子宮筋腫・子宮腺筋症合併女性の妊娠後合併症

Q1

子宮筋腫があると検診でいわれました。妊娠を予定していますが，どのような合併症が起こるのでしょうか？

A1 子宮筋腫自体は良性腫瘍ではありますが，位置や大きさによってさまざまな合併症を起こすことが知られています。妊娠中や分娩時の合併症は異なるものですが，どちらも評価して妊娠管理を行う必要があります。子宮筋腫が妊娠中に増大する可能性があることを念頭に置いて管理を行う必要があります。

Q2

子宮腺筋症があるといわれています。
妊娠するとどのような問題があるのでしょうか？

A2 子宮腺筋症は子宮内膜症に類似した疾患で，生理痛で病院を受診したときにみつかることもよくあります。妊娠前に妊娠中に起こりうる合併症を予測することが難しいのが問題です。妊娠前から妊娠初期にかけて，子宮腺筋症にかかわる婦人科担当医師と産科医が十分に情報共有を行うことが重要です。

Exposition

Q1：子宮筋腫があると検診でいわれました．妊娠を予定していますが，どのような合併症が起こるのでしょうか？

子宮筋腫合併妊娠にはさまざまな合併症が報告されている．子宮筋腫合併妊娠の妊娠中，分娩時の合併症をそれぞれ**表1，2**に提示する[1]．超音波断層法や骨盤MRI検査による診断法の進歩に加え，出産年齢の高齢化もあり，子宮筋腫合併妊娠の頻度は増加傾向にある．

正常妊娠に比べて，妊娠中に頻度が上昇するのは妊娠初期出血，胎盤早期剥離，前期破水であり，分娩時には微弱陣痛，骨盤位，帝王切開率，低出生体重児，妊娠38週未満の分娩の頻度が上昇すると報告されている．

表1　妊娠中の合併症

妊娠合併症	子宮筋腫(+)(%)	子宮筋腫(-)(%)	Odds Ratio	95% CI
合併症総数	40.44	24.86	1.87	1.59, 2.20
妊娠初期出血	1.84	0.80	1.82	1.05, 3.20
前置胎盤	0.87	0.49	1.76	0.76, 4.05
胎盤早期剥離	1.84	0.60	3.87	1.63, 9.17
羊水過少	1.07	0.66	1.80	0.80, 4.07
羊水過多	0.68	0.40	2.44	1.02, 5.84
妊娠高血圧症候群	0.15	0.19	1.50	0.29, 7.87
貧血	1.26	2.10	0.68	0.38, 1.19
前期破水	4.55	2.50	1.79	1.20, 2.69

（文献1）より引用，一部改変）

表2　分娩時合併症

分娩時合併症	子宮筋腫(+)(%)	子宮筋腫(-)(%)	Odds Ratio	95% CI
微弱陣痛	4.12	1.65	1.85	1.26, 2.72
遷延分娩	3.58	1.84	1.17	0.80, 1.71
弛緩出血	0.82	0.71	1.58	0.76, 3.29
骨盤位	12.59	3.04	3.98	3.07, 5.16
急速遂娩	0.58	1.89	0.41	0.21, 0.81
帝王切開	58.31	17.51	6.39	5.46, 7.50
低出生体重児	8.23	3.84	1.99	1.51, 2.62
妊娠38週未満の分娩	11.72	7.82	1.47	1.16, 1.87

（文献1）より引用，一部改変）

妊娠中の管理

妊娠中の症状として，疼痛・炎症反応の高値が重要なものに挙げられる。妊娠中の疼痛管理としては，①入院安静，子宮収縮抑制薬投与，抗炎症鎮痛薬投与や硬膜外麻酔による保存的治療，②妊娠中の子宮筋腫核出術，に大別される。

保存療法

妊娠中に疼痛が出現した場合，一般的には保存療法で対処する。アセトアミノフェンを第一選択とし，必要に応じてペンタゾシンや硬膜外麻酔などを使用する。特に硬膜外カテーテルの長期留置による鎮痛は1982年から報告されており[2]，皮下ポート留置を併用した方法なども報告されている[3]。

子宮筋腫核出術

子宮筋腫核出術の施行時期についてはさまざまな意見があり統一されていないが，その適応は①筋腫茎捻転，②保存療法無効例，③急速な増大，④大きさ・位置が妊娠継続の障害となる症例，⑤子宮下部前壁で分娩障害となる症例，⑥既往流早産，などが挙げられる[4]。

妊娠中の子宮筋腫核出術に際してはメリット，デメリットについて十分なインフォームドコンセントを行ったうえ，症例経験の豊富な施設で行うことが望ましい。デメリットとして流・早産や子宮破裂があり，その可能性を説明しておくことが重要である。

分娩

分娩方法は経腟分娩と帝王切開とが選択される。帝王切開が選択される際は，子宮筋腫による産道障害，胎位異常，分娩遷延などがその適応として多く，帝王切開率は29～73％と報告されている[4～9]。

筆者らは，2003年1月から2007年4月までに分娩となった2,870症例のうち，妊娠12週までに子宮筋腫を指摘され，妊娠22週以降に分娩となった単胎63例について，子宮筋腫の大きさ，数，位置，分娩週数，胎位異常と分娩方法について検討した。これらの症例では帝王切開率は66％と高値を認めたが，子宮筋腫の数と分娩方法との関連性は認めなかった[10]。

産褥

①出血，②変性・壊死による疼痛や子宮筋腫の増大，③感染（変性・壊死に直接感染，悪露排出障害による二次的な子宮内感染・筋層炎），④悪露貯留（特に頸部や体下部の筋腫の場合）などに注意する必要がある。

Q2：子宮腺筋症があると言われています。妊娠するとどのような問題があるのでしょうか？

子宮腺筋症は子宮筋層内に異所性子宮内膜が発生，増殖する疾患で，子宮内膜症や子宮筋腫を合併する例が多い。子宮腺筋症は月経随伴症状や病態生理など子宮筋腫との共通点が多いが，子宮腺筋症合併妊娠の転帰に関する報告は少ない。

子宮腺筋症合併妊娠は，流・早産，深部静脈血栓塞栓症，感染などの発症頻度が比較的高く，ハイリスク妊娠である。また胎児発育不全（FGR）を合併することがあるとされているが，実際には報告が少なく，その発生機序はよくわかっていない。

胎児発育不全（FGR）
fetal growth restriction

子宮腺筋症の妊娠および周産期予後

子宮腺筋症はさまざまな合併症を引き起こすが，妊娠前からの予測がほとんど不可能である点がその管理を困難にしている。病巣の切除が有効とされる報告もあるが，切除後妊娠では子宮破裂を高頻度で起こすため，かえって周産期予後が悪くなってしまうおそれがあり，十分な検討に基づいた判断が必須である。

参考文献

1) Coronado GD, Marshall LM, Schwartz SM：Complications in pregnancy, labor, and delivery with uterine leiomyomas: A population-based study. BJOG 2000; 95: 764-9.
2) Conti N, Tosti C, Pinzauti S, et al：Uterine fibroids affect pregnancy outcome in women over 30 years old: role of other risk factors. J Matern Fetal Neonatal Med 2013; 26: 584-7.
3) Treissman DA, Bate JT, Randall PT：Epidural use of morphine in managing the pain of carneous degeneration of a uterine leiomyoma during pregnancy. Can Med Assoc J 1982; 126: 505-6.
4) 杉本充弘，中川潤子：腫瘍合併妊娠の取り扱い．子宮筋腫．産と婦 2001; 68: 590-6.
5) Katz VL, Dotters DJ, Droegemeuller W：Complications of uterine leiomyomas in pregnancy. Obstet Gynecol 1989; 73: 593-6.
6) Hasan F, Arumugam K, Sivanesaratnam V：Uterine leiomyomata in pregnancy. Int J Gynaecol Obstet 1991; 34: 45-8.
7) 丸山正統，塩田恭子，東梅久子ほか：子宮筋腫合併妊娠に関する臨床的検討．日産婦学会関東連合地方部会報 1992; (55): 33-6.
8) 吉野一枝，仁科秀則，吉川裕之ほか：当科における子宮筋腫合併妊娠の検討．日産婦学会東京地方部会誌 1996; 45: 81-3.
9) 石山朋美，茂田博行，遠藤方哉ほか：子宮筋腫合併妊娠の検討．産婦の実際 1999; 48: 1025-9.
10) 牧野真太郎，平井千裕，西岡暢子ほか：子宮筋腫合併妊娠．産婦の実際 2009; 58: 965-72.
11) Yorifuji T, Makino S, Sugimura M, et al：Time spatial labeling inversion pulse magnetic resonance angiography in pregnancy with adenomyosis. J Obstet Gynaecol Res 2013; 39: 1480-3.

Column

子宮腺筋症と不育症

　筆者らの施設でも子宮腺筋症合併妊娠での高度のFGR症例を経験している。

　症例は34歳，4経妊1経産で，第1子も妊娠28週ころよりFGRを認め，胎児機能不全のため，妊娠33週4日に胎児機能不全の診断で帝王切開術を行い約1,300gの児を出産した。このとき子宮腺筋症は10.3cmまで増大したが，産後は3.5cmまで縮小したため手術はせず，第2子の妊娠となった。第2子ではより早い時期からのFGRが出現し，均衡型胎児発育遅延および臍帯動脈血流途絶のため，妊娠21週1日より周産期管理目的で入院となった。子宮腺筋症病変への血流の評価として超音波カラードプラを施行したところ，腺筋症内部への血流は豊富で，MRAでは胎盤への血流は主に右子宮動脈で支配され，左子宮動脈の血流の多くが子宮腺筋症へ流入している所見を認めた（図1,2）[11]。ノンストレステストにて基線細変動消失を認めたため，妊娠27週に帝王切開分娩にて出生したが，数日後に永眠となった。

　子宮腺筋症のなかでも，妊娠中に極端に増大するケースでの妊娠管理については課題が残る。子宮腺筋症の妊娠中の変化を妊娠前に予測するマーカーはいまだなく，妊娠中の詳細な経過観察による早期診断，早期対応が生児を得る唯一の手段であった。

図1　骨盤MRI所見（T2強調像）妊娠後に子宮腺筋症病変は急激に増大した。

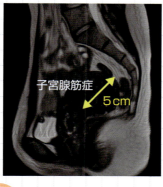
非妊娠時

妊娠23週
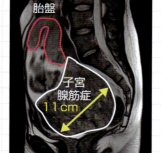

図2　子宮腺筋症病変への血流

超音波カラードプラ法
子宮腺筋症病変内部は血流が豊富であり，左子宮動脈血流の多くが子宮腺筋症に流入していた。

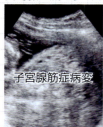
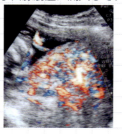
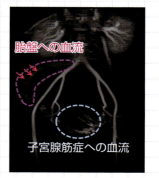

（牧野真太郎）

各論

子宮内膜症合併妊娠女性の妊娠後合併症

Q&A

Q1
子宮内膜症は，妊娠中，どのような影響があるのですか？

A1 妊娠中，多くの症例では症状の改善が認められますが，子宮内膜症病変の重症度により妊娠中，特に後期において病変部位の出血や感染が起こる可能性があります。また，近年は流早産や前置胎盤との関連も疑われています。

Q2
子宮内膜症病変は，妊娠中，どのようなトラブルを引き起こすのですか？

A2 大きな卵巣嚢胞を妊娠前より認める場合，妊娠中（特に後期）に捻転・破裂・感染を引き起こす場合があります。また，希少部位子宮内膜症とよばれる，腸管や虫垂などに起こる子宮内膜症病変では突然の出血を起こすことがあります。いずれにおいても病状が深刻な場合，母体・胎児の命にかかわることがあるため，健診による定期的な経過観察と，突然の腹痛などを発症した場合の速やかな受診が重要となります。

Q3

子宮内膜症は，胎児や胎盤にどのような影響がありますか？

A3 はっきりとはわかっていませんが，子宮内膜症により慢性的な炎症が引き起こされることで，流産や早産のリスクが高くなるという報告があります。また，生殖補助医療により妊娠した場合，胎盤の位置の異常が起こるリスクが指摘されています。

図1　卵巣子宮内膜症性嚢胞の脱落膜変化

妊娠7週に卵巣子宮内膜症性嚢胞の脱落膜変化を認めた症例。
右卵巣嚢胞内に充実部分を認め，手術後の病理検査結果で脱落膜細胞を認めた。

a：子宮

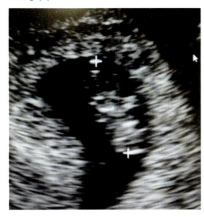

b：右卵巣

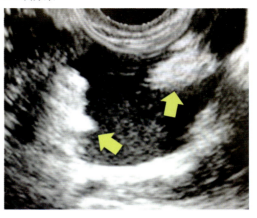

Exposition

Q1：子宮内膜症は，妊娠中，どのような影響があるのですか？

→「子宮内膜症」(p.238)参照

子宮内膜症は，エストロゲン依存性の子宮内膜組織やその類縁組織が子宮外で存在，増殖し局所での炎症を引き起こす疾患である[1]。生殖可能年齢女性の10％程度に存在するとされ[2]，少子晩婚化や生活環境の変化により罹患率は増加傾向である[3]。主な症状として，月経困難症，慢性骨盤痛や不妊を引き起こし，特に不妊症女性では50％近くに子宮内膜症が存在するともいわれている[4]。

妊娠および妊娠予後への影響

子宮内膜症に対して，偽妊娠・偽閉経療法のように無排卵・無月経となることが病状改善につながり，妊娠は一つの治療となる可能性がある。

ところが近年，子宮内膜症は妊娠への悪影響にとどまらず妊娠中のホルモンや免疫，血管新生などの変化により産科合併症を引き起こすなど妊娠予後にも悪影響を及ぼす可能性が示されてきている。

具体的には，卵巣子宮内膜症性嚢胞や希少部位子宮内膜症病変では破裂・感染・出血が起こる可能性があり，脱落膜化の障害や骨盤内の慢性炎症が影響する。流・早産の増加や胎盤異常が指摘されている。

Q2：子宮内膜症病変は，妊娠中，どのようなトラブルを引き起こすのですか？

子宮内膜症性病変の好発部位は主に卵巣（30〜40％）で，腸管（5〜12％），虫垂（約3％）などにも存在する[5〜7]。

付属器における子宮内膜症病変の多くは，妊娠中は不変または縮小傾向となる。Uedaらは妊娠中の卵巣嚢胞のサイズについて，52％で縮小し，28％で変化を認めず，20％で増大したと報告している[8]。ただし増大する卵巣嚢胞や高度の癒着を伴う場合は，ときに以下のトラブルを引き起こす可能性が高く，慎重な管理が必要とされる。

卵巣嚢胞の癌化

卵巣嚢胞の癌化率は約0.7〜1％とされ，その組織型は明細胞癌や類内膜腺癌が多い。40歳以上の女性に好発し[9]，妊娠中の発生も報告されている。

通常，卵巣子宮内膜症性嚢胞では，超音波上すりガラス様の均一な低エコー像を認めるが，妊娠中プロゲステロンの影響により脱落膜化を起こすと，その中に乳頭状の結節を見ることがある。さらに，その結節はカラードプラ像でも血管像を認めるため，卵巣癌のような像を呈す（図1）。そのため，悪性との鑑別が非常に困難となる。

ただし，癌化症例では嚢胞の増大傾向を認めることが多く[9]，特に9cm以上の症例が悪性転化予測因子となっている[10]。これらを参考に，妊娠中の嚢胞の評価については，結節影や血流がないこともさることながら，増大傾向が

ないことを継時的に画像評価し，悪性転化の有無を慎重に評価する必要がある。

卵巣嚢胞の破裂および膿瘍形成

卵巣嚢胞の感染・破裂は妊娠以前から子宮内膜症を指摘されている症例に好発する。発症時期は脱落膜化の影響もあり，妊娠28週以降の第3三半期が最も多く，次いで，妊娠14〜27週の第2三半期で初期の頻度は少ない。

破裂

破裂の場合，すべての症例で左右差のない急激な下腹部痛を主訴とし，超音波や骨盤CT・MRI検査などの画像的な診断ののち，93％で外科的治療を要する[5]。

膿瘍形成

頻度は低いが，非妊娠時と同様に妊娠中の子宮内膜症性嚢胞への感染報告がある。感染経路は不明なことが多いが，先行する尿路感染や腸管感染に付随した経脈管あるいは直接的な細菌浸潤が考えられている[11]。この場合，卵巣嚢胞摘出や付属器切除となることが多い。

出血や炎症，癒着が強い場合は帝王切開後に子宮を摘出することになりかねないため，早期に診断し，抗菌薬投与や手術など適切な治療が必要となる。

希少部位子宮内膜症もしくは深部子宮内膜症の出血

希少部位子宮内膜症や深部子宮内膜症に伴う妊娠中合併症の多くは，周囲臓器との癒着部が子宮の増大に伴って牽引されることによって生じる[5,12]。もともと子宮内膜症の慢性炎症性変化は組織の線維化反応をもたらし，組織の脆弱化と機能低下，脈管の易破綻性をきたす。さらに，妊娠（特に後期）では子宮内膜症細胞が脱落膜化により退縮すると，組織不安定性が増し，腸管，虫垂などの組織や支配血管の破綻に至ると考えられる[13]。

妊娠期突発性腹腔内出血（SHiP）

妊娠期特発性腹腔内出血（SHiP）は，妊娠中後期から分娩後早期にかけて起こる，子宮・卵巣血管の破綻による腹腔内（多量）出血で，発症は非常にまれ（約1万分の1）だが母体や胎児の命にかかわる疾患である[5]。18世紀にはじめて報告されて以降[14]，症例報告は散見されたが，2010年代後半にいくつかのシステマティックレビューが発表され，近年妊娠中の重大疾患として認識されてきている[15,16]。

海外の報告では55.9％に子宮内膜症を認め，67.8％が初産婦で，発症時期は第3三半期に多かった（50.8％）。これらは妊娠前からの重症子宮内膜症を有する患者に多く，66.7％が妊娠前に何らかの内膜症手術を受けていた[15]。

日本では2021年に国内調査が報告され，31例が報告された[17]。やはり初産婦に77％と多く，既診断の子宮内膜症合併妊婦のSHiPは19％（6例）となっている。

突然の腹痛で発症し，多くの患者が腹腔内大量出血をきたすため画像検査などでの腹腔内出血の存在で診断されている。ほぼすべてが母体の出血性ショッ

妊娠期特発性腹腔内出血（SHiP）
spontaneous hemoperitoneum in pregnancy

ク，胎児機能不全あるいはその両方の適応で緊急手術となっており[15]，妊娠中期以降に突然強い腹痛を訴える場合に必ず考慮に入れ，超音波検査を行うべきである。

Q3：子宮内膜症は，胎児や胎盤にどのような影響がありますか？

子宮内膜症が妊娠生理に負の影響を及ぼす可能性を指摘している。その理由として，①子宮内膜への胚盤胞の着床，胚の侵入，脱落膜血管のリモデリングといったさまざまな段階に対する機能障害の可能性[18]，②骨盤内慢性炎症による早産リスクの可能性が挙げられる。

流・早産との関係

流産

子宮内膜症と流産の関係は，いまだに一定の見解は得られていない。子宮内

表1 子宮内膜症合併妊婦における合併症リスク報告例

子宮内膜症患者の妊娠後合併症に関して検討したViganoらの報告より一部抜粋して表を作成した。子宮内膜症により産科合併症が増加しないとする報告もあるが，疫学的に合併症の増加を示す論文も認められる。一定の見解は得られていないものの，なんらかの関連性がある可能性は十分に考えられる。

研究	子宮内膜症合併妊娠症例数(n)	研究方法	合併症アウトカム：オッズ比（95%CI）					
			流産	早産	妊娠高血圧腎症	前置胎盤	帝王切開	SGA
Stephanssonet al. (2009)[24]	13,090	Retrospective	1.02 (0.74〜1.40)	1.33 (1.23〜1.44)	1.13 (1.02〜1.26)	1.76 (1.56〜1.99)	1.47 (1.40〜1.54)	1.04 (0.92〜1.17)
Hadfield et al. (2009)[25]	3,239	Retrospective	−	−	0.93 (0.8〜1.0)	−	−	−
Healy et al. (2010)[26]	1,265 (ART)	Retrospective cohort	−	−	−	1.65 (1.18〜2.32)	−	−
Kuivasaari-Pirinen et al. (2012)[27]	49 (ART)	Retrospective cohort	−	3.25 (1.50〜7.07)	−	−	−	−
Aris et al (2014)[28]	784	Retrospective cohort	2.29 (1.24〜5.22)	有意差なし	有意差なし	−	−	有意差なし
Conti et al (2014)[29]	316	Retrospective cohort	−	2.24 (1.46〜3.44)	−	−	−	2.72 (1.46〜5.06)
Mekaru et al (2014)[30]	49	Retrospective cohort	有意差なし	有意差なし	有意差なし	有意差なし	−	有意差なし
Stern et al (2015)[31]	406 (ART) 590 (non-ART)	Retrospective	−	1.66 (1.26〜2.18)	有意差なし	−	1.93 (1.60〜2.33)	有意差なし
Lin et al (2015)[32]	249	Retrospective cohort	−	2.44 (1.05〜5.57)	−	4.51 (1.23〜16.50)	1.93 (1.31〜2.84)	−

CI: confidence interval；信頼区間，ART: assisted reproductive technology：生殖補助医療，SGA: small for gestational age

（文献17）より引用改変）

膜症性囊胞の外科的治療により流産率が低下する報告がある一方で，子宮内膜症の有無により流産率にあまり変化がないという報告もある(表1)。また，妊娠中の子宮内膜症の手術に関しても流産率の低下・非低下の両方がみられ，妊娠中の治療に関しても議論がわかれている[5,18]。

早産

早産との関連性は，2009年に発表されたスウェーデンの大規模研究において，子宮内膜症既往のある妊婦と既往のない妊婦での比較で早産や帝王切開率が上昇することが示された。この理由としては，子宮内膜症の慢性的な炎症性変化によるサイトカインやプロスタグランジンの濃度上昇と推測している[19]。

また，ほかの小規模な研究においても，子宮内膜症既往[特に生殖補助医療(ART)による妊娠]と早産の関係を示している論文は少なくない(表1)。もちろん，子宮内膜症の有無で早産や胎児予後へのリスクは変わらないとの論文も複数みられるためその関連性を断定できないが，可能性は高いと考えられる。

胎盤異常との関係

妊娠高血圧症候群や胎盤早期剥離と子宮内膜症の因果関係を指摘する報告はあるものの，子宮内膜症とコントロール患者との発症に差がないことを示した論文も多く[20]，その関連はいまだ指摘できていない。また，前置胎盤の発症リスクに関しても過去の文献ではその関係性が否定される方向にあった(表1)。

しかし，近年，ART技術の発達とともにARTによる妊娠症例が増え，状況は変化しつつある(表1)[21]。2013年にTakemuraらがARTを施した318症例で前置胎盤と子宮内膜症との関連を示した[22]ほか，ARTと前置胎盤リスクを示す論文も認めることから[23]，子宮内膜症の存在だけでなく，妊娠方法にも注目しながら妊娠後の胎盤異常リスクを考慮すべきである。

（濱村憲佑，牧野真太郎）

参考文献

1) Farquhar C：Endometriosis. BMJ 2007; 334: 249-53.
2) Parazzini F：Endometriosis: prevalence and anatomical distribution of endometriosis in women with selected gynaecological conditions: results from a multicentric Italian study. Hum Reprod 1994; 9: 1158-62.
3) Denny E, Mann CH：A clinical overview of endometriosis: a misunderstood disease. Br J Nurs 2007; 16: 1112-6.
4) Meuleman C, Vandenabeele B, Fieuws S, et al：High prevalence of endometriosis in infertile women with normal ovulation and normospermic partners. Fertil Steril 2009; 92: 68-74.
5) Leone Roberti Maggiore U, Ferrero S, Mangili G, et al：A systematic review on endometriosis during pregnancy: diagnosis, misdiagnosis, complications and outcomes. Hum Reprod Update 2016; 22(1): 70-103.
6) Mabrouk M, Spagnolo E, Raimondo D, et al：Segmental bowel resection for colorectal endometriosis: is there a correlation between histological pattern and clinical outcomes? Hum Reprod 2012; 27: 1314-9.
7) Gustofson RL, Kim N, Liu S, et al：Endometriosis and the appendix: a case series and comprehensive review of the literature. Fertil Steril 2006; 86: 298-303.
8) Ueda Y, Enomoto T, Miyatake T, et al：A retrospective analysis of ovarian endometriosis during pregnancy. Fertil Steril 2010; 94: 78-84.

9) Kobayashi H, Sumimoto K, Moniwa N, et al : Risk of developing ovarian cancer among women with ovarian endometrioma: a cohort study in Shizuoka, Japan. Int J Gynecol Cancer 2007; 17: 37-43.
10) Kobayashi H, Sumimoto K, Kitanaka T, et al : Ovarian endometrioma—Risks factors of ovarian cancer development. Eur J Obstet Gynecol Reprod Biol 2008; 138: 187-93.
11) Phupong V, Rungruxsirivorn T, Tantbirojn P, et al : Infected endometrioma in pregnancy masquerading as acute appendicitis. Arch Gynecol Obstet 2004; 269: 219-20.
12) Brosens I, Fusi L, Brosens JJ : Endometriosis is a risk factor for spontaneous hemoperitoneum during pregnancy. Fertil Steril 2009; 92: 1243-5.
13) Setúbal A, Sidiropoulou Z, Torgal M, et al : Bowel complications of deep endometriosis during pregnancy or in vitro fertilization. Fertil Steril 2014; 101: 442-6.
14) Casaubon : Sur des tumeurs sanguines a la valve. Recuel periodique de la Societe de Sante a Paris. 1797; l(An V): 455-74.
15) Lier MC, Malik RF, Ket Johannes CF, et al : Spontaneous hemoperitoneum in pregnancy (SHiP) and endometoriosis -a systematic review of the recent literature. Eur J Obstet Gynecol Reprod Biol 2017; 219: 57-65.
16) Brosens IA, Lier MC, Mijatovic V, et al : Severe spontaneous hemoperitoneum in pregnancy may be linked to in vitro fertilization in patients with endometriosis: a systematic review. Fertil Steril 2016; 106: 692-703.
17) Hagimoto M, Tanaka H, Osuga Y, et al : Nationwide survey(Japan) on spontaneous hemoperitoneum in pregnancy. J Obstet Gynaecol Res 2021; 47(8): 2646-52.
18) Brosens I, Brosens JJ, Fusi L, et al : Risks of adverse pregnancy outcome in endometriosis. Fertil Steril 2012; 98: 30-5.
19) Stephansson O, Kieler H, Granath F, et al : Endometriosis, assisted reproduction technology, and risk of adverse pregnancy outcome. Hum Reprod 2009; 24: 2341-7.
20) Vercellini P, Parazzini F, Pietropaolo G, et al : Pregnancy outcome in women with peritoneal, ovarian and rectovaginal endometriosis: a retrospective cohort study. BJOG 2012; 119: 1538-43.
21) Vigano P, Corti L, Berlanda N : Beyond infertility: obstetrical and postpartum complications associated with endometriosis and adenomyosis. Fertil Steril 2015; 104: 802-12.
22) Takemura Y, Osuga Y, Fujimoto A, et al : Increased risk of placenta previa is associated with endometriosis and tubal factor infertility in assisted reproductive technology pregnancy. Gynecol Endocrinol 2013; 29: 113-5.
23) Kuivasaari-Pirinen P, Raatikainen K, Hippeläinen M, et al : Adverse outcomes of IVF/ICSI pregnancies vary depending on aetiology of infertility. ISRN Obstet Gynecol 2012: 451915.
24) Stephansson O, Kieler H, Granath F, et al : Endometriosis, assisted reproduction technology, and risk of adverse pregnancy outcome. Hum Reprod 2009; 24: 2341-7.
25) Hadfield RM, Lain SJ, Raynes-Greenow CH, et al : Is there an association between endometriosis and the risk of pre-eclampsia? A population based study. Hum Reprod 2009; 24: 2348-52.
26) Healy DL, Breheny S, Halliday J, et al : Prevalence and risk factors for obstetrics haemorrhage in 6730 singleton births after assisted reproductive technology in Victoria Australia. Hum Reprod 2010; 25: 265-74.
27) Kuivasaari-Pirinen P, Raatikainen K, Hippeläinen M, et al : Adverse outcomes of IVF/ICSI Pregnancies vary depending on aetiology of infertility. ISRN Obstet Gynecol 2012; 2012: 451915.
28) Aris A : A 12-year cohort study on adverse pregnancy outcomes in Eastern Townships of Canada: impact of endometriosis. Gynecol Endocrinol 2014; 30: 34-7.
29) Conti N, Cevenini G, Vannuccini S, et al : Women with endometriosis at first pregnancy have an increased risk of adverse obstetric outcome. J Matern Fetal Neonatal Med 2015; 28: 1795-8.
30) Mekaru K, Masamoto H, Sugiyama H, et al : Endometriosis and pregnancy outcome: are pregnancies complicated by endometriosis a high-risk group? Eur J Obstet Gynecol Reprod Biol 2014; 172: 36-9.
31) Stern JE, Luke B, Tobias M, et al : Adverse pregnancy and birth outcomes associated with underlying diagnosis with and without assisted reproductive technology treatment. Fertil Steril 2015; 103: 1438-45.
32) Lin H, Leng JH, Liu JT, et al : Obstetric outcomes in Chinese women with endometriosis: a retrospective cohort study. Chin Med J (Engl) 2015; 128: 455-8.

子宮筋腫核出術後の患者の妊娠後合併症と発生率

Q1
子宮筋腫核出術は，妊娠にどのような影響がありますか？

A1 子宮破裂や癒着胎盤といった合併症の発生率が上昇します。特に子宮筋腫核出術後妊娠の子宮破裂は，子宮手術を行っていない妊婦と比べてその頻度が150倍以上に高くなる可能性があります。さらには，陣痛発来前にも子宮破裂を起こしうるため注意が必要です。

Q2
子宮筋腫核出術後の妊娠で，経腟分娩は可能でしょうか？

A2 子宮破裂の危険性があるため，経腟分娩の選択は慎重に行う必要があります。そのため，多くの施設で選択的帝王切開術とする傾向にあります。

Q3
子宮筋腫核出術後の妊娠で，特別な管理が必要でしょうか？

A3 子宮破裂・癒着胎盤の合併症の発生率が上昇するため，特別な管理が必要です。特に癒着胎盤例の帝王切開では，子宮摘出の可能性や輸血の可能性があります。

Exposition

子宮筋腫合併妊娠では疼痛や胎位異常が起こりやすく，また産褥期の感染の原因にもなるため，妊娠中や帝王切開時の子宮筋腫核出術が必要になることがある。

一方で，子宮筋腫核出術後の妊娠において子宮破裂や癒着胎盤・穿通胎盤の症例が報告され，有茎性漿膜下子宮筋腫切除後にも発生している。特に妊娠早期の子宮破裂の報告もあるため，妊娠中の腹痛には注意する必要がある。子宮破裂や癒着胎盤の原因として，電気メスなどのパワーソースを多用することにより筋層にダメージを与えることや稚拙な縫合のために，血腫形成が起こり発生していることが推察される。このため，子宮筋層にダメージを与えない縫合手技に精通する必要がある。また，癒着胎盤や穿通胎盤に遭遇した場合のために，止血方法や子宮血流を減少させる手技の獲得も必要である。

Q1：子宮筋腫核出術は，妊娠にどのような影響がありますか？

妊娠前から有症状の子宮筋腫は子宮筋腫核出術を行うため，妊婦の高齢化に伴い子宮筋腫核出術後の妊娠も増えている。特に腹腔鏡下子宮筋腫核出術（LM）は開腹と比較し，結紮力が弱いことや電気メスなどのパワーソースを使う機会が多く，子宮創傷治癒が不十分である可能性や正常筋層へのダメージが大きい可能性がある。

腹腔鏡下子宮筋腫核出術（LM）
laparoscopic myomectomy

癒着胎盤

パワーソースによる子宮筋への影響は可逆的でないこともあり，筆者らの施設では過去5年間で245例の腹腔鏡下子宮筋腫核出術後の妊娠管理を行ったが，その後の妊娠において4例の穿通胎盤を経験した（図1）[1〜3]。穿通胎盤を起こした症例はLM時に子宮内膜が開放していたり，多数の子宮筋腫を核出した症例や，正常子宮筋層との境界が不明瞭である頸部子宮筋腫核出術後の妊娠であった。

子宮破裂

2016年に報告されたsystematic reviewによると子宮筋腫核出術後の妊娠において，妊娠中に1.52％（n＝5／330），分娩中に0.47％（n＝2／426）と高い割合で子宮破裂が発生していた[4]。これは0.006％といわれている非瘢痕子宮における子宮破裂の頻度[5]と比べ高い割合であるため，子宮筋腫核出術後の妊娠においては経腟分娩の選択は慎重に行う必要がある。

また，子宮破裂に関するわが国の調査[6]では，子宮破裂を起こす妊娠週数は子宮腺筋症核出術後妊娠，子宮筋腫核出術後妊娠，帝王切開術後妊娠の順で早

図1 子宮筋腫核出後の妊娠における穿通胎盤（同一症例）

a：手術時（妊娠前）
腹腔鏡下子宮筋腫核出術時の術中画像。子宮内膜が開放され、マニピュレーターが露出している。また周囲の子宮筋層は電気メスで焼灼され、子宮筋層へのダメージが推察される。

b：妊娠中
子宮筋腫核出術後の妊娠中のMRI画像。矢印はBulging（子宮の外側方向に胎盤が突出する像）を示し、穿通胎盤が疑われる。

c：分娩時
帝王切開術時の術中写真。子宮底部に一部大網に被覆されている胎盤の母体面が見え、穿通胎盤の状態である。楔状切除を行い、子宮温存しえた。

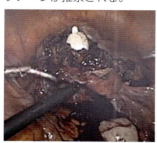
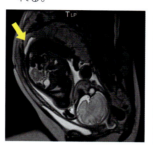
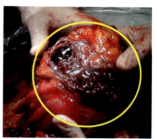

く、陣痛発来前にも子宮破裂が発生していることがわかる。そのことから、子宮筋腫核出術後妊娠で選択的帝王切開術の方針とした場合においても、急激な腹痛や出血などの子宮破裂を疑わせる症状がある場合には速やかに受診をさせ、子宮破裂の有無を検討する必要があると思われる。

また、子宮破裂を予防することは困難であるため、LM後や、その後の妊娠中の骨盤MRI検査で子宮筋層の菲薄化を認める症例では、妊娠30週ごろからの管理入院や早めの選択的帝王切開術を考慮する必要がある。筆者らの施設では、児の予後と子宮破裂のリスクを考慮し、上記の症例では妊娠34週ごろに帝王切開術を行うことが多い。

Q2：子宮筋腫核出術後の妊娠で、経腟分娩は可能でしょうか？

帝王切開既往妊婦の経腟分娩（TOLAC）との比較

子宮筋腫核出術後妊娠における経腟分娩に関しては、ガイドライン上の規定はない。

しかし、子宮筋腫核出術後の経腟分娩と類似した状況として、帝王切開既往妊婦の経腟分娩（TOLAC）があり[7]、その適応は、①児頭骨盤不均衡がないと判断されること、②緊急帝王切開術および子宮破裂に対する緊急手術が可能であること、③既往帝王切開数が1回であること、④既往帝王切開術式が子宮下節横切開で術後経過が良好であること、⑤子宮体部筋層まで達する手術既往あるいは子宮破裂の既往がないことである。すべての条件を満たしている場合にトライアルができるとしている。

帝王切開既往妊婦の経腟分娩（TOLAC）
trial of labor after cesarean delivery

子宮筋腫核出は切開創が1カ所だけではなく，さらに子宮体部筋層まで達することも多いため，実際はこの要約を満たす例は少ないと思われる。1つの有茎性の漿膜下筋腫を切断した子宮での術後妊娠はこの基準を満たしうるが，それでも子宮破裂を起こした報告例もあり，子宮筋腫核出術後の妊娠での経腟分娩を選択する場合は慎重な判断が必要である。また，リスク内容を記載した文書によるインフォームドコンセントも必須であると思われる。

Q3：子宮筋腫核出術後の妊娠で，特別な管理が必要でしょうか？

妊娠中に骨盤MRI検査を施行することで，子宮筋層の菲薄化や胎盤のbulging（子宮の外側方向に胎盤が突出する像）などの所見から，胎盤異常の可能性の評価に寄与する[8]。筆者らの施設では術前から穿通胎盤を予測した結果，迅速に帝王切開時に血流遮断を行うことが可能であり，少ない出血量で子宮筋層の楔状切除を行い，結果的に子宮温存可能であった症例もあった。

血流遮断

子宮筋腫核出術後の妊娠において，胎盤の位置は重要であり，場合により子宮摘出が必要であったり楔状切除が可能であったりするため，その対応は習熟している必要がある[9]。

血流遮断の方法においては，筆者らの施設では児娩出後に鉗子で卵巣提索および固有卵巣索を把持し，ネラトンカテーテルを用いてターニケット法を行うことで子宮血流の減少を図っている（図2）[3]。さらに松永らは，癒着部位の子宮筋層欠損部の直接縫合，square suture，round suture，interruptured

図2 穿通胎盤の帝王切開時の対応

circular sutureなどにより出血量の減少を図ることで子宮筋腫核出術後の癒着胎盤の子宮温存を図っている[10]。

子宮摘出を行う際も，特に前置癒着胎盤の場合では，大動脈遮断バルーン(IABO)やセルセーバー®を併用することで出血量の減少や輸血量の減少を図ることができる。

(竹田　純)

大動脈遮断バルーン(IABO)
intra-aortic balloon occlusion

参考文献

1) 竹田　純，牧野真太郎，平井千裕ほか：当院における腹腔鏡下子宮筋腫核出術後妊娠の管理．日産婦内視鏡会誌2015; 31: 114.
2) 竹田　省：妊産婦死亡"ゼロ"への挑戦．日産婦会誌2016; 68: 345-6.
3) 竹田　純ほか：周産期管理がぐっとうまくなる！ ハイリスク妊娠の外来診療パーフェクトブック 9 婦人科疾患．産婦の実際(増刊号) 2016; 65: 1435-42.
4) Gambacorti-Passerini Z, Gimovsky AC, Locatelli A, et al：Trial of labor after myomectomy and uterine rupture: a systematic review. Acta Obstet Gynecol Scand 2016; 95: 724-34.
5) 牧野真太郎：分娩・産褥期の最上と異常/周産期感染症：産科危機的出血の管理．Science and Practice 産科婦人科臨床シリーズ3．藤井知行編，2021，中山書店，p.183-194.
6) Makino S, Takeda S, Kondoh E, et al：National survey of uterine rupture in Japan: Annual report of Perinatology Committee, Japan Society of Obstetrics and Gynecology, 2018. J Obstet Gynaecol Res 2019; 45: 763-5.
7) 日本産婦人科学会/日本産婦人科医会編：CQ403 帝王切開既往妊婦が経腟分娩 (TOLAC, trial of labor after cesarean delivery)を希望した場合は？ 産婦人科診療ガイドライン 産科編2020，p199-201.
8) Thiravit S, Ma K, Goldman I, et al：Role of ultrasound and MRI in diagnosis of severe placenta accrete spectrum disorder: An intraindividual assessment with emphasis on placental bulge. AJR Am J Roentgenol 2021; 217(6): 1377-88.
9) 竹田　純：子宮筋腫核出術後の(常位)癒着胎盤．OGS NOW Basic 9．竹田　省ほか編，メジカルビュー社，2021，p.60-69.
10) 松永茂剛，村山敬彦，関　博之：子宮筋腫核出術後の癒着胎盤の子宮温存法．OGS NOW 22 手術を要する産婦人科救急—こんなときどうする？ 竹田　省ほか編，メジカルビュー社，2015，p68-81.

各論

手術を要する子宮筋腫をもつ高年の女性

Q1

妊娠前に手術したほうがよいのは，どのような子宮筋腫ですか？

A1 着床に影響する粘膜下筋腫や有症状の筋層内筋腫には手術が必要です。また，漿膜下筋腫や無症状の筋層内筋腫でも10cmを超え，妊娠中に合併症を起こす可能性の高い子宮筋腫に対しては，手術を検討する必要があります。

Q2

妊娠前に子宮筋腫核出術が必要な場合，どのような患者が術前に受精卵の凍結をしておくべきですか？

A2 35〜40歳以上，もしくは年齢にかかわらず著明な卵巣機能の低下を認めていれば，年齢に伴う卵巣予備能の低下を考慮し，術前に受精卵の凍結保存を検討してください。

Q3

高年の女性で妊娠前に子宮筋腫を核出しなければならない場合，どのくらいの受精卵の凍結をしたほうがよいのですか？

A3 35歳での累積生児獲得率は，凍結胚3個で約50％，5個で約80％です。また40歳での累積生児獲得率は，凍結胚は5個で約50％，10個で約80％です。これらのデータを基に凍結胚数を検討してください。

Q4

子宮筋腫に対する手術はどのような手術がありますか？
またその長所と短所を教えてください。

A4 子宮筋腫に対する手術は子宮鏡手術，腹腔鏡手術，開腹手術があります。小さな粘膜下筋腫であれば，子宮鏡手術が可能であり，術後避妊期間も短期間ですが，それ以外の場合は腹腔鏡もしくは開腹で子宮筋腫核出術を行います。この場合には，術後子宮筋層が治癒するまで，ある一定の避妊期間が必要となります。

Exposition

> 晩婚化に伴い，子宮筋腫を認める女性が妊娠を希望することも多くなってきた。子宮筋腫は，発生部位や大きさが多種多様であり，どのような患者に不妊治療もしくは手術のどちらを優先するか，悩むことも多い。実際の子宮筋腫をもつ患者からの質問例に沿って，その治療方針を検討する。

Q1：妊娠前に手術したほうがよいのは，どのような子宮筋腫ですか？

子宮筋腫を伴う挙児希望のある女性に対し，不妊治療もしくは手術のどちらを優先するか，患者への説明に苦慮することがある。

手術を行うべき子宮筋腫

着床に影響する粘膜下筋腫や有症状の筋層内筋腫には手術が必要となる。また漿膜下筋腫や無症状の筋層内筋腫でも10cmを超え，妊娠中に変性痛や流・早産などの合併症を引き起こす可能性のある子宮筋腫に対しては，手術を検討する必要がある（表1）。

多発性子宮筋腫などで妊娠前に手術を行うか悩む症例は，子宮筋腫核出術を行うことで起きる合併症もあるため，産科医師と相談のうえ，治療方針を決定すべきである。

➡「子宮筋腫核出術後の患者の妊娠後合併症と発生率」(p.385)参照

表1 子宮筋腫をもつ挙児希望患者の手術適応

1. 粘膜下筋腫
2. 有症状の筋層内筋腫
3. 10cmを超える巨大な無症状の筋層内もしくは漿膜下筋腫

Q2：妊娠前に子宮筋腫核出術が必要な場合，どのような患者が術前に受精卵の凍結をしておくべきですか？

35〜40歳未満でかつ抗ミュラー管ホルモン（AMH）が1.0〜1.5ng/mL以上の場合，早急に手術を行い，その後積極的な不妊治療を行えば，妊娠に至る可能性も高いと考える。

ただし，35〜40歳以上もしくはAMHが1.0〜1.5ng/mL未満であれば，年齢に伴う卵巣予備能の低下を考慮し，手術前に受精卵を凍結し，避妊期間を経て胚移植を行う，"surgery-ART hybrid therapy"を勧めている[1]。

抗ミュラー管ホルモン（AMH）
anti-Müllerian hormone

➡「子宮筋腫」(p.245)参照

筆者らの子宮筋腫に対する治療のフローチャートを図1に示す。安全に妊娠、分娩ができるように患者と治療方針を相談することが重要である。治療方針を決定したうえで、hybrid therapyに進む高齢女性の場合、目的凍結受精卵数を決めておくことも大切である。

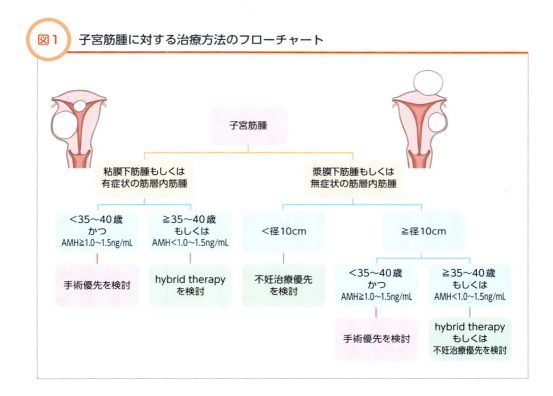

図1 子宮筋腫に対する治療方法のフローチャート

Q3：高年の女性で妊娠前に子宮筋腫を核出しなければならない場合、どのくらいの受精卵の凍結をしたほうがよいのですか？

生児獲得率を得られる十分な数の凍結胚数を検討することは非常に難しい。1回の採卵における採取卵子数が15～20個と多いときに生児獲得率が最も高いと報告されているが、高齢女性の卵巣機能では、この卵子数はあまり現実的ではない[2]。ただhybrid therapyを行ううえで、卵巣予備能の低下を認めた症例でも、高卵巣刺激で少しでも多くの術前凍結胚数を獲得することが治療を成功させるために重要である。

2017年の日本産科婦人科学会のARTデータでは、35歳で胚移植1回の妊娠率は40.0％で流産率20.3％であり、計算上生児獲得率は31.9％となる[3]。累積生児獲得率が50％に到達するのに2個の凍結胚が必要で、80％には5個凍結胚が必要である。また40歳では妊娠率27.2％、流産率33.6％であり、生児獲得率は18.1％と予想され、累積生児獲得率50％に到達には4個の凍結胚が

必要で，80％には9個が必要である（**表2**)[1]。これらのデータを基に治療前から患者とよく話し合い，目標とする凍結胚数を決定する必要がある。

Q4：子宮筋腫に対する手術はどのような手術がありますか？またその長所と短所を教えてください。

子宮筋腫に対する治療は薬物療法もあるが，**挙児希望がある場合には原則手術**である。手術の術式ごとの適応，長所と短所を**表3**に示す。

表2 年齢ごとの凍結胚数における累計妊娠率

年齢(歳)	JSOG 2017年ARTデータ			凍結胚数（回）				
	妊娠率(/胚移植)	流産率(/妊娠数)	生産率(/胚移植)	2	4	6	8	10
35	40.0%	20.3%	31.9%	53.6%	78.5%	90.0%	95.4%	97.8%
36	38.3%	21.6%	30.0%	51.0%	76.0%	88.3%	94.3%	97.2%
37	36.2%	23.2%	27.8%	47.9%	72.8%	85.8%	92.6%	96.2%
38	33.5%	25.7%	24.9%	43.6%	68.2%	82.0%	89.9%	94.3%
39	30.8%	30.6%	21.4%	38.2%	61.8%	76.4%	85.4%	91.0%
40	27.2%	33.6%	18.1%	32.9%	54.9%	69.7%	79.7%	86.4%
41	23.6%	39.2%	14.4%	26.6%	46.2%	60.5%	71.0%	78.8%
42	18.9%	43.2%	10.7%	20.3%	36.5%	49.4%	59.7%	67.9%
43	14.7%	49.3%	7.5%	14.4%	26.6%	37.2%	46.2%	53.9%
44	11.1%	57.5%	4.7%	9.2%	17.6%	25.2%	32.1%	38.3%
45	7.9%	62.6%	3.0%	5.8%	11.3%	16.5%	21.3%	25.9%

生児獲得率 50％以上は青枠，80％以上は赤枠　　　　　　　　　　　　　　　　　（文献1）より作成）

表3 子宮筋腫に対する手術の術式ごとの適応，長所と短所

	子宮鏡手術	腹腔鏡手術	開腹手術
適応	粘膜下筋腫(＜3〜5cm)	術者により決定(＜10〜12cm，＜5〜10個)	ほぼすべての子宮筋腫
長所	非常に低侵襲，術後避妊期間が短い	術後癒着が少ない，低侵襲	すべての子宮筋腫にも対応が可能
短所	適応症例が少ない，子宮内腔癒着のリスクがある	術者によって技術の差が大きい，術後避妊期間が必要	術後癒着が多い，侵襲が大きい，術後避妊期間が必要

子宮鏡手術

3～5cm未満の比較的小さく，突出率の高い粘膜下筋腫であれば非常に低侵襲な子宮鏡手術が可能である。術中広範囲に子宮内膜損傷がある場合，子宮内腔癒着防止のため，子宮内避妊具の挿入などで，術後の避妊期間を要するが，筋層の欠損が少なければ術後の避妊期間はほとんど不要である。

腹腔鏡手術

一方で子宮鏡手術が不可能であれば，腹腔鏡手術もしくは開腹手術となる。内視鏡手術の技術の進歩により腹腔鏡手術の適応は拡大したが，術者によって技術の差もあり，その適応も施設によって異なる。

安全な腹腔鏡手術は良好な視野の確保が必要となるため，骨盤MRI検査でその適応の検討が必要であり，特に筋層内筋腫であれば，10～12cm程度が限度となる[4]。腹腔鏡手術が可能であれば，開腹手術と比較し，低侵襲で術後癒着も少ないことは明らかである。

巨大な子宮筋腫，多発性子宮筋腫

巨大な子宮筋腫や多発性子宮筋腫の場合は，術中出血量の減少や，術前の貧血改善のため，3～6カ月間のゴナドトロピン放出ホルモン（GnRH）アゴニストによる術前治療が必要となり，術後にも一定の避妊期間を要する。筆者らの施設では子宮筋層の創傷治癒を考慮し，避妊期間を約6カ月としているため，術前治療から妊娠許可まで待機期間が約1年間かかることはデメリットである。

手術後の妊娠

妊娠した場合には子宮破裂のリスクを考慮し，現在では分娩時，選択的帝王切開術を行うことが一般的である。

（黒田恵司）

参考文献

1) Kuroda K, Ikemoto Y, Ochiai A, et al：Combination Treatment of Preoperative Embryo Cryopreservation and Endoscopic Surgery (Surgery-ART Hybrid Therapy) in Infertile Women with Diminished Ovarian Reserve and Uterine Myomas or Ovarian Endometriomas. J Minim Invasive Gynecol 2019; 26: 1369-75.
2) Sunkara SK, Rittenberg V, Raine-Fenning N, et al：Nomogram for predicting live birth from egg number: an analysis of 400,135 IVF cycles. Hum Reprod 2011; 26: I34.
3) Ishihara O, Jwa SC, Kuwahara A, et al：Assisted reproductive technology in Japan: A summary report for 2017 by the Ethics Committee of the Japan Society of Obstetrics and Gynecology. Reprod Med Biol 2019; 19: 3-12.
4) Takeuchi H, Kuwatsuru R：The indications, surgical techniques, and limitations of laparoscopic myomectomy. JSLS 2003; 7: 89-95.

卵巣子宮内膜症性嚢胞・子宮腺筋症をもつ不妊症に対する不妊治療

Q1

子宮内膜症になると，どうして不妊症になるのですか？

A1 卵巣子宮内膜症性嚢胞が発症することで卵巣はダメージを受けます。また腹腔内癒着に伴う卵管の障害や，子宮内膜症組織のある骨盤内環境が精子や胚へ影響し，精子運動障害，受精障害，胚発育障害を起こすことがあります。

Q2

妊娠前に，どのような子宮内膜症は手術したほうがよいのですか？

A2 卵巣嚢胞は4～5cm以上もしくは嚢胞内に充実部分を伴う場合に，妊娠中の破裂，膿瘍形成や癌化のリスクがあります。そのため，卵巣予備能を確認し，手術の検討が必要です。また卵巣病変がない場合でも，一般不妊治療で妊娠せず，かつ体外受精を希望しないときには手術を行う必要があります。

Q3

妊娠前に，卵巣子宮内膜症性囊胞を手術した場合，どのような長所と短所がありますか？

A3 今まで一般不妊治療で妊娠しなかった場合，手術を行うことで一般不妊治療でも妊娠できる可能性があります。また，妊娠したときも子宮内膜症による合併症のリスクは少なくなります。しかし，卵巣囊胞摘出術を行うことで卵巣予備能が低下する可能性があります。

Q4

妊娠したいのですが，生理痛が本当にひどく，また性交痛があってタイミングが取れません。どうすればよいでしょうか？

A4 性交障害があるのであれば，人工授精を行うことは可能です。ただ子宮内膜症をもつ女性に対する一般不妊治療の妊娠率は低く，生理痛がつらいのであれば，手術もしくは体外受精を検討しましょう。

Q5

子宮腺筋症が大きく，なかなか妊娠せず，やっと体外受精で妊娠したのですが，流産してしまいました。今後どうすればよいでしょうか？

A5 子宮腺筋症は流産率が高いのですが，明確な治療法はありません。初回の流産であれば偶発的な流産の可能性も高く，再度そのまま体外受精を行うことを勧めます。流産を繰り返すようであれば，手術も検討しますが，術後妊娠時の子宮破裂のリスクがあります。

Exposition

　近年，晩婚化に伴い子宮内膜症を認める女性が妊娠を希望することも多くなった。子宮内膜症，特に卵巣子宮内膜症性囊胞をもつ女性に，手術と不妊治療どちらを優先するのか，臨床の場で苦慮することも多い。実際の子宮内膜症を伴う不妊患者からの質問例に沿って，その治療方針を検討する。

Q1：子宮内膜症になると，どうして不妊症になるのですか？

　卵巣子宮内膜症性囊胞は，発症することで卵巣機能の低下をきたす。これに伴い排卵障害や黄体機能不全を起こすことがある。また腹腔内癒着に伴う卵管閉塞や卵管ピックアップ障害などの卵管機能障害を起こすこともある。さらには，腹腔内貯留液内の子宮内膜症組織や炎症性サイトカイン，活性型マクロファージが慢性的な炎症性骨盤内環境を形成し，子宮内膜症病変の進行を促進する。
　妊娠においては配偶子や胚へ影響し，精子運動障害，受精障害，胚発育障害を誘導する（図1）[1]。つまりタイミング法や人工授精の一般不妊治療では，すべての子宮内膜症の不妊原因を解決することはできない。

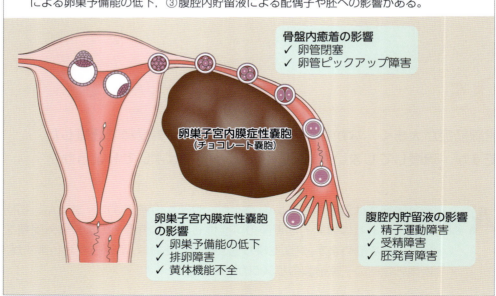

図1　子宮内膜症の不妊原因

子宮内膜症の不妊原因は，主に①骨盤内癒着に伴う卵管障害，②卵巣子宮内膜症性囊胞による卵巣予備能の低下，③腹腔内貯留液による配偶子や胚への影響がある。

Q2：妊娠前に，どのような子宮内膜症は手術したほうがよいのですか？

卵巣子宮内膜症性嚢胞の囊胞径が4〜5cm以上の場合に，破裂や膿瘍形成や脱落膜変化などの合併症を起こすリスクがあり，手術を考慮すべきである。また卵巣嚢胞内に充実部分や壁肥厚を認める場合には癌化のリスクもあるため，精査のうえで手術を積極的に検討する。

手術を行う際に必要な注意点

卵巣嚢胞摘出まで行った場合，術後1年間の累積妊娠率は50〜60%であり，良好な成績である[4,5]。しかし卵巣予備能が低い〔抗ミュラー管ホルモン（AMH）＜2.0ng/mL〕症例，35〜40歳以上の高齢女性，もしくは両側卵巣嚢胞や再発卵巣嚢胞の症例は，術後著明な卵巣予備能の低下が予想されるため，手術の決定は慎重に行うべきである（表1）。

術前に生殖補助医療（ART）で受精卵を凍結しておくsurgery-ART hybrid therapyも検討しておく必要がある[2]。

➡「子宮筋腫」(p.245)参照

患者がARTを希望しない場合

また子宮内膜症で卵巣病変が存在しなくても一般不妊治療で妊娠せず，かつARTを希望しないときには，腹腔鏡手術を行い腹腔内の子宮内膜症病変を除去することで，妊娠できる可能性がある。しかし初期子宮内膜症に対する術後累積妊娠率は20〜30%程度である[3]。

表1　子宮内膜症を伴う不妊女性の手術の適応と不適応

適応症例
1. 4〜5cm以上の卵巣子宮内膜症性嚢胞
2. 嚢胞内に充実部分を伴う卵巣嚢胞
3. 一般不妊治療で妊娠せず体外受精を希望しない場合

不適応症例（もしくは慎重に手術）
1. 卵巣予備能の低下（AMH＜2.0ng/mL）
2. 高齢女性（35〜40歳以上）
3. 両側卵巣嚢胞
4. 再発卵巣嚢胞

Q3：妊娠前に，卵巣子宮内膜症性嚢胞を手術した場合，どのような長所と短所がありますか？

卵巣子宮内膜症性嚢胞の囊胞径が4〜5cm以上，もしくは囊胞内に充実部

分を伴う場合は，破裂や膿瘍形成，癌化などの合併症のリスクがあるため，原則手術が必要である。卵巣囊胞摘出術を行うと，妊娠中の合併症のリスクを減少することができるが，卵巣予備能の低下が懸念される。

手術の必要性は，今後の不妊治療の方針によって異なる。

患者がARTを希望しない場合

自然妊娠や一般不妊治療での妊娠を希望する場合，手術を行うことで妊娠できる可能性がある。一般的に術後約1年間の累積妊娠率は初期子宮内膜症であれば20〜30%[3]，卵巣囊胞摘出術を行えば50〜60%である[4,5]。つまり手術を行ってもARTが必要になる可能性もある。

患者がARTを希望する場合

患者がARTによる不妊治療を希望する場合，ART前の子宮内膜症に対する手術は，ARTによる妊娠率向上に寄与することはない[6,7]。そのため，疼痛軽減が必要な症例や採卵が困難な症例以外は積極的な手術は行わないことが推奨されている[8]。今後の不妊治療の方針によって，手術の必要性を検討する必要がある。

Q4：妊娠したいのですが，生理痛が本当にひどく，また性交痛があってタイミングが取れません。どうすればよいでしょうか？

ダグラス窩の深部子宮内膜症や子宮腺筋症を伴う重症子宮内膜症症例では，しばしば性交痛を伴う。性交障害に対して人工授精を行うことは可能だが，重症子宮内膜症を伴う女性の一般不妊治療による妊娠率は高くない[9]。子宮内膜症組織のある骨盤内環境が精子や卵子に影響し，受精障害や精子運動障害などの一般不妊治療では解決できない不妊原因が存在する可能性が高い[1]。

積極的なART

深部子宮内膜症の除去や癒着剝離などの手術を積極的に行い，自然妊娠にトライする方法もある。しかし重症子宮内膜症の手術はさまざまなリスクを伴う。月経痛から解放されるためにも，積極的なARTによる早期の妊娠を考慮することも必要である。

Q5：子宮腺筋症が大きく，なかなか妊娠せず，やっと体外受精で妊娠したのですが，流産してしまいました。今後どうすればよいでしょうか？

子宮腺筋症は子宮内膜組織が子宮筋層内に異所性に増殖し，月経困難症，過

多月経を伴う疾患である。子宮筋腫と異なり，病変は子宮筋層に広がり境界が不明瞭である（図2）。不妊原因は主に子宮内腔を圧迫することによる着床障害である。

流産の原因

病変は腫瘤を形成する場合と子宮全体にびまん性に認める場合があり多様であるため，子宮腺筋症を伴う女性の妊娠率を評価することは難しい。しかしARTによる胚移植後の妊娠率は，子宮腺筋症を認めない対照群と比較して，着床率は約30％と低くはないが，流産率は30〜35％と有意に高い[10]。ただし卵子提供による胚移植の報告では，子宮腺筋症を伴う女性の流産率は約15％であり，対照群の流産率よりは高いが，高い流産率には子宮腺筋症だけではなく，合併する子宮内膜症による卵子への影響も示唆される[11]。つまり不妊症や流産の主な原因は，子宮腺筋症による影響だけでなく，子宮内膜症と合併することも大きな要因と考えられる。

また，子宮腺筋症合併妊娠は妊娠後の早産や前期破水，産後弛緩出血の原因となる[12]。

子宮腺筋症摘出術

子宮腺筋症が原因で反復着床不全や習慣流産となる場合や，採卵が困難な症例には，子宮腺筋症摘出術を行う必要がある。子宮腺筋症摘出術はその後の妊娠率向上に寄与することは明らかであるが，その子宮温存手術は保険適用がなく，かつ術後妊娠中の子宮破裂や癒着胎盤などが問題となる[13]。

→「子宮腺筋症」（p.252）参照

手術を行う場合には，産科医師と相談し，慎重に検討すべきである。

（黒田恵司）

図2　子宮腺筋症

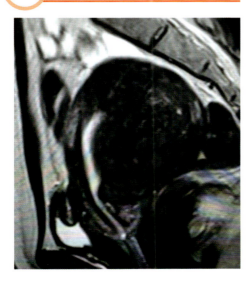

参考文献

1) Harada T, Iwabe T, Terakawa N : Role of cytokines in endometriosis. Fertil Steril 2001; 76: 1-10.
2) Kuroda K, Ikemoto Y, Ochiai A, et al : Combination treatment of preoperative embryo cryopreservation and endoscopic surgery (Surgery-ART Hybrid Therapy) in infertile women with diminished ovarian reserve and uterine myomas or ovarian endometriomas. J Minim Invasive Gynecol 2019; 26: 1369-75.
3) Marcoux S, Maheux R, Berube S, et al : Laparoscopic surgery in infertile, women with minimal or mild endometriosis. N Engl J Med 1997; 337: 217-22.
4) Alborzi S, Momtahan M, Parsanezhad ME, et al : A prospective, randomized study comparing laparoscopic ovarian cystectomy versus fenestration and coagulation in patients with endometriomas. Fertil Steril 2004; 82: 1633-7.
5) Hart R, Hickey M, Maouris P, et al : Excisional surgery versus ablative surgery for ovarian endometriomata: a Cochrane Review. Hum Reprod 2005; 20: 3000-7.
6) Demirol A, Guven S, Baykal C, et al : Effect of endometrioma cystectomy on IVF outcome: a prospective randomized study. Reprod Biomed Online 2006; 12: 639-43.
7) Garcia-Velasco JA, Arici A : Surgery for the removal of endometriomas before in vitro fertilization does not increase implantation and pregnancy tests. Fertil Steril 2004; 81: 1206.
8) Benschop L, Farquhar C, van der Poel N, et al : Interventions for women with endometrioma prior to assisted reproductive technology. Cochrane Database Syst Rev 2010; 11: CD008571.
9) Tummon IS, Asher LJ, Martin JS, et al : Randomized controlled trial of superovulation and insemination for infertility associated with minimal or mild endometriosis. Fertil Steril 1997; 68: 8-12.
10) Vercellini P, Consonni D, Dridi D, et al : Uterine adenomyosis and in vitro fertilization outcome: a systematic review and meta-analysis. Hum Reprod 2014; 29: 964-77.
11) Martinez-Conejero JA, Morgan M, Montesinos M, et al : Adenomyosis does not affect implantation, but is associated with miscarriage in patients undergoing oocyte donation. Fertil Steril 2011; 96: 943-U401.
12) Juang CM, Chou P, Yen MS, et al : Adenomyosis and risk of preterm delivery. BJOG 2007; 114: 165-9.
13) Grimbizis GF, Mikos T, Tarlatzis B : Uterus-sparing operative treatment for adenomyosis. Fertil Steril 2014; 101: 472-87.

多嚢胞性卵巣症候群（PCOS）

Q&A

Q1
クロミフェンを内服しましたが，2周期排卵しませんでした。
今後どうすればよいでしょうか？

A1 クロミフェンで2周期排卵しなければ，治療を変更しましょう。クロミフェンは反復使用することで子宮内膜が薄くなり頸管粘液が減るため，妊娠しづらくなることがあります。アロマターゼ阻害薬やFSH低用量漸増法などの他の卵巣刺激を検討しましょう。

Q2
卵巣刺激を行い排卵して5周期タイミングをとってきましたが，
妊娠に至りません。今後どうすればよいでしょうか？

A2 妊娠する方のほとんどは4～6周期で妊娠されます。排卵するのに妊娠に至らない場合は，排卵障害以外の不妊原因がある可能性があります。他の不妊治療を検討しましょう。

Q3

卵巣刺激をして卵胞が3個育ちました。
どのくらい多胎になりますか？

A3 卵胞3個で妊娠率が30〜40％，多胎率が約20％です。

Q4

卵巣多孔術を行った場合，術後妊娠率を教えてください。
また術後，手術の効果はどのくらい続きますか？

A4 卵巣多孔術を行うと，クロミフェンの併用も含め排卵率約30〜90％，1年で50〜80％妊娠します。また，術後の効果持続期間は，卵巣多孔術が有効であった症例では通常1年以上効果が持続します。

Exposition

Q1：クロミフェンを内服しましたが，2周期排卵しませんでした。今後どうすればよいでしょうか？

通常のクロミフェン投与法で3回排卵誘発を行っても2回排卵しなければ，有効な治療法とはいえず，治療法の変更が必要である。通常のクロミフェン投与法で排卵しない場合，内服終了5～7日後に再度クロミフェンを5日間内服するクロミフェン2段投与法や，次周期にクロミフェンを100 mg/日に増量する方法があるが，抗エストロゲン作用による子宮内膜の菲薄化や頸管粘液の減少の副作用があるため，排卵しても妊娠率は低い。

図1の多嚢胞性卵巣症候群（PCOS）に対する治療指針のフローチャートを参考にし，アロマターゼ阻害薬（レトロゾール），FSH低用量漸増法への卵巣刺激法の変更や，AMHが高値の場合は腹腔鏡下卵巣多孔術（LOD）を検討する。

またPCOSの患者では，排卵前に卵胞径が2 cmまで発育しても自然排卵しないことが多い。そのため，確実に排卵させる目的でhCG製剤，またはGnRHアゴニスト点鼻薬による排卵惹起を行うことも必要である。

多嚢胞性卵巣症候群（PCOS）
polycystic ovary syndrome

腹腔鏡下卵巣多孔術（LOD）
Laparoscopic ovarian drilling

図1　PCOSの治療指針（順天堂大学）

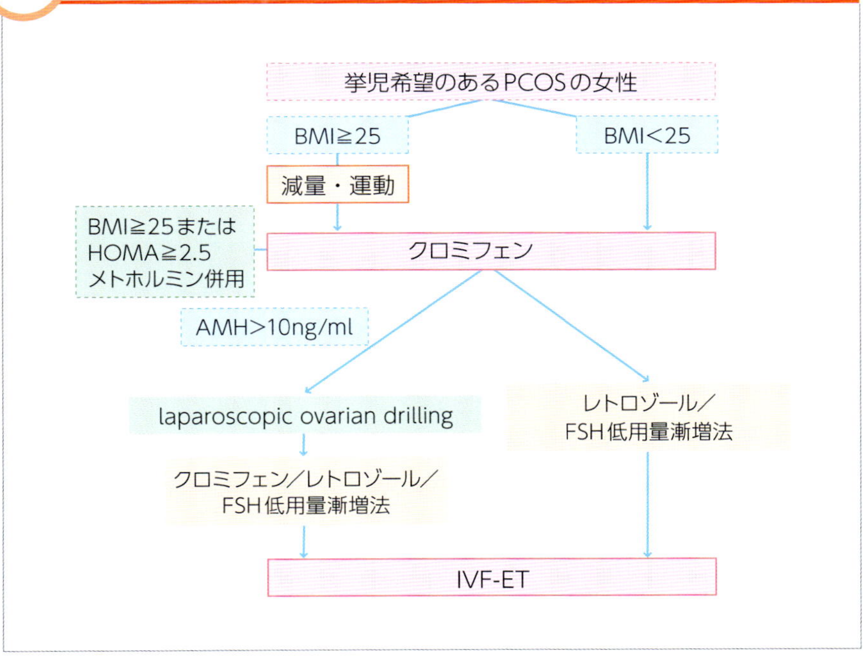

```
挙児希望のあるPCOSの女性
  ├─ BMI≧25 ─→ 減量・運動
  └─ BMI<25
        ↓
  [BMI≧25またはHOMA≧2.5 メトホルミン併用]──→ クロミフェン
                                              ├─ AMH>10 ng/ml → laparoscopic ovarian drilling
                                              │        ↓
                                              │   クロミフェン／レトロゾール／FSH低用量漸増法
                                              └─ レトロゾール／FSH低用量漸増法
                                                       ↓
                                                    IVF-ET
```

Q2：卵巣刺激を行い排卵して5周期タイミングをとってきましたが，妊娠に至りません。今後どうすればよいでしょうか？

　排卵障害に対する卵巣刺激による一般不妊治療において，妊娠する症例のほとんどは5〜6周期で妊娠する[1]。クロミフェンは前述のとおり頸管や子宮内膜への影響により排卵しても妊娠しないことがあるため，アロマターゼ阻害薬やFSH低用量漸増法などの他の卵巣刺激法に変更が必要である（表1）。

治療法の変更の検討

　もともとクロミフェン以外の排卵誘発方法も行い妊娠に至らないのであれば，排卵障害以外にも不妊原因があると考え人工授精や生殖補助医療への治療変更を検討すべきである。またAMHが高値であれば，不妊原因の精査として腹腔内を同時に観察できるLODを行ってみてもよい。

表1　各種排卵誘発薬の作用機序と特徴

	商品名	作用機序	作用形態	血中半減期	頸管・内膜への影響
クエン酸クロミフェン	クロミッド®セロフェン®	視床下部のエストロゲン受容体に競合作用	視床下部よりGnRH分泌亢進	5〜7日	あり
アロマターゼ阻害薬	フェマーラ®レトロゾール®	卵巣顆粒膜細胞のアロマターゼ合成阻害	卵巣からのエストロゲン産生低下による下垂体へのネガティブフィードバック	2日	なし
FSH低用量漸増法	ゴナールエフ®	胞状卵胞以降の顆粒膜細胞に作用	顆粒膜細胞に直接作用し卵胞発育を促進	24時間	なし

Q3：卵巣刺激をして卵胞が3個育ちました。どのくらい多胎になりますか？

　発育卵胞数別の妊娠率・多胎率を図2に示す。卵胞径16mm以上の発育卵胞が2個の場合，妊娠率は26.0％，多胎率は11.7％，発育卵胞3個では妊娠率が34.4％，多胎率が20.0％と報告されている[2]。

3個以上卵胞が発育している場合

　3個卵胞が発育している場合は，患者にこれらの妊娠率，多胎率を伝えたうえで，性交渉や人工授精を行うか検討する必要がある。発育卵胞数4個以上の場合は多胎率が50％まで急増するが妊娠率は上昇せず，品胎以上の多胎発生率も2％のため，4個以上の場合は通常その周期はキャンセルとし，避妊を指示するべきである[3]。

図2　卵胞数別の妊娠率・多胎率

成熟卵胞の数が増加すると妊娠率も上昇するが，卵胞数が4個になると多胎率が著明に増加し，一方，妊娠率は低下する。

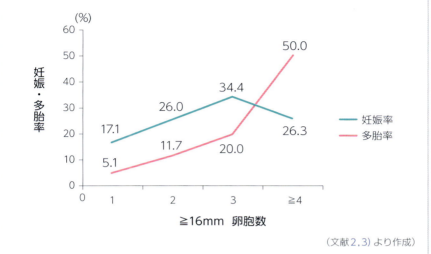

（文献2,3）より作成）

Q4：卵巣多孔術を行った場合，術後妊娠率を教えてください。また術後，手術の効果はどのくらい続きますか？

クロミフェン抵抗性のPCOSで，術後の自然妊娠を希望する症例にLODは良い適応となる（図3）。LODによる治療効果は報告によってさまざまであるが，クロミフェンなどを使用した症例も含めると排卵率30〜90％，術後1年での累積妊娠率は50〜80％と報告されている[4]。

図3　腹腔鏡下卵巣多孔術

卵巣皮質に3〜5mmの穴を40〜50カ所あける。卵巣表面から卵胞液の流出を確認できる。

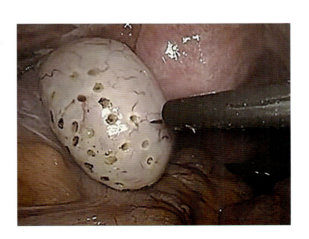

LODのメリット・デメリット

　LODの効果予測因子としては，肥満ではない症例や不妊期間の短い症例（3年未満），術前のLHが高い症例（LH＞10IU/L）や，術前AMH値が高すぎない症例（AMH＜7.7mg/mL）で，LOD後に排卵率が高いと報告されている[5,6]。

　なお，術前のAMH値が比較的高い症例では，術後に自然排卵の確率まで至らないことも多いが，その後のゴナドトロピン製剤による卵巣刺激を行う際に，OHSSを予防する効果がある。

　さらに，不妊原因検索として骨盤内の病変を診断・治療できることもメリットの一つである。

　一方でLODのデメリットとして，手術による合併症や卵巣予備能の低下，術後癒着が挙げられる。卵巣予備能の評価として，術前にAMHで評価することは当然だが，40歳以上の高齢の症例も生殖補助医療を含めた他の治療法を検討すべきである。

LODの注意点

　癒着防止目的に腹腔鏡手術の皮膚切開を小さくするため細径鉗子を選択することや，術後に癒着防止材を貼付することなどの術式の工夫も，術後妊娠率を向上するために重要である。

LOD術後の効果継続期間

　術後の排卵持続期間の報告はさまざまであり，長期予後のデータはいまだ不足しているが，LODに反応した症例の効果は1年以上持続すると報告されている[7,8]。さらに第2子を希望した場合でも，卵巣刺激や生殖補助医療の必要性が減少し，累積妊娠率が向上することがわかっている[8]。

（尾﨑理恵，黒田恵司）

参考文献

1) Macgregor AH, Johnson JE, Bunda CA：Further clinical experience with clomiphene criteria. Fertil Steril 1968; 19: 616.
2) Ares-Serono. A Phase Ⅲ, open, randomized, multicentre study to compare the safety and efficacy of recombinant human FSH administered subcutaneously with that of Urinary Human Follicle stimulating hormone. Given intramuscularly, to induce ovulation in WHO Group Ⅱ anovulatory infertile women. Ares-Serono, Internal Report.
3) Homburg R, Howles CM：Low-dose FSH therapy for anovulatory infertility associated with polycystic ovary syndrome: rationale, results, reflections and refinements. Hum Reprod Update 1999; 5: 493-9.
4) Seow KM, Juan CC, Hwang JL et al：Laparoscopic surgery in polycystic ovary syndrome: reproductive and metabolic effects. Semin Reprod Med 2008; 26: 101.
5) The Thessaloniki ESHRE/ASRM-sponsored PCOS consensus workshop group：Consensus on infertility treatment related to polycystic ovary syndrome. Fertil Steril 2008; 89: 505-22.
6) Abu Hashim H：Predictors of success of laparoscopic ovarian drilling in women with polycystic ovary syndrome: an evidence-based approach. Arch Gynecol Obstet 2015; 291: 11-8.
7) Amer SA, Banu Z, Li TC et al：Long-term follow-up of patients with polycystic ovary syndrome after laparoscopic ovarian drilling: endocrine and ultrasonographic outcomes. Hum Reprod 2002; 17: 2851-7.
8) Nahuis MJ, Kose N, Bayram N, et al：Long-term outcomes in women with polycystic ovary syndrome initially randomized to receive laparoscopic electrocautery of the ovaries or ovulation induction with gonadotrophins. Hum Reprod 2011; 26: 1899-904.

早発卵巣不全（premature ovarian insufficiency；POI）を含む卵巣機能低下症例

Q1

32歳で生理周期が不順になり，産婦人科へ行ったらFSHが高く，卵巣機能が下がっているといわれました。
妊娠したいのですがどうすればよいですか？

A1 100人に1人が30代で閉経されます。早発卵巣不全で妊娠できるチャンスが少ないので，エストロゲン補充を開始して，体外受精に進みましょう。

Q2

どうして早発卵巣機能不全になるのですか？

A2 生まれつき卵巣予備能が低下する速度が速い場合もありますが，卵巣の手術などで医原性に低下する場合もあります。また原因がわからない場合も多いです。

Q3

卵巣予備能が下がって，エストロゲン補充をしても，なかなか採卵できなくなってしまいました。他に方法はありますか？

A3 採卵前に排卵してしまい採卵できないようであれば，クロミフェンなどを併用して排卵抑制しながら卵巣刺激をしてみましょう。卵胞が発育しないようであれば，DHEA，レスベラトロール，ビタミンDなどのサプリメントも検討しましょう。また，現在は治療効果が証明されてはいませんが，卵巣に血小板を濃縮したPRPを注入して，卵巣機能の改善を図る方法などもあります。

Exposition

Q1：32歳で生理が不順になり，産婦人科へ行ったらFSHが高く，卵巣機能が下がっているといわれました。妊娠したいのですがどうすればよいですか？

低下した卵巣予備能は，原則戻ることはない。そのため，低い卵巣予備能でいかに妊娠に導くかが重要である。

POIの明確な診断基準はないが，40歳未満で，希少月経もしくは無月経で，卵胞刺激ホルモン（FSH）が25 mIU/mL以上と高値で，かつ低エストロゲン値が持続的に続く状態である[1]。そのため，本症例はPOIの可能性が非常に高い。

POIの発生頻度は，20代女性であれば1,000人に1人，30代女性であれば100人に1人が発症するといわれているが，2019年のメタ解析では40歳未満の全女性の3.7％と報告されており[2]，32歳でも1〜5％は存在することが考えられる。

原因として，Turner症候群などのように染色体異常を認める場合もあり，また橋本病などの自己免疫性疾患を併発する場合もある。そのため染色体検査や抗核抗体，甲状腺検査などは行っておいたほうがよい。抗核抗体が高値の場合は，膠原病の有無も含め，専門の内科で一度精査することを推奨する。また卵巣の手術などで医原性に卵巣予備能が低下する場合もあるため，既往歴の問診も重要である。

POIのように高ゴナドトロピン性性腺機能不全の場合，エストロゲン製剤を投与し適度にFSHが低下した場合に，卵胞が発育することがある。そこでタイミング法で妊娠した報告もあるが[3〜5]，その累積妊娠率は4.4％である[6]。そのため，原則生殖補助医療（ART）が必要となる。発育した卵胞を逃さずに採卵し，卵子採取ができれば体外受精・胚移植で妊娠できる可能性がある。POIの場合は，FSHも高値のため新鮮胚移植ではその後の着床率・流産率に懸念がある。一度胚凍結を行いホルモン補充周期で凍結融解胚移植を行ったほうがよい場合も多い。そのため，POIを認めた妊娠希望のある女性には，前もってARTの必要性をインフォームドコンセントしておくことは重要である。

Q2：どうして早発卵巣機能不全になるのですか？

卵巣予備能は年齢とともに低下し，37〜38歳頃から加速的に卵胞数が減少することがわかっている[7]。しかし年齢だけではなく，先天的もしくは後天的に卵巣予備能は低下する場合がある。卵巣予備能を低下させるリスク因子を表1に示す。先天的な卵巣予備能の低下は，早期にPOIを呈することが多いが，後天的な場合は卵巣予備能を低下させる要因の種類や曝露した期間および曝露時の年齢が大きく影響する。POIの原因として医原性と原因不明が多い[8]。

➡「卵巣予備能に影響するリスク因子」（p.23）参照

表1 卵巣予備能を低下させるリスク因子

先天的要因	染色体異常	Turner症候群（45Xモノソミー），Fragile X syndrome，真性半陰陽など
	自己免疫疾患	自己免疫性多内分泌腺症候群 Ⅰ～Ⅲ型，甲状腺機能異常，全身性エリテマトーデス，アジソン病，シェーグレン症候群など
後天的要因	喫煙	
	感染症	HIV，ムンプス，結核など
	卵巣腫瘍	卵巣子宮内膜症性嚢胞
	医原性	卵巣に対する手術，子宮動脈塞栓術，化学療法，放射線療法など
原因不明（特発性）		

Q3：卵巣予備能が下がって，エストロゲン補充をしても，なかなか採卵できなくなってしまいました。他に方法はありますか？

　POIの場合に，エストロゲン補充だけでは卵胞が発育しない場合やLHが高値（premature LH surge）のため小さい卵胞のまま排卵してしまい採卵ができない場合がある。そのときに，GnRHアナログ製剤で高くなったLH，FSHを抑制しながら高容量ゴナドトロピン製剤を投与する方法もある。ただし注射製剤を複数回投与する必要があり，身体的，金銭的負担も大きいにもかかわらず，発育卵胞数は非常に少ない[9,10]。そのため，クロミフェン連続投与をエストロゲン製剤に併用する方法もある[11]（**クロミフェン-エストロゲン連続投与法**）。クロミフェンにより排卵を抑制しながら卵胞を発育することができるため採卵率も高く，かつ非常に安価である。

　POIの不妊症に対する治療法を**表2**に示す。POIで卵胞も発育せず採卵ができない場合には，いまだエビデンスが確立できていないものもあるが，**卵胞発育を補助するDHEA，成長ホルモン，コエンザイムQ10，レスベラトロール，ビタミンD**などを検討する。いずれも卵巣の顆粒膜細胞や卵胞発育，卵子成熟などに働くため，採卵率が向上する可能性がある。ただし，レスベラトロールに関しては，卵巣への効果も十分に証明されているが，脱落膜化を抑制し着床を阻害する可能性があるため，胚移植周期の黄体期には内服を控える必要がある。

　また介入的な治療では，**卵巣内多血小板血漿（PRP）注入**が挙げられる。再生医療の一つで，**高密度に血小板を濃縮し卵巣に局所注入する治療で，胞状卵胞数やAMHの増加，採取卵子数の向上が期待できる**[12,13]。

　さらに，卵巣の線維化した卵巣皮質を断片化することで卵巣予備能が向上する可能性がある[14]。これを応用し筆者らは，腹腔鏡手術で卵巣皮質を一部切除・断片化し，卵巣内に移植する老化卵巣機能回復法を行っている。

　これらの治療でも卵胞発育しないようであれば，卵子提供を検討する必要があるが，日本では法整備が不十分であり，現段階では海外での卵子提供が主流である。

（田中　温）

→「卵巣刺激法」（p.154）参照

→「早発卵巣不全（POI）」（p.281）参照

→Column（p.414）参照

卵巣内多血小板血漿（PRP）
plate-rich plasma

表2　POIの不妊症に対する治療法

1.	エストロゲン療法
2.	生殖補助技術
3.	POIの補助的治療
	① DHEA
	② 成長ホルモン
	③ コエンザイムQ10
	④ レスベラトロール
	⑤ ビタミンD
4.	POIの介入的治療
	① 卵巣PRP注入
	② 老化卵巣機能回復法（田中法）
5.	卵子提供

Column

抗老化作用のあるレスベラトロールは，妊娠成績を向上させる？　低下させる？

　不妊治療で妊娠成績に最も影響する因子は，女性の年齢である。そのため，妊娠成績を向上するために，抗老化作用のあるサプリメントなどが，不妊治療ですでに頻用されている。

　レスベラトロールは細胞内でサーチュイン遺伝子を活性化し，ミトコンドリアの合成を促進し，老化を抑制することがわかっている[15]（図1）。そのため，加齢に伴う卵巣機能の低下を抑える効果が期待できる[16]（図1）。実際に採卵を行う1カ月以上前からレスベラトロールを150〜200mg/日摂取し採卵を行うと，採取卵子数が増加し，その後の良好胚獲得率が向上する可能性がある。

　一方でレスベラトロールは，着床にとって重要な子宮内膜脱落膜化を抑制する働きがある[17]（図1）。子宮内膜細胞が全く異なる脱落膜細胞へ変化するときに，内膜局所の老化作用が起きることがわかっており，この老化作用は抗老化作用のあるレスベラトロールやラパマイシンにより抑制される。それにより脱落膜化も抑制されることがわかっている[18]。さらに，実際のARTにおいて継続的にレスベラトロールを内服しながら胚移植を行った場合，臨床妊娠率が低下し流産率が高くなることがわかっている[19]。そのため，レスベラトロールは胚移植周期の黄体期に中止することが推奨されている[20,21]（図2）。またレスベラトロールに限らず，抗老化作用のあるサプリメントなどは脱落膜化を抑制する可能性があるため，胚移植周期には中止することを推奨する。

　2021年に不妊症女性を対象に，レスベラトロール（150mg/日）をベースとしたビタミンD，葉酸を含んだマルチビタミンサプリメントを用いた無作為化対照試験が初めて

報告された[22]。レスベラトロール投与群はコントロール群と比較して、採卵後の成熟卵子獲得率、受精卵獲得率などが有意に高かった。また胚移植時には、推奨されている通り黄体期にレスベラトロールの内服を中止して行っている。ただ胚移植ごとの臨床妊娠率では両群で有意差は認めなかった。しかしレスベラトロール群で良好胚獲得率が高いため、採卵ごとでの累積妊娠率では高くなることが予想されると結論付けられている。今後のさらなるレスベラトロールのPOIに対する臨床研究が期待される。

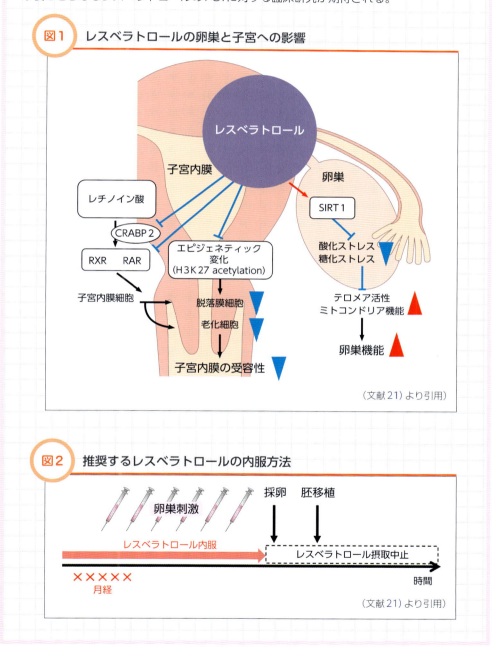

図1 レスベラトロールの卵巣と子宮への影響

（文献21）より引用）

図2 推奨するレスベラトロールの内服方法

（文献21）より引用）

参考文献

1) Webber L, Davies M, Anderson R, et al：ESHRE Guideline: management of women with premature ovarian insufficiency. Hum Reprod 2016; 31: 926-37.
2) Golezar S, Ramezani Tehrani F, et al：The global prevalence of primary ovarian insufficiency and early menopause: a meta-analysis. Climacteric 2019; 22: 403-11.
3) Dragojevic-Dikic S, Rakic S, Nikolic B, et al：Hormone replacement therapy and successful pregnancy in a patient with premature ovarian failure. Gynecol Endocrinol 2009; 25: 769-72.
4) Vandborg M, Lauszus FF：Premature ovarian failure and pregnancy. Arch Gynecol Obstet 2006; 273: 387-8.
5) Laml T, Huber JC, Albrecht AE, et al：Unexpected pregnancy during hormone-replacement therapy in a woman with elevated follicle-stimulating hormone levels and amenorrhea. Gynecol Endocrinol 1999; 13: 89-92.
6) Bidet M, Bachelot A, Bissauge E, et al：Resumption of ovarian function and pregnancies in 358 patients with premature ovarian failure. J Clin Endocrinol Metab 2011; 96: 3864-72.
7) Faddy MJ, Gosden RG, Gougeon A, et al：Accelerated disappearance of ovarian follicles in mid-life: implications for forecasting menopause. Hum Reprod 1992; 7: 1342-6.
8) Fenton AJ：Premature ovarian insufficiency: Pathogenesis and management. J Midlife Health 2015; 6: 147-53.
9) Polyzos NP, Devroey P：A systematic review of randomized trials for the treatment of poor ovarian responders: is there any light at the end of the tunnel? Fertil Steril 2011; 96: 1058-U253.
10) Galey-Fontaine J：Age and ovarian reserve are distinct predictive factors of cycle outcome in low responders. Reprod Biomed Online 2005; 10: 94-9.
11) Kuroda K, Kitade M, Kumakiri J, et al：Minimum ovarian stimulation involving combined clomiphene citrate and estradiol treatment for in vitro fertilization of Bologna-criteria poor ovarian responders. J Obstet Gynaecol Res 2016; 42: 178-83.
12) Hajipour H, Farzadi L, Latifi Z, et al：An update on platelet-rich plasma (PRP) therapy in endometrium and ovary related infertilities: clinical and molecular aspects. Syst Biol Reprod Med 2021; 67: 177-88.
13) Cakiroglu Y, Saltik A, Yuceturk A, et al：Effects of intraovarian injection of autologous platelet rich plasma on ovarian reserve and IVF outcome parameters in women with primary ovarian insufficiency. Aging 2020; 12: 10211-22.
14) Umehara T, Urabe N, Obata T, et al：Cutting the ovarian surface improves the responsiveness to exogenous hormonal treatment in aged mice. Reprod Med Biol 2020; 19: 415-24.
15) Tatone C, Di Emidio G, Barbonetti A, et al：Sirtuins in gamete biology and reproductive physiology: emerging roles and therapeutic potential in female and male infertility. Hum Reprod Update 2018; 24: 267-89.
16) Neves AR, Lucio M, Lima JL, et al：Resveratrol in medicinal chemistry: a critical review of its pharmacokinetics, drug-delivery, and membrane interactions. Curr Med Chem 2012; 19: 1663-81.
17) Ochiai A, Kuroda K, Ozaki R, et al：Resveratrol inhibits decidualization by accelerating downregulation of the CRABP2-RAR pathway in differentiating human endometrial stromal cells. Cell Death Dis 2019; 10: 276.
18) Brighton PJ, Maruyama Y, Fishwick K, et al：Clearance of senescent decidual cells by uterine natural killer cells in cycling human endometrium. Elife 2017; 6: e31274.
19) Ochiai A, Kuroda K, Ikemoto Y, et al：Influence of resveratrol supplementation on IVF-embryo transfer cycle outcomes. Reprod Biomed Online 2019; 39: 205-10.
20) Kuroda K, Ochiai A, Brosens JJ：The actions of resveratrol in decidualizing endometrium: acceleration or inhibition?. Biol Reprod 2020; 103: 1152-6.
21) Ochiai A, Kuroda K：Preconception resveratrol intake against infertility: Friend or foe? Reprod Med Biol 2019; 19: 107-13.
22) Gerli S, Della Morte C, Ceccobelli M, et al：Biological and clinical effects of a resveratrol-based multivitamin supplement on intracytoplasmic sperm injection cycles: a single-center, randomized controlled trial. J Matern Fetal Neonatal Med 2021: 1-9.

卵管機能障害

Q&A

Q1
子宮卵管造影検査で卵管がまったく写りませんでした。体外受精以外で妊娠することは難しいでしょうか？

A1 卵管角部閉塞を疑う場合は，閉塞しているように見えているだけで，本当は通過性がある場合があります。腹腔鏡検査などで閉塞の有無をきちんと確認してみましょう。

Q2
33歳で卵管狭窄を指摘されました。できれば自然妊娠を希望しています。どうすればよいでしょうか？

A2 卵管鏡下卵管形成術（FT）を行う方法があります。術後の体外受精以外の不妊治療による累積妊娠率は，1〜1.5年で約30〜45％です。

卵管鏡下卵管形成術（FT）
falloposcopic tuboplasty

Q3

42歳で両側卵管閉塞を指摘されました。
卵管鏡手術を考えています。いかがでしょうか？

A3 40歳以上の高齢女性の場合に，卵管機能障害がなくても，体外受精以外での妊娠率は非常に低いです。そのため，卵管鏡手術を行っても妊娠・出産できる可能性が低く，あまり推奨できません。

Q4

38歳，卵管留水症を指摘されました。卵管の手術はしないで体外受精を希望します。どのような問題がありますか？

A4 卵管留水症は手術を行わないで体外受精を行うと，胚移植後の着床率が低く，かつ妊娠した場合でも流産や異所性妊娠の発生率が高くなります。

Q5

43歳，卵巣予備能の低下と卵管留水症を指摘されています。胚移植を2回行いましたが着床しませんでした。今後どうすればよいでしょうか？

A5 次回胚移植の前に，着床率を低下させる卵管留水症の治療が必要です。卵巣予備能が低いため，腹腔鏡下卵管切断術をお勧めします。また卵管留水症は慢性子宮内膜炎と関係するため，子宮内膜生検で精査することも推奨します。

Exposition

　卵管機能障害に対する治療は生殖補助医療（ART）が中心となってきているが，ARTを希望しない場合に手術を検討する必要がある。また，卵管留水症を伴うと，ARTでもその後の妊娠予後は不良である。卵管機能障害のある患者からの質問例に沿って，その治療方針を検討する。

Q1：子宮卵管造影検査で卵管がまったく写りませんでした。体外受精以外で妊娠することは難しいでしょうか？

　子宮卵管造影検査（HSG）で卵管がまったく写らない場合，卵管近位端である角部の閉塞が疑われる（図1）。卵管角部閉塞の場合，検査時の子宮卵管口の攣縮による機能的閉塞が起きていることがある[1]。

　HSGは簡便な検査だが，腹腔鏡検査と比較したメタ解析では，感度0.65，特異度0.83とあまり高くはない[2]。そのため，両側卵管角部閉塞を認めた場合は，HSGの再検査や腹腔鏡検査を検討する必要がある。

　腹腔鏡で腹腔内を確認しながら子宮内にインジゴカルミン注射液を注入し，卵管疎通性を確認する卵管通色素検査で閉塞の有無を確認する（図2）。そのときに，腹腔内に子宮内膜症や卵管周囲癒着などを認めれば，同時に手術も可能である。

 図1　両側卵管角部閉塞の疑い（子宮卵管造影検査）

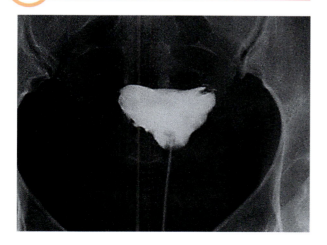

図2 卵管通色素検査

腹腔鏡下に子宮内にインジゴカルミン注射液を注入し，卵管采から出てくることで卵管疎通性を確認する。

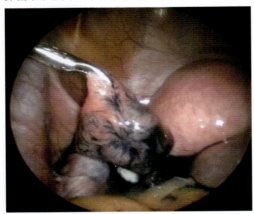

Q2：33歳で卵管狭窄を指摘されました。できれば自然妊娠を希望しています。どうすればよいでしょうか？

卵管狭窄に対して，生殖補助医療（ART）に進まず，自然妊娠を希望する場合に，卵管鏡下卵管形成術（FT）を行う方法がある。若年女性で，かつ卵管因子以外の不妊原因がない場合は，有用な手術方法である。

FT後，ART以外の不妊治療による累積妊娠率は，1〜1.5年で約30〜45％であり，術後に妊娠しない場合はARTが必要である[3,4]。手術前に，FTの妊娠率を患者に説明したうえで，手術を検討する必要がある。

Q3：42歳で両側卵管閉塞を指摘されました。卵管鏡手術を考えています。いかがでしょうか？

前述のとおり，FTを行うと自然妊娠できる可能性もあるが，40歳以上で高齢の場合に卵管機能障害がなくてもART以外の不妊治療での妊娠率は，1カ月5％以下と非常に低い。そのため，卵管鏡手術を行っても妊娠・出産に導くことは非常に難しく，高齢不妊女性へ卵管鏡手術は推奨できない。

ARTに進む場合には卵管閉塞に対する手術は原則不要だが，卵管留水症を認める場合には，ARTでも着床率が低いため，手術も検討する[5]。ただしその場合は，卵管鏡手術ではなく腹腔鏡手術が必要である。

➡「妊娠方法別の妊娠率」(p.148)参照

Q4：38歳，卵管留水症を指摘されました。卵管の手術はしないで体外受精を希望します。どのような問題がありますか？

卵管采が閉塞し，卵管内に月経血などが貯留し卵管が腫大している状態を卵管留水症という（図3）。卵管留水症の場合，手術を行わないでARTを行うと，卵管内の貯留液が着床に影響するため着床率が低い[5]。

卵管留水症を認めたまま妊娠した場合でも，妊娠後の流産率が高いことがわかっている[5,6]。また，異所性妊娠の発症率も高く[5]，かつ卵管開口術を行った場合でも卵管妊娠の発症率も高い[7]。そのため，胚移植の前に着床率や妊娠後の合併症についてインフォームドコンセントする必要がある。

図3　卵管留水症

子宮卵管造影検査

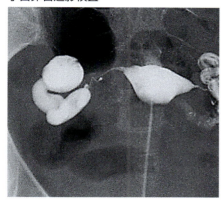

腹腔鏡手術所見

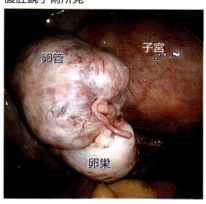

Q5：43歳，卵巣予備能の低下と卵管留水症を指摘されています。胚移植を2回行いましたが着床しませんでした。今後どうすればよいでしょうか？

2回胚移植を行っており，着床率を低下させる卵管留水症の治療が必要である。治療法として，卵管開口術，卵管切除術，卵管切断術，卵管内穿刺吸引術が挙げられる。

卵管開口術は自然妊娠も可能になる可能性もあるが，3年で子宮内妊娠の累積妊娠率が約20％しかなく，かつ異所性妊娠の発生率も高い[7]。高齢女性ですでにARTを行っているため，開口術は推奨しない。腹腔鏡手術が可能であれば，卵管切除もしくは切断術が着床率の向上に寄与する。メタ解析では，卵管切除術で2.24倍，卵管切断術で3.22倍着床率が上昇すると報告されている[8]。ただし，卵管切除を行うと卵巣の血流を低下させ，卵巣予備能へ影響する可能性がある[9]。

43歳で卵巣予備能が低下しているため，この症例の場合は卵管切断術を推奨する．腹腔鏡手術を希望しなければ，胚移植前に超音波ガイド下に卵管内穿刺吸引術を検討する．また卵管留水症は，最近慢性子宮内膜炎との関連性が報告されている[10]．卵管内の貯留液が子宮内環境へ影響し慢性的な炎症を引き起こしていることが予想される．慢性子宮内膜炎は著明に着床率を低下させるため，胚移植前には子宮内膜生検でCD138免疫染色を検査しておくことを推奨する．

➡「慢性子宮内膜炎」(p.312)参照

（黒田恵司）

参考文献

1) Dessole S, Meloni GB, Capobianco G, et al：A second hysterosalpingography reduces the use of selective technique for treatment of a proximal tubal obstruction. Fertil Steril 2000; 73: 1037-9.
2) Swart P, Mol BW, van der Veen F, et al：The accuracy of hysterosalpingography in the diagnosis of tubal pathology: a meta-analysis. Fertil Steril 1995; 64: 486-91.
3) Tanaka Y, Tajima H, Sakuraba S, et al：Renaissance of surgical recanalization for proximal fallopian tubal occlusion: falloposcopic tuboplasty as a promising therapeutic option in tubal infertility. J Minim Invasive Gynecol 2011; 18: 651-9.
4) Hou HY, Chen YQ, Li TC, et al：Outcome of laparoscopy-guided hysteroscopic tubal catheterization for infertility due to proximal tubal obstruction. J Minim Invasive Gynecol 2014; 21: 272-8.
5) Capmas P, Suarthana E, Tulandi T：Management of Hydrosalpinx in the Era of Assisted Reproductive Technology: A Systematic Review and Meta-analysis. J Minim Invasive Gynecol 2021; 28: 418-41.
6) Harb H, Al-Rshoud F, Karunakaran B, et al：Hydrosalpinx and pregnancy loss: a systematic review and meta-analysis. Reprod Biomed Online 2019; 38：427-41.
7) Taylor RC, Berkowitz J, McComb PF：Role of laparoscopic salpingostomy in the treatment of hydrosalpinx. Fertil Steril 2001; 75: 594-600.
8) Tsiami A, Chaimani A, Mavridis D, et al：Surgical treatment for hydrosalpinx prior to in-vitro fertilization embryo transfer: a network meta-analysis. Ultrasound Obstet Gynecol 2016; 48: 434-45.
9) Wu S, Zhang Q, Li Y：Effect comparison of salpingectomy versus proximal tubal occlusion on ovarian reserve: A meta-analysis. Medicine (Baltimore) 2020; 99: e20601.
10) Holzer I, Ott J, Kurz C, et al：Is Chronic Endometritis Associated with Tubal Infertility? A Prospective Cohort Study. J Minim Invasive Gynecol 2021; 28(11): 1876-81.

原因不明不妊症

Q1
不妊症の原因がなければ，自然に妊娠できますよね？

A1 一般的には不妊スクリーニングで検査不可能な不妊原因の存在が考えられます。若年で卵巣予備能が保たれていて不妊期間が2年未満であれば，自然妊娠できる可能性はありますが，不妊期間が2年を超えていると一般不妊治療で妊娠することは難しいです。

Q2
不妊症の原因がないのに，どうして妊娠できないのですか？

A2 原因不明不妊症では，不妊症の原因がないのではなく検査が不可能な，①卵管疎通性のある卵管機能障害，②受精障害，③器質的疾患のない着床障害，などが考えられます。

Q3
体外受精はしたくありません。ほかに何かできることはありますか？

A3 腹腔鏡手術を行うことで，初期の子宮内膜症や卵管采の癒着などがみつかることがあります．不妊原因がみつかり手術ができた場合，その後の妊娠率は20〜30％程度です．

Q4
36歳で結婚しました．1年間，避妊せず夫婦生活を送ったのに妊娠しません．不妊症の原因もみつかりませんでした．体外受精を行うべきでしょうか？

A4 不妊期間が1年間であれば，偶発的に妊娠できていない可能性があります．卵巣予備能が問題ないようであれば，もう少し一般不妊治療を行っても妊娠できる可能性はあります．ただ希望があれば体外受精に進むことも可能です．

Q5
28歳で結婚し，現在31歳です．3年間，避妊せず夫婦生活を送ったのに妊娠しません．不妊症の原因もみつかりませんでした．体外受精を行うべきでしょうか？

A5 一般不妊治療での妊娠率は非常に低いですので，体外受精を行うべきです．ただ体外受精の希望がなく，人工授精などの一般不妊治療を行っても妊娠しないようであれば，腹腔鏡検査を行いましょう．

Exposition

　不妊症のカップルの約15〜30％が原因不明である。原因不明不妊症の場合，高齢女性では加齢に伴う妊娠率の低下により偶発的に妊娠ができていない可能性もあるが，精査することのできない不妊原因の存在が考えられる。実際の原因不明不妊症の患者からの質問例に沿って，その治療方針を検討する。

Q1：不妊症の原因がなければ，自然に妊娠できますよね？

　原因不明不妊症は，一般的には不妊スクリーニングで検査不可能な不妊原因の存在が考えられる。ただし40歳以上の高齢女性では加齢とともに妊孕能も低下するため，偶発的に妊娠できていない可能性もある[1]。

　一般的な不妊検査で調べることのできない不妊原因は，後述するがタイミング法や人工授精の一般不妊治療での妊娠は難しい。若年女性でも一般不妊治療での累積妊娠率は10〜20％であり，80〜90％の方は治療を継続しても妊娠できない[2]。そのため，加齢に伴う偶発的な不妊症であっても，積極的な不妊治療が必要となる。

　自然妊娠や一般不妊治療で長く経過をみることで，加齢に伴う妊娠率の低下，流産率の上昇が起こるため，患者に現状を説明したうえで，適宜不妊治療を検討することが重要である。

Q2：不妊症の原因がないのに，どうして妊娠できないのですか？

　原因不明不妊症は原因がないのではなく，検査が不可能な主な3つの不妊原因：①卵管疎通性のある卵管機能障害（卵管ピックアップ障害，配偶子や胚の運搬障害など），②受精障害，③器質的疾患のない着床障害，が考えられている（図1）。いずれも精子と卵子が受精できていない，もしくは受精後着床できていないため，一般不妊治療では妊娠は難しい。

　生殖補助医療（ART）に進むことで初めて原因がわかることも多い。どうして妊娠できないのかを患者に説明し，現状を理解してもらい，治療を検討することが必要である。

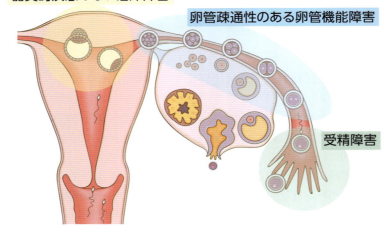

図1 原因不明不妊症で考えられる不妊原因

原因不明不妊症で考えられる不妊原因は，①卵管疎通性のある卵管機能障害（卵管ピックアップ障害，配偶子や胚の運搬障害を含む），②受精障害，③器質的疾患のない着床障害が挙げられる。

器質的疾患のない着床障害
卵管疎通性のある卵管機能障害
受精障害

Q3：体外受精はしたくありません。ほかに何かできることはありますか？

腹腔鏡手術

原因不明不妊症の多くは，卵管ピックアップ障害や配偶子や胚の運搬障害を含む卵管機能障害が考えられる。腹腔鏡手術を行うことで，初期の子宮内膜症やクラミジア感染既往による卵管采の癒着などがみつかることがある。これらを手術することで，自然妊娠できることもあるが，その術後の累積妊娠率は20〜30％程度である[3,4]。

腹腔鏡手術を行う場合は，術後に妊娠できないようであればARTを要することを術前に説明しておくことが重要である。

➡「子宮内膜症」(p.238)参照

子宮鏡検査

ARTの希望がなければ，子宮鏡検査を行ってもよい。ときに，慢性子宮内膜炎や経腟超音波検査では確認の難しい子宮内膜ポリープが見つかることがある。

➡「慢性子宮内膜炎」(p.312)参照

Q4：36歳で結婚しました。1年間，避妊せず夫婦生活を送ったのに妊娠しません。不妊症の原因もみつかりませんでした。体外受精を行うべきでしょうか？

偶発的な不妊症の可能性

不妊期間が2年未満の原因不明不妊症であれば，偶発的に妊娠できていない可能性がある[5]。36歳で卵巣予備能が低くないようであれば，一定期間の一般不妊治療でも妊娠できる可能性がある。

しかし，一般不妊治療で妊娠に至らないようであれば，ARTもしくは腹腔鏡手術のどちらかに進むことを検討する必要があるため，希望があればARTに進むことも可能である。

Q4：28歳で結婚し，現在31歳です。3年間，避妊せず夫婦生活を送ったのに妊娠しません。不妊症の原因もみつかりませんでした。体外受精を行うべきでしょうか？

不妊期間が2年以上の原因不明不妊症であれば，一般不妊治療での累積妊娠率は10〜20％であり，つまり80〜90％は自然妊娠できない[2]。一般不妊治療での妊娠率は非常に低く，ARTの適応となる[5]。

ARTの希望がなければ，人工授精などの一般不妊治療を行い妊娠しないようであれば，腹腔鏡手術を検討する。腹腔鏡手術で子宮内膜症などの不妊原因が見つからなければ，ARTが必要となる。

（黒田恵司）

参考文献

1) Somigliana E PA, Busnelli A, Filippi F, et al：Age-related infertility and unexplained infertility: an intricate clinical dilemma. Hum Reprod 2016; 31: 1390-6.
2) Veltman-Verhulst SM, Hughes E, Ayeleke RO, et al：Intra-uterine insemination for unexplained subfertility. Cochrane Database Syst Rev 2016; 2: CD 001838.
3) Marcoux S, Maheux R, Berube S, et al：Laparoscopic surgery in infertile, women with minimal or mild endometriosis. N Engl J Med 1997; 337: 217-22.
4) Tanahatoe SJ, Hompes PG, Lambalk CB：Investigation of the infertile couple: Should diagnostic laparoscopy be performed in the infertility work up programme in patients undergoing intrauterine insemination? Hum Reprod 2003; 18: 8-11.
5) Fertility：Assessment and Treatment for People with Fertility Problems. NICE Clinical Guidelines, No.156, National Collaborating Centre for Women's and Children's Health 2013; 63.

反復着床不全症例

Q1

30歳で胚移植を4回行いましたが，一度も妊娠検査が陽性に出ません。今後どうすればよいでしょうか？

A1 30歳で胚移植を行うと臨床妊娠率は約45％で，4回胚移植を行った場合，累積妊娠率は約90％です。1割の方は偶発的に妊娠できていませんが，着床不全の精査を行いましょう。

Q2

42歳で胚移植を4回行いましたが，一度も妊娠検査が陽性に出ません。今後どうすればよいでしょうか？

A2 42歳で胚移植を行うと臨床妊娠率は約19％で，4回胚移植を行った場合，累積妊娠率は約57％です。約半分の方が年齢の問題で妊娠できていませんが，一度精査を行ってもよいです。また，年齢に伴う胚の染色体異常が問題のため，着床前スクリーニングも検討する必要があります。

Q3

何度も良好胚移植をしても妊娠検査が陽性に出ないときは，どんな検査をすればよいのですか？

A3 まず子宮鏡検査で子宮内腔の観察と，血液検査で着床と関与する甲状腺検査や免疫機能の検査を行いましょう。さらに子宮内膜生検で慢性子宮内膜炎の有無を確認しましょう。また着床不全の方のなかに，血栓性素因をもつ方が多いことがわかっています。着床後流産する可能性があるため，血栓性素因の検査も行いましょう。

Q4

着床不全の検査で異常が出た場合の治療法を教えてください。

A4 子宮鏡検査で慢性子宮内膜炎がみつかれば抗菌薬で治療，子宮内膜ポリープがみつかれば子宮鏡手術で治療が可能です。甲状腺機能低下症を認めるようなら，レボチロキシンの内服が必要です。免疫機能の異常が見つかれば，ビタミンDサプリメントやプロゲステロン製剤など，それぞれ治療する方法があります。

Q5

着床不全の検査を行いましたが，原因は何もありませんでした。妊娠は諦めたほうがよいですか？

A5 着床不全の原因が見つからなくても，着床のために子宮内膜スクラッチで子宮を刺激し，その後に着床をサポートするヒアルロン酸含有培養液を併用し，アシステッド・ハッチングで透明帯を切開した胚盤胞を移植しましょう。また高齢の場合には，胚の染色体異常により妊娠できていない可能性もあるため，着床前スクリーニングも検討しましょう。

Exposition

生殖補助医療（ART）において，良好胚を子宮内に複数回移植しても妊娠しない反復着床不全は，精神的にも金銭的にも負担が大きい。胚移植後，妊娠できなかったときにその原因を患者と話し合い検討することは，重要である。実際の反復着床不全の患者からの質問例に沿って，その治療方針を検討する。

Q1：30歳で胚移植を4回行いましたが，一度も妊娠検査が陽性に出ません。今後どうすればよいでしょうか？

2017年の日本産科婦人科学会のARTデータによると25～30歳での流産も含めた臨床妊娠率は約45％であり，4回胚移植を行った場合，計算上その累積臨床妊娠率は90.8％である（表1）[1]。

つまり9％は偶発的に妊娠できていないが，着床不全となる不妊原因が存在する可能性が高い。このままARTを続ける前に，一度精査を行い，治療方針を検討する必要がある。

Q2：42歳で胚移植を4回行いましたが，一度も妊娠検査が陽性に出ません。今後どうすればよいでしょうか？

42歳での臨床妊娠率は18.9％であり，4回胚移植を行った場合，計算上，その累積臨床妊娠率は56.7％である（表1）[1]。

表1　年齢ごとの胚移植回数における累積臨床妊娠率

年齢（歳）	JSOG 2017年 妊娠率（/胚移植）	胚移植回数（回）			
		2	3	4	5
25～30	約45%	69.8%	83.4%	90.8%	95.0%
32	43.3%	67.9%	81.8%	89.7%	94.1%
34	40.9%	65.1%	79.4%	87.8%	92.8%
36	38.3%	61.9%	76.5%	85.5%	91.1%
38	33.5%	55.8%	70.6%	80.4%	87.0%
40	27.2%	47.0%	61.4%	71.9%	79.6%
42	18.9%	34.2%	46.7%	56.7%	64.9%
44	11.1%	21.0%	29.7%	37.5%	44.5%
45～	約5%	9.8%	14.3%	18.5%	22.6%

累積臨床妊娠率50%以上は青枠，80%以上は赤枠　　　　　　　　　　（文献1）より作成）

つまり，約半分の方が加齢に伴い偶発的に妊娠できていないため，このままARTを続けてもよいが，年齢に伴い妊娠率はさらに低下するため，一度精査を行って治療方針を再検討してもよい。

また，年齢に伴う胚の染色体異常が最も問題なため，着床前スクリーニング（PGT-A）も検討する必要がある。

着床前スクリーニング（PGT-A）
preimplantation genetic testing for aneuploidy
➡「着床前診断（PGT-A, PGT-SR）」（p.208）参照

Q3：何度も良好胚移植をしても妊娠検査が陽性に出ないときは，どんな検査をすればよいのですか？

反復着床不全（RIF）の原因は，主に①子宮側の問題，②胚側の問題，③胚に対する免疫寛容の異常が考えられる。それぞれに対する検査を表2に示す。

反復着床不全（RIF）
repeated implantation failure

子宮側の問題

子宮に対する検査としては，子宮内環境を確認するための子宮鏡検査や，慢性子宮内膜炎（CE）を確認する子宮内膜組織のCD138免疫染色，子宮内細菌叢を確認する子宮内細菌培養検査および子宮内膜マイクロバイオーム検査，着床時期を確認するERA®（endometrial receptivity array）検査が挙げられる。

慢性子宮内膜炎（CE）
chronic endometritis
➡「慢性子宮内膜炎」（p.312）参照

表2　反復着床不全に対する検査

子宮内環境や着床時期の検査
・子宮鏡検査
・子宮内膜組織CD138免疫染色
・子宮内細菌培養検査
・子宮内膜マイクロバイオーム検査
・ERA®（Endometrial receptivity analysis）検査
胚に対する免疫機能の検査
・Th1/Th2細胞
・血中NK細胞活性
・25OHビタミンD
胚の検査
・着床前スクリーニング（PGT-A）
その他
・甲状腺機能検査
・血栓性素因の検査（不育症の原因の項を参照）

図1　慢性子宮内膜炎の子宮内腔所見

発赤 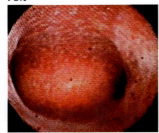　間質浮腫 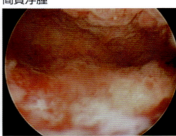　マイクロポリープ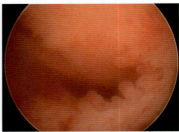

（文献2）より引用）

子宮鏡検査

経腟超音波検査ではみつけられない，慢性子宮内膜炎（CE）や，微小な子宮内膜ポリープなどがみつかることがある．子宮鏡検査でCEを疑う最も典型的な所見は，子宮内膜の発赤や間質浮腫，マイクロポリープである（図1）[2,3]．

子宮内膜組織生検

CEの診断には，子宮内膜生検でCD138免疫染色検査が必要である．CEは子宮内細菌感染を伴うことも多いため，同時に薬剤感受性試験をつけた子宮内細菌培養検査も検査することを推奨する．

子宮内細菌叢を網羅的に解析する子宮内膜マイクロバイオーム検査や着床時期を確認するERA®検査もあるが，高額な検査でかつRIFへの有用性は現在まだはっきりしていない[4〜7]．またERA®検査に関しては，CEにより結果が影響を受ける可能性があるため，CEの確認と治療を行ってから検査をすることを推奨する[8]．

免疫機構の問題

妊娠において半分男性に由来する胚を寛容するうえで，免疫機構は重要である．胚に対する免疫機構の検査として，Th1/Th2細胞や血中NK細胞活性とこれらを制御しているビタミンDが挙げられる．

胚側の問題

胚に対する検査はPGT-Aしか方法はない．高齢女性の場合は，胚の染色体異常がRIFの最も大きな原因であるためPGT-Aを検討する必要がある．

不育症検査

RIFにおける着床を阻害するリスク因子は，不育症の因子としばしばオーバーラップしている[9]．RIFでやっと着床しても流産となる可能性があるため，保険適応はないが，RIFの検査と同時に甲状腺機能検査や血栓性素因の検査を行うことを勧める．

表3　反復着床不全に対する治療

子宮に対する治療

- 慢性子宮内膜炎：抗菌薬
    - ①ドキシサイクリン
    - ②シプロフロキサシン＋メトロニダゾール
- 子宮内膜ポリープ：子宮鏡手術
- 帝王切開瘢痕部症候群：子宮鏡手術
- 子宮内膜スクラッチ
- 子宮内G-CSF投与
- プロゲステロン製剤

胚に対する治療

- 胚盤胞培養
- アシステッド・ハッチング
- ヒアルロン酸含有培養液

免疫異常

- 25OHビタミンD：ビタミンDサプリメント
- Th1/Th2細胞：タクロリムス，ビタミンDサプリメント，プロゲステロン製剤
- NK細胞活性：ビタミンDサプリメント，プロゲステロン製剤

甲状腺機能異常

- 甲状腺機能低下症：レボチロキシン投与

着床時期の制御

- 凍結融解胚盤胞移植

Q4：着床不全の検査で異常が出た場合の治療法を教えてください。

上記の検査結果を踏まえたRIFの治療方法を**表3**に示す。

慢性子宮内膜炎（CE）

　RIFの患者の約30〜60％に認めるCEの基本的な治療は，広域スペクトラムの抗菌薬の投与である。具体的には第一選択薬としてドキシサイクリン（ビブラマイシン®，100mg）分2×14日間を使用し，改善しなければシプロフロキサシン（シプロキサン®，200mg）＋メトロニダゾール（フラジール®，250mg）分2×14日間を投与して治療することが推奨されている[10]。

　ただし，CEと子宮内膜ポリープを併発する場合には，抗菌薬を投与すると改善率が低下することがあるため，ポリープ切除を優先することを推奨する[11]。

➡「子宮腔内病変」(p.259)参照

子宮内膜ポリープ

　子宮内膜ポリープに関しては，子宮底部のみならず，特に卵管口周囲のポリープは微小でも不妊症との関連性が報告されており，治療を要する[12]。ポリープ切除する方法は，子宮内掻爬術だと子宮内膜ポリープを取り残す可能性があるため，子宮鏡手術が望ましい。

図2 帝王切開瘢痕症候群の骨盤MRI所見

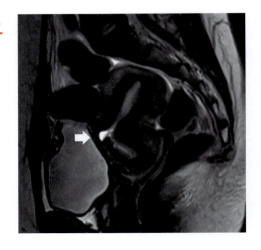

骨盤MRI矢状断T2強調画像
帝王切開創部に陥凹を認める（矢印）。

帝王切開瘢痕症候群

また，まれに続発性不妊症のなかに，前回分娩時に帝王切開を行っていると，帝王切開瘢痕部に貯留する貯留液が着床障害の原因となることがある（帝王切開瘢痕症候群）。必ず経腟超音波検査や骨盤MRI検査，子宮鏡検査で子宮体下部の帝王切開創部の確認と子宮鏡検査で同部位の確認が必要である（図2）。

治療

治療は基本，子宮鏡手術で治療可能であるが，創部が著明に菲薄している場合は腹腔鏡手術で部分切除と縫合を行う必要がある[13]。

免疫異常

免疫異常に対する治療としては，以下のとおりである。

Th1/Th2細胞比

Th1/Th2細胞で明らかにTh1細胞優位な上昇を認める場合，免疫抑制薬のタクロリムス（プログラフ®）を使用する方法がある[14]。

NK細胞活性

NK細胞活性の異常増加を認めた場合，直接的に低下させる方法はプレドニゾロンであるが，着床における炎症反応を阻害するため，着床不全への効果は否定的である[15]。

プロゲステロン製剤はTh2細胞産生を誘導し異常増加したNK細胞を制御し，かつ着床を阻害しないため，治療効果が期待できる。

ビタミンD

ビタミンD欠乏は着床不全と関与していることが報告されており，30ng/mL以下はサプリメントで補う必要がある。十分な着床率を保つには30ng/mL以上とすることが理想的である[16]。ビタミンDの補充は，異常に上昇したTh1/Th2細胞比やNK細胞活性を至適に抑制する効果がある[17,18]。

甲状腺機能異常

潜在性もしくは顕性甲状腺機能低下症を認める場合は，甲状腺専門医に診てもらい，レボチロキシン投与を行う。

着床不全に対するOPTIMUM treatment strategy

　筆者らは，RIFに対し子宮鏡検査，子宮内膜生検でCD138免疫染色および子宮内細菌培養検査，血液検査でTh1/Th2細胞比，25OHビタミンD，甲状腺機能，血栓性素因を確認し，その結果で方針を検討するOPTIMUM treatment strategyで良好な妊娠成績を得ている[18]。複数回のARTで金銭的に負担の大きいRIFの患者に，はじめから高額な検査を用いずに精査することも必要である。

➡「原因不明不妊症：Column」(p.296)参照

Q5：着床不全の検査を行いましたが，原因は何もありませんでした。妊娠は諦めたほうがよいですか？

子宮に対する治療

　着床不全の検査で異常を認めない場合，治療法として子宮内膜スクラッチがある。着床における炎症反応を誘起し，子宮内膜脱落膜化を促進し，かつ子宮内膜の創傷治癒過程において幹細胞を活性化する可能性がある。複数回胚移植を行った症例にしか効果がないと報告されているが，スクラッチを行って着床率が低下する報告はほとんどない[19]。

　原則，胚移植の前周期の黄体期に行う。つまり，新鮮胚移植を行うときの採卵時に行うことは避けたほうがよい。

その他

　子宮内膜が菲薄したRIFの患者の場合に，子宮内に多血小板血漿（PRP）を胚移植の数日前に2回注入することで臨床妊娠率が向上したことが報告されている[20]。

　また，G-CSFやhCGを投与する報告もあるが，いずれも無作為化対照試験が行われておらず，その効果は現在も明らかにはなっていない。

多血小板血漿（PRP）
platelet rich plasma

胚に対する治療

　胚に対する治療としては，初期胚移植を行っていれば，妊娠していない原因が胚の分割停止か着床不全かわからない。そのため，胚盤胞培養を勧め，ヒアルロン酸含有培養液を併用し，アシステッド・ハッチングを行った後に胚移植を行う。

ヒアルロン酸含有培養液
着床時の子宮内膜と胚の接着に重要なヒアルロン酸を多く含んだ培養液。「胚移植」(p.193)参照。

着床時期をコントロールする場合

　胚盤胞移植を行う場合，卵巣刺激を行う採卵周期での新鮮胚移植を避け，凍結融解胚移植とすることが重要である。

　さらに，詳細な着床時期を調整する場合には，ERA®検査を行い，その結果をもとに胚盤胞移植を行う必要がある。

アシステッド・ハッチング
胚の周囲の透明帯をレーザーなどで切開もしくは菲薄化させ，胚の孵化（ハッチング）をサポートする方法。

（黒田恵司）

参考文献

1) Ishihara O, Jwa SC, Kuwahara A, et al：Assisted reproductive technology in Japan: A summary report for 2017 by the Ethics Committee of the Japan Society of Obstetrics and Gynecology. Reprod Med Biol 2019; 9: 3-12.
2) Kuroda K, Yamashita S：Implantation Failure 1: Intrauterine Circumstances and Embryo-Endometrium Synchrony at Implantation. In: Kuroda K, Brosens JJ, Quenby S, Takeda S, eds: Treatment Strategy for Unexplained Infertility and Recurrent Miscarriage, Singapore: Springer Singapore, 2018, p33-43.
3) Bouet PE, El Hachem H, Monceau E, et al：Chronic endometritis in women with recurrent pregnancy loss and recurrent implantation failure: prevalence and role of office hysteroscopy and immunohistochemistry in diagnosis. Fertil Steril 2016; 105: 106-10.
4) Moreno I, Codoñer FM, Vilella F, et al：Evidence that the endometrial microbiota has an effect on implantation success or failure. Am J Obstet Gynecol 2016; 215: 684-703.
5) Kadogami D, Nakaoka Y, Morimoto Y：Use of a vaginal probiotic suppository and antibiotics to influence the composition of the endometrial microbiota. Reprod Biol 2020; 20: 307-14.
6) Tan J, Kan A, Hitkari J, et al：The role of the endometrial receptivity array (ERA) in patients who have failed euploid embryo transfers. J Assist Reprod Genet 2018; 35: 683-92.
7) Neves AR, Devesa M, Martínez F, et al：What is the clinical impact of the endometrial receptivity array in PGT-A and oocyte donation cycles? J Assist Reprod Genet 2019; 36: 1901-8.
8) Kuroda K, Horikawa T, Moriyama A, et al：Impact of chronic endometritis on endometrial receptivity analysis results and pregnancy outcomes. Immun Inflamm Dis 2020; 8: 650-8.
9) Mekinian A, Cohen J, Alijotas-Reig J, et al：Unexplained Recurrent Miscarriage and Recurrent Implantation Failure: Is There a Place for Immunomodulation? Am J Reprod Immunol 2016; 76: 8-28.
10) Johnston-MacAnanny EB, Hartnett J, Engmann LL, et al：Chronic endometritis is a frequent finding in women with recurrent implantation failure after in vitro fertilization. Fertil Steril 2010; 93: 437-41.
11) Kuroda K, Takamizawa S, Motoyama H, et al：Analysis of the therapeutic effects of hysteroscopic polypectomy with and without doxycycline treatment on chronic endometritis with endometrial polyps. Am J Reprod Immunol 2021; 85: e13392.
12) Yanaihara A, Yorimitsu T, Motoyama H, et al：Location of endometrial polyp and pregnancy rate in infertility patients. Fertil Steril 2008; 90: 180-2.
13) Tanimura S, Funamoto H, Hosono T, et al：New diagnostic criteria and operative strategy for cesarean scar syndrome: Endoscopic repair for secondary infertility caused by cesarean scar defect. J Obstet Gynaecol Res 2015; 41: 1363-9.
14) Nakagawa K, Kwak-Kim J, Ota K, et al：Immunosuppression with tacrolimus improved reproductive outcome of women with repeated implantation failure and elevated peripheral blood Th1/Th2 cell ratios. Am J Reprod Immunol 2015; 73: 353-61.
15) Boomsma CM, Keay SD, Macklon NS：Peri-implantation glucocorticoid administration for assisted reproductive technology cycles. Cochrane Database Syst Rev 2012; (6): CD005996.
16) Fabris A, Pacheco A, Cruz M, et al：Impact of circulating levels of total and bioavailable serum vitamin D on pregnancy rate in egg donation recipients. Fertil Steril 2014; 102: 1608-12.
17) Ikemoto Y, Kuroda K, Nakagawa K, et al：Vitamin D Regulates Maternal T-Helper Cytokine Production in Infertile Women. Nutrients 2018; 10: 902.
18) Kuroda K, Matsumura Y, Ikemoto Y, et al：Analysis of the risk factors and treatment for repeated implantation failure: OPtimization of Thyroid function, Immunity, and Uterine Milieu (OPTIMUM) treatment strategy. Am J Reprod Immunol 2021; 85: e13376.
19) Nastri CO, Lensen SF, Gibreel A, et al：Endometrial injury in women undergoing assisted reproductive techniques. Cochrane Database Syst Rev 2015; (3): CD009517.
20) Maleki-Hajiagha A, Razavi M, Rouholamin S, et al：Intrauterine infusion of autologous platelet-rich plasma in women undergoing assisted reproduction: A systematic review and meta-analysis. J Reprod Immunol 2020; 137: 103078.

各論 男性不妊症

Q&A

Q1
結婚前に，男性でも妊孕性確認の検査を受けたほうがよいですか？

A1 現在，不妊カップルの48％は男性側に原因因子を有しており，さらに筆者の検討でも，これから結婚する男性，および結婚後これから妊活を開始する男性を対象に施行したブライダルチェックにおいて，25％以上の男性で精液所見が不良でした．これらのことを考えると，検査を受けておいたほうが今後の人生計画を考えるうえで，有益だと思います．

Q2
飲酒や喫煙は男性不妊症の原因になりますか？

A2 飲酒や喫煙については健康状態を悪化させる意味合いからも当然，男性不妊の原因と考えられます．飲酒を含めた食生活の乱れから生活習慣病因子（糖尿病，高血圧，高脂血症）を有するようになると，精液所見は悪化します．喫煙についても，多数例のメタ解析で，喫煙が精液所見を悪化させることが示されています．健康維持の側面からみても，挙児をお考えの場合は（過度の）飲酒，喫煙は控えることが望ましいでしょう．

Q3

精液検査の正常値や平均値はどのくらいですか？

A3 正常値という概念はありません。すなわち，妊娠を保証する精液パラメーターの値は存在せず，逆に妊娠を否定する値も決まっていません。一般臨床で用いられている基準値はWHOが公表しているものですが，この基準値が11年ぶりに2021年，改訂されました。精子濃度は1,600万/mL，運動率は42％というものです。自然妊娠されたカップルの男性ボランティアに協力いただいた調査では，日本人男性の精子濃度，精子運動性はもっと高く，その中央値は8,400万/mL，77％でした。

Q4

精液検査は一度受けるだけで十分ですか？

A4 精液所見はさまざまな要因で数値が変わります。一度，悪かったからといって，この先，必ず精液所見が悪いとは限りません。体調，禁欲期間や射精時の状況により大きく異なります。1回目に精液所見が異常だった人が2回目の検査をしてみると正常に戻っていた割合や，1回目に精液所見が正常であっても2回目の検査で異常になる割合は，いずれも約25％と報告されています。複数回の検査が望ましいです。

Q5

精子数が少ない，あるいは無精子症と診断された場合，どんな治療法があるのでしょうか？

A5 精子数が少ない場合は内服治療（ビタミン剤，漢方製剤，サプリメントなど）で改善することもあります。抗酸化作用を有するビタミン剤，亜鉛をはじめとする各種サプリメントを用いた複合サプリメントにより総運動精子数の改善が示されています。また，精索静脈瘤を有している場合は，それに対する外科的治療で精液所見の改善が見込まれます。無精子症であっても，精巣内精子採取術など外科的対応が可能です。

Exposition

不妊カップルの約半数に男性側因子が存在することが知られるようになり、男性不妊症に対する注目度が高まってきた。女性同様、結婚前に妊孕性に関する検査が行われることも増えてきた。検査の意味合い、精液所見の評価、精液所見が悪かった場合の治療法など、現状を説明する。

Q1：結婚前に、男性でも妊孕性確認の検査を受けたほうがよいですか？

不妊カップルの約半数で男性側因子を有していることに加えて、最近では性機能障害のために不妊症となる症例が増加している（2015年度の調査では、男性不妊症の13.5％が性機能障害によるものである）。われわれの調査でも結婚前にすでに性機能障害に悩んでいる男性が約2割も存在した。

さらに、精液不良となる独立した因子は、年齢、血中LH値および勃起時の硬度であった[1]。まず、精液検査で妊孕性を確認することが重要であるとともに、性機能の再確認、および勃起障害に対する治療選択肢を理解しておく意味合いからも、結婚前の妊孕性確認の意義は高い。

Q2：飲酒や喫煙は男性不妊症の原因になりますか？

飲酒

最近のレビューでは、飲酒は血中テストステロン値が低下することに関連して精液パラメーターを悪化させると報告された[2]。興味深いことにIVFによる妊娠についてはその影響度合いが低いとされている。

喫煙

喫煙は5,865名を含んだ20研究でのメタ解析により、精子濃度、精子運動性、正常形態率のいずれの項目にも喫煙が深く関わっていることが明らかとなった。この傾向は正常人より不妊症患者に著明であり、さらに喫煙の程度が激しい人に認めやすいとされている[3]。

メタボリック因子

また、乱れた食生活から生じるであろうメタボリック因子も精液所見を悪化させる。メタボリック症候群患者は正常人より精液所見が悪化しており、また男性不妊症患者は有意にメタボリック症候群の罹患率が高いことも報告されている。

Q3：精液検査の正常値や平均値はどのくらいですか？

WHOの基準値

　WHOが2021年に提唱した精液所見パラメーターの基準値を図1に示す。精液量は1.4mLで，精子濃度は1,600万/mL，精子運動率は42％とされている（表1）。これらの数値はあくまでも基準値であり，妊娠を保証するものではない。

自然妊娠が確認された男性の中央値

　一方，自然妊娠が確認された男性の精液所見を札幌，大阪，金沢，福岡の4都市で測定し，日本人男性792名の基準値が公表されている（表2）。それによれば，禁欲期間等を調整した**精子濃度中央値は8,400万/mL，運動率中央値は77％**であった[4]。

図1　精子濃度の変動

精子濃度は検査日により異なる。

（文献6）より引用）

表1　精液検査における基準値 2021年（第6版）

精液量	1.4mL
精子濃度	1,600万/mL以上
運動率	42％以上
正常形態率	4％以上
総精子数	3,900万以上

（文献4,5）より作成）

表2 妊孕性が確認された日本人男性の精子濃度，精子運動性

	観察結果		調整後中央値 (95% CI)
	平均値 (SD)	中央値 (5～95)	
精子濃度 (百万/ml)			
試験総数	105 (83)	84 (18～275)	84 (76～92)
札幌	110 (84)	95 (22～244)	89 (76～104)
大阪	97 (79)	76 (15～253)	80 (70～93)
金沢	105 (76)	84 (17～259)	80 (70～92)
福岡	115 (102)	89 (21～263)	98 (80～120)
精子運動性 (%)			
試験総数	67 (21)	66 (31～100)	77 (74～79)
札幌	62 (18)	65 (28～87)	66 (61～70)
大阪	85 (19)	92 (46～100)	94 (93～95)
金沢	55 (15)	56 (30～77)	60 (48～56)
福岡	60 (14)	60 (34～82)	69 (62～74)

(文献4)より)

WHOが提唱する基準値は，かなり下方に設定されているものと推測される。逆にWHOの基準値を下回っている男性でも自然妊娠していることもあり，妊娠に必要な精子数，運動率を明確化することは困難である。

Q4：精液検査は一度受けるだけで十分ですか？

図1に示すのは，WHOがかつて公表した同一人物の精子濃度の変動である。これによれば，1億6,000万/mL以上のときもあれば，逆に高度乏精子症を呈するときもあったことを示している。

さまざまな因子が精液所見に関与しているが，なかでも禁欲期間の影響は大きい[5]。

以上のことから，禁欲期間を一定に保った形での複数回の検査が望まれている。最近でも，同一人物を2回精液検査した結果，1回目に異常と判定された男性でも，2回目の検査では約25％の割合で正常に戻っていること，逆に1回目に精液所見が正常であっても2回目の検査で異常になる割合も約25％であったことが報告されており，1回の検査では正しく診断できない[6]。

精液検査は3カ月以内に少なくとも2回施行し，2回の場合はその平均値，3回以上の場合はその中央値を採用するとされている。

表3 非内分泌療法の有効性

薬剤名	1日投与量	有効率(%)
ビタミンB₁₂	1,500〜3,000μg	35〜80
ビタミンE	150〜300mg	50〜70
八味地黄丸	7.5g	25〜45
補中益気湯	7.5g	40〜60
牛車腎気丸	5.0g	45〜65
人参養栄湯	5.0g	30〜50
カリクレイン	60〜600単位	40〜60

（文献9）より引用）

Q5：精子数が少ない，あるいは無精子症と診断された場合，どんな治療法があるのでしょうか？

薬物治療

　乏精子無力症に対する薬物治療については，内分泌療法と非内分泌療法に分けられる．一般にビタミン剤や漢方製剤を用いた非内分泌療法が先行される．これまでに報告されている有用性を表3にまとめた．内分泌療法はもっぱらゴナドトロピン療法が施行されている．

　また視床下部でのエストロゲン受容体を阻害することで，下垂体からゴナドトロピン分泌を促すクロミフェンを用いることもある[7]．ただし，精液所見の改善を目指した薬物治療は確かにいまだ経験的に行われているのが現状で，そのエビデンスレベルは低く，さらに治療に時間を要する．十分なインフォームドコンセントが必要となる．

外科的治療

　一方，精索静脈瘤に対する外科的治療や無精子症に対する精子採取術の有用性はよく知られている．非閉塞性症例であっても，顕微鏡下精巣内精子採取術を施行することで，2015年の全国調査では約34％で精子採取が可能であったと報告されている．専門医療機関で相談されることを期待する．

（辻村　晃）

参考文献

1) Tsujimura A, Hiramatsu I, Nagashima Y, et al : Erectile dysfunction is predictive symptom for poor semen in newlywed men in Japan. Sex Med 2020; 8: 21-9.
2) La Vignera S, Condorelli RA, Balercia G, et al : Does alcohol have any effect on male reproductive function? A review of literature. Asian J Androl 2013; 5: 221-5.
3) Sharma R, Harlev A, Agarwal A, et al : Cigarette Smoking and Semen Quality: A New Meta-analysis Examining the Effect of the 2010 World Health Organization Laboratory Methods for the Examination of Human Semen. Eur Urol 2016; 70: 635-45.
4) Iwamoto T, Nozawa S, Yoshiike M, et al : Semen quality of fertile Japanese men: a cross-sectional population-based study of 792 men. BMJ Open 3: pii:e002223. doi: 10.1136/bmjopen-2012-002223, 2013.
5) WHO laboratory manual for the examination of human semen and sperm-cervical mucus interaction. World Health Organization. Cambridge University Press, 1999.
6) Blickenstorfer K, Voelkle M, Xie M, et al : Are WHO Recommendations to Perform 2 Consecutive Semen Analyses for Reliable Diagnosis of Male Infertility Still Valid? J Urol 2019; 201: 783-91.
7) ElSheikh MG, Hosny MB, Elshenoufy A, et al : Combination of vitamin E and clomiphene citrate in treating patients with idiopathic oligoasthenozoospermia: A prospective, randomized trial. Andrology 2015; 3: 864-7.

無精子症症例

Q&A

Q1
主人が無精子症といわれました。
私たちは子どもをもつことができないのでしょうか？

A1 無精子症は，閉塞性無精子症と非閉塞性無精子症の2つに分けられます。この両者における妊娠率にはかなりの相違があり，閉塞性は正常な男性機能である場合とほぼ同じ体外受精による妊娠率を得ることができます。一方，非閉塞性の妊娠率はかなり低くなります。

Q2
閉塞性か非閉塞性か，どのようにして区別するのですか？
治療法はどのように変わりますか？

A2 ご自分でどちらか区別することは難しいと思いますが，一般的な所見として，閉塞性の場合は精巣の大きさ，硬さの両方が正常です。非閉塞性の場合は一般的には睾丸のサイズが小さく，硬さは柔らかくなります。もし，幼少時に両側の鼠径ヘルニアの手術をしている方は閉塞性の可能性が高くなります。非閉塞性の原因の多くは不明です。成人時における感染症後の高熱が原因とよくいわれますが，実際にはその頻度は高くないと考えられます。

Q3

遺伝子検査と染色体検査は必要でしょうか？

A3 染色体検査は染色体異常を調べるうえで必要であり，遺伝子検査（AZF微小欠失の検査）は，精巣内に精子が存在するかどうかを前もって予測できる点，男児が生まれた場合のカウンセリングなどに必要となります。

Q4

AZF染色体微小欠失と遺伝は，関係するのでしょうか？

A4 AZF染色体微小欠失は，男の子の場合にはほぼ100％同じ欠失が認められます。ただし，父親と同じ遺伝子欠失をもつ方が自然妊娠後，出産されたという報告もありますので，「遺伝」と「子どもができない」ことは一致しないこともあります。

Q5

顕微鏡下精巣内精子回収法（micro-TESE）で精子が認められなかった場合はどうなりますか？
もう子どもは望めないのでしょうか？

A5 そのような場合，世界中ほとんどの施設で「子どもをもつことは不可能」と診断され，第三者の提供精子を用いた治療を勧められます。しかし，方法がないわけではありません。高度な技術を要することから，施行可能な施設は限られていますが，円形精子細胞注入法（ROSI）とよばれている治療法があります。

Q6
円形精子細胞注入法(ROSI)とは，何でしょうか？

A6 ROSIとはround spermatid injectionの略で，精子になる前の円形精子細胞を卵子内に注入し，卵子と受精させる方法です。精巣内に精子がみつからず，円形精子細胞が最も発育した造精細胞である場合は，この方法が唯一妊娠するための治療法となります。

Q7
円形精子細胞注入法は，なぜ普及しないのですか？

A7 大きく分けて2つの理由があり，1つは円形精子細胞がほかの細胞（リンパ球等）とそっくりで区別をつけるのが容易ではないからです。
もう1つは，正常の精子と卵子が受精する際には精子より特殊な蛋白質が分泌され，この蛋白質が受精をするときに起きる卵活性化を起こす能力が円形精子細胞には不十分だからです。この活性化が不十分だと正常な受精は起こらず，胚の発生は止まってしまいます。
この2点を克服するためには，かなりの経験，知識と機器が必要となります。この方法をマスターするには時間がかなり必要となり，そのために普及しないのです。

Q1：主人が無精子症といわれました。私たちは子どもをもつことができないのでしょうか？

無精子症の頻度は正常な成人男性100人に1人の割合で認められるといわれている。その原因には閉塞性と非閉塞性に二分され，その比率は3：7から2：8である。

閉塞性無精子症

閉塞性無精子症の患者の精巣上体内には精子が貯留している。その穿刺は非常に容易であり，運動良好な精子が十分に獲得できる。これを凍結することにより体外受精ないしは顕微授精で，正常精子を用いた場合と同様の妊娠率を得ることができる。

非閉塞性無精子症

非閉塞性無精子症の場合，精巣内の造精能力は低下しており，精巣内精子がみつかる確率は約30〜40％で，その大半が不動精子，奇形精子であり，実際に妊娠可能な能力をもつ形態良好運動精子の割合は10〜20％と低くなり，臨床成績も閉塞性無精子症より低値となった[1]。

いずれの場合でも，顕微授精という技術で形態運動良好精子を認められれば，妊娠は十分可能である（表1）。

表1 凍結融解後の各種造精細胞の生存率（1999〜2014年，セントマザー産婦人科医院）

		円形精子細胞	後期精子細胞	精子	計
閉塞性無精子症		89.3%（109/122）	75.6%（31/41）	89.1%（49/55）	86.7%[a]（189/218）
非閉塞性無精子症	精子（+）	89.1%（147/165）	96.4%（80/83）	32.2%（73/227）	63.2%[b]（300/475）
	精子（-）	76.4%（81/106）	-	-	76.4%[a]（81/106）

a-b：$p<0.05$（Chi-squared test）

（文献1）より引用）

Q2：閉塞性か非閉塞性か，どのようにして区別するのですか？治療法はどのように変わりますか？

閉塞性か非閉塞性かは，触診と血中ホルモン検査，遺伝子検査，染色体検査の結果から診断する。

閉塞性無精子症

精巣内の造精機能は正常だが，精子を運ぶ精路（精細管・精巣上体・精管・精嚢・前立腺など）のいずれかが閉塞しているため，射出精液中に精子がいな

図1　精巣上体精子回収法(MESA)と顕微鏡下精巣内精子回収法(micro-TESE)の手技の様子

MESA
精巣上体にピペットを刺すだけで精子を採取することができる。

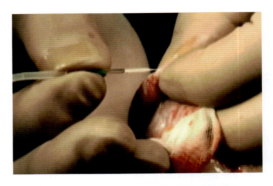

micro-TESE
顕微鏡下にて精子または精子細胞が見つかりそうな精細管を採取する。

い状態である。よって，**精巣の触診やホルモン検査ではほぼ正常な結果を示し，かつ精巣上体が腫大し硬くなっている**点が閉塞性の特徴である。

治療法

閉塞性の場合には**精巣上体精子回収法（MESA）**を行う。これにより，正常な精子を大量に採取できるので，これを凍結して顕微授精に用いれば，正常の射出精子を用いた場合と同様の成績が得られる（図1）。

なお，**精路再建手術**という泌尿器科における手術もある。パートナーが若く，顕微授精などの治療を希望しない場合，泌尿器科専門医による本手術を受けることを勧める。パートナーが年齢的にあまり余裕がなければ，MESAを勧める。

非閉塞性無精子症

睾丸は健全者と比較すると小さくて柔らかく，ホルモン値は異常値で，特に血中FSH値が10mIU/mL以上と高値を示す。

非閉塞性の治療法は，**顕微鏡下精巣内精子回収法（micro-TESE）**という外科的処置がある。これにより，精巣内から精子または精子細胞を顕微鏡下にて回収する（図1）。

筆者らの施設における臨床成績を**表2**に示す。

精巣上体精子回収法
（MESA）
microsurgical epididymal sperm aspiration

顕微鏡下精巣内精子回収法
（micro-TESE）
microdissection testicular sperm extraction

表2 MESA, micro-TESEにおける臨床成績（1999〜2014年, セントマザー産婦人科医院）

	MESA	micro-TESE	
		精子	精子細胞
妊娠率 (%)	33.5%[a] (1,187/3,542)	10.9%[b] (100/915)	20.9%[c] (863/4,122)
流産率 (%)	21.5%[d] (255/1,187)	22.0%[e] (22/100)	61.0%[f] (526/863)
出生率 (%)	25.1%[g] (889/3,542)	8.5%[h] (78/915)	9.0%[i] (371/4,122)

a-b, b-c, c-b, d-e, d-f, f-e, g-i, h-i, j-k, j-l: $p<0.05$

（文献1）より引用）

Q3：遺伝子検査と染色体検査は必要でしょうか？

閉塞性であれば必要ないが、筆者らの施設では、非閉塞性の場合は染色体検査とAZF微小欠失の検査を受けることを勧めている。染色体検査では、数的異常であるクラインフェルター症候群（47, XXY）や構造異常による転座などが認められ、無精子症の原因が判明する可能性がある。遺伝子検査では、欠失領域はa・b・c群に分けられ、a群とb群の欠失が認められた場合は、精子が認められる確率が非常に下がるためMD-TESEを勧めるが、c群の欠失であれば精子が存在する可能性がある。

また、たとえ精子が存在しないとしても、「精子になる前の精子細胞が存在する確率」と「AZF遺伝子の欠失」との関係性は不明なので、筆者らの施設では、治療を希望する患者には、遺伝子検査の結果にかかわらずMD-TESEを施行している。

Q4：AZF染色体微小欠失と遺伝は、関係するのでしょうか？

Y染色体長腕AZF領域微小欠失である場合は、ほぼ100％男児には遺伝するといわれている[2,3]。しかし、この欠失があればすべて無精子症になるという科学的な根拠はない。すなわち、無精子症の者をすべて検査しても、この欠失が認められる率は10％程度といわれており、微小欠失の遺伝と無精子症の発生との直接的な因果関係はいまだ不明なままである[4]。

無精子症の責任遺伝子としては多くの候補が挙げられており、性染色体のみならず、常染色体上にもその責任遺伝子が挙げられているが、その見解の一致は認められていない[5]。

図2 円形精子細胞注入法（ROSI）の手技

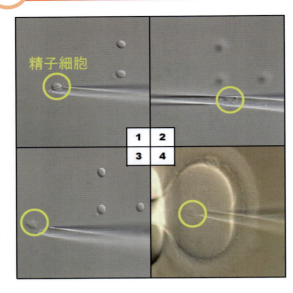

1：円形精子細胞をピペット内に吸引する。
2：ピペット内で核と細胞質が分裂する。
3：噴き出すと核と細胞質がバラバラになっているのがわかる。
4：卵子内に注入する。

Q5：顕微鏡下精巣内精子回収法（micro-TESE）で精子が認められなかった場合はどうなりますか？　もう子どもは望めないのでしょうか？

円形精子細胞注入法（ROSI）（図2）

　micro-TESEで精子が認められなかった場合は，一般的には子どもをもつことは不可能と診断されるが，しかし，事実は異なる。円形精子細胞という精子になる一歩手前の幼弱な細胞を用いて顕微授精を行うことにより，正常児を得る方法がある。この円形精子細胞を用いた顕微授精は，円形精子細胞注入法（ROSI）とよばれている[6]。

　ただし，ROSIは技術的にかなり高度なレベルを求められ，ほとんどの施設では不可能として諦められている。適切な技術を備えた施設であれば，妊娠・出産は十分可能である。

円形精子細胞注入法（ROSI）
round spermatid injection

Q6：円形精子細胞注入法（ROSI）とは，何でしょうか？

　円形精子細胞を顕微授精で卵子内に注入する方法のことである。手技は，一般的な卵細胞質内精子注入法（ICSI）（正常精子を卵子内に注入する方法）と同じであるが，円形精子細胞は名前のとおり丸い形をしており，正常精子（尻尾をもち，頭部先端が細長い）とは形態がまったく異なっている（図3）。

図3 精子と円形精子細胞の違い

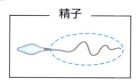
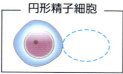

円形精子細胞には鞭毛（尻尾）が生えていないため，卵子内に注入するにはICSI（顕微授精）が必要である。

表3 ROSIの臨床成績（セントマザー産婦人科医院）

76カップルのROSIの臨床成績

受精方法	胚凍結	症例数	治療周期数	受精率（%）	分割率（%）	移植胚数	胚移植回数	割合			獲得生児
								妊娠	流産	分娩数	
ROSI	No	58	162	55.6 (330/594)	44.9 (267/594)	152	121	20 (16.5)	13 (65.0)	7 (5.8)	9
	Yes	28	42	76.4 (107/140)	71.4 (100/140)	56	42	10 (23.8)	5 (50.0)	5 (11.9)	5
TESE+ICSI	No	260	540	44.9 (833/1,855)	43.5 (807/1,855)	562	468	134 (28.6)	27 (20.1)	107 (22.9)	121
	Yes	140	295	68.2 (825/1,210)	65.3 (790/1,210)	377	290	174 (60.0)	14 (8.0)	160 (55.2)	176

（文献6）より引用）

　そのため，ほかの一般的な丸い細胞と区別がつかず，また，正常精子は卵子と受精する能力を十分にもっているが，円形精子細胞では不十分であるため，これを補助するための卵子活性化という技術が確立されていなければROSIは成功しない。そのため，ROSIの成功率は非常に低く，現在では不可能な治療法とみなされているが，筆者らの施設では，すでに300人以上の正常児が出産に至っている（表3）[6]。

　逆にいえば，①円形精子細胞を正確にみつける技術，②卵子活性化の技術，この両者の技術が備わった施設では成功する可能性は十分にあるということである。ただ，ROSIはいまだ完成された治療ではなく，正常精子を用いたICSIよりも，出産率はおよそ1/3の9％，流産率は3倍以上の30％と，改善すべき点がまだ多く残されている（図4）。

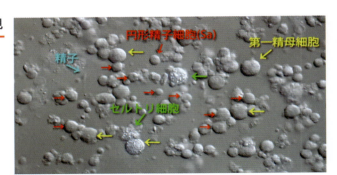

図4 精細管内の細胞所見

Q7：円形精子細胞注入法は，なぜ普及しないのですか？

　1996年，第1例目の報告が入った後の数年間は，世界中で多くの妊娠例が報告されていたが，妊娠例のほとんどは流産となり，出産例は10例にも及ばなかった[6]。この低い出産率のため，2000年以降，ROSIは臨床治療から姿を消している。しかし筆者らの施設では，この問題の解決のため，①円形精子細胞を正確にみつける技術，②卵子活性化の技術，この両者の研究を続け，世界で唯一，継続した出産例を報告している施設となった[6]。

①円形精子細胞を正確にみつける技術

　円形精子細胞をはじめとする精子に至るまでの細胞を造精細胞という。円形精子細胞は進化すると核が濃縮，偏在，形が細長くなる点から，鑑別が容易となり，鞭毛が生じた場合には，たとえ精子一歩手前でもさらに鑑別が容易となる。しかし，円形精子細胞の場合は，その所見が他の細胞の所見とはっきり区別がつかないため，正確にこの細胞を選ぶことは困難となる。

　円形精子細胞は精子細胞と同様，卵子に受精し，胎児の元となる胚をつくるが，そのためには染色体が通常の細胞の半分に減っていなければならない（減数分裂）。そのために間違った細胞（染色体数は円形精子細胞の倍）を入れた場合は染色体の数が正常の2倍となり，発生しなくなる。

　この技術の確立には，円形精子細胞の染色体数は他の細胞の半分（半数体）であることを利用する。形態学的違いに基づく円形精子細胞の鑑別と染色体検査を繰り返し，間違いなく円形精子細胞であることを実証し続けることにより，鑑別はほぼ完全であると裏付けることができる（図5）。

②卵子活性化の技術

　受精現象は，受精時に精子からsperm factorという卵子活性化因子が分泌され，細胞内のカルシウムオシレーションが起こることでスタートすると考えられている。円形精子細胞には，この卵子活性化能が正常精子に比べて非常に低いため，ROSIでは卵子の活性化を補う必要がある。

　卵子活性化を補うには，電気刺激やCalcium ionophore，ホスフォリパー

ゼCゼータ（PLCζ）などが研究されている。現在のところ，電気刺激が最も安定した成績であるが，さらに良好な結果につながるよう，今後も検討を続けていきたい。

将来，ROSIが非閉塞性の男性にとっての大きな福音となるため，筆者らはこの治療を全世界に普及させたいと考えている。

図5　精子発生と染色体数の推移

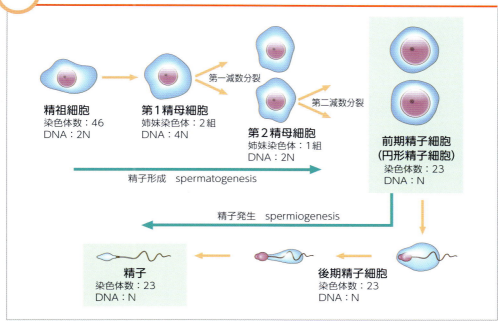

Column

無精子症の治療の進歩

筆者が医者になった頃，非閉塞性無精子症は不治の病といわれ，閉塞性無精子症は精管再建術が唯一の治療法であり，成績は非常に低値であった。その後，閉塞性の精巣上体より精子が回収できる治療法（MESA）が報告され[7]，1993年，Palermoらが顕微授精（ICSI）を開発し報告したことで，少数精子でも受精・妊娠が可能となった[8]。これにより，MESAの有用性が実証され，閉塞性の治療は一般的治療として定着しはじめた。

非閉塞性に関しては，1990年代後半より顕微鏡下に精細管を採取することで精巣内精子の回収率は高くなり，顕微授精につなげられることが報告された[9]。これらの技術の発展で，従来，非閉塞性の治療成績は数段高くなってきているが，まだ問題点は多く残されている。例えば，精巣内精子が獲得できたとしても，その大半が不動精子または奇形精子，もしくはすべて正常でないということがある。このような場合，造精機能が円形精子細胞の段階で止まっている症例と考え，ROSIしか挙児を得る方法は残されていない。

今後の課題としては，微小精巣内精子の凍結法の確立と，未成熟な精子または精子細胞を用いた際のエピジェネティックな異常のフォローアップ調査が挙げられる。

Column

極少数精子の凍結保存

　精子数が10個以下の極少精子数の適応は二通りある．一つ目はcryptozoospermiaで一般的な精子所見では無精子症と診断されているが，この精液に培養液を加えて遠心分離し試験管の底部に溜まったペレットを注意して見ると，2～3個の形態良好な運動精子を認めることがある．この状態をcryptozoospermiaと定義する．二つ目は，MD-TESEで精巣内精子が認められるが，非常に少ない場合である．これらの症例に対し凍結法は臨床的には行われていない．筆者らはこのような極少数精子の凍結を新しく開発し，良好な結果を得ている．

方法

　この方法のポイントは二つあり，一つ目は従来一般的に使われていた浸透型凍害保護液グリセロールを含まないシュークロスのみの凍害保護液を使う点，二つ目は精子を凍結する際に頭部からでなく尾部からピペットに吸引し，これを北里株式会社のcryotop先端の微小凍害保護液の中に顕微授精と同様に倒立顕微鏡下に注入し，このcryotopを直接液体窒素の蒸気内（－130℃）によって3分間で凍結，その後液体窒素の中に投漬する方法である．この方法を用いた回収率が97.8％，蘇生率が87.1％である．現在までに当法を用いて14名の生児を得ており，その出産児の予後調査を7年間行った結果，身体能力，認知能力に自然妊娠児との有意差は認められなかった[10]．

（田中　温）

参考文献

1) 田中　温ほか：当院における過去16年間の無精子症患者の治療成績．第34回日本受精着床学会・学術集会．2016-0915/16．p.180．
2) 中堀　豊，李　周遠，Ewis AAほか：Y染色体の多様性と男性表現型の関連．蛋白質・核酸・酵素 2001；46：2346-50．
3) 森　崇英，久保春海，岡村　均ほか：図説ARTマニュアル．p.321-8，永井書店（大阪），2002．
4) 粟田松一郎，田中　温，永吉　基ほか：無精子症患者への対応．産婦の世界 2004；56：229-37．
5) Okada H, Tajima A, Shichiri K, et al：Genome-wide expression of azoospermia testes demonstrates a specific profile and implicates ART3 in genetic susceptibility. PLoS Genet 2008；4：e26.
6) Tanaka A, Nagayoshi M, Takemoto Y, et al：Fourteen babies born after round spermatid injection into human oocytes. Proc Natl Acad Sci USA 2015；112：14629-34.
7) Patrizio P, Silber S, Ord T, et al：Two births after microsurgical sperm aspiration in congenital absence of vas deferens. Lancet 1988；2：1364.
8) Palermo G, Joris H, Devroey P, et al：Pregnancies after intracytoplasmic injection of single spermatozoon into an oocyte. Lancet 1992；340：17-8.
9) Schlegel PN, Palermo GD, Goldstein M, et al：Testicular sperm extraction with intracytoplasmic sperm injection for nonobstructive azoospermia. Urology 1997；49：435-40.
10) Ohno M, Tanaka A, Nagayoshi M, et al: Modified permeable cryoprotectant-free vitrification method for three or fewer ejaculated spermatozoa from cryptozoospermic men and 7-year follow-up study of 14 children born from this method. Human Reproduction 2020；35(5)：1019-28.

潜在性甲状腺機能低下症

Q1
母体や胎児の甲状腺ホルモンは，妊娠の前後でどう変化しますか？

A1 甲状腺ホルモンは，妊娠後に胎盤から分泌するホルモンhCGの影響で軽度上昇した後に低下します。妊娠後変動があるため，妊娠前からコントロールが必要です。

Q2
潜在性甲状腺機能低下症は，妊娠前に治療をしないと不妊治療に影響しますか？

A2 甲状腺ホルモンは妊娠における卵胞発育，受精，胚発育，着床において働いていると考えられています。治療することで生児を得られる率は上昇する可能性が高いです。

Q3

潜在性甲状腺機能低下症は，妊娠前に治療をしないと妊娠中にどのような影響がありますか？

A3 甲状腺ホルモンは妊娠後，生理的に低下します。甲状腺ホルモンは胎児の脳・神経発達・胎盤形成と密接にかかわっているため，無治療の場合に流・早産などの合併症のリスクが上がり，また出生した児の知能に影響する可能性が否定できません。

Q4

潜在性甲状腺機能低下症で，子宮卵管造影検査（HSG）を行うとどうなりますか？

A4 子宮卵管造影検査を行うと，造影剤の影響で甲状腺機能が低下することがあります。そのため，顕性甲状腺機能低下症を発症する可能性があります。

Exposition

甲状腺ホルモンが正常で甲状腺刺激ホルモン（TSH）のみが高値である潜在性甲状腺機能低下症は，軽視されることがあるが，妊娠予後に大きく影響する可能性があり，不妊治療において非常に重要である。実際の，妊娠を希望する潜在性甲状腺機能低下症の患者からの質問例に沿って，その治療方針を検討する。

Q1：母体や胎児の甲状腺ホルモンは，妊娠の前後でどう変化しますか？

女性は妊娠すると，胎盤から分泌されるhCGの影響で，甲状腺から遊離サイロキシン（FT_4）の分泌が軽度増加し，ネガティブフィードバックによりTSHは抑制される。その後TSHが正常基準値に戻り，FT_4が低下する（図1）[1]。

胎児甲状腺が働き始めるのは妊娠3〜4カ月ころからであり，それまでは母体から移行する甲状腺ホルモンに依存している。母体のFT_4が正常でも潜在性甲状腺機能低下症の場合，妊娠後の生理的なFT_4低下により，胎児への甲状腺ホルモンの供給が不足し，妊娠後の合併症が発症する可能性がある[2]。

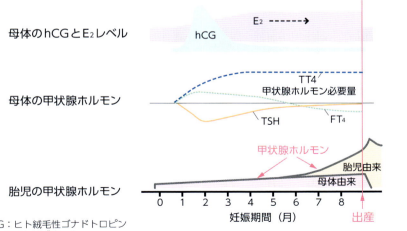

図1　妊娠中の母体と胎児の甲状腺ホルモンの推移

妊娠するとhCGの影響で甲状腺からFT_4の分泌が軽度増加し，ネガティブフィードバックでTSHは抑制される。その後，TSHが正常化し，FT_4が低下する。

hCG：ヒト絨毛性ゴナドトロピン
E_2：エストラジオール
FT_4：遊離サイロキシン
TSH：甲状腺刺激ホルモン

（文献1）より引用）

Q2：潜在性甲状腺機能低下症は，妊娠前に治療をしないと不妊治療に影響しますか？

　潜在性甲状腺機能低下症が不妊症の原因となるかは，いまだ議論がある。生殖補助医療における潜在性甲状腺機能低下症に対するレボチロキシン補充に関する無作為化比較試験では，主に受精率と着床率，流産率が有意に改善し，生児獲得率が上昇している[3,4]。

　妊娠前にレボチロキシンの治療の対象となる基準は，TSH値2.5〜4.5μU/mLでかつ甲状腺ペルオキシダーゼ抗体（TPO-Ab）陽性もしくはTSH値4.5μU/mL以上である。

潜在性甲状腺機能低下症の妊娠への影響

　甲状腺ホルモンは卵巣における卵胞発育やその後の受精，胚発育，着床において働いており，潜在性甲状腺機能低下症はこれらに影響し女性の妊孕能を低下させる可能性がある[5,6]。

　また，妊娠後に生理的に甲状腺ホルモンが低下するため，母体から胎児への甲状腺ホルモンの移行が不足し，流産率が上昇する可能性がある。

子宮卵管造影検査（HSG）の甲状腺への影響

　潜在性甲状腺機能低下症は無治療で子宮卵管造影検査（HSG）を行うと，使用する造影剤のヨウ素の影響で，高率に顕性甲状腺機能低下症となる可能性があり，検査前から治療介入しておく必要がある[7]。

Q3：潜在性甲状腺機能低下症は，妊娠前に治療をしないと妊娠中にどのような影響がありますか？

　妊娠中，甲状腺ホルモンは胎児の脳・神経発達や胎盤形成と密接にかかわっており，胎児への甲状腺ホルモンの供給が不足すると妊娠後の合併症へ直結する[2]。母体の潜在性甲状腺機能低下症，特に甲状腺自己抗体を伴う橋本病は，妊娠中の流産・早産，妊娠高血圧症候群，胎児発育不全，常位胎盤早期剥離などの合併症，さらには周産期死亡の発症率が上昇する[8]。また胎児への甲状腺ホルモンの移行が不足すると，出生した児の知能に影響し，IQが低下する可能性があると報告されている[9,10]。

Q4：潜在性甲状腺機能低下症で，子宮卵管造影検査（HSG）を行うとどうなりますか？

　不妊症のスクリーニングにおいて，HSGは卵管疎通性と子宮内腔の形態を

確認するために必須の検査であり，検査後卵管が通過し妊娠する治療的な効果もある。しかしHSGを行うと油性造影剤により血中ヨウ素濃度が上昇し，ヨウ素が直接妊娠に影響することはないが，過剰なヨウ素はTSH値を上昇させ，甲状腺機能が低下することが懸念される。

　HSG施行後の血中ヨウ素濃度のピークは4週間後で，24週間後も影響が残っている。これに伴いTSH値は4〜12週でピークとなる[11]。甲状腺機能正常の女性がHSGを施行した場合，約15％に潜在性甲状腺機能低下症を認めた。また潜在性甲状腺機能低下症の女性では30〜40％が顕性甲状腺機能低下症を発症した（図2）[7]。つまり潜在性甲状腺機能低下症は，HSGの影響で高率に顕性甲状腺機能低下症へ移行する。

　妊娠前にHSGを施行する場合，甲状腺ホルモンを先に測定し，異常を認めれば治療したうえで行うべきである。

図2　子宮卵管造影検査（HSG）の潜在性甲状腺機能低下症への影響

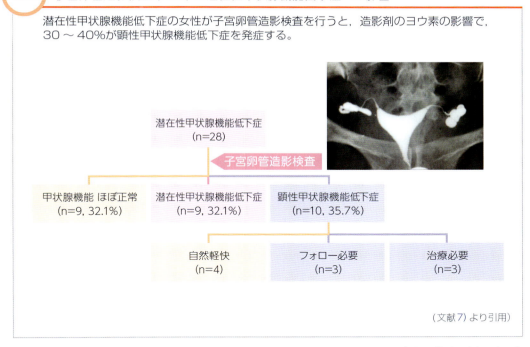

潜在性甲状腺機能低下症の女性が子宮卵管造影検査を行うと，造影剤のヨウ素の影響で，30〜40％が顕性甲状腺機能低下症を発症する。

(文献7)より引用)

（黒田雅子，黒田恵司）

参考文献

1) Panesar NS, Li CY, Rogers MS : Reference intervals for thyroid hormones in pregnant Chinese women. Ann Clin Biochem 2001 ; 38 : 329-32.
2) Morreale de Escobar G, Obregón MJ, Escobar del Rey F : Is neuropsychological development related to maternal hypothyroidism or to maternal hypothyroxinemia? J Clin Endocrinol Metab 2000 ; 85 : 3975-87.
3) Velkeniers B, Van Meerhaeghe A, Poppe K, et al : Levothyroxine treatment and pregnancy outcome in women with subclinical hypothyroidism undergoing assisted reproduction technologies: systematic review and meta-analysis of RCTs. Hum Reprod Update 2013 ; 19 : 251-8.
4) Cramer DW, Sluss PM, Powers RD, et al : Serum prolactin and TSH in an in vitro fertilization population: is there a link between fertilization and thyroid function? J Assist Reprod Genet 2003 ; 20 : 210-5.
5) Colicchia M, Campagnolo L, Baldini E, et al : Molecular basis of thyrotropin and thyroid hormone action during implantation and early development. Hum Reprod Update 2014 ; 20 : 884-904.
6) Fedail JS, Zheng K, Wei Q, et al : Roles of thyroid hormones in follicular development in the ovary of neonatal and immature rats. Endocrine 2014 ; 46 : 94-604.
7) Mekaru K, Kamiyama S, Masamoto H, et al : Thyroid function after hysterosalpingography using an oil-soluble iodinated contrast medium. Gynecol Endocrinol 2008 ; 24 : 498-501.
8) van den Boogaard E, Vissenberg R, Land JA, et al : Significance of (sub)clinical thyroid dysfunction and thyroid autoimmunity before conception and in early pregnancy: a systematic review. Hum Reprod Update 2011 ; 17 : 605-19.
9) Haddow JE, Palomaki GE, Allan WC, et al : Maternal thyroid deficiency during pregnancy and subsequent neuropsychological development of the child. N Engl J Med 1999 ; 341 : 549-55.
10) Alexander EK, Pearce EN, Brent GA, et al : 2017 Guidelines of the American Thyroid Association for the Diagnosis and Management of Thyroid Disease During Pregnancy and the Postpartum. Thyroid 2017 ; 27 : 315-89.
11) Kaneshige T, Arata N, Harada S, et al : Changes in serum iodine concentration, urinary iodine excretion and thyroid function after hysterosalpingography using an oil-soluble iodinated contrast medium (lipiodol). J Clin Endocrinol Metab 2015 ; 100 : E469-72.

血栓性疾患由来の不育症

Q&A

Q1
血栓性疾患とは，どのようなものですか？

A1 血栓性疾患とは，血を固まり過ぎないように抑える凝固抑制因子の機能がなんらかの理由でうまく働かない状態となり，過剰に血液の塊（血栓）をつくり，病気として発症する疾患です。

Q2
血栓性疾患をもっていると，どのような経過で不育症となるのですか？

A2 血栓性素因をもっている場合，静脈や動脈に血栓ができやすくなります。その結果，血管が塞がれてしまった場合，それより下流への酸素の供給が行われなくなります。妊娠初期の場合，流産を繰り返したり，妊娠の経過とともに胎児の発育成長が妨げられたり，妊娠20週以降，血圧が上昇し，蛋白尿があらわれる状態（妊娠高血圧症候群）を引き起こし，不育症となります。

Q3

血栓性疾患だと，どうして不育症になるのですか？

A3 原因の一つに，母体の血液と胎児の血液の酸素栄養を交換する場所（胎盤）に，その機能を妨げる病的状態が起こっている可能性が挙げられています。免疫に関連した機序とともに，血栓性素因により血栓が胎盤で形成され，十分な血液の循環酸素化が妨げられることで流産を繰り返したり，胎児の発育成長が妨げられたり，母体の血管や腎臓を傷害し血圧を上昇させ蛋白尿を引き起こすことが推測されています。

Q4

血栓性疾患は，どのように診断されますか？

A4 各種の凝固抑制因子の低下は血液検査で確認します。特に抗リン脂質抗体症候群では，それまでの臨床症状と血液検査を診断基準に照らし合わせて診断します。

Q5

無事に妊娠，出産するために，何か対策はありますか？

A5 現在，血栓性素因の背景をもつ不育症で，明らかに有効とされる予防的薬物治療は，持続的に抗体が陽性の抗リン脂質抗体症候群を合併している妊娠に対する低用量アスピリンの内服とヘパリン注射薬の併用療法のみです。

Exposition

　血栓性疾患は，凝固反応に関連する因子（量または活性）の低下または欠損により引き起こされた動静脈の血栓疾患である。代表的な疾患としてはプロテインS，抗リン脂質抗体症候群がある。

Q1：血栓性疾患とは，どのようなものですか？

　血管が損傷を受けると出血するが，人の体にはそれを止めようとする力が備わっている（止血）。「血小板」や「凝固因子」とよばれる血液中の成分が血管の損傷部位で「糊」のような役割をなし，止血をしていく。止血は連続した反応（凝固因子の活性化）によりできているが，一方で，固まり過ぎないようにその働きを抑える物質「凝固抑制因子」や機能が備わっており，適切に止血反応は止まる。

　血栓性疾患とはこうした血を固まり過ぎないように抑える凝固抑制因子の機能がなんらかの理由でうまく働かない状態となり，過剰に血液の塊（血栓）をつくり，病気として発症するものを「血栓性疾患」とよぶ（図1）。動脈血栓は動脈内で形成される血栓で白色血栓ともよばれ，血小板血栓が主体である。静脈血栓は静脈内で形成される血栓で赤色血栓ともよばれ，フィブリン血栓が主体である。

　代表的な凝固抑制因子が低下した疾患はプロテインSである（図2）。また，原因は十分に解明されていないが，抗リン脂質抗体が存在する患者では血栓ができやすいことがわかっている[1〜3]。

図1　血栓の形成

血栓形成の原因として血管壁の性状の変化，血液成分の変化，血流の変化が挙げられる。

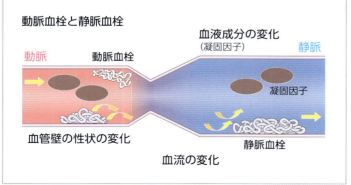

図2 血液凝固と凝固抑制因子

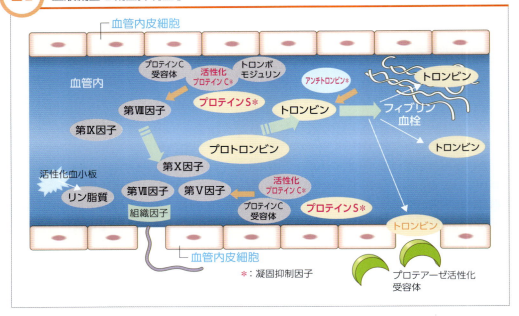

Q2：血栓性疾患をもっていると，どのような経過で不育症となるのですか？

　血栓性疾患を起こしやすいことを，「血栓性素因をもっている」という。生まれつき凝固抑制因子が不足している場合や凝固抑制が起きにくくなる抗体（抗リン脂質抗体）などをもっている場合，静脈や動脈に血栓ができやすくなる。その結果，血管が塞がれてしまった場合，それより下流への酸素の供給が行われなくなったり，肺での酸素化ができなくなったりすることから，全身での酸素不足に陥る重篤な状態となる（深部静脈血栓症，肺血栓塞栓症）。

　一方，こうした全身の症状を伴わない場合でも，妊娠初期の流産を繰り返したり，妊娠の経過とともに胎児の発育成長が妨げられたり，妊娠20週以降，血圧が上昇し，蛋白尿があらわれる状態（妊娠高血圧症候群）を引き起こす場合もある。その結果，血栓性素因がある場合，母体外での児の発育が困難となる不育症という状態と関連があるとする研究が多く報告されている[4]。

Q3：血栓性疾患だと，どうして不育症になるのですか？

　血栓性疾患と不育症の関連性について，多くの研究がなされ，多くの説が発表されているが，すべてが解き明かされているわけではない。その原因の一つに，母体の血液と胎児の血液の酸素栄養を交換する胎盤に，その機能を妨げる病的状態が起こっている可能性が挙げられている。免疫に関連した機序ととも

に，血栓性素因により，血栓が胎盤で形成され，十分な血液の循環酸素化が妨げられることで，流産を繰り返したり，胎児の発育成長が妨げられたり，母体の血管や腎臓を傷害し血圧を上昇させ蛋白尿を引き起こすことが推測されている。

Q4：血栓性疾患は，どのように診断されますか？

　抗リン脂質抗体症候群では，それまでの臨床症状と血液検査を診断基準に照らし合わせて診断する。ただ，抗リン脂質抗体はいろいろな種類の抗体の総称であり，その診断法や治療も今後の研究でさらに新たな発見がある可能性がある。

　また，すでに報告されている各種凝固抑制因子の低下は血液検査によりなされる。ただし，プロテインSの低下は妊娠中ではよくみられることなので，慎重に判断する必要がある。

Q5：無事に妊娠，出産するために，何か対策はありますか？

　現在，世界的に，血栓性素因の背景をもつ不育症で，明らかに有効とされる予防的薬物治療は，抗リン脂質抗体症候群を合併している妊娠に対して行う低用量のアスピリンとヘパリン注射薬の併用療法のみであるとされている[5]。

　プロテインS欠乏症では，アンチトロンビン欠乏症と異なり凝固因子補充療法はなく，ヘパリン等の抗凝固療法が用いられる。プロテインC欠乏症も同様だが，敗血症による二次性欠乏症では活性化プロテインCの投与，トロンボモジュリンやヘパリン等の抗凝固療法が用いられる。

（杉村　基）

参考文献

1) Vogt E, Ng AK, Rote NS：A model for the antiphospholipid antibody syndrome: monoclonal antiphosphatidylserine antibody induces intrauterine growth restriction in mice. Am J Obstet Gynecol 1996; 174: 700-7.
2) Sugimura M, Kobayashi T, Shu F, et al：Annexin V inhibits phosphatidylserine- induced intrauterine growth restriction in mice. Placenta 1999; 20: 555-60.
3) Shu F, Sugimura M, Kanayama N, et al：Imunohistochemical study of annexin V expression in placentae of preeclampsia. Gynecol Obstet Invest 2000; 49: 17-23.
4) Simcox LE, Ormesher L, Tower C, et al：Thrombophilia and Pregnancy Complications. Int J Mol Sci 2015; 16: 28418-28.
5) Hamulyák EN, Scheves LJJ, Marijsen MC, et al：Aspirin or heparin or both for improving pregnancy outcomes in women with persistent antiphospholipid antibodies and recurrent pregnancy loss. Cochrane database Syst Rev 2020; 5(5): CD012852.

原因不明不育症

Q&A

Q1
繰り返す流産の原因がわからないのであれば，もう妊娠は諦めたほうがよいでしょうか？

A1 諦める必要はありません。原因がわからなくても不育症に対する治療を行うことで，80％以上の患者さんが出産できています。

Q2
今まで2回流産を繰り返していますが，今後どうすればよいでしょうか？

A2 2回の流産であれば，無治療でも75〜80％の患者さんが出産できています。まず不育症の検査を行いましょう。

Q3
今まで5回流産しましたが，不育症の検査で何もみつかりませんでした。今後どうすればよいでしょうか？

A3 無治療でも約50％の方が出産できます。ただし流産回数が多い場合，胎児側の問題ではなく母体側に問題があることも多く，一般的な不育症検査ではわからないリスク因子があるかもしれませんので，さらなる精査を行いましょう。また，原因が見つからない場合は，ビタミンDサプリメントやプロゲステロン製剤などの治療も検討してみましょう。40歳以上であれば，積極的な不妊治療も考慮しましょう。

Q4

現在40歳で，3回連続流産をしました。妊娠・出産できますか？

A4

年齢とともに妊娠率は低下し流産率も上昇するため，40歳の不育症の方が積極的な不妊治療を行わない場合，約40％の方しか出産できません。不妊治療も考慮してください。

Q5

不育症について，やれることはなんでもやりたいのですが，治療法はありますか？

A5

肥満，喫煙やカフェインの大量摂取，精神的なストレスは流産との関連性があります。生活習慣を整え，次回の妊娠の不安をなるべく考えず，心配なことがあれば医師に相談しましょう。プラセボ効果かもしれませんが，ビタミンDサプリメントやプロゲステロン製剤を使用することも検討しましょう。

Q6

次回，流産したときは，今後どうすればよいでしょうか？

A6

必ず絨毛染色体検査で胎児の異常の有無を確認しましょう。染色体検査で異常が確認できるのであれば，このまま同じ治療を継続し，正常であれば再度治療方針について医師と相談しましょう。

Exposition

> 不育症の約半分は流産のリスク因子が不明である。そのため，治療法の選択に苦慮する。実際の原因不明不育症を含むリスク因子が不明な流産既往患者からの質問例に沿って，その治療方針を検討する。

Q1：繰り返す流産の原因がわからないのであれば，もう妊娠は諦めたほうがよいでしょうか？

　3〜4回流産している症例では，無治療でも約60〜70％は妊娠を継続している。ただし5回以上流産をしている不育症症例では，無治療では流産率が50％を超え，絨毛染色体検査を行っても正常である可能性が高くなる（**表1**）[1]。そのため，医療介入が必要である。厚生労働省不育症班研究の結果でも，治療を進めることで80％以上の患者が生児を獲得できている[2]。

　必ず厳密に検査を行ったうえで，80％以上の患者で生児獲得ができることを伝え患者の精神的な負担を取り除き，治療を進めることが重要である。

表1 流産回数と無治療時の次回生児獲得率

流産回数	次回生児獲得率
1回	85〜90％
2回	75〜80％
3回	65〜70％
4回	60〜65％
5回	50〜55％
6〜7回	30〜35％
8回以上	30％以下

（文献1）より引用）

Q2：今まで2回流産を繰り返していますが，今後どうすればよいでしょうか？

　2回の流産であれば，無治療でも75〜80％は妊娠継続している（**表1**）[1]。無治療で再度妊娠をトライしてもよいし，できれば一度スクリーニング検査を行う。

Q3：今まで5回流産しましたが，不育症の検査で何もみつかりませんでした。今後どうすればよいでしょうか？

　5回の流産既往の不育症患者は，無治療で生児獲得率は約50％である（表1）。ただし流産回数が多い場合，絨毛染色体検査が正常であることが多く，一般的な不育症のスクリーニング検査ではわからない母体側のリスク因子があるかもしれない。

追加の検査

　そのため追加の精査として，母体免疫に関する血中ナチュラルキラー（NK）細胞活性，Th1/Th2細胞，検査していなければ25（OH）ビタミンD（貯蔵型ビタミンD）の測定を検討する。

　また，メチレンテトラヒドロ葉酸還元酵素（MTHFR）の遺伝子多型を伴う葉酸不足や高ホモシステイン血症も流産と関与しているため，その測定も検討する。

　さらには，慢性子宮内膜炎は流産と強く関係していることがわかってきているため，子宮内膜組織生検を行い，CD138免疫染色で慢性子宮内膜炎の有無を確認する方法もある。

➡「慢性子宮内膜炎」(p.312) 参照

　また，積極的な精神的なサポートと医療介入が必要である。

プロゲステロン投与

　プロゲステロンは，子宮内膜脱落膜化に必須のホルモンであり，異常増加した子宮NK細胞を抑制し，かつ妊娠にとって重要なTh2細胞優位にすることから，プロゲステロン製剤を投与してみてもよい。投与する場合は，通常排卵後から妊娠12週まで投与する。またビタミンDが不足していればビタミンDサプリメントを推奨する。

　その明確な効果は証明されていないが，不育症患者の場合，プラセボ効果も期待できる。ただし，何度も流産を繰り返すと年齢的に流産率も上昇し，妊娠率も低下するため，40歳以上の高齢女性では不妊治療も考慮する必要がある。

Q4：現在40歳で，3回連続流産をしました。妊娠・出産できますか？

　加齢とともに妊娠率は低下し，流産率は上昇する。初診時の年齢が30歳未満であれば，5年で80％以上の患者が生児獲得できており，加齢の影響をほとんど受けていない。しかし，5年の累積生児獲得率は30～34歳なら約70％，35～39歳なら約60％だが，40歳以上では流産率も40％以上となるため，累積生児獲得率はわずか40％しかない（図1）[3]。

　40歳以上の不育症患者は，生殖補助医療を含めた不妊治療を考慮すべきである。また適応があれば，体外受精で着床前スクリーニングを行うことも検討する必要がある。

➡「着床前診断（PGT-A, PGT-SR）」(p.208) 参照

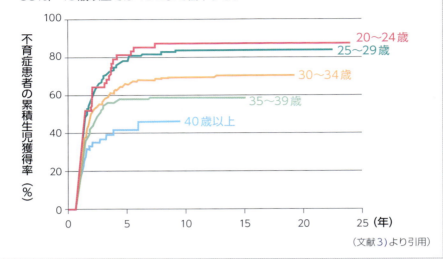

図1 不育症女性の初診時の年齢と累積生児獲得率

加齢とともに妊娠率は低下し流産率は上昇するため，30歳未満であれば5年で80％以上生児獲得できるが，30〜34歳では約70％，35〜39歳では約60％，40歳以上では40％まで低下する。

（文献3）より引用）

Q5：不育症について，やれることはなんでもやりたいのですが，治療法はありますか？

　肥満，喫煙，大量カフェイン摂取，ストレスなどは流産と関連性があり，患者によく問診する必要がある。肥満であればダイエットや適度な運動を勧め，禁煙などで生活習慣を整えることが大切である。

　また，次回の妊娠の不安など，ストレスを取り除けるよう，医師などに相談しやすい環境を整えることも重要である。

　定期的な診察に加えて，前述のとおりプラセボ効果かもしれないが，ビタミンDサプリメントやプロゲステロン製剤を使用してみてもよい。ステロイド製剤や低用量アスピリンは着床を阻害する可能性があるため，投与するなら着床時期を超えてから（排卵後1週間以降）投与することを勧める。

　さらに高齢女性であれば，女性の年齢に伴う受精卵の染色体異常の発生率の上昇が懸念される。適応があれば，体外受精で着床前スクリーニングを行うことも検討する必要がある。

Q6：次回，流産したときは，今後どうすればよいでしょうか？

絨毛染色体検査

　不育症に対し治療やサポートを行ってきたにもかかわらず，流産してしまっ

た場合，必ず絨毛染色体検査で胎児の異常の有無を確認し，その流産の原因が母体側か胎児側かを検討すべきである。流産後の治療計画を図2に示す。

染色体異常がある場合

　絨毛染色体検査で数的異常を認めるようであれば，回避できない流産であるため，現在の治療を継続すべきである。数的異常に伴う流産は，着床前スクリーニングで避けることが可能である。適応があり体外受精も行う方であれば，着床前スクリーニングを行うことも検討する必要がある。また不均衡型転座を認め，カップルの染色体検査を行っていなければ，一度検査することを勧める。

染色体異常がない場合

　染色体検査で正常であった場合は，その治療方針を再検討する必要がある(図2)[4]。

図2　不育症患者の流産後の治療計画

不育症に対し治療を行ったにもかかわらず流産してしまった場合，必ず絨毛染色体検査で胎児の異常の有無を確認し，今後の治療計画を立てる必要がある。

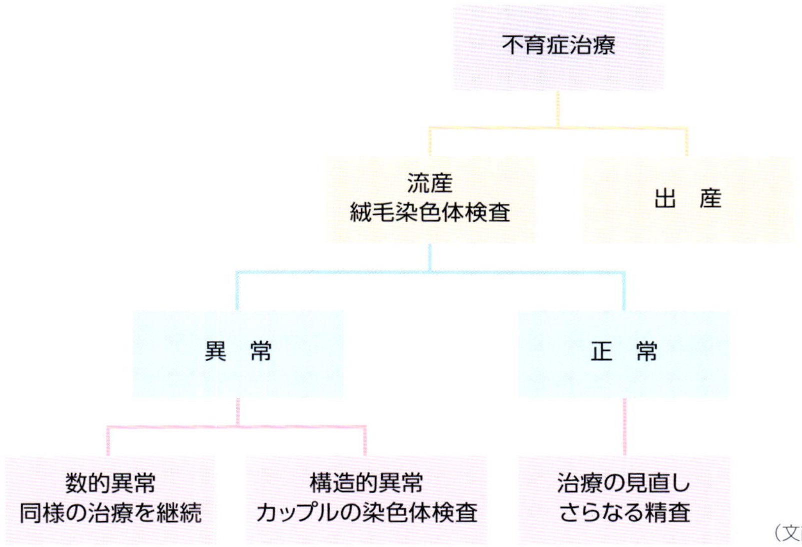

```
            不育症治療
           /         \
      流産              出産
   絨毛染色体検査
      /    \
   異常      正常
   /   \       \
数的異常  構造的異常  治療の見直し
同様の治療を継続 カップルの染色体検査  さらなる精査
```

（文献4)より作成）

（黒田恵司）

参考文献

1) Ogasawara M, Aoki K, Okada S, et al：Embryonic karyotype of abortuses in relation to the number of previous miscarriages. Fertil Steril 2000; 73: 300-4.
2) Morita K, Ono Y, Takeshita T, et al：Risk Factors and Outcomes of Recurrent Pregnancy Loss in Japan. J Obstet Gynaecol Res 2019; 45: 1997-2006.
3) Lund M, Kamper-Jørgensen M, Nielsen HS, et al：Prognosis for live birth in women with recurrent miscarriage; what is the best measure of success? Obstet Gynecol 2012; 119: 37-43.
4) 日本産科婦人科学会・日本産婦人科医会編：CQ204反復・習慣流産患者の診断と取り扱いは？　産婦人科診療ガイドライン―産科編2014，日本産科婦人科学会，2014, p119-24.

胚（受精卵）・卵子・精子・卵巣組織凍結保存

Q&A

Q1

精子・卵子などの配偶子，および胚（受精卵）凍結のリスクはありますか？
また，胚凍結に比べ，卵子凍結は成績が悪いと聞きましたが，本当ですか？

A1 現時点では，凍結保存自体による大きな問題は報告されておりません。しかしながら，今後，数世代にわたる調査により，未知の問題が明らかになってくる可能性はあります。

また，顕微授精が必要となる可能性が高く，体外受精それ自体のリスクは存在します。

解凍後の未受精卵子すべてが生存し，かつ受精できるわけではなく，特に年齢が高くなれば，卵子の質が低下することにより，良い受精卵が得られなくなるのみならず，耐凍能（凍結に耐える力）も低下するため，融解後の生存率も低下してしまうことには注意が必要です。

Q2

がん生殖医療において，化学療法前の卵子凍結と卵巣凍結との違いについて教えてください。また，それらのリスクはどのようなものですか？

A2

卵子凍結保存は，通常の体外受精と同じ方法を用い，卵巣刺激・採卵・凍結保存を行います。一方，卵巣凍結保存は，卵巣の摘出・凍結を必要とするため，全身麻酔下の手術が必要となりますが，初経前の小児など，採卵が困難な場合にも行うことが可能です。

しかしながら，卵巣自体に腫瘍細胞の転移などが想定される場合は，移植自体が難しい場合も考えられます。原疾患の担当医，および生殖担当医と相談してください。

Q3

「社会的卵子凍結」とは，どのようなものですか？

A3

主に加齢に伴う妊孕能低下（いわゆる卵子の老化）に対し，若年時の卵子を凍結保存しておくことにより，妊孕能を温存する，という考え方です。米国のフェイスブック社やアップル社は，女性従業員に対し卵子凍結保存の費用を会社として負担すると発表していますが，日本産科婦人科学会の会告では，①将来，妊娠できる可能性は高くはなく，有用性がはっきりしていない，②女性が妊娠を先送りすると出産年齢が上がり，医学的なリスクが高まる，として推奨はされておりません。

Exposition

2013年には，米国生殖医学会（ASRM）は，卵子凍結保存は，「もはや臨床研究ではなく，治療である」とのガイドラインを発表しており，日本生殖医学会，日本産科婦人科学会も，医学的適応による未受精卵子および卵巣組織の採取・凍結・保存に関する見解を発表した。これは"oncofertility"という分野であり，リプロダクティブヘルス＆ライツの観点から，がんサバイバーのQOLの重要事項として考えられるようになってきた。

さらには，自身のキャリアのための「社会的卵子凍結」も話題となっている。

Q1：精子・卵子などの配偶子，および胚（受精卵）凍結のリスクはありますか？ また，胚凍結に比べ，卵子凍結は成績が悪いと聞きましたが，本当ですか？

イタリアでは，宗教的理由により，胚凍結が認められておらず，通常の生殖補助医療（ART）診療で卵子凍結が広く行われており，ガラス化凍結法の有用性が示唆されている[1]。米国生殖医学会（ASRM）は，卵子凍結保存について，凍結保存された卵子と，新鮮卵子との比較において，その受精率，出産率がほぼ同等であるとの見解により，卵子凍結保存技術は，「もはや臨床研究ではなく，治療である」とのがイドラインを発表した[2]。

特に，がん治療などの副作用による妊孕能廃絶回避のためには，その治療前にこの方法についてのカウンセリングを行うべきである，としており，欧州生殖医学会（ESHRE）においても，タスクフォースの結論として，同様の声明を発表している[3]。

Q2：がん生殖医療において，化学療法前の卵子凍結と卵巣凍結との違いについて教えてください。また，それらのリスクはどのようなものですか？

未受精卵凍結は，通常の体外受精の方法で採卵を行い，凍結を行うものである。採卵自体，卵巣刺激による卵巣過剰刺激症候群や，採卵時の麻酔のリスク，穿刺に伴う出血や感染のリスクもあり，担癌患者への採卵・卵巣凍結を行う場合の手術リスクは無視できない。パートナーがいる女性であれば，胚凍結を行っておくことも考えられるが，胚凍結は法的婚または，内縁であることが原則であり，例えば，離婚後はすべて廃棄処分となり，絶対不妊になる危険性を孕む。

表1 卵子凍結保存と卵巣凍結保存

卵子凍結保存	卵巣凍結保存
・超音波下に採卵し，未受精卵を凍結保存する。 ・体外受精が必要。 ・卵のみを凍結するため，腫瘍細胞の混入はない。	・全身麻酔下，腹腔鏡下に卵巣を摘出し，保存する。 ・再移植後，自然妊娠も期待できる。 ・月経の再開も期待できる。 ・腫瘍細胞の再移植のリスクは否定できない。

　初経前など，採卵が困難な場合，腹腔鏡で卵巣摘出を行い，卵巣組織凍結保存を行うことが考えられるが[4,5]，将来，保存した卵巣組織を使用する際には腫瘍の再移植も懸念されるため，腫瘍の卵巣親和性により，適応疾患は慎重に選択すべきである。ただし，凍結された卵巣から取り出した未成熟卵子を用いた体外受精の可能性も考えられ，特に小児などにおいては，将来的な技術革新の可能性を期待し，あえて保存することも可能とは思われる（**表1**）。

　また，現時点での卵巣機能に依存するため，すでに機能廃絶が予測される患者には適応できない。

　いずれにせよ，どのような妊孕能温存方法を用いても，妊娠・出産が確約できるものではないことを十分に説明し，養子縁組などのその他の選択肢についても，提示しておくべきであると考える。

Q3：「社会的卵子凍結」とは，どのようなものですか？

　子どもを産み，育てるための経済的な基盤を考えた場合，また，自身のキャリア継続のため，妊孕能が保たれている若年での卵子を凍結保存しておきたい，という希望自体は，社会的な背景によるものであり，フランス，ドイツ，スペインや，晩婚・晩産化が進むわが国を含む先進国において，選択肢の一つとしての可能性が示されている[6]。また，40歳を過ぎてから子どもをつくろうとする場合には，37歳までに卵子凍結をしていたほうが，全体としての医療経費を抑えられる，という報告もある[7]。

　ただし，採卵自体の生体へのリスクもあるため，この「社会的適応」による卵子凍結保存について，日本産科婦人科学会は「推奨しない」とする見解を出しており，慎重な対応が必要と考える。

　また，筆者らの経験では卵子凍結の対象を34歳以下と若年に限った場合，がん以外の疾患の治療や，子宮内膜症などすでに卵巣機能が低下，さらには夫の疾患など，それ相応の理由をもつものが多く，単純に否定できない課題である。

（菊地　盤）

参考文献

1) Rienzi L, Cobo A, Paffoni A, et al : Consistent and predictable delivery rates after oocyte vitrification; an observational longitudinal cohort multicentric study. Hum Reprod 2012; 27: 1606-12.
2) The Practice Committees of the American Society for Reproductive Medicine and the Society for Assisted Reproductive Technology : Mature oocyte cryopreservation: a guideline. Fertil Steril 2013; 99: 37-43.
3) ESHRE Task Force on Ehtics and Law; Dondorp W, de Wert G, Pennings G, et al : Oocyte cryopreservation for age-related fertility loss. Hum Reprod 2012; 27: 1231-7.
4) Donnez J, Dolmans MM, Demylle D, et al : Livebirth after orthotopic transplantation of cryopreserved ovarian tissue. Lancet 2004; 364: 1405-10.
5) Kikuchi I, Kagawa N, Silber S, et al : Oophorectomy for Fertility Preservation via Reduced-Port Laparoscopic Surgery. Surg Innov 2013; 20: 219-24.
6) Cobo A, García-Velasco JA : Why all women should freeze their eggs. Curr Opin Obstet Gynecol 2016; 28: 206-10.
7) Devine K, Mumford SL, Goldman KN, et al : Baby budgeting: oocyte cryopreservation in women delaying reproduction can reduce cost per live birth. Fertil Steril 2015; 103: 1446-53.

着床前診断と出生前診断

Q&A

Q1
着床前診断および着床前スクリーニングは，どのような疾患が対象になるのでしょうか？

A1 着床前診断（PGT-M, PGT-SR）は，重篤な遺伝性疾患児を出産する可能性のある，遺伝子ならびに染色体異常を有する場合，あるいはカップルのどちらかの染色体構造異常が原因と考えられる不育症を対象としています。
着床前スクリーニング（PGT-A）は，主に反復体外受精，胚移植不成功例もしくは原因不明の不育症が対象となります。

Q2
出生前診断には，どのような検査があるのでしょうか？

A2 出生前診断には，確定的検査と非確定的検査（スクリーニング検査）の2種類があります。確定的検査とは，絨毛検査や羊水検査などの胎児由来の成分から直接染色体，または遺伝子の異常の有無を調べるものです。非確定的検査は，血清マーカーテスト（クアトロテスト）や，母体血を用いた無侵襲的出生前遺伝学的検査（NIPT）などの母体血の成分から胎児染色体異常の確率を算出するものです。

Q3

確定的検査と非確定的検査には，どのような長所と短所がありますか？

確定的検査は，絨毛や羊水といった胎児成分を検体とする検査であるため，ほぼ100％の確率で染色体異常がわかるという長所がある一方，検査に伴う流産を合併する可能性があるという短所があります。

非確定的検査は，母体血を検体とする検査であるため，確定的検査に比べ，非侵襲的な検査であるという長所がある一方，確定診断ではないこと，対象となる染色体異常が特定の染色体に限られるという短所があります。

Exposition

着床前診断および着床前スクリーニングは，生殖補助技術を基本とする手技であるが，その適応は限られている。一方，妊娠初期のスクリーニングとして行われる出生前診断も多岐に及んでいる。実際の患者の質問例に沿って，着床前診断と出生前診断の実際について検討する。

Q1：着床前診断および着床前スクリーニングは，どのような疾患が対象になるのでしょうか？

着床前診断（PGT-M，PGT-SR）は，日本産科婦人科学会の会告で，「重篤な遺伝性疾患児を出産する可能性のある，遺伝子ならびに染色体異常を保因する場合あるいは均衡型染色体構造異常に起因すると考えられる不育症を対象とする」としている[1]。

「重篤な遺伝性疾患児」の定義は，成人に達する以前に日常生活を著しく損なう症状が出現するか，または生存が危ぶまれる状態になる疾患とされている[2]。これまでに，わが国でPGT-Mを実施認可されたと報告された遺伝性疾患は，表1に示す原因遺伝子が特定されている単一遺伝子疾患であり[3]，その多くは神経筋疾患であった。

着床前診断（PGT-M）
preimplantation genetic Test for monogenic gene defect P

着床前診断（PGT-SR）
preimplantation genetic Test for structural rearrangements

➡「着床前診断（PGT-A, PGT-SR）」（p.208）参照
➡「単一遺伝子疾患の着床前診断（PGT-M）」（p.220）参照

表1　着床前診断が施行された単一遺伝子疾患

グループ	疾患名
神経筋疾患	Duchenne型筋ジストロフィー
	筋強直性ジストロフィー
	副腎白質ジストロフィー
	Leigh脳症
	福山型先天性筋ジストロフィー
	脊髄性筋萎縮症
	Pelizaeus-Merbacher症候群
	先天性ミオパチー
骨結合織皮膚疾患	骨形成不全II型
	成熟遅延骨異形成症
	拘束性皮膚障害
代謝性疾患	オルニチントランスカルバミラーゼ欠損症
	ピルビン酸脱水素酵素複合体欠損症
	5,10-Methylenetetrahydrofolate reductase欠損症
	Lesch-Nyhan症候群
	ムコ多糖症II型（Hunter症候群）
	グルタル酸尿症II型

不育症の原因となるカップルの均衡型染色体構造異常は，均衡型相互転座やRobertson転座などがあり，流産率の低下と妊娠継続率の向上を目的とするPGT-SRの対象となる。

これらに対しPGT-MもしくはPGT-SRを実施する場合，日本産科婦人科学会倫理委員会の実施施設承認を得たのちに症例を学会に申請し，承認が得られたのちに施設内倫理委員会で倫理審査を行うという流れになっている。

症例を学会に申請する場合は，あらかじめ実施施設と第三者機関の臨床遺伝専門医（日本人類遺伝学会および日本遺伝カウンセリング学会が認定）による遺伝カウンセリングを実施したことが必要となる。

また，PGT施行後は実施施設が遺伝子・染色体解析データのすべてを受け取り，遺伝子（染色体）解析の専門家が判断，解釈を加えたのちに実施施設の医師がPGTを希望した夫婦に解析結果を情報提供し，改めて適切な遺伝カウンセリングを行ったうえで胚移植を行うこととなる。

着床前スクリーニング（PGT-A）は，反復体外受精・胚移植不成功例と原因不明不育症（反復流産）例に対し，PGTの技術を用いて数的異常胚をスクリーニングする方法である。現在，日本産科婦人科学会の特別臨床研究として行われている。

着床前スクリーニング（PGT-A）
preimplantation genetic Test for aneuploidy

Q2：出生前診断には，どのような検査があるのでしょうか？

わが国で実施されている出生前診断の概要を図1に示す。出生前診断のための検査法には，ほぼ確実に胎児疾患を診断できる確定的検査と，あくまで胎児疾患の可能性の高さを推測する非確定的検査がある。超音波によるスクリーニングは，非確定的検査（ソフトマーカーを用いた検査）にも確定的検査にもなりうる特徴がある[4]。

図1 わが国で実施されている出生前診断の概要

```
                    出生前遺伝学的検査の希望の有無
                    ┌──────────────┴──────────────┐
                   あり                           なし
         ┌──────────┴──────────┐         ┌──────────┴──────────┐
      確定的検査           非確定的検査    超音波スクリーニング    妊婦健診
                        （スクリーニング検査）
     ┌────┴────┐        ┌──────┴──────┐              │
  妊娠10～13週  妊娠15週以降  母体血を用いた胎児  血清マーカーテスト   妊娠10～13週
                         染色体検査（NIPT）  （クアトロテスト）
  絨毛検査（CVS） 羊水検査                              胎児後頸部浮腫（NT）計測
```

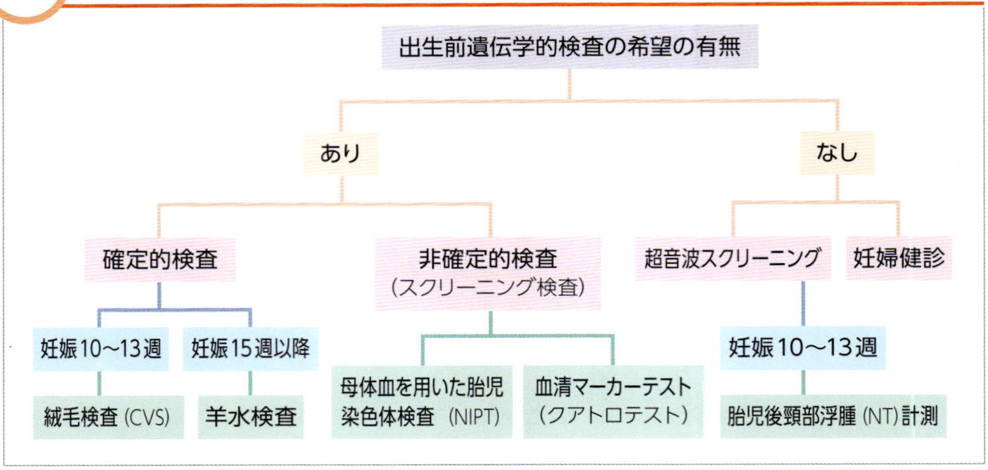

確定的検査

絨毛検査と羊水検査の特徴を**表2**に示す。

絨毛検査（CVS）

経腹または経腟超音波下に絨毛を採取し，染色体分析を行う方法である。妊娠10週以降で可能となるが，妊娠11週未満に実施した群では，それ以降に実施した群と比較して，四肢欠損などの胎児形態異常の発症率が有意に上昇するとの報告[5]があり，妊娠11週以降の実施が推奨されている。

絨毛検査（CVS）
chorionic villus samplings

羊水検査

妊娠14週以前に実施した群では，それ以降に実施した群と比較して，四肢彎曲などの胎児形態異常の発症率や流産率が有意に上昇するため，妊娠15～16週以降に行う。

非確定的検査

無侵襲的出生前遺伝学的検査（NIPT）

母体血を用いたNIPTは，胎児由来のcell-free DNA断片量が上昇する妊娠10週以降に実施可能となる。NIPT実施前には遺伝カウンセリングが不可欠であり，現在，わが国では日本医学会が認可した施設において原則行われている。

NIPTの対象となる妊婦を**表3**に示す[6]。

無侵襲的出生前遺伝学的検査（NIPT）
noninvasive prenatal genetic testing

血清マーカーテスト（クアトロテスト）

妊娠15週以降に行われる。血清マーカーテストとは，妊婦の血清中に含まれるα-フェトプロテイン（AFP），ヒト絨毛性ゴナドトロピン（hCG），非結合型エストリオール（uE3），インヒビンA（Inhibin A）の4つの成分を測定し，胎児の18トリソミー・21トリソミー・開放性神経管奇形のリスクを評価する検査である。

α-フェトプロテイン（AFP）
alpha fetoprotein

ヒト絨毛性ゴナドトロピン（hCG）
human chorionic gonadotropin

表2　絨毛検査と羊水検査の特徴

	絨毛検査（CVS）	羊水検査
検査時期	妊娠10～13週	妊娠15週以降
手法	経腟法または経腹法	経腹法
流産リスク	0.5～1.0%	0.2～0.3%
その他のリスク	モザイク：<1% 母体細胞混入：<1% 出血や腹痛：15%	モザイク：<0.2% 羊水漏出：1.7%
検出率（ダウン症候群）	98～99%	99.9%

表3　NIPTの対象となる妊婦

母体血を用いた新しい出生前遺伝学的検査を希望する妊婦のうち，次の1〜5のいずれかに該当する者。

1. 胎児超音波検査で，胎児が染色体数的異常を有する可能性が示唆された者。
2. 母体血清マーカー検査で，胎児が染色体数的異常を有する可能性が示唆された者。
3. 染色体数的異常を有する児を妊娠した既往のある者。
4. 高齢妊娠の者。
5. 両親のいずれかが均衡型Robertson転座を有していて，胎児が13トリソミーまたは21トリソミーとなる可能性が示唆される者。

（文献6）より引用）

胎児後頭部浮腫（NT）計測

超音波検査によるNT計測は，胎児矢状断面の胎児頸部皮下貯留液最大幅を計測することで，妊娠11週0日〜13週6日に行われる。NT計測は，英国のFetal Medicine Foundation（FMF）や，米国のNuchal Translucency Quality Review（NTQR）の認定資格者により，十分な遺伝カウンセリングとともに行うのが望ましいとされる。

NT値と疾患の関連について考慮する場合は，正しい条件下で計測されていることが重要である。画像内に胎児頭部と胸郭上部のみが描出される程度までに拡大した画像上での測定が推奨される[7]。

染色体異常児の約70％がNT値≧95パーセンタイル値を示す。95パーセンタイル値は，妊娠11週で2.1mmから妊娠13週で2.7mmへと増大する。また，週数に関連なく99パーセンタイル値は3.5mmである[8]。

非確定的検査およびNT計測で陽性と診断された場合は，確定診断のため羊水検査（場合によっては絨毛検査）が必要である。

胎児後頭部浮腫（NT）
nuchal translucency

Q3：確定的検査と非確定的検査には，どのような長所と短所がありますか？

確定的検査と非確定的検査の長所と短所を**表4**に示す。

確定的検査の長所・短所

確定的検査は絨毛や羊水といった胎児成分を検査するため，ほぼ100％の確率で染色体異常がわかるという長所を有する一方，検査に伴う流産を合併するかもしれないという短所がある。

非確定的検査の長所・短所

非確定的検査は，母体血を検体とする検査のため，非侵襲的な検査であるが，

確定診断ではないこと，対象となる染色体異常が特定の染色体に限られるという短所がある．NT計測は，**非侵襲的な検査で簡便**であるが，**検査者によって精度が異なり，発見率が異なる**という短所を有する．

表4　確定的検査と非確定的検査の長所と短所

		長所	短所
非確定的検査	無侵襲的出生前遺伝学的検査（NIPT）	・確定的検査に比べ，非侵襲的な検査である ・妊娠10週から実施可能 ・検査感度が99％と高い	・確定診断ではない ・検査を受ける対象が限られる ・対象となる染色体異常は，13・18・21トリソミーのみ
	血清マーカーテスト（クアトロテスト）	・確定的検査に比べ，非侵襲的な検査である ・胎児二分脊椎の診断につながる可能性がある ・対象が特定されていない	・確定診断ではない ・検査感度は81％とNIPTに劣る ・対象となる染色体異常は18・21トリソミーのみ
	NT計測	・胎児に対して非侵襲的な検査である	・検査者によって発見率が異なる ・発見率は決して高くない
確定的検査	絨毛検査	・早い週数に検査が可能である ・ほぼ100％の確率で，染色体異常がわかる	・羊水検査に比べ，手技が困難である ・胎盤限局性モザイクを約1％に認める ・検査に伴う流産率が約1％存在する
	羊水検査	・絨毛検査に比べ，手技が容易である ・ほぼ100％の確率で，染色体異常がわかる	・検査に伴う流産率が約0.3〜0.5％存在する

（伊熊慎一郎，黒田恵司）

参考文献

1) 日本産科婦人科学会倫理委員会：「着床前診断」に関する見解．日産婦誌 2018; 70: 1584-85.
2) 中岡義晴：着床前診断の進歩．産と婦2016; 83: 802-9.
3) 日本産科婦人科学会：倫理委員会　着床前診断に関する審査小委員会報告．日産婦誌 2017; 69: 1916-20.
4) 日本産科婦人科学会/日本産婦人科医会：CQ106-1妊娠初期・中期に胎児の異常が心配と相談があった場合には？産婦人科診療ガイドライン—産科編 2020: 79-81.
5) Mastroiacovo P, Botto LD, Cavalcanti DP, et al：Limb anomalies following chorionic villi sampling: a registry based case-control study. Am J Med Genet 1992; 44: 854-64.
6) 日本産科婦人科学会倫理委員会：母体血を用いた出生前遺伝学的検査に関する指針．日産婦誌 2013; 65: 1218-25.
7) Salomon LJ, Alfirevic Z, Bilardo CM, et al：ISUOG practice guidelines: performance of first-trimester fetal ultrasound scan. Ultrasound Obstet Gynecol 2013; 41: 102-13.
8) Snijders RJM, Noble P, Sebire N, et al：UK multicenter project on assessment of risk of trisomy 21 by maternal age and fetal nucal-translucency thickness at 10-14 weeks of gestation. Lancet 1998; 351: 343-6.

第三者配偶子を用いた生殖医療

Q1

第三者配偶子を用いた生殖医療とは，どういうことですか？

A1 第三者配偶子すなわち，カップル以外の人から提供された精子または卵子で生殖医療を行うことです。配偶子は妊娠・出産するために必要ですが，生殖可能な年齢で存在しない，あるいは消失した場合，妊娠は絶対的に不可能となり，カップルの間に挙児を得られる唯一の治療法は，第三者配偶子を用いた生殖医療に限られます。

Q2

精子提供は，どのようなものでしょうか？

A2 無精子症の方です。男性の約100人に1人は無精子症といわれ，複数回の射出精液中に精子が認められません。精巣を切開して精子または精子細胞を採取する治療法（MD-TESE）で30〜40％の確率で精子が認められますが，精子が認められない場合は絶対不妊となり，第三者の精子提供，つまり非配偶者間人工授精（AID）が必要となります。

Q3

AIDを行う際の注意事項はありますか？

A3 提供者は，①プライバシー保護のため匿名であること，②身体的に明らかな異常がないこと，③本人および家系内に精神異常者がいないこと，これらが必須条件となります。同一提供者からの出生児は10名以内にするという規定もあります。また，エイズの報告以来，提供精子による感染被害を防ぐため精子は，凍結したものの使用が義務付けられています。

Q4

AIDを行う際のカウンセリングとは，どのようなものですか？

A4 カウンセリングでは，①実際の成功率が非常に低いこと，②生まれてくる児に出自（遺伝学的父親は別にいること）の告知が推奨されていること，これらを十分に説明します。②は「生まれてくる児の福祉を優先する」ことから，出自を知る権利が一般化されてきています。

Q5

精子提供者はどのような方ですか？

A5 AIDでは提供者のプライバシーを保護することが義務付けられているため，一切の情報を得ることはできません。ただし，感染症（B型・C型肝炎，HIV，梅毒，ATLA）が陰性，肉体的・精神的異常が認められない50歳未満の男性です。

Q6

精子バンクでAIDを受けることはできますか？

A6 日本には精子バンクは存在していませんでしたが，2021年に民間精子バンクのみらい生命研究所が獨協医科大学と協力して設立されました。また，デンマークに本社がある世界的な精子バンクCryosも日本にビジネスを展開しており，精子提供が行われていたといわれますが，これに関しては，まだ日本産科婦人科学会では正式に容認されていません。しかし，またこのAIDを取り締まる法律もありません。日本での精子バンクの設立に対し問題となる争点は，匿名か，顕名かです。もし顕名の場合には出自を知る権利を認めるかどうか，また第三者精子を用いた体外受精を認めるかどうか，これらの点については日本産科婦人科学会，日本生殖医学会でもガイドラインは出ておらず，現時点では正式に精子バンクでAIDを受けることは困難であるといわざるをえません。

Q7

AIDの臨床成績は，どのようなものでしょうか？

A7 AIDの臨床成績はエイズの報告以来，AIDの精子は全例凍結することが義務付けられました。そのため，融解後の運動率が急激に下がることから，妊娠率は従来の20％より3〜4％と急激に低下しています。

Q8

卵子提供とは，どのようなものですか？

A8 わが国での卵子提供が適応になる例は，卵巣形成不全や早発卵巣不全（早発閉経），卵巣摘出や放射線治療施行症例，体外受精の反復不成功例などがあります。厚生労働省は，政府としての卵子提供の見解は『提供者の情報を特定できない範囲内で公開することを条件に承認する』としていますが，2003年の部会案では『出自を知る権利を尊重し，提供者の情報は全面的開示』と変更になりました。原則は，提供者の匿名性と生まれてくる児の出自を知る権利の両者を認めています。これらは相反するものであり，今日まで提供者は一人も登録されていません。

Q9

国内で卵子提供を受けるには，どのような方法がありますか？

A9 被提供者の条件は，老化以外の原因で卵子提供以外では妊娠が不可能な戸籍上の夫婦に限られています。例えば，①40歳未満で閉経する早発卵巣機能不全，②手術で両側の卵巣を摘出された方，などが適応となります。体外受精6回以上の条件がなくなりました。提供者の条件は，20歳以上40歳未満の女性（未婚も可）となります。

Q10

海外での卵子提供は，どのようになっていますか？

A10 従来は米国，タイ，インドなどに代理店を介して各個人で交渉して渡航していました。2007年，台湾では人工生殖法という法案が発布され，国の管理下に卵子提供が認められたことにより，多くの方が台湾で治療を受けています。

Q11

台湾での卵子提供を受ける人が増えている理由は何ですか？

A11 国営であるため，治療内容の安全性が保障されている点です。費用面においても米国より安価で，主要施設では日本人スタッフが常勤し，また東京にもオフィスがあり，説明を聞くことができます。地理的に近いことも理由として挙げられます。

Q12

提供卵子を用いた体外受精の妊娠率は，どのくらいでしょうか？

A12 JISART（日本生殖補助医療標準化機関）における卵子提供は99件が承認され，出生児数は68人（双胎，第2子含む）となります（2022年6月末日現在）。諸外国の詳しいでデータは公表されていませんが，台湾での出産率は良好な成績を得ているように推測されます。

Exposition

　第三者の配偶子を用いた治療という点においては，精子提供も卵子提供も同様のものであるが，両者の内容は非常に異質なものとなる。

　どちらも遺伝学的に異なる親由来ではあるものの，子宮の中で10カ月間胎児が育つあいだに親子関係は認識されるという報告もある。そのため，卵子提供の場合は生まれてくる児と母との関係は非常に密接になり，たとえ出自を知ったとしても，その母子関係が崩れることはほとんどないと考えられている。今後，卵子提供はさらに広く行われる可能性があると予測される。

　一方，精子提供は卵子提供と違って父子関係が非常に菲薄で，自分の父親と思っていた人が遺伝的に他人の男性であると知った児の受けるダメージは非常に強く，その後の父子関係に大きな問題が生じることが報告されている。そのため，AIDの施行は慎重に検討する必要がある。

　第三者配偶子を用いた生殖医療に対し，養子縁組という制度がある（**表1**）。この制度は，「特別養子縁組」と「普通養子縁組」に大きく分けられている。普通養子縁組は施設で育った子どもを実子として，特別養子縁組は生まれて一週間以内の子どもを実子とする。現在，養子縁組を選択するカップルは，日本人では非常に少ないが，第三者の配偶子を用いた治療はわが国では困難なことから，今後は，養子縁組を希望される方が増える可能性も十分予想される。2021年度，日本産科婦人科学会は「第三者の配偶子を用いた体外受精を容認する見解」を国に申請しており，近い将来本治療が可能となる可能性がある。

表1　養子縁組と里親制度

		普通養子	特別養子	養育里親
実親	同意の必要性	不要（15歳未満であれば法定代理人が承諾）	必要	必要
	子どもとの親子関係	継続	終了	継続
養育者	年齢制限	成年	配偶者のいる成年で，夫婦どちらかが25歳以上	制限なし
	子どもとの親子関係	養親子関係（離縁しない限り一生続く）	実親子関係に準じた関係（原則的に一生続く）	子どもは実親の戸籍に入ったままで，養育者との戸籍上の親子関係は発生しない
	子どもの年齢制限	養育者よりも年上ではないこと	原則的に，特別養子縁組請求時に6歳未満であること	乳児〜18歳未満（子どもの年齢が満18歳以上で措置解除となり養育義務はなくなるが，20歳までは延長が可能）
	成立条件	当事者の合意と市区町村役場に届出をすることただし，未成年者を養子にする際には家庭裁判所の許可を得る必要がある	家庭裁判所の審判によって親子関係が形成された後に届出すること	児童相談所からの委託により養育関係が成立する

> 2019年親子法が制定されたが，わが国における第三者配偶子を用いた生殖医療はいまだ十分な法的整備がなされておらず，公的機関の管理も行えていない混沌とした状態が続いている。匿名性や出自を知る権利に対する見解も精子提供と卵子提供との両者で統一されておらず，体外受精においても，提供卵子では認められて提供精子では認められないという点も整合性がない。今後，日本産科婦人科学会，日本生殖医学会から国に申請し，法的整備を進めていく必要があると思われる。

Q1：第三者配偶子を用いた生殖医療とは，どういうことですか？

第三者配偶子を用いた生殖医療とは，第三者より提供された精子または卵子を用いた生殖医療である。わが国では，約60年前からAID（非配偶者間人工授精）が慶應義塾大学で行われてきた歴史がある。

Q2：精子提供は，どのような方が受けられますか？

夫以外の第三者より精子の提供を受けなければ妊娠できない医学的理由（夫に精子が存在しない場合，カップル間の体外受精によっても妊娠または出産に至らず，その原因が精子にあると医師が判断した場合，夫の異常精液所見の原因が染色体異常にあり，子への遺伝が危惧される場合）が認められることを要する。最近の男性不妊症治療の進化に伴い，顕微鏡下精巣内精子回収法（micro-TESE）または円形精子細胞注入法（round spermatid injection；ROSI）が臨床応用されることになり，そのニーズはかなり低下してきている。しかしながら，**micro-TESEで配偶子が認められない場合は，またAIDが唯一の治療法となる。**

Q3：AIDを行う際の注意事項はありますか？

AIDの条件は匿名性であること，同一の提供者から生まれた児の数は10名以内までとすること，エイズ，B型肝炎，C型肝炎，梅毒，ヒト成人T細胞リンパ球性白血病等の感染症がすべて陰性であること，遺伝性疾患がないことなどを適応条件とする。精子提供者の個人情報を守るため，出自を知る権利は認められていない。

AIDを希望するカップルには，**低い成功率，告知の問題，生まれてくる児の福祉などについてのカウンセリングが必要となる。**そのため，臨床心理士や

遺伝カウンセラーなどの非医師のカウンセリングも必要である。

Q4：AIDを行う際のカウンセリングとは，どのようなものですか？

　AIDのカウンセリングはカップル同席で行われる。大きな問題点は，以下のとおりである。

成功率，妊娠率が非常に低い

　従来は新鮮精液を使っていたが，エイズの報告以来，AIDの使用精液は一度凍結することが条件付けられたため，凍結融解後の精子の運動率が急激に低下したことにより，妊娠率が低下したと考えられる。

告知の問題

　AIDで生まれた児には，漠然とながら自分と父親がつながっていないという不安感があり，この不安感が児の発育に悪影響を及ぼしているであろうと推測された[1]。この点から，早期の告知を行うことが条件となった。

　しかしながら，出生児があまりに若い世代であれば，児がその内容を理解できず，かえって混乱を招くこともある。基本的には児自身が内容を理解し，他人に言ってよいことなのかどうか判断する年齢に至るまで待つべきであるという意見もある。告知後，多くの児はこれを受け入れるだろうということは推測されるが，なかには，この現実を受け入れられない児も出てくることも予想され，その児に対する対応は非常に困難である。

　この点から筆者の個人的な意見としては，養子も一つの選択肢として推奨している。AIDで生まれた子どもは戸籍上の提供者カップルの子供と異母兄弟姉妹となり，児同士が結婚すると近親結婚となる点について説明している。

Q5：精子提供者は，どのような方ですか？

　2021年にみらい生命研究所やデンマークのCryosなどが精子バンクを発足しているが，厚生労働省，日本産科婦人科学会などの了解のもとに行われている状況ではない。今後はやはり国または日本産科婦人科学会主導でこの問題は取り上げていくべきではないだろうか。筆者らの施設では顕微授精，体外受精で出産したカップルにお願いしている。血液検査，感染症の検査，年齢50歳未満，男性不妊症でない方に対して，カップル両方にお願いし，同意を得ている。精子提供は1回のみとし，提供者にも告知，妊娠率などについても説明している。

Q6：精子バンクで，AIDを受けることはできますか？

　現在のところ，AIDは日本産科婦人科学会に登録した施設のみで行われている．最近の傾向としては，わが国でのAIDは減少している．

Q7：AIDの臨床成績は，どのようなものでしょうか？

　AIDの成績は，日本産科婦人科学会が公開している2013年のデータでは，妊娠率はAID 3,876周期に対して184妊娠で約4.7％と低い妊娠率である．妊娠後流産などの転帰となった周期もあり，生産率は約2.8％（107/3,876）とさらに低下する．原因は，凍結精子の使用が義務付けられているため，融解時に運動性などが低下することが考えられる．筆者らの施設のデータ（2014年）は，AID周期数116例，妊娠数3例（3％），生産率2％（2/116）である．
　AIDは匿名性が原則である．エイズの報告以来，現在は使用する精子はすべて凍結することが義務付けられているため，その成功率は3～4％と非常に低下している．また，10年ほど前に始まった卵子提供が顕名性となっているため，両者の間での整合性が取れず，わが国の第三者配偶子を用いた治療の大きなジレンマとなっている．

Q8：卵子提供とは，どのようなものですか？

　2000年，当時の厚生省は委員会案として個人を特定しない範囲内での個人情報の開示を条件として卵子提供を認めた．しかし，2003年の厚生労働省の生殖補助医療部会では個人を特定する情報の全面開示に訂正された．それ以降，卵子の提供者は一人も認められていない．

卵子提供の条件

　第三者より卵子の提供を受けなければ妊娠できない医学的理由（卵子が認められない場合，カップル間の体外受精によっても妊娠または出産に至らず，その原因が卵子にあると医師が判断した場合）が認められる者であることを要する．
　ただし，加齢（妻の年齢が50歳までであることを目安）により妊娠できないカップルであることを必要とするが，この点の具体的な判定は医師の裁量により判断する．

卵子提供における個人情報開示

　卵子提供に関しては，各種団体から異なった意見が提出されている．表2に示されているように，このなかで個人を特定しない範囲での個人情報の開示を認めている組織は，日本生殖医学会倫理委員会（2009年案）と厚生省専門委員

表2 生殖補助医療に関する主な団体・政府委員会の主張

	日本産科婦人科学会	日本弁護士連合会「提言」(2000年)「補充提言」(2007年)	厚生労働省専門委員会報告書(2000年)	厚生労働省生殖補助医療部会報告書(2003年)	JISART(2008年)	日本生殖医学会倫理委員会(2020年)
依頼者	(以下は2006年会告) ●非配偶者間人工授精は法律婚の夫婦 ●体外受精・胚移植は事実婚も含む夫婦	事実婚も含む夫婦	法律婚の夫婦に限定	法律婚の夫婦に限定	法律婚の夫婦に限定	法律婚の夫婦に限定
胚提供	胚提供は不可(2004年会告)	胚提供は不可	胚提供は不可	余剰胚のみ提供可	対象外	触れず
提供の対価配偶子	営利目的の提供・斡旋禁止(2006年会告)	無償提供(実費相当分は認める)	無償提供(実費相当分は認める)	無償提供(実費相当分は認める)	無償提供(実費相当分は認める)	無償提供(実費相当分は認める)
兄弟・姉妹からの提供	認めない(2003年倫理委員会答申)	(規定なし)	認める	当分の間,認めない	原則匿名,認める	原則匿名,認める
子供の出自を知る権利	精子提供は匿名による(2006年会告)	個人を特定する情報の開示認める	個人を特定しない情報のみ開示認める	個人を特定する情報の開示認める	個人を特定する情報の開示認める	個人を特定しない情報のみ開示認める

会報告書(2000年)であり,ほかの施設はすべて個人を特定する情報の開示を必要としている。

　JISART(日本生殖補助医療標準化機関)では卵子提供を行った場合は,なるべく早い時期に,児に対し遺伝学的上の母親が違うということを告知することを必要としている。さらに,15歳になった時点で子どもに遺伝学上の母親を知る権利が与えられ,希望した場合は個人を特定し,知ることができるとしている。

　2013年に民間のNPO法人OD-NETが開設された。内容はJISARTとほぼ同様であるが,ドナーを広く世間に求めた点が異なる。しかしながら,匿名性と出自を知る権利という相反する事項を認めている点が,国内における卵子提供の受容を妨げている可能性がある。

　2006年,JISARTはこのような状況に対し,卵子提供者を原則匿名としながらも,提供者がいない場合には友人・親族からの提供,すなわち顕名による提供を認めた(図1)。日本産科婦人科学会としての見解は,特に述べられていない。

Q9：国内で卵子提供を受けるには,どのような方法がありますか？

　わが国では卵子提供は正式には認められていないが,実際には2つの組織「JISART」と「OD-NET」で行われている。

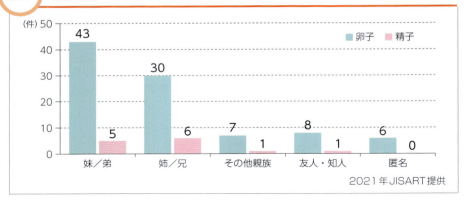

図1 「提供者」の被提供者との関係（2007〜2021年）

2021年JISART提供

JISART

JISART（Japanese Institution for Standardizing Assisted Reproductive Technology；日本生殖補助医療標準化機関）とは，不妊治療を専門とするクリニックによって結成された一般社団法人であり，2003年3月，カップルに「安心と安全と満足を実感して頂ける生殖医療を提供する」という崇高な理念のもと設立された。JISARTには独立した倫理委員会があり，この倫理委員会は，審査の結果，承認された症例に関しては，姉妹間，友人間，すなわち顕名で行うことができる（https://jisart.jp/）。

OD-NET

もう一つは，民間団体のOD-NET（Oocyte Donation NETwork；卵子提供登録支援団体）である。OD-NETとは，母親になりたい！と妊娠・出産を望んでも，通常の治療での妊娠は困難な女性達のために，卵子を提供する女性を募り，協力施設（不妊専門クリニック）で提供卵子による体外受精が実施できるように支援する団体である。この団体は，若くして卵巣機能が低下した当事者の望みを代弁する家族が中心となり，小児科医・不妊専門医・法律家・心理カウンセラーの協力を得て，組織されたものである（http://od-net.jp/）。

適応

被提供者の条件は，「老化以外の原因で卵子提供以外では妊娠が不可能な方」のみに限られている。

JISARTでは，まずJISART加盟施設内で卵子提供を実施している施設に申請する。JISART倫理委員会のガイドラインに則り倫理委員会が開かれ，承認されれば卵子提供は可能となる（表3）。しかし，卵子提供の承認はいまだ治療を希望される全体の10％も満たしておらず，社会的に普及した治療とは言いがたい状況である。そのため，現在は卵子提供を求めて海外に渡航される方が増えている。

晩婚化に伴う不妊治療の受診者の平均年齢は40歳となり，高齢による成功

表3　JISART倫理委員会による卵子提供の臨床実施容認および出産に至る経緯

時期	内容
2006年2月	初診
2006年8月	早発閉経（POF）と診断
2006年9〜10月	家族と2回カウンセリング（卵子提供について）
2006年10月	臨床心理士によるカウンセリング
2006年11月	JISART倫理委員会へ卵子提供実施の申請
2007年2月	・JISART倫理委員会による関係者のヒアリング ・JISART倫理委員会によるパートナーへの追加ヒアリング
2007年4月	・JISART倫理委員会　容認 ・JISART理事会　容認
2008年3月	臨床実施
2009年1月	正常出産

率は極端に減っている．現在，ARTの施行周期数が増えたにもかかわらず，出生数が減少しているのはこの点が一つの原因と考えられる．

今後，さらにこの傾向が強くなり，卵子提供のニーズは高まっていくと推測され，国内での卵子提供が可能になるための法の整備が期待される．

Q10：海外での卵子提供は，どのようになっていますか？

海外での卵子提供は今までは米国が中心であり，ホームページでの応募，治療が可能であった．タイやインドでも可能と報道されてはいるが詳細はわからないのが現状である．2007年台湾で人工生殖法という法律が発表され，国の管理下にて卵子提供を認められたことより，台湾での卵子提供は急増している．

Q11：台湾での卵子提供を受ける人が増えている理由は何ですか？

第一は法律のもとに卵子提供が国営として行われている点である．すなわち，提供者の安全性，医療施設に対する国の保証などがすべて国の統括下で行われているため，患者にとっても，患者を紹介する医療者にとっても非常に安心できる点が，台湾で卵子提供が増えている要因と考えられる．また，日本語が通じること，距離が近いこと，費用が安い点なども理由と考えられる．

しかし，提供者は台湾人であって日本人ではないという短所もある．本人が日本人からの提供を希望するのであれば，自身で日本人を連れて行けば可能であるが，大半の方は台湾人の卵子を使った卵子提供を行っているのが現状である．また，台湾では出自を知る権利は認められていない．

4カ国における卵子提供の現状を表4に示す．

表4 4カ国における卵子提供の現状

	台湾	タイ	米国	日本
法整備	あり	なし	なし	なし
運営	国営	私営	私営	法人営
出自を知る権利	認めない	認めない	一部認める(個人を特定できない範囲の情報)	認める(15歳以上の希望児)
ドナーの条件	・匿名 ・有償 ・20〜30歳	・匿名 ・有償 ・20〜30歳	・匿名 ・有償 ・20〜30歳	・匿名(顕名を認める) ・無償 ・結婚歴を有する 　20〜40歳
レシピエントの条件	・早発・自然閉経 ・卵巣摘出など	・早発・自然閉経 ・卵巣摘出など	・早発・自然閉経 ・卵巣摘出など	・早発閉経 ・加齢が原因でないなど
ドナーの選択方法	病院側で,希望に合うよう選択	パンフレットで選択	パンフレットで選択	自身で探索(姉妹や友人)
1回の治療費用	100万〜200万円	200万〜300万円	500万以上	100万円程度

表5 台湾台北宏孕(ホンジ)生殖医学センターの卵子提供における日本人患者の治療成績(2014〜2019年)

クリニック患者数	1,902
日本人患者数 (n)	735
移植患者数	690
2014年	17
2015年	37
2016年	145
2017年	209
2018年	181
2019年	145
移植前(治療待機)患者数 (n)	62(45+余剰胚17)
妊娠数 (n)	615
出産	559
流産	40
異所性妊娠	3
死産	0
妊娠継続中	0
妊娠判定待ち	0
非妊娠数(妊娠せず) (n)	58
妊娠率 (%)	／
妊娠数／移植周期数	65.63%(615/937)
妊娠数／移植患者数	89.13%(615/690)
出産および妊娠継続中／移植周期数	59.66%(559/937)
出産および妊娠継続中／移植患者数	81.01%(559/690)

(宏孕ARTクリニックより提供)

表6 コウノトリ日本人治療成績（2015～2021年）

以下は当院のORの統計結果（※統計区間：2015.1.1～2021.12.31）			
当院の総治療数	2,728人 11,857例	※2019年台湾国民健康署の統計による卵子提供の総治療数 ＝3,754例 （2021年6月公告）	

以下は当院の日本人患者の統計結果（※統計区間：2015.1.1～2021.12.31）　※2018年以降は凍結卵のみ

	日本人患者全体		
卵子提供申請日本人数	366		
移植を受けた日本人数	319		
移植回数	507		
臨床妊娠人数	230		
臨床妊娠回数	302		
出産人数	243		※二人目の方も含める。
出生児数	280		※二人目の方も含める。
流産人数	50		
流産回数	58		
平均胚移植個数	1.4		
平均患者年齢	43.3		※早発閉経の方も含める。
累計臨床妊娠率	72.1%	(230/319)	
臨床妊娠率	59.6%	(302/507)	
累計出産率	76.2%	(243/319)	※予定日は2021.12.31までの方。
出産率	47.9%	(243/507)	※予定日は2021.12.31までの方。
累計流産率	15.7%	(50/319)	
流産率	11.4%	(58/507)	

累計臨床妊娠率：胎嚢を確認された人数/移植した人数　　臨床妊娠率：胎嚢を確認された回数/移植回数
累計出産率：出産人数/移植した人数　　　　　　　　　　出産率：出産回数/移植回数
累計流産率：胎嚢確認できて心拍確認できず人数/移植した人数　　流産率：胎嚢確認できて心拍確認できず回数/移植回数

Q12：提供卵子を用いた体外受精の妊娠率は，どのくらいでしょうか？

　JISARTでは現在までの出生児数はウェブサイトに掲載しているが，妊娠率は出していない（https://jisart.jp/about/external/proven/）。
　筆者らの施設における妊娠率は34.2%（50/146）である（2022年6月現在）。台湾の宏孕ARTクリニック，送子鳥（コウノトリ）生殖医療センターにおける治療成績は，それぞれ以下のとおりである（**表5, 6**）。

（田中　温）

参考文献
1）才村真理：生殖補助医療で生まれた子どもの出自を知る権利. 福村出版，東京，2008.

Index 索引

和文

あ

亜鉛	300
アシステッド・ハッチング	172, 234, 296, 435
アポトーシス	93
アロマターゼ阻害薬	132, 270, 403
アンドロゲン	29, 40

い

移植胚数	198
異所性妊娠	305, 308
一次卵胞	38
一次卵母細胞	39
一般不妊治療管理料	233
遺伝カウンセリング	480
遺伝形式異常	221
遺伝子異常	221

う・え

ウルトラショートフィードバック	30
運動	86
栄養	7
栄養外胚葉	208
―生検	339
エストラジオール	30, 40
エストロゲン	30, 33, 40, 136, 155, 413
円形精子細胞注入法（ROSI）	445, 490

お

黄体化ホルモン（LH）	28, 124, 354
黄体機能不全	187
黄体補充	139, 187
黄体ホルモン	33, 124
温度管理	168

か

カウフマン療法	283
カウンセリング（AID）	485
カウンセリング（PGT-A）	217
カウンセリング（PGT-M）	222
化学療法	24
確定的検査	94, 480
下垂体	28
―腺腫	136
仮想累積妊娠率	150
カテーテル	193
カフェイン	470
カベルゴリン	136, 159
ガラス化凍結法	201, 204
顆粒膜細胞	27
カルシウムイオノフォア	292
カルシウムオシレーション	291, 452
がん生殖	201, 204, 474
漢方製剤	438, 442
緩慢凍結法	201

き

器質性疾患	53
喫煙	470
凝固抑制因子	463
莢膜細胞	27
局所麻酔	162
筋緊張性ジストロフィー	224
均衡型相互転座	69, 76, 111, 480
筋層内筋腫	246, 392
禁欲期間	438, 441

く

クアトロテスト	481
クエン酸クロミフェン	127, 132, 266, 358
グラーフ細胞	29
クラインフェルター症候群	59, 302, 449
クラミジア	304
クロミフェン	230, 270, 403, 405, 442
―連続投与法	158
クロミフェン-エストロゲン連続投与法	413
クロルマジノン	140

け

頸管粘液不適合	144
形質細胞	313
経腟超音波検査	261
軽度乏精子症	144
月経周期	34
血栓性素因	69, 75, 296, 331, 432, 461
血清マーカーテスト	481
血中エストラジオール値	40, 157
血中ホルモン検査	124
血流遮断	388
原因不明不育症	70, 71, 77, 188, 313, 345, 466
原因不明不妊症	54, 144, 147, 289, 423
原始卵胞	38, 92
顕微鏡下精巣内精子採取術（micro TESE）	56, 60, 171, 302, 442, 445, 490
顕微鏡下低位結紮術	300

顕微授精 56, 171

こ

抗TSH受容体抗体 326
高温相 36
高額療養費制度 235
高血圧 11, 101
膠原病 104
抗酸化サプリメント 300
甲状腺機能異常 11, 69, 104, 305, 323
甲状腺機能亢進症 326
甲状腺機能低下症 136, 295, 325, 433, 434
　潜在性— 69, 295, 324, 455
甲状腺刺激ホルモン (TSH) 69, 457
甲状腺ペルオキシダーゼ抗体 324, 458
高濃度ヒアルロン酸含有培養液 234
高プロラクチン血症 136
抗ミュラー管ホルモン (AMH) 17, 19, 23, 70, 85, 119, 230, 239, 272, 356, 392, 399
高卵巣刺激 156, 159, 236
抗リン脂質抗体症候群 69, 75, 334, 462, 464
骨盤MRI検査 263
ゴナールエフ 133
ゴナドトロピン 27, 40
　—療法 300, 442
ゴナドトロピン放出ホルモン (GnRH) 28

さ

採卵 162
サイログロブリン抗体 (Tg-Ab) 326
サプリメント 438

し

弛緩出血 401
子宮鏡 121
　—検査 261, 426, 432, 434
　—手術 294, 433
子宮筋腫 4, 99, 245, 362, 374, 390
　—核出術 245, 385, 390
子宮腔癒着症 367, 371
子宮頸癌 4, 100
子宮形態異常 75, 318
子宮腺筋症 240, 252, 255, 376, 396
　—摘出術 256, 401
子宮内細菌叢 293, 431
　—培養検査 237, 296, 315, 431
子宮内膜 21, 33
　—細胞診 263
　—スクラッチ 237, 293, 435

子宮内膜症 4, 147, 238, 291, 304, 310, 363, 378, 396, 419, 426
子宮内膜脱落膜化 188, 312, 347, 348, 469
子宮内膜ポリープ 260, 314, 367, 369, 426, 432, 433
子宮粘膜下筋腫 260, 367, 369
子宮破裂 256, 386
子宮卵管造影検査 (HSG) 68, 263, 305, 329, 419, 458
自己免疫疾患 11
視床下部 28, 131
自然周期 125, 198, 236
ジドロゲステロン 140, 232
シプロフロキサシン 314, 433
社会的卵子凍結 475
習慣流産 62, 67, 345
周産期死亡 326
絨毛検査 (CVS) 97, 481
絨毛染色体検査 78, 345, 349, 468, 470
受精 41, 291
受精確認 167
受精障害 45, 289, 425
術後癒着 362
出自を知る権利 487
出生前診断 477, 480
常位胎盤早期剥離 326, 458
消化器疾患 103
漿膜下筋腫 246, 392
静脈麻酔 162
ショートフィードバック 30
食事 83
人工授精 (AIH) 119
新鮮胚移植 156, 197
浸透圧管理 168
深部静脈血栓症 464

す

ステロイドホルモン 31
ストレス 70, 188, 347, 470

せ

精管精管吻合術 302
精管精巣上体吻合術 302
性機能障害 45, 57, 439
性交障害 144
精索静脈瘤 56, 59, 438, 442
精子提供 490
精子バンク 492
精子無力症 144, 146
生殖補助医療 (ART) 95, 119, 146, 130, 150, 310

生殖補助医療管理料 234
成人発症型下垂体性性腺機能低下症 59
精巣上体精子回収法 448
精巣内精子採取術（TESE） 235, 302, 438
成長ホルモン 284
精路障害 45
精路通過障害 57
前期破水 401
染色体異常 69, 208, 337
染色体数的異常 76, 110
染色体構造異常 76, 110, 337, 479
先進医療制度 228
喘息 102
前置胎盤 254
先天性ゴナドトロピン単独欠損症 59
先天性心疾患 101
全胚凍結 295

そ

早産 326, 383, 401, 458
増殖期 33, 34, 42
造精機能障害 56, 57, 299
早発卵巣不全（POI） 281, 410
ソノヒステログラフィー 261

た

第1度無月経 35
体外受精 52, 165
第三者配偶子 484
胎児発育不全（FGR） 7, 326, 376, 458
体重減少性無月経 275
第XIII因子 69
第2度無月経 35
胎盤異常 383
タイミング法 51, 119, 143, 148, 352
タイムラプス 168, 237
ダウン症候群 91, 94
タクロリムス 237, 295, 434
多血小板血漿（PRP） 293, 435
多嚢胞性卵巣症候群（PCOS） 19, 69, 130, 266
単一遺伝子疾患 479
単一排卵機構 39
男性因子 53

ち

腟内射精障害 57
着床 293
着床期 34
着床時期 293, 312, 348, 431

着床障害 246, 289, 293, 296, 313, 401, 425
着床前遺伝学的検査（PGT） 237
着床前診断（PGT-SR） 113, 479
着床前診断（PGT-M） 479
着床前スクリーニング（PGT-A） 113, 296, 340, 349, 431, 469
中隔子宮 68, 75
中卵巣刺激 236

て

帝王切開 375
帝王切開既往妊婦の経腟分娩（TOLAC） 387
提供卵子 21
低ゴナドトロピン性性腺機能低下症 275
低出生体重児 6
低用量アスピリン 296, 346, 470
低用量アスピリン／ヘパリン療法 335
低卵巣刺激法 156, 159
鉄 85
てんかん 105

と

凍結保護剤 203
凍結融解胚移植 197, 435
糖代謝異常 7
糖尿病 11
ドーパミン作動薬 136
ドキシサイクリン 314, 433

な

内因性LH 156, 157
内分泌異常 75
内分泌療法 300

に

二次卵胞 38
二段階胚移植 193, 199, 237
乳癌 4
妊娠期突発性腹腔内出血（SHiP） 240, 381
妊娠高血圧症候群 326, 458, 464
妊娠後合併症 254
妊娠率 150, 360
妊孕能 17

ね

ネガティブフィードバック 30, 130
粘膜下筋腫 246, 392

索引

年齢階層別子宮頸癌罹患率 ············· 4
年齢階層別乳癌罹患率 ··············· 5
年齢階層別労働力 ·················· 3
年齢別累積妊娠率 ················ 153

は

パーコール法 ··················· 144
配偶者間人工授精（AIH） ···· 52, 130, 143, 149, 352
肺血栓塞栓症 ··················· 464
媒精 ······················· 166
胚（受精卵）凍結 ··············· 26, 474
胚盤胞移植 ················· 295, 435
ハイブリダイセーション ············· 222
培養液 ··················· 167, 194
排卵時間 ····················· 125
排卵障害 ······················ 53
排卵誘起 ·················· 130, 155
排卵予測 ····················· 122
橋本病 ···················· 69, 326
バセドウ病 ···················· 326
汎下垂体性機能低下性小人症 ··········· 59
晩婚化 ························ 2
反復着床不全 ·········· 293, 296, 312, 427
反復流産 ······················ 62

ひ

ヒアルロン酸含有胚移植用細胞液 ···· 193, 199, 435
ピエゾICSI ···················· 181
ピエゾパルス ··················· 182
非確定的検査 ················· 94, 480
非ステロイド性消炎鎮痛薬（NSAID's） ···· 125
ビタミンD ··· 69, 85, 285, 295, 346, 432, 434, 469
ビタミン剤 ················· 438, 442
ヒト絨毛性ゴナドトロピン（hCG） ···· 325, 457
ヒト免疫グロブリン静注療法（IVIg） ······ 295
非内分泌療法 ··················· 299
非閉塞性無精子症 ··········· 56, 60, 444
肥満 ···················· 7, 82, 470
びまん性子宮腺筋症 ··············· 256
ヒューナーテスト ················· 53
病的バリアント ·················· 222

ふ

フィードバック ··················· 30
不育症 ··············· 67, 313, 345, 468
風疹 ························ 11
腹腔鏡下子宮筋腫核出術 ············ 362
腹腔鏡下卵巣多孔術（LOD） ·········· 271
腹腔鏡手術 ············· 420, 426, 434
不動化 ······················ 183
不妊スクリーニング ··········· 117, 289
ブライダルチェック ············ 57, 437
プレコンセプションケア ·············· 9
プロゲスチン ··············· 136, 156
プロゲスチン併用卵巣刺激法（PPOS） ···· 156
プロゲステロン
　　　　　　31, 33, 139, 187, 293, 347, 434, 469
プロテインC ···················· 69
プロテインS ················· 69, 463
　―欠乏症 ···················· 465
　―異常症 ···················· 334
プロピルチオウラシル ·············· 326
ブロモクリプチンメシル酸塩 ··········· 138
分泌期 ················· 33, 34, 42
分離法 ······················ 144

へ

平均初婚年齢 ···················· 3
閉経 ························ 92
閉塞性無精子症 ··············· 60, 444
ヘパリン療法 ··················· 346
ヘルパーT(Th)細胞 ············ 69, 295

ほ

傍頸管ブロック ·················· 162
放射線療法 ····················· 24
胞状卵胞 ················ 23, 24, 38
乏精子症 ··················· 58, 146
乏無力精子症 ················· 56, 58
保険外併用療養（混合診療） ··········· 229
保険診療 ····················· 228
保険適用 ····················· 228
ポジティブフィードバック ············ 30
ホルモン補充周期 ······· 139, 158, 187, 198

ま

マイクロバイオーム解析 ········ 293, 315, 431
マイクロマニピュレーター ············ 182
慢性甲状腺炎 ··················· 326
慢性子宮内膜炎 ·········· 259, 293, 304, 312, 346,
　　　　　　　　　　　　367, 371, 422, 426, 469

み・む・め・も

未受精卵凍結 ··················· 204
密度勾配法 ···················· 166
無月経 ······················ 35

無侵襲的出生前遺伝学的検査（NIPT） 481
無精子症 58, 235, 442
メタボリック症候群 58, 439
メチレンテトラヒドロ葉酸還元酵素（MTHFR）
..... 346, 469
メトホルミン 271
メドロキシプロゲステロン酢酸エステル 232
メトロニダゾール 314, 433
免疫グロブリン療法 346
免疫性不妊症 147
モザイク胚 212

や・ゆ・よ

やせ 82
癒着胎盤 386
葉酸 11, 85
羊水検査 97, 481

ら

ライゲーション 222
卵活性化 42, 291
　―障害 292
卵管因子 53
卵管開口術 421
卵管角部閉塞 305, 419
卵管機能障害 304, 425
卵管鏡下卵管形成術（FT） 308, 420
卵管鏡検査 306
卵管形成術 305
卵管采形成術 310
卵管周囲癒着 304, 419
卵管性不妊症 146
卵管切除術 308, 421
卵管切断術 308, 421
卵管通過性検査（HyCoSy） 306
卵管通色素検査 306, 419
卵管内穿刺吸引術 308, 421
卵管留水症 304, 420, 421
卵丘細胞 41
卵細胞質置換 93
卵細胞質内精子注入法（ICSI） 166, 171
卵子活性化 234
卵子形成 39
卵子提供 286
卵子凍結 474
卵子複合体（COC） 41
卵巣 29
卵巣過剰刺激症候群（OHSS）
..... 130, 136, 138, 232, 271
卵巣機能障害 414
卵巣機能低下 2
卵巣子宮内膜症性嚢胞 238, 396
卵巣腫瘍 99
卵巣組織凍結保存 205, 472
卵巣多孔術（LOD） 404, 407
卵巣内多血小板血漿（PRP） 413
卵巣嚢胞 381
　―摘出術 242, 397
　―の癌化 380
卵巣予備能 17, 23, 48, 119, 157, 239, 399
卵胞 37
卵胞刺激ホルモン 28, 124
卵胞ホルモン 33, 124
卵胞モニタリング 122

り・る・れ・ろ

流産 62, 67, 94, 305, 308, 326, 345, 401, 458, 468
累積自然妊娠率 152
レコベル 133
レスベラトロール 414
レトロゾール 128, 159, 230
レボチロキシン 69, 295, 434, 458
　―補充 324
老化卵子 210
老化卵巣機能回復法 286
ロングフィードバック 30

欧文・数字

A・B

AID 490
AIH 119, 130
anti-Mullerian hormone；AMH 17, 19, 23
antral follicle count；AFC 23, 24
ART 130
artifical insemination with husband's semen；AIH 52
Asherman症候群 367, 371
AYA 世代 205
AZF染色体微小欠失 445
BMI 82

索引

C・D

c-ICSI 174
c-IVF 165
CD138免疫染色 296, 313, 431, 469
DHEA 284
DOHaD 7, 11
Duchenne型筋ジストロフィー 222

E・F・G

endometrial receptivity analysis；ERA 237, 295, 431, 435
falloposcopy 307
FSH低用量漸増法 403
G-CSF 293, 435
GnRH 27
GnRHアゴニスト 134, 155, 256
GnRHアンタゴニスト 134, 155

H・I・J

hCG 134, 457
hMG/FSH製剤 133
HOMA(homeostatic model assessment) 269
ICSI 166, 171
implantation window 293, 312, 348
IMSI 237
in vitro fertilization；IVF 52
junctional zone 252

K・L・M

Kallmann症候群 275
Lactobacillus 314, 315
LHサージ 125, 354
LOD 407
micro-TESE 171
MLPA法 222
mock transfer 195

N

natural embryo selection 350
NIPT 97, 481
NK細胞 69, 295, 346, 432, 469
　―活性 434
nuchal translucency；NT 96, 482

O

OHSS 130, 155
　重症― 156
oncofertility 201, 204
OPTIMUM treatment strategy 296, 435

P

p-ICSI 181, 237
PCOS 130
PCR増幅 223
PGT-A 113, 208, 340
PGT-M 220
PGT-SR 113, 218, 338
pH管理 168
polypoid adenomyoma 255
premature ovarian insufficiency；POI 281, 410
progestin-primed ovarian stimulation；PPOS 141, 230

R

recombinant-FSH製剤 133
rescue-ICSI 167, 175
Robertson転座 76, 112

S

salpingoscopy 306, 307
SEET法 193, 199, 237
sequential media 167
single step medium 167
sperm factor 452
super-fertility 71, 350
surgery-ART hybrid therapy 232, 242, 248, 392, 399
swim-up法 166

T・Y

tender loving care 347
Th1/Th2細胞 295, 346, 432, 434, 469
Towako法 199
two cell two gonadotropin theory 30, 40
Y染色体微小欠失検査 235

改訂第2版	
データから考える 不妊症・不育症治療 希望に応える専門外来の診療指針	

2017年 3月31日　第1版第1刷発行
2021年 8月20日　　　　第5刷発行
2022年 8月10日　第2版第1刷発行

■編　集　黒田　恵司　くろだ　けいじ
　　　　　竹田　　省　たけだ　さとる
　　　　　田中　　温　たなか　あつし

■発行者　吉田　富生

■発行所　株式会社メジカルビュー社
　　　　　〒162-0845 東京都新宿区市谷本村町2-30
　　　　　電話　03(5228)2050(代表)
　　　　　ホームページ https://www.medicalview.co.jp/

　　　　　営業部　FAX 03(5228)2059
　　　　　　　　　E-mail　eigyo@medicalview.co.jp

　　　　　編集部　FAX 03(5228)2062
　　　　　　　　　E-mail　ed@medicalview.co.jp

■印刷所　シナノ印刷株式会社

ISBN978-4-7583-2142-6 C3047

© MEDICAL VIEW, 2022.　Printed in Japan

- 本書に掲載された著作物の複写・複製・転載・翻訳・データベースへの取り込みおよび送信（送信可能化権を含む）・上映・譲渡に関する許諾権は，(株)メジカルビュー社が保有しています．

- JCOPY〈出版者著作権管理機構 委託出版物〉
  本書の無断複写は著作権法上での例外を除き禁じられています．複写される場合は，そのつど事前に，出版者著作権管理機構（電話 03-5244-5088，FAX 03-5244-5089，e-mail：info@jcopy.or.jp）の許諾を得てください．

- 本書をコピー，スキャン，デジタルデータ化するなどの複製を無許諾で行う行為は，著作権法上での限られた例外（「私的使用のための複製」など）を除き禁じられています．大学，病院，企業などにおいて，研究活動，診察を含み業務上使用する目的で上記の行為を行うことは私的使用には該当せず違法です．また私的使用のためであっても，代行業者等の第三者に依頼して上記の行為を行うことは違法となります．